# Джон
# Ле КАРРЕ

# Джон ле КАРРЕ

## МАЛЕНЬКАЯ БАРАБАНЩИЦА

ЭКСМО

2002

УДК 820
ББК 84(4Вел)
Л 33

John LE CARRE
THE LITTLE DRUMMER GIRL
Copyright © 1983 by David Cornwell

Перевод с английского *Е. Осеневой* (гл. 1—11)
и *Т. Кудрявцевой* (гл. 12—27)

Серийное оформление художника *С. Курбатова*

Серия основана в 2001 году

**Ле Карре Дж.**

Л 33   Маленькая барабанщица: Роман. — М.: Изд-во Эксмо,
2002. — 544 с. (Серия «Persona grata»).

ISBN 5-699-00369-X

Главная героиня романа — Чарли, молодая талантливая актриса,
знакомится с офицером израильской разведки, который использует ее
в сложной многоходовой комбинации с целью поимки неуловимого
палестинского террориста. Очень скоро Чарли понимает, что у каждой из сторон этого многолетнего конфликта своя правда — кровавая,
экстремистская, отталкивающая, но правда...

УДК 820
ББК 84(4Вел)

ISBN 5-699-00369-X

# Часть 1

# ПОДГОТОВКА

# Глава 1

**П**одтверждением догадок — хоть германским властям это и было невдомек — послужило происшествие в Бад-Годесберге. Ранее существовали подозрения, и немалые. Но тщательная подготовка операции вкупе с невысоким качеством бомбы превратили подозрения в уверенность. Как утверждают знатоки, раньше или позже, но след непременно отыщется. Ожидание этого момента — вот что самое неприятное.

Взрыв запоздал, и запоздал значительно, — видимо, часов на двенадцать — и произошел в понедельник, в 8.26 утра. Время это подтверждалось и ручными часами некоторых жертв, остановившимися как раз в это мгновение. Как и в аналогичных случаях в предшествующие месяцы, никто не был предупрежден. Об этом и не думали. Предупреждения не было ни в Дюссельдорфе, перед тем как взорвалась машина заезжего израильского чиновника, ведавшего поставкой оружия, ни перед отправкой бомбы в книге, посланной на конгресс иудаистов в Антверпене, когда погиб почетный секретарь и его помощник получил смертельные ожоги. Не было предупреждения и перед взрывом бомбы, подложенной в мусорную урну возле входа в филиал израильского банка в Цюрихе, в результате чего покалечило двух прохожих. О готовяшейся акции предупредили лишь в стокгольмском случае, но, как выяснилось, последний взрыв к этой цепочке не имел никакого отношения.

Еще в 8.25 бад-годесбергская Дроссельштрассе являла собой обычную тенистую дипломатическую заводь, удаленную от политических треволнений Бонна настолько, насколько это возможно, когда находишься от них в пятнадцати минутах езды. Улица эта была новой, но обжитой, с сочной зеленью укромных садиков, удобными комнатами для прислуги над гаражами и прочными готическими решетками на бутылочного цвета оконных стеклах. Климат прирейнских областей по большей части теплый и влажный, и зелень здесь, как и количество дипломатических служб, разрастается быстро, со скоростью, почти не уступающей той, с какою немцы прокладывают дороги, и даже опережающей оперативность издания новых дорожных атласов. Поэтому многие фасады уже наполовину скрыты от глаз хвоей, которая по прошествии нескольких лет грозит превратить весь этот район в подобие дебрей из сказок братьев Гримм.

Некоторые дома здесь добросовестно воспроизводят национальный колорит. Так, резиденция норвежского посланника на углу Дроссельштрассе по-фермерски простыми очертаниями кирпичных красных стен живо напоминает жилище какого-нибудь биржевого маклера в пригородах Осло. У расположенного в противоположном конце этой улицы египетского консульства вид заброшенной александрийской виллы, знававшей лучшие времена, а из окон его постоянно, словно в схватке с жестоким североафриканским зноем, прикрытых ставнями, льются заунывные арабские напевы. Время действия — середина мая, и день, судя по легкому ветерку в ветвях цветущих деревьев и молодой листве, обещал быть великолепным. Магнолии уже отцветали, и грустные белые лепестки впоследствии усыпали развалины. Зелени вокруг было так много, что шум от транспорта, сновавшего по магистрали в город и обратно, едва доносился сюда. До взрыва самым отчетливым изо всех здешних звуков был птичий гомон. Словом, какие бы неприятности ни расписывали солидные, но склонные к панике западногерманские газеты, как-то: депрессия, инфляция, неплатежеспособность банков, безработица — обычные и, видимо, неизлечимые недуги в целом процветающей капиталистической экономики, это утро убеждало вас в том, что Бад-Годесберг — место, предназначенное для жизни солидной и благопристойной, а Бонн и вполовину не так плох, как его живописуют.

В соответствии с национальными особенностями и занимаемым положением кое-кто из дипломатов уже отбыл на службу — ведь в дипломатии трудно преуспеть отщепенцу, непохожему на своих соплеменников. Поэтому, к примеру, меланхоличный скандинав — советник посольства — еще не вставал, мучимый похмельем после возлияний, которыми он прогонял стрессы семейной жизни. Временный поверенный в делах из южноамериканской страны с сеточкой на голове и в вывезенном из Пекина китайском халате, высунувшись из окна, отдавал распоряжения шоферу-филиппинцу. Итальянский советник брился голышом. Он любил бриться после ванны, но перед утренней гимнастикой. А в это время жена его, уже совершенно одетая, спустившись вниз, на все лады распекала упрямицу-дочь за то, что та накануне вернулась слишком поздно, — такими диалогами они развлекались почти каждое утро. Посланник с Берега Слоновой Кости[1] говорил по международному телефону, докладывая шефам о своих последних успехах по части выжимания из фонда помощи слаборазвитым странам денег, все более неохотно предоставляемых западногерманским казначейством. Когда связь прервалась, шефы решили, что он повесил трубку, и послали ему ехидную телеграмму, осведомляясь, не собирается ли он попросить об отставке. Израильский атташе по связи с профсоюзами отбыл на работу уже с час назад. В Бонне он чувствовал себя не в своей тарелке и с тем большим рвением трудился в те же часы, что и в Иерусалиме.

Во взрыве бомбы всегда присутствует элемент чуда, в данном случае чудо произошло с автобусом американской школы, поджидавшим, как и каждое утро, местных младшеклассников на кругу, метрах в пятидесяти от эпицентра взрыва. По

---

[1] С 1986 г. Республика Кот д'Ивуар. — *Здесь и далее примеч. пер.*

счастливой случайности в это утро понедельника ни один ребенок не забыл тетрадки, не проспал, не проявил стойкого нежелания продолжать свое образование, и автобус отошел вовремя. Заднее стекло его разлетелось вдребезги, шофер вывалился на обочину, девочка-француженка потеряла глаз, но, в общем, дети отделались легко, что впоследствии было расценено как удивительное везение, ибо характерной чертой такого рода инцидентов или же, по крайней мере, реакции на них является дружное стремление радоваться жизни вместо того, чтобы предаваться бесплодной скорби о погибших. Настоящая скорбь приходит потом, когда по прошествии нескольких часов, а иногда и раньше люди начинают оправляться от шока.

Силу взрыва никто из слышавших его даже и поблизости в точности оценить не смог. На другом берегу, в Кенигсвинтере, жителям показалось, что началась война; оглушенные, ошарашенные, они улыбались друг другу, словно чудом оставшиеся в живых соучастники преступления. «Это все проклятые дипломаты, — говорили друг другу местные жители, — чего от них ждать-то. Отправить бы всю свору в Берлин, и пусть там проедают наши налоги!» Но те, кто оказался совсем рядом, поначалу вообще ничего не услышали. Все, что они могли припомнить, если вообще способны были что-то припомнить, это как внезапно накренилась дорога, или как печная труба вдруг беззвучно отделилась от крыши, или как пронесся по дому вихрь, от которого кровь застыла в жилах, как он ударил их, сбил с ног, вырвал цветы из вазы, хватил вазой об стену. Вот звон стекол и то, с каким застенчивым шелестом падали на тротуар деревья, они помнили. А также сдавленные стоны людей, чересчур испуганных, чтобы заорать во весь голос. Словом, ясно было: они не то что ничего не услышали, а просто были ошеломлены и восприятие у них было нарушено. Несколько свидетелей вспомнили, что на кухне у французского советника громко звучало радио — по радио в это время передавали кулинарные рецепты. Одна женщина, считавшая себя в полном порядке, все время допытывалась у полицейских, не бывает ли так, что от взрыва усиливается громкость радио. При взрыве, вежливо говорили ей полицейские, ведя ее, закутанную в одеяло, прочь от места взрыва, чего только не бывает, однако в данном случае объяснение следовало искать в другом. Ведь стекла в окнах французского советника оказались выбиты, а внутри уже никто не мог подкрутить регулятор громкости, и потому радио орало на всю округу. Так они объясняли ей, но женщина все не понимала.

Вскоре, как и подобает, прибыла пресса; напирая на оцепивших место происшествия полицейских, первые репортеры, докладывая о событии, убили восемь и ранили тридцать человек и возложили за это вину на крайне правую организацию каких-то полоумных немецких патриотов, называвших себя «Нибелунги-5» и насчитывавших в своих рядах двух умственно отсталых подростков и свихнувшегося старика, неспособного не только бомбу, но и воздушный шарик взорвать. К полудню газетчиков заставили уточнить сведения, и они снизили число пострадавших до пяти убитых, среди которых назван был один израильтянин; в больницу отправили четырех тяжело раненных, и двенадцать человек так или иначе пострадали от взрыва. Теперь уже говорили, что это дело рук «Красных бригад», хотя и для такого вывода не было ни малейших оснований. Наутро возникла новая версия: взрыв организовал «Черный сентябрь», а еще через день «Черный сентябрь» сменила группа террористов, именовавшаяся «Страдания Палестины»; группе заодно приписали и несколько взрывов, происшедших незадолго до этого.

Среди убитых взрывом неизраильтян были повар-сицилиец итальянского советника и шофер-филиппинец. В числе четверых, получивших серьезные увечья, оказалась жена израильского атташе по связи с профсоюзами, в чьем доме и взорвалась бомба. Она потеряла ногу. Убитым израильтянином был их малолетний сын Габриэль. Но, как заключило затем следствие, ни один из этих людей не являлся намеченной жертвой, скорее всего, террористы целили в дядю жены атташе, приехавшего к ним погостить из Тель-Авива, знатока Талмуда, снискавшего всеобщее почтительное восхищение непримиримостью своих взглядов относительно прав палестинцев на Западный берег реки Иордан. Взгляды его сводились к тому, что он напрочь отказывал им во всяких правах на Западный берег, что возмущало его племянницу, жену атташе, принадлежавшую к свободомыслящим израильским либералам и получившую воспитание в кибуце, что никак не подготовило ее к непременной роскоши жизни дипломатических кругов.

Если бы Габриэль находился в школьном автобусе, он остался бы жив и невредим, но в тот день, как и во многие другие, Габриэль был нездоров. Ребенком он был нервным, чрезвычайно непоседливым и до этого дня славился лишь как нарушитель тишины на улицах, в особенности в часы послеобеденного отдыха. При этом, как и его мать, он был наделен музыкальными способностями. Теперь же, что было совершенно естественно, никто из соседей не мог припомнить ребенка более симпатичного. По еврейскому обычаю, трогательно маленький гроб с телом Габриэля был незамедлительно отправлен в Израиль для погребения на родной земле, а мать погибшего, еще слишком слабая, чтобы сопровождать гроб, осталась в Бонне, ожидая, когда она вместе с мужем сможет выехать в Иерусалим для выполнения соответствующего обряда.

Уже в день взрыва, после полудня, из Тель-Авива вылетела группа израильских экспертов. С германской стороны расследование в достаточно туманных выражениях было поручено доктору Алексису из Министерства внутренних дел — фигуре спорной; ему и предстояло встретить прибывших в аэропорту. Алексис был умным и хитрым человеком, всю жизнь страдавшим от того, что он был ниже ростом большинства окружающих сантиметров на десять. Природа компенсировала его за этот недостаток, с лихвой наделив безрассудством, отчего он и в частной жизни, и в профессиональных делах то и дело попадал в сложные ситуации. Он был адвокатом и в то же время сотрудником государственной безопасности, к тому же политическим деятелем, из тех, что в изобилии произрастают сейчас в Германии. Нескрываемый либерализм его убеждений отнюдь не всегда оказывался по вкусу коалиционному правительству, что объяснимо, в особенности учитывая его страсть к откровенным высказываниям по телевидению. Его отец, как поговаривали, был связан с антигитлеровским подпольем, и адвокатская мантия нового образца была не очень-то к лицу его блудному сыну. В стеклянных дворцах Бонна находилось, наверное, немало людей, считавших его недостаточно солидным для занимаемого поста, а недавний развод, смутивший общественное мнение тем, что у Алексиса оказалась любовница на двадцать лет моложе его, тоже не способствовал упрочению его репутации.

Прибытие экспертов из любой другой страны не заставило бы Алексиса выехать встречать их в аэропорт, так как представителей прессы не ожидалось, но отношения между Федеративной Республикой Германии и Израилем переживали кризис, поэтому Алексис уступил министерскому нажиму и поехал в аэропорт. В последний момент и против его желания к нему еще присоединили медлительного силезца-полицейского из Гамбурга, известного своим консерватизмом и косностью, который сделал себе имя в 70-е годы выведыванием студенческих «умонастроений» и считался специалистом по делам, связанным с терроризмом и бомбами. Другим оправданием присылки силезца были его якобы хорошие отношения с израильтянами, хотя Алексис, как и все прочие, знал, что приставлен к нему силезец исключительно в качестве противовеса. К тому же в наше смутное время большое значение имело то, что оба они — и Алексис, и силезец — были unbelastet[1], то есть достаточно молоды, чтобы не нести ни малейшей ответственности за то, что немцы с грустью называют своим неизжитым прошлым. Какова бы ни была сегодняшняя политика по отношению к евреям, ни Алексис, ни его непрошеный коллега никак не были замешаны в делах минувших, а если уж углубляться в истоки, то и родители Алексиса также оказывались ни при чем. Не без подсказки со стороны Алексиса прессой был специально отмечен этот факт. И лишь в одной статье промелькнуло утверждение, что до той поры, пока Израиль упорно продолжает бомбить палестинские лагеря беженцев и деревни, убивая детей не по одному, а десятками, не приходится удивляться подобному

---

[1] Не обременены (*нем.*).

варварскому способу мести. На следующий же день спешно последовала отповедь израильского пресс-атташе — путаная, однако весьма запальчивая. Начиная с 1961 года, писал он, государство Израиль подвергается постоянным нападениям арабских террористов. Израильтяне пальцем не тронули бы ни единого палестинца, где бы он ни находился, оставь палестинцы их в покое. Габриэль погиб по одной простой причине: он был евреем. И немцам следовало бы помнить: он не единственная жертва со стороны евреев. Если они забыли массовое истребление евреев в войну, то, может быть, помнят Олимпиаду в Мюнхене, со времени которой прошло лишь десять лет?

Редактор прекратил полемику и взял себе выходной.

Военный самолет без опознавательных знаков, прибывший из Тель-Авива, приземлился на посадочную полосу в дальнем конце летного поля; таможенными формальностями на сей раз пренебрегли, совместная работа началась без проволочек и длилась день и ночь. Алексису было настойчиво рекомендовано ни в чем израильтянам не отказывать — рекомендация излишняя, так как «филосемитизм» Алексиса был достаточно хорошо известен. В свое время он совершил «визит дружбы» в Тель-Авив и был сфотографирован со скорбно опущенной головой в Музее массового истребления. Что же до тугодума-силезца, то он не уставал напоминать всем и каждому, кто согласен был его слушать, что враг у них один и его-то они и ищут, разве не так? И враг этот, без сомнения, красные. По окончании трехдневной работы, хотя отдельные результаты по-прежнему вызывали недоумение, совместная рабочая группа выработала убедительную предварительную версию случившегося.

Во-первых, выяснилось, что выбранный террористами дом не находился под специальной охраной, ибо между посольством и Бонном на сей счет никакого соглашения не было, хотя резиденция израильского посла в трех кварталах от места происшествия охранялась круглосуточно. Однако простой атташе по связи с профсоюзами — дело иное, и особо усердствовать тут ни к чему, поэтому за домом приглядывала патрульная машина, обслуживающая дипломатический корпус. Можно лишь предположить на основании рапортов дежурных полицейских, что дом этот, будучи жилищем израильского подданного, охранялся с особым тщанием.

В понедельник, примерно в восемь утра, атташе по связи с профсоюзами отпер гараж и, как всегда, внимательно осмотрел колпаки, а также с помощью особого зеркальца на щетке, специально приспособленного для этой цели, передний мост. Дядя жены, которого он собирался везти, подтвердил эти показания. Перед тем как включить зажигание, атташе заглянул даже под сиденье водителя. Для израильтян за границей после всех этих неприятностей с бомбами такие меры предосторожности являлись обязательными. Удовлетворенный тем, что ничего подозрительного в машине он не обнаружил, атташе простился с женой и сыном и отбыл на службу.

Далее в действие вступало некое обстоятельство, связанное с работавшей в доме прислугой-шведкой, имевшей безупречный послужной список и носившей имя Эльке. Девушка эта за день до означенных событий, взяв недельный отпуск, укатила в Вестервальд со своим не менее безупречным немецким дружком Вольфом, солдатом, получившим для этой цели увольнительную. В воскресенье днем Вольф заехал за Эльке на своем открытом «Фольксвагене», и все проходившие мимо или наблюдавшие за домом могли видеть, как Эльке в дорожном костюме спустилась с парадного крыльца, поцеловала маленького Габриэля и отъехала от дома, весело помахав на прощание атташе по связи с профсоюзами, вышедшему проводить ее, в то время как его супруга, страстная любительница огородничества, продолжала трудиться на заднем дворе. Эльке работала у них уже год или даже больше, и к ней, по словам атташе, относились как к члену семьи.

Вот эти два обстоятельства — отсутствие полицейской охраны и отъезд горячо любимой прислуги — и проторили террористам путь, облегчив им проведение операции. Успех же ее, как это ни прискорбно, предрешило добродушие самого атташе.

В шесть часов вечера того же воскресенья, то есть через

два часа после отбытия Эльке, когда атташе по связи с профсоюзами был занят богословскими дебатами с гостем этого дома, а его супруга меланхолично возделывала почву Германии, в переднюю дверь позвонили. Как всегда, атташе, прежде чем открыть, поглядел в глазок. Как всегда, в руках у него при этом находился револьвер, сохранившийся еще со времен службы в армии (хотя, строго говоря, здешние правила запрещали ему пользоваться огнестрельным оружием), но в глазок он увидел лишь девушку — светловолосую, двадцати одного—двадцати двух лет, довольно худенькую и в высшей степени привлекательную. Девушка стояла на крыльце возле потертого серого чемодана с прикрепленными к ручке ярлыками скандинавской авиакомпании. Неподалеку находилось привезшее ее такси — или это был частный лимузин? — и до атташе доносилось урчание невыключенного мотора. Это он помнил точно. Девушка, судя по его описанию, была действительно очень хорошенькая — хрупкая и в то же время спортивная, на носу и на щеках вокруг носа Sommersprossen — веснушки. Вместо надоевшей джинсовой униформы на ней было скромное синее платье с высоким воротом, на плечах шелковая косынка — белая или кремовая, подчеркивавшая золотистый оттенок волос. Наряд этот, как атташе с готовностью признал, отвечал его неискушенному вкусу и стремлению к добропорядочности. Поэтому, сунув револьвер в верхний ящик стоявшего в передней комода, он снял дверную цепочку и заулыбался девушке — ведь она была такой хорошенькой, а он был таким толстым и таким застенчивым.

Все это он сам рассказал на первом допросе. Знаток Талмуда ничего не видел и не слышал. Как свидетель он был бесполезен.

По-английски девушка говорила с акцентом — нет, не французским и не средиземноморским, а каким-то северным. Это было самое точное, что он мог сообщить им после того, как ему прокрутили изрядное количество образцов всевозможных акцентов.

Она спросила, дома ли Эльке, назвав девушку не «Эльке», а «Юки» — ласковым прозвищем, употреблявшимся лишь близкими друзьями. Атташе по связи с профсоюзами ответил, что Эльке уехала в отпуск всего два часа назад, право, жаль, но не может ли он быть чем-нибудь полезен? Девушка выразила сдержанное разочарование и сказала, что заглянет как-нибудь в другой раз. Она только что прилетела из Швеции, сказала она, и обещала матери Эльке передать ей этот чемодан с кое-какой одеждой и пластинками. Упоминание о пластинках было особо тонкой деталью, ибо Эльке безумно увлекалась поп-музыкой. Атташе по связи с профсоюзами сумел тем временем настоять, чтобы девушка вошла в дом и даже, по простодушию своему, поднял ее чемодан и втащил его через порог — поступок, за который он будет ругать потом себя всю жизнь. Да, он, конечно, не раз слышал предупреждения о том, что нельзя брать вещи у третьих лиц, да, ему известно, что чемоданы — штука опасная. Но ведь это же была Катрин, добрая приятельница и землячка Эльке, и чемодан ей вручила мать Эльке в тот же самый день! Чемодан оказался тяжелее, чем он сперва предположил, но атташе приписал это пластинкам. Когда он участливо заметил, что такой тяжелый чемодан забрал у нее, видимо, все положенное при полетах количество килограммов, Катрин пояснила, что мать Эльке отвезла ее в Стокгольмский аэропорт и заплатила за превышение веса. Он обратил внимание, что чемодан был жесткий и не только очень тяжелый, но и плотно набитый. Нет, когда он поднимал его, ничего в нем не сдвинулось, это точно. От чемодана осталось немного — коричневый ярлык.

Атташе предложил девушке кофе, но она отказалась, сославшись на то, что не может заставлять ждать шофера. Не таксиста, а *шофера*. Из этой детали группа расследования извлекла максимум возможного. Атташе спросил девушку, зачем она приехала в Германию, и она ответила, что надеется поступить в Боннский университет на отделение теологии. Он возбужденно рыскал в поисках телефонной книжки, а затем карандаша, чтобы девушка могла записать свое имя и координаты, но она вернула ему книжку и карандаш, сказав с улыбкой: «Скажите ей просто, что заезжала Катрин. Она поймет». Остановилась она, по ее словам, в лютеранском женском молодежном общежитии, но только до тех пор, пока не подыщет себе квартиру. (Лютеранское общежитие в Бонне действительно существовало — еще одна правдоподобная деталь.) Когда Эльке вернется, она, конечно, заглянет. Может быть, они смогут вместе отпраздновать ее день рождения. Она так рассчитывала на это. Так рассчитывала. Атташе по связи с профсоюзами предложил устроить для Эльке и ее друзей настоящий праздник. Можно будет полакомиться сырным фондю, он все приготовит сам. Потому что жена его, как он потом горестно твердил на допросах, воспитывалась в кибуце, какая уж там изысканная кухня!

Тут с улицы послышались гудки не то такси, не то частного лимузина. Девушка и атташе пожали друг другу руки, и девушка передала ему ключ от чемодана. Тут атташе впервые заметил, что на девушке белые нитяные перчатки. Но перчатки ей шли, и ведь день был такой знойный, а чемодан такой тяжелый. Итак, в телефонной книжке не осталось образца ее почерка, и ни в книжке, ни на чемодане отпечатков пальцев тоже не было. Как и на ключе. Весь разговор, прикинул потом атташе, длился минут пять. Не больше, иначе было бы неудобно перед шофером. Атташе глядел ей вслед, как шла она по дорожке — красивая походка, сексуальная, но не вызывающая. Он закрыл дверь, аккуратно накинул цепочку, затем отнес чемодан в комнату Эльке на первом этаже и положил его горизонтально в ногах кровати, предусмотрительно решив, что горизонтальное положение лучше как для одежды, так и для пластинок. Ключ от чемодана он оставил на крышке. Жена атташе, безжалостно разбивавшая мотыгой твердые комья земли на огороде, ничего не слышала, а когда она вернулась в дом и присоединилась к мужчинам, муж забыл ей рассказать о посетительнице.

В этом месте у всех возникало естественное недоверие. «Забыл? — с сомнением спрашивали израильские эксперты. — Как можно было забыть целый эпизод, связанный с Эльке и ее шведской приятельницей? Забыть про чемодан, оставленный на кровати Эльке?»

В конце концов атташе не выдержал и признался. Нет, конечно, он не то чтобы забыл...

«А что же тогда?» — спрашивали его.

Да просто дело, скорее всего, в том, — так он для себя решил, — что жена его стала очень нелюдимой. Единственным ее желанием было вернуться в кибуц, где она могла бы общаться с людьми, не будучи скованной тонкостями дипломатического этикета. А если подойти к этому с другой стороны... ну, просто девушка была такой хорошенькой, что разумнее было об этой истории промолчать. Что же касается чемодана, то его жена никогда не входит, то есть, точнее сказать, не входила в комнату Эльке: сама Эльке в ней и прибирала.

«А знаток Талмуда, дядя вашей жены?»

Нет, атташе и ему ничего не сказал. Что подтвердило и вышеозначенное лицо.

Эксперты записали без всяких комментариев:

*«Об этой истории промолчать».*

Здесь, как таинственно пропавший в пути поезд, ход событий прерывается. Девушка по имени Эльке, учтиво сопровождаемая Вольфом, была немедленно доставлена в Бонн, где никакой Катрин вспомнить не смогла. Начато было доскональное изучение всех ее знакомств, но результаты ожидались не скоро. Мать ее никакого чемодана и не посылала, и не собиралась посылать, как объяснила она шведской полиции, она не одобряла вульгарных музыкальных пристрастий дочери, и ей не пришло бы в голову их поощрять. Безутешный Вольф вернулся в свою часть, где изо дня в день подвергался пристрастным и бессмысленным допросам со стороны военной контрразведки. Несмотря на все усилия как прессы, так и полиции, и при том, что за дачу показаний была обещана заманчивая сумма, никакого шофера ни частного лимузина, ни такси так и не появилось. Ни списки пассажиров, ни электронная память компьютеров всех германских аэропортов, не говоря уже о Кёльнском, не могли навести на след подходящей пассажирки, прибывшей из Швеции или откуда бы то ни было еще. Фотографии известных и неизвестных террористок, включая всех «полунелегалов», были показаны атташе, но не пробудили в нем откликов, хотя, едва не сойдя с ума от горя, он готов был помочь всякому и во всем, только бы ощутить себя полезным следствию. Нет, какие были на ней туфли, он не помнил, насчет губной помады, духов, туши на ресницах тоже ничего не мог сказать и были ли ее волосы крашеными или это был парик, также не знал. Да и как можно было ожидать от него, экономиста по образованию, хорошего семьянина, человека робкого и чувствительного, чьим единственным интересом, помимо интересов семьи и родного Израиля, был интерес к Брамсу, как можно было ожидать, что он станет разбираться в дамских красках для волос?

Вот красивые ноги он запомнил, запомнил и шею, очень белую. Да, рукава у платья были длинные, не то он обратил бы внимание на ее руки. Со всех немецких складов одежды ему присылали всевозможные платья синего цвета, но, как ни тщился, он не мог припомнить, были ли у нее на платье воротничок и манжеты другого цвета, и, сколько он ни терзал себе душу, память не улучшалась. Чем больше его расспрашивали, тем больше он забывал. Случайные свидетели подтверждали отдельные детали его рассказа, но добавить что-либо существенное не могли. Лимузин или такси был то ли «Опелем», то ли «Фордом». Серый; не очень чистый; не старый, но и не новый. Номер боннский, нет, зигбургский. Да, на крыше был опознавательный знак такси. Нет, крыша была гладкая, как стеклышко, и кто-то слышал, что из машины доносилась музыка, какая программа — неизвестно. Да, это было радио. Нет, радио не было. За рулем был мужчина кавказского типа, но может быть, это был турок. Да, конечно, турки это все устроили! Он был бритый, с темной бородой. Нет, светлый. Хрупкого телосложения, мог быть переодетой женщиной. Кто-то уверял, что на заднем стекле болталась фигурка трубочиста. Или же это могла быть наклейка. Да, конечно же, наклейка. Кто-то приметил, что на шофере была куртка с капюшоном. А может быть, свитер.

На этой мертвой точке израильская команда словно впала в коллективную кому. Ее охватила летаргия. Израильтяне приезжали поздно и уезжали рано, проводя много времени в посольстве, где их, видимо, снабжали свежими инструкциями. Так проходили дни, и Алексис решил, что они чего-то ждут. На третий день к их команде присоединился широколицый мужчина постарше, представившийся Шульманом;

его сопровождал какой-то заморыш чуть ли не вдвое моложе его. Алексис подумал, что они похожи на еврейских Цезаря и Кассия.

Прибытие Шульмана и его помощника принесло облегчение совестливому Алексису, которого утомляла необходимость сдерживать раздражение оттого, что расследование застопорилось и надо было мириться с постоянным и утомительным присутствием силезца-полицейского, судя по всему, метившего не столько в его помощники, сколько в преемники. Первое, на что он обратил внимание: приезд Шульмана явно подогрел израильтян. До него им словно чего-то не хватало. Они были вежливы, не употребляли спиртного и терпеливо расставляли свои сети, постоянно сохраняя загадочную спайку восточного боевого отряда. Их самообладание у всех, кому это качество присуще не было, вызывало даже какое-то чувство неловкости, и когда, например, во время короткого перерыва на обед нудный силезец решил поиронизировать над кошерной пищей и, снисходительно одобрив красоты израильской природы, вдруг походя пренебрежительно отозвался об израильском вине, они восприняли его слова с благодушием, которое, как почувствовал Алексис, дорого им стоило. И даже когда силезец, пустившись рассуждать о возрождении в Германии еврейской культуры, упомянул о евреях-нуворишах, хитро загнавших в угол франкфуртских и берлинских дельцов, они предпочли промолчать, хотя финансовые выкрутасы здешних евреев, не внявших зову родной земли, вызывали в них брезгливость не меньшую, чем толстокожесть колбасников-немцев. Но с приездом Шульмана все изменилось и прояснилось. Он и был тем лидером, которого они так ждали, этот Шульман из Иерусалима, о прибытии которого всего за несколько часов их оповестили телефонным звонком из Центра в Кёльне, где тоже были озадачены его появлением.

— Они шлют еще одного специалиста. Он доберется сам.

— Специалиста в какой области? — осведомился Алексис, отличавшийся странной для немца неприязнью к профессионалам.

Неизвестно. Но вот он перед ним, как показалось Алексису, на вид никакой не специалист, а крутолобый энергичный ветеран всех битв со времен Фермопил, возраста неопределенного — от сорока до девяноста, коренастый, крепкий, по внешности скорее славянин, чем еврей, широкогрудый, с решительной походкой борца, а рядом этот энтузиаст-помощник, о котором вообще никто не предупреждал. Может быть, он и не Кассий вовсе, а скорее студент из романов Достоевского — истощенный, обуреваемый демоническими страстями. Шульман улыбнулся, и морщины — глубокие рытвины, прочерченные водой, столетиями стекавшей по одному и тому же каменному руслу, — обозначились резче, а глаза сузились, превратившись в щелки, как у китайца. Потом, вслед за ним, но не сразу, улыбнулся и его помощник, как эхо отзываясь на какую-то потаенную и мудреную мысль. Во время рукопожатия правая рука Шульмана захватывала вас каким-то молниеносным крабьим движением, и если инстинктивно этому не воспротивиться, казалось, уже и не спастись. Зато руки помощника висели как плети, словно он им не доверял. В разговоре Шульман так и сыпал парадоксами, затем делал паузу, словно прислушиваясь, какой из выстрелов в этой канонаде дошел по назначению, а какой бумерангом вернулся к нему. Голос помощника следовал за ним, как команда санитаров с носилками, тихо подбирающая трупы убитых наповал.

— Я — Шульман, рад с вами познакомиться, доктор Алексис, — сказал Шульман по-английски, совершенно не стесняясь своего акцента.

Просто Шульман.

Ни имени, ни звания, ни ученой степени, ни профессии или где служит. А помощник его и вовсе не представился; если и было у него имя, то не для немцев. Так называемому специалисту нужен был отдельный кабинет, и он незамедлительно получил его, о чем позаботился его заморыш-помощник. Вскоре за закрытыми дверьми уже неумолчно раздавался голос Шульмана — точь-в-точь заезжий судейский чиновник, инспектирующий и оценивающий результаты следствия, проведенного до него. «Ловкач», — подумал Алексис, хотя и сам был не промах. Когда он замолк, Алексис удивился: интересно, что могло заставить его закрыть рот? Может, они молятся, если вообще молятся? Или теперь настал черед заморыша, в таком случае понятно, почему не доносится ни звука: в компании немцев его голос был так же неприметен, как неприметно тело.

Но самой замечательной чертой Шульмана, как показалось Алексису, была его целеустремленность. Таким, по крайней мере, представлялся он Алексису, и это было, в общем, похоже на истину. Истину эту прочитывал он в пристальных вопрошающих взглядах, какие бросали на Шульмана его подчиненные; не детали интересовали их, а самое главное: как идет дело, продвигает ли их тот или иной шаг к конечному результату. Тот же смысл виделся Алексису и в жесте, каким Шульман вздергивал рукав пиджака и, ухватив свое толстое левое запястье, выкручивал его, словно чужое, чтобы поглядеть на циферблат стареньких часов в металлическом корпусе. Значит, и Шульману тоже положен предел, думал Алексис, часовой механизм в бомбе тикает и для него, помощник носит ее в своем портфеле.

Отношения между этими двумя людьми крайне занимали Алексиса и служили хорошим отвлечением от напряженной работы. Когда Шульман отправлялся на Дроссельштрассе и разгуливал среди руин дома, где взорвалась бомба, или бушевал там, убеждая кого-то, поминутно поглядывая на часы с видом таким возмущенным, будто взорвали его собственный дом, заморыш-помощник маячил рядом, точно его совесть, и, упорно не поднимая прилипших к бокам тощих скелетоподобных рук, что-то горячо нашептывал шефу. А когда Шульман вызвал к себе для последней конфиденциальной беседы атташе по связи с профсоюзами и голоса их за стеной, поднявшись до крика, упали затем до доверительного исповедального шепота, именно заморыш вывел из кабинета сломленного свидетеля, после чего препоручил его заботам земляков в посольстве, укрепив тем самым Алексиса в мысли, которую он лелеял с самого начала, но которую Кёльн напрочь запретил ему додумывать до конца.

Все наталкивало его на эту мысль. Отстраненность жены, поглощенной лишь мечтаниями о Святой земле; неумеренное раскаяние атташе; нелепое, ни с чем не сообразное гостеприимство, оказанное им Катрин, — уж не братом ли Эльке в ее отсутствие он хотел выглядеть? — странное утверждение, что он сам в комнату Эльке входил, а жена и порога бы не переступила. Алексису, находившемуся некогда в подобных обстоятельствах, да и сейчас еще в них пребывавшему, чьи нервы, издерганные от сознания вины, чутко отзывались на всякое мимолетное сексуальное дуновение, эти приметы казались совершенно однозначными, и втайне ему польстило, что Шульман расценил их точно так же.

О некоторых из предпринятых Шульманом шагов Алексис узнал, лишь когда израильская команда отбыла на родину. Так он открыл, случайно или почти случайно, что Шульман и его помощник, независимо от немецких коллег, отыскали Эльке и глубокой ночью убедили ее отложить отъезд в Швецию, с тем чтобы они втроем могли насладиться совершенно доверительной и добровольной беседой, за которую ей очень хорошо заплатили. Следующий день они провели, интервьюируя ее в номере отеля, после чего — в разрез с их привычкой к экономии — радостно покатили с ней в аэропорт на такси. И все это, как догадывался Алексис, — чтобы выяснить, кто ее *настоящие* друзья и с кем проводила она время, когда дружок ее благополучно возвращался в казарму. И где покупала марихуану и другие наркотики, которые обнаружили они среди развалин, там, где находилась ее комната. Или же, вернее сказать, кто снабжал ее ими и в чьей постели, разомлев и расслабившись, она любила рассказывать о себе и своих хозяевах. Алексис вывел все это, отчасти исходя из секретного доклада об Эльке, представленного ему к тому времени его собственными агентами: вопросы, которые он приписал Шульману, были теми, что задал бы и он, если б Бонн с криком «руки прочь!» не окоротил его.

«Не надо грязи, — твердили они. — Пусть сначала все быльем порастет». Алексис, почувствовавший, что на карту теперь поставлена его карьера, понял намек и заткнулся, потому что с каждым днем положение силезца укреплялось, ухудшая тем самым его собственное.

И все же он дорого бы дал за те ответы, которые Шульман в неистовой и безжалостной целеустремленности своей, то и дело поглядывая на допотопные часы, мог всеми правдами и неправдами выудить из девицы. Много времени спустя, когда это уже не имело практического значения, Алексис через шведских агентов безопасности, в свою очередь заинтересовавшихся личной жизнью Эльке, выяснил, как глубокой ночью, когда все спали, Шульман с помощником предъявили ей набор фотографий вероятных кандидатов на ее благосклонность. Из них она выбрала одну — якобы киприота, которого она знала лишь по имени — «Мариус». Она произносила это имя, как он требовал, на французский лад. Алексису стало известно и о сделанном ею весьма небрежном заявлении: «Да, это тот самый Мариус, с которым я спала», — заявлении, которое, как они дали ей понять, было важно для Иерусалима.

Обязательное заключительное совещание под председательством нудного силезца проходило в зале, где было более трехсот мест, но большинство из них пустовало. Две группы — немцы и израильтяне — сидели по сторонам прохода, как родные жениха и невесты во время венчания. Собравшихся к одиннадцати утра участников совещания ожидал стол под белой скатертью, на которой, подобно результатам археологических раскопок, разложены были красноречивые вещественные доказательства взрыва, каждое с надписью, выполненной компьютером, как на музейной табличке. На стене красовался стенд с фотографиями ужасных подробностей взрыва; фотографии для пущего реализма были цветными. В дверях хорошенькая, чересчур любезно улыбавшаяся девица раздавала пластиковые папки с материалами дела. Если бы она раздавала конфеты или мороженое, Алексис ничуть не удивился. Немецкая часть аудитории болтала и вертела головами, глазея на все, в том числе и на израильтян, которые хранили угрюмую и молчаливую неподвижность мучеников, скорбящих о каждой минуте даром потраченного времени. И лишь один Алексис — он был в этом уверен — понимал и разделял эти страдания, откуда бы они ни проистекали.

Еще за час до начала он надеялся выступить на совещании. Он предвкушал и даже втайне готовил выступление — хлесткий образчик своего лапидарного стиля, краткую речь по-английски. А в конце: «Благодарю вас, джентльмены» — и все. Надежда оказалась тщетной. Бароны уже все решили и предпочли силезца на завтрак, обед и ужин. Алексиса они не пожелали даже на сладкое. Ему оставалось лишь изображать безразличие, маяча в задних рядах с демонстративно сложенными на груди руками, в то время как на самом деле в нем бурлило сострадание к евреям. Когда все, кроме Алексиса, сидели на местах, в зал вошел силезец. Он шел, выставив вперед живот — походка, как подсказывал Алексису опыт, весьма характерная для определенного типа немцев, когда они идут к трибуне. За ним шел напуганный молодой человек в белом пиджаке и с дубликатом ставшего теперь знаменитым серого чемодана с наклейками скандинавских авиакомпаний.

Силезец говорил по-английски, «исходя из интересов наших израильских друзей». А кроме того, как подозревал Алексис, и исходя из интересов группы его болельщиков, пришедших поддержать своего чемпиона. Силезец прошел обязательный курс контрподрывной подготовки в Вашингтоне и говорил на исковерканном языке астронавтов. В качестве вступления силезец сообщил, что преступление это — дело рук «левых радикалов», и упомянул вскользь социалистов, «развращающих современную молодежь», что вызвало в публике гул одобрения. «Ну прямо наш дорогой фюрер», — подумал Алексис, внешне сохраняя полнейшую безмятежность. «Взрывная волна в подобного рода постройках распространяется вверх, — говорил силезец, обращаясь к чертежу, развернутому позади него ассистентом. — В данном случае она нарушила целостность постройки в ее срединной части, включая второй этаж вместе с комнатой мальчика». «В общем, здорово рвануло, — угрюмо подумал Алексис, — почему бы так не сказать и не заткнуться наконец?» Но это было бы не в характере силезца. Эксперты пришли к выводу, что вес заложенной взрывчатки равнялся пяти килограммам. Мать выжила лишь потому, что находилась на кухне.

«Пусть в следующем моем воплощении я стану евреем, испанцем, эскимосом или каким-нибудь отчаянным анархистом, — решил Алексис, — лишь бы не родиться снова немцем, отмучился разок — и довольно. Ведь только немец способен превратить гибель еврейского мальчика в материал для своей тронной речи».

Затем силезец перешел к чемодану. Дешевый и скверный, из тех, какими пользуется вся эта шушера: временные рабочие и турки. «И социалисты», казалось, вертелось у него на языке. Желающие могли свериться с материалом в своих папках или же изучить уцелевшие кусочки металлического каркаса чемодана на столе. Или же посчитать, как давным-давно посчитал и Алексис, что и бомба и чемодан не сулят никаких отгадок. Но ухитриться не слышать силезца они не могли, потому что это был его день и выступление это знаменовало его победу над поверженным противником либералом.

Начав с внешних примет, он углубился теперь в содержимое чемодана. «Устройство, господа, было завернуто в два слоя обертки, — говорил он. — Первый слой — старые газеты; как показала экспертиза, газеты шестимесячной давности, по происхождению боннские, концерна Шпрингера». «Весьма разумное применение», — подумал Алексис. «Второй слой — лоскутья армейского одеяла, в точности такого, какое продемонстрирует сейчас мой коллега, господин такой-то из государственной специальной лаборатории». Пока напуганный ассистент разворачивал для всеобщего обозрения серое одеяло, силезец горделиво докладывал собравшимся результаты своих блистательных исследований. Алексис устало слушал знакомые слова: расщепленный кончик детонатора... микроскопические неразорвавшиеся частицы... подтвердилось, что это русский пластик, известный американцам как «Си четыре», а англичанам как «Пи», израильтяне же называют его обычно... механизм, взятый из дешевых наручных часов... обгорелая, но все-таки различимая пружина, в качестве которой выступила обыкновенная бельевая прищепка. «В общем, — заключил Алексис, — классическое, совершенно как из учебника, устройство».

Бесцеремонно отстранив ассистента, силезец порылся в чемодане и с важностью извлек оттуда дощечку с собранным на ней макетом устройства, напоминающим игрушечный автотрек. Сделан он был из покрытой изоляционным слоем проволоки и оканчивался пластиковым ежом из десяти сероватых трубочек. К толпе профанов, теснившихся возле стола, чтобы получше все рассмотреть, теперь, к удивлению Алексиса, направился Шульман. Не вынимая рук из карманов, он поднялся с места и неспешной походкой двинулся к экспонатам. «Зачем?» — мысленно спрашивал его Алексис, беззастенчиво не сводя с него глаз. И откуда вдруг этот праздный вид, когда еще вчера тебе и на допотопные часы-то твои посмотреть было некогда? Оставив все попытки изобразить безразличие, Алексис проскользнул туда же, где находился Шульман. «Если ты воспитан на традиционных методах и хочешь, чтобы евреи взлетали на воздух, — развивал свою теорию силезец, — то бомбу ты готовишь так. Покупаешь дешевые часы, вроде этих, красть их не надо, лучше купить в большом универмаге в то время, когда покупателей там больше всего, купив к ним в придачу две-три другие вещицы по соседству, чтобы продавцу сложнее было потом все вспомнить. Потом ты удаляешь часовую стрелку. Просверливаешь в стекле дырку, вставляешь в нее кнопку, с помощью хорошего клея прикрепляешь к ней провод. Теперь очередь батарейки. Стрелку ты ставишь по своему желанию — поближе или подальше от кнопки. Но, как правило, дело лучше не затягивать, чтобы бомбу не обнаружили и не обезвредили. Заводишь часы. Проверяешь, в порядке ли минутная стрелка. В порядке. Тогда, помолившись тому, кого почитаешь своим создателем, вставляешь детонатор. В то мгновение, когда минутная стрелка коснется кнопки, цепь замкнется и, если господь к тебе милостив, произойдет взрыв».

Чтобы наглядно продемонстрировать это чудо, силезец удалил обезвреженный детонатор и десять палочек взрывчатки, поместив вместо них крошечную лампочку — из тех, что используются в электрических фонариках.

— Теперь вы увидите, как действует это устройство! — воскликнул силезец.

Никто не сомневался, что оно действует, многие знали его как свои пять пальцев, и все же, когда лампочка, давая сигнал, весело мигнула, Алексису показалось, что все невольно вздрогнули. Один Шульман сохранял полнейшую невозмутимость. Алексис решил, что тот и впрямь, наверное, немало повидал на своем веку.

Какой-то субъект, желая отличиться, задал вопрос, почему бомба взорвалась с опозданием.

— Бомба находилась в доме четырнадцать часов, — заметил он на своем безукоризненном английском. — Минутная стрелка рассчитана на час оборота. Часовая — на двенадцать. Как можно объяснить подобный факт, учитывая, что часовой механизм бомбы рассчитан максимум на двенадцать часов?

В ответ на каждый вопрос у силезца была заготовлена целая лекция. И сейчас он пустился в разъяснения, тогда как Шульман со снисходительной улыбкой осторожно ощупывал своими толстыми пальцами макет, словно уронил туда что-то.

— Возможно, отказал механизм, — объяснил силезец. — Возможно, поездка в автомобиле до Дроссельштрассе что-то в нем нарушила. Возможно, атташе как-нибудь невзначай тряхнул устройство, когда укладывал чемодан на постель Эльке. Возможно, плохонькие часы остановились, а затем вновь пошли.

«Словом, возможностям нет числа», — подумал Алексис с невольным раздражением.

Но Шульман предложил другое, более остроумное объяснение.

— А возможно, этот террорист неаккуратно счистил краску со стрелки часов, — рассеянно сказал он. — Наверное, террорист был не так вышколен, как ваши специалисты в лабораториях. Не так ловок, не так тщателен в своей работе.

«Но это же девушка, — тут же мысленно возразил ему Алексис. — Почему это вдруг Шульман говорит «он», когда мы должны представлять себе хорошенькую девушку в синем платье?» Видимо, сам того не ведая, Шульман подпортил силезцу его триумф, после чего занялся самодельной бомбой, вделанной в крышку чемодана, тихонько потянул за проволоку, вшитую в подкладку и прикрепленную к бельевой прищепке.

— Вы нашли что-то интересное, господин Шульман? — ангельски сдержанно осведомился силезец. — Вероятно, обнаружили ключ? Расскажите нам, пожалуйста. Это интересно.

Шульман взвесил это щедрое приглашение.

— Слишком мало проволоки, — объявил он. — Здесь семьдесят семь сантиметров проволоки. — Он помахал обгорелым мотком. Проволока была скручена, как моток шерсти, перетянутый посередине, чтобы держался. — В вашем макете вы используете максимум двадцать пять сантиметров. Куда делись еще полметра?

Последовала секунда озадаченности и тишины, после чего силезец рассмеялся громко и снисходительно.

— Но, господин Шульман, это ведь *лишняя* проволока, — объяснил он, словно урезонивая ребенка. — Для цепи она лишняя. Когда террорист налаживал устройство, у него, по-видимому, часть проволоки оказалась лишней, поэтому он или она и бросил остаток в чемодан. Ведь проволока эта была лишняя, — повторил он, — übrig. Для технической стороны значения не имеющая. Sag ihm doch übrig[1].

— Остаток, — неизвестно зачем перевел кто-то из присутствующих. — Он не важен, мистер Шульман, это *остаток*.

Момент пролетел, зияющую дыру залатали, после чего Алексис отвлекся, а когда опять взглянул на Шульмана, то увидел, что тот уже стоит у двери и собирается потихоньку уйти: голова повернута к Алексису, а рука с часами приподнята, но так, будто он не столько на часы смотрит, сколько прислушивается к себе, достаточно ли он голоден, чтобы пообедать. На Алексиса он не глядел, но тот был уверен, что Шульман ждет его, предлагает уйти вместе. Силезец все еще бубнил свое в окружении слушателей, бесцельно топтавшихся вокруг, как группа пассажиров только что приземлившегося лайнера. Выбравшись из этой толпы, Алексис на цыпочках быстро покинул зал, догоняя Шульмана. В коридоре тот ласково ухватил его за руку в неожиданном изъявлении дружеской приязни. Выйдя на залитую солнцем улицу, оба сняли пиджаки, причем — Алексис потом явственно припомнил это — пока он ловил такси и называл адрес итальянского ресторанчика на холме, на окраине Бад-Годесберга, Шульман

---

[1] Объясните ему, что значит übrig (*нем.*).

аккуратно свернул свой пиджак наподобие солдатской походной скатки. Раньше Алексису случалось возить в этот ресторанчик женщин, но в мужской компании он там не бывал никогда и, как истинный сластолюбец, остро ощущал новизну этого события.

По дороге они почти не разговаривали, Шульман любовался красотой пейзажа, озираясь вокруг с видом спокойным и довольным, как человек, заслуживший субботний отдых, хотя на самом-то деле до субботы было еще далеко. Алексис вспомнил, что Шульман улетает из Кёльна вечером. Словно отпущенный из школы мальчишка, он считал оставшиеся им часы, почему-то полагая само собой разумеющимся, что других встреч Шульман на это время не планирует. Предположение смешное, но приятное. В ресторанчике на вершине холма Святой Цецилии итальянец padrone[1], как и следовало ожидать, засуетился вокруг Алексиса, однако было совершенно ясно, что впечатление на него произвел именно Шульман, и это справедливо. Он называл его «господин профессор» и настоял, чтобы они заняли большой стол на шестерых у окна. Отсюда открывался вид на старый город внизу и дальше — на Рейн, петляющий между бурых холмов, увенчанных остроконечными башнями замков. Алексису пейзаж этот был привычен, но в этот день, увиденный глазами нового приятеля, по-новому восхищал его. Он заказал два виски. Шульман не возражал.

Одобрительно поглядывая вокруг в ожидании виски, Шульман наконец проговорил:

— Может быть, если б Вагнер оставил в покое этого парня Зигфрида, мир, в конечном счете, был бы лучше.

Алексис не сразу понял, в чем дело. День до этого был такой сумбурный, он был голоден и плохо соображал. Шульман говорил по-немецки! С густым акцентом судетских немцев, звучавшим непривычно, как скрип заржавевшей в бездействии машины. Более того, с извиняющейся улыбкой, довери-

---

[1] Хозяин (*ит.*).

тельной и в то же время заговорщической. Алексис хихикнул, Шульман тоже засмеялся. Подали виски, и они выпили за здоровье друг друга.

— Слыхал я, что вы получаете скоро новое назначение в Висбаден, — заметил Шульман, по-прежнему по-немецки, когда с традицией дружеских возлияний было покончено. — Канцелярская работа. Понижение под видом повышения, как мне сказали. Объясняют это тем, что в вас слишком много человечности. Зная теперь вас и их, я ничуть не удивлен.

Алексис тоже постарался не выказать удивления. О деталях нового назначения еще и речи не было. Поговаривали лишь, что оно последует вскоре. Даже замена его силезцем пока что держалась в тайне. Сам Алексис не успел еще никому об этом рассказать, даже своей молоденькой приятельнице, с которой по нескольку раз на дню вел довольно беспредметные телефонные беседы.

— Так вот оно и происходит, правда? — философски заметил Шульман, обращаясь не то к реке внизу, не то к Алексису. — И в Иерусалиме, поверьте, то же, что и здесь: вверх — вниз.

Он заказал pasta[1] и ел, как изголодавшийся арестант — вовсю наворачивал ложкой и вилкой, действуя совершенно автоматически и даже не глядя на еду. Алексис, боясь ему помешать, был тих, как мышка.

— Несколько лет назад у нас там объявилась шайка палестинцев, — задумчиво начал Шульман. — И никакой управы на них не было. Обычно этим занимаются люди малообразованные. Крестьянские парни, лезущие в герои. Перебираются через границу в какую-нибудь деревеньку, взрывают там свой запас бомб и давай бог ноги. Ловим мы их после первой же вылазки, а не первой, так второй, если они отваживаются на вторую. Но эти были совсем другого сорта. У них был руководитель. Они знали, как передвигаться, как избавляться от шпионов, как заметать следы, как отдавать приказы и распоряжения. Для начала они подорвали супермаркет в

---

[1] Итальянское блюдо из макарон.

...том школу, потом пошли взрывы в разных де-
..., потом опять школа, пока это не превратилось в
...му. Вскоре они начали охотиться за нашими парнями,
возвращавшимися из увольнения, когда те голосовали на дорогах. Возмущенные матери, газеты... И все требуют: «Поймать преступников!» Мы стали искать их, сообщили везде,
где только можно. И раскрыли, что прятались они в пещерах
на берегу Иордана. Окопались там, а кормились, грабя та-
мошних крестьян. Однако поймать их мы все же не могли. Их
пропаганда называла их героями Восьмого отряда командос.
Но мы знали этот Восьмой отряд как облупленных — там
никто и спички не зажег бы без того, чтобы об этом не стало
нам заранее известно. Слух прошел — это братья. Семейное
предприятие. Один из агентов в своем донесении указывал
троих, другой — четверых. Но оба сходились на том, что это
братья и они постоянно проживают в Иордании, о чем уже и
так было известно.

Мы сколотили команду для охоты за ними — «сайярет»,
так называем мы такие отряды, маленькие, но состоящие из
бравых парней. Старший у этих палестинцев, как мы слыхали, был человеком необщительным и не доверял никому,
кроме родственников. Чрезвычайно болезненно воспринимал предателей-арабов. Его мы так и не обнаружили. Два его
брата оказались не такими ловкими. Один из них питал слабость к девчонке из Аммана. Его скосила пулеметная очередь, когда рано утром он выходил из ее дома. Второй проявил неосторожность, позвонив приятелю в Сидон[1] и условившись о встрече на выходной. Его машину разнесло на
куски авиационной бомбой, когда он ехал по приморскому
шоссе.

К тому времени мы выяснили, кто они такие — палестинцы с Западного берега, из виноградарского района близ Хеврона, бежавшие оттуда после окончания войны 1967 года.
Был там и четвертый брат, но слишком маленький, чтобы
воевать, маленький даже по их понятиям. С ними жили сначала две их сестры, но одна погибла во время нашей ответной

---

[1] Современное название — Сайда.

акции — обстрела южного берега Литани. Так что люде[й]
них оставалось немного. Тем не менее мы продолжали иска[ть]
их главаря. Ждали, когда он соберет подкрепление и опять
примется за свое. Но не дождались. Он оставил борьбу. Прошло шесть месяцев. Затем год. Мы решили: «Забудем о нем.
Наверное, его, как это водится, кокнули свои». А несколько
месяцев назад до нас дошел слух, что он объявился в Европе.
Здесь. Собрал группу, в которой есть и женщины, все молодежь, по большей части немцы. — Он набил полный рот и
глубокомысленно принялся жевать. — Держится от них на
расстоянии, — продолжал Шульман, когда рот его освобо-
дился. — Играет перед впечатлительными подростками роль
эдакого арабского Мефистофеля.

Наступило долгое молчание, и Алексис поначалу не мог
понять, о чем размышляет Шульман. Солнце стояло высоко в
небе над бурыми холмами, оно било прямо в их окно и сле-
пило глаза, так что выражение лица Шульмана трудно было
разглядеть. Алексис отодвинулся и взглянул на него еще раз.
Почему вдруг затуманились эти темные глаза, откуда взялась
эта молочная дымка? Неужели это яркий свет так обескровил
лицо Шульмана, обозначил морщины, превратив его вдруг в
маску мертвеца? Лишь потом Алексис распознал всепогло-
щающую страсть, владевшую этим человеком, которой раньше не замечал — ни когда они были в ресторане, ни потом,
когда спустились в сонный курортный городок с его множив-
шимися, как грибы, домами министерских чиновников; в отличие от большинства мужчин Шульман был во власти не
любви, а глубокой, внушающей почтительный трепет ненависти.


В тот же вечер Шульман отбыл. Кое-кто из его группы задержался еще на два дня. Прощальный ритуал, которым силезец вознамерился отметить традиционно существующие
прекрасные отношения между двумя спецслужбами, устроив
вечеринку с сосисками и светлым пивом, был тихо проигно-
рирован Алексисом, заметившим, что коль скоро Бонн выбрал именно этот день, дабы недвусмысленно намекнуть о
возможной в будущем продаже оружия Саудовской Аравии,
то маловероятно, чтобы гости пребывали в особенно радуж-

ном настроении. Пожалуй, это можно было назвать последним из его решительных поступков на этой службе, так как месяц спустя, как и предсказывал Шульман, его выставили из Бонна и отправили в Висбаден. Единственным его утешением в период, когда большинство немецких друзей спешно рвали с ним отношения, явилась написанная от руки открытка со штампом Иерусалима и теплыми пожеланиями от Шульмана, полученная в первый же день пребывания на новой службе. В открытке, подписанной «всегда ваш Шульман», тот желал ему всяческих удач и выражал надежду на встречу как в служебной, так и в домашней обстановке. Из сдержанного постскриптума можно было понять, что и сам Шульман переживает отнюдь не лучшие времена. «Есть у меня неприятное предчувствие, — писал он, — что если в ближайшее время я не покажу результатов, то разделю Вашу судьбу». Улыбнувшись, Алексис бросил открытку в ящик, где ее каждый мог прочесть, зная, что этим непременно воспользуются. А еще через две недели, когда доктор Алексис и его молоденькая любовница наконец-то решились сыграть свадьбу, ни один из подарков не доставил ему такого удовольствия и не позабавил его так, как присланные Шульманом розы. А ведь он даже не сообщил ему, что женится!

Эти розы были как обещание нового романа, в котором он так нуждался.

# Глава 2

Прошло почти два месяца, прежде чем человек, известный доктору Алексису как Шульман, вернулся в Германию. За это время в проводимом Иерусалимом расследовании был сделан такой рывок, что те, кто все еще копался среди развалин в Бад-Годесберге, и не узнали бы этого дела. Если бы случай в Бад-Годесберге был единственным и изолированным, а не являлся звеном в цепи согласованных действий, если б задача заключалась лишь в том, чтобы виновные понесли наказание, Шульман и не подумал бы вмешаться, так как преследовал иную, нежели просто возмездие, и более честолюбивую цель, связанную, помимо прочего, с его стремлением удержаться на службе. Вот уже много месяцев он неустанно побуждал своих подчиненных искать то, что он называл «лазейкой», лазейку достаточно широкую, чтобы, воспользовавшись ею, захватить противника в его доме, а не атаковать в лоб с помощью танков и артиллерии, к чему все более склонялись в Иерусалиме. Благодаря случаю в Бад-Годесберге они эту лазейку нашли.

Шульман прибыл не в Бонн, а в Мюнхен, причем вовсе не под фамилией Шульман, и о прибытии его ни Алексис, ни его преемник-силезец ничего не знали, а этого Шульман и хотел. Фамилия же его, если о ней заходила речь, на сей раз была Курц, хотя пользовался он ею так редко, что вряд ли можно было поставить ему в вину, если бы он и вовсе ее забыл.

Курц по-немецки значит «короткий». Курц — человек коротких путей, как считали многие. Курц — человек коротких запалов, как представлялось его жертвам. А иные после долгих поисков сравнивали его с героем Джозефа Конрада. Истина состояла в том, что фамилия была моравской и исконно произносилась «Курз», но британский полицейский в паспортном столе прозорливо переделал ее в «Курц», а Курц не менее прозорливо сохранил ее в этом виде — маленький острый кинжал, вонзенный в тушу его индивидуальности и там оставленный, чтобы не давать покоя и побуждать к действию.

В Мюнхен он прибыл из Тель-Авива через Стамбул, дважды меняя паспорт и трижды пересаживаясь с самолета на самолет. Перед этим он неделю пробыл в Лондоне, где вел жизнь, крайне уединенную и деловую. Всюду, где бы он ни появлялся, он выправлял положение, беря под контроль результаты, вербуя помощников, убеждая людей, пичкая их легендами и полуправдами, превозмогая сопротивление неуемной своей энергией, масштабностью и дальновидностью планов, даже при том, что иной раз он повторялся или упускал из виду какое-нибудь собственное малозначительное распоряжение. «Живешь так недолго, — говорил он, хитро подмигивая, — а мертвым еще належишься!» Это были единственные его слова, хоть как-то напоминавшие оправдание; решал же он проблему за счет сна. В Иерусалиме говорили, что спит Курц так же молниеносно быстро, как и работает. А работал он действительно молниеносно быстро. Курц, объясняли знающие люди, мастер агрессивной европейской тактики. Курц выбирает всегда немыслимый путь и делает, казалось бы, невозможное. Он вступает в сделки, юлит, изворачивается и лжет самому господу богу, а в результате он удачливее всех евреев за последние две тысячи лет.

Не то чтобы все они как один любили его — нет; уж слишком он был непредсказуем, сложен, соткан из многих противоречий и оттенков — человек с двойным дном, а, может быть, и больше чем с двойным. Сплошь и рядом отношения его с начальством, в особенности с шефом его Мишей Гавроном, складывались как у людей, едва терпящих друг друга, не было в их отношениях доверительности равных. Он не имел определенной должности и, как это ни странно, не стремился к ней. Положение его было шатким и все время менялось в зависимости от того, кого он мимоходом оскорблял в погоне за нужным союзником. Он был не в ладах со всей этой новомодной множительной техникой, компьютерами, интриганством на американский манер, психологическими тестами и любовью к крутым политическим виражам. Он любил диаспору и остался ей верен во времена, когда большинство израильтян с застенчивым энтузиазмом стали рядиться в восточные одежды. Преодоление было его стихией, отверженность закалила его характер. При необходимости он умел сражаться на всех фронтах, и то, что не давалось ему сразу, в открытую, он получал, прибегая к хитрости. Во имя любви к Израилю. Во имя мира. Во имя спокойствия. И отстаивая проклятое право делать по-своему, чтобы выжить.

На какой стадии расследования выработал он свой план, наверное, он и сам не мог бы сказать точно. Подобные планы возникали у него как-то подспудно, рожденные инстинктом неповиновения, ожидающим лишь повода, чтобы проявиться в действии, ему самому не совсем ясном. Пришел ли ему в голову этот план, когда было окончательно установлено происхождение бомбы? Или когда он уплетал свою pasta на холме Святой Цецилии, наслаждаясь видом Годесберга и сознанием того, как полезна ему может оказаться встреча с Алексисом? Нет, раньше. Гораздо раньше. «Это надо сделать, — говорил он каждому, кто готов был слушать его, говорил еще весной, по окончании особо грозного заседания руководства у Гаврона. — Если мы не захватим противника на его территории, эти шуты из кнессета и министерства обороны в пылу охоты взорвут к черту всю цивилизацию!» Некоторые из осведомленных лиц уверяли, что план свой он выработал даже раньше, просто Гаврон год тому назад не разрешил к нему приступить. Но это не имеет значения. Несомненно одно: подготовка операции шла вовсю еще до того, как мальчишку выследили, шла, несмотря на то, что Курц тщательно скрывал все следы ее от злобных взоров Миши Гаврона и фальсифицировал свои докладные, чтобы ввести его в заблуждение. «Гаврон» по-польски означает «грач». Мрачный, с хриплым голосом, взъерошенный, он, конечно, и не мог быть никем другим.

«Найдите мальчишку! — приказывал Курц своей иерусалимской группе, отправляясь в очередное малопонятное путешествие. — Есть мальчишка, и есть его тень. Найдете мальчишку, вслед за ним выловим и тень — и дело в шляпе».

Он отменил отпуск и уничтожил субботу, он решил тратить собственные скудные средства, лишь бы не требовать предварительных ассигнований. Он лишал резервистов их ученых синекур, отзывая на прежнюю работу, где им не платили компенсации. И все только затем, чтобы ускорить дело. Найдите мальчишку. Мальчишка наведет нас на след. Однажды он ни с того ни с сего назвал его даже «Янука». Этим словом, буквально значащим «сосунок», на армейском языке ласково называют малышей. «Доставьте мне Януку, и вы получите всех этих шутов и всю их организацию на блюдечке».

Но ни слова Гаврону. Подождем. Грачу — никакой поживы.

Если не в Иерусалиме, то в любимой Курцем диаспоре ему помогало бесчисленное множество людей. В одном только Лондоне он, не стирая с лица улыбки, общался то с почтенными торговцами картинами, то с сомнительными дельцами кинобизнеса, сновал между малоприметными квартировладельцами Ист-Энда, торговцами готовым платьем, какими-то автомобильными агентами и даже служащими самых известных контор Сити. Несколько раз его видели в театре, причем однажды даже за городом, но каждый раз на одном и том же спектакле; с ним был израильский дипломат, занимавшийся вопросами культуры, хотя обсуждали они вовсе не эти вопросы. В Кэмден-Тауне он дважды посетил скромное придорожное кафе, которое содержали несколько гвианских индейцев; в двух милях от Фрогнела по северо-западному шоссе он осмотрел уединенную викторианскую усадьбу, носившую название «Акр», и объявил, что это как раз то, что ему нужно. Но он лишь примеривается, добавил он своим любезным хозяевам; не будем ничего решать, пока дела не приведут его сюда. Условие хозяевами было принято.

В посольствах, консульствах и миссиях Курц узнавал, что нового творится и какие новые интриги затеваются на родине, а также о том, что поделывают соотечественники в других частях света. Перелеты он использовал, чтобы расширить знакомство с произведениями авторов-радикалов всех мастей, — хилый помощник, чье настоящее имя было Шимон Литвак, всегда держал для него в потертом портфеле запас подобной литературы и в самый неподходящий момент совал что-нибудь из этого запаса. Из самых крайних он располагал Фаноном, Геварой и Маригеллой, из более умеренных — Дебре, Сартром и Маркузе, не говоря уже о тех нежных душах, что посвящали свои писания в основном жестокостям принятой в обществе потребления системы образования, кошмарам религии и вопиющей бездуховности, воспитываемой в детях капиталистическим строем. Возвращаясь к себе в Иерусалим и Тель-Авив, где также не чуждались споров на эти темы, Курц держался тише воды ниже травы и проводил время в кругу товарищей и подчиненных, занятых той же работой, что и он, обходя противников, прорабатывая ворохи сведений, почерпнутых в папках давно закрытых дел, которые он тайно, но неукоснительно извлекал на свет божий для новой жизни. Услыхав однажды о доме № 11 по Дизраэли-стрит, сдаваемом за умеренную плату, он распорядился в целях секретности передислоцироваться туда всем, кто занимался интересующим его делом.

— Слышал я, что вы нас покидаете, — кисло заметил Миша Гаврон, повстречав его на каком-то постороннем совещании, ибо Гаврон-Грач уже успел что-то пронюхать, хотя и не был в точности уверен, откуда ветер дует.

И все же Курца было не подловить. Он сослался на автономность оперативных служб и раздвинул губы в упрямой улыбке.

А на следующий день он получил удар, которого ожидал, но был не в силах предотвратить. Удар жестокий, но в некотором смысле поучительный. Молодой израильский поэт, прибывший в Голландию для получения премии Лейденского университета, в день своего двадцатипятилетия за завтраком был разорван на куски присланной ему в отель бомбой. Новость настигла Курца за его рабочим столом, и он принял ее, как принимает апперкот дотоле непобедимый боксер-ветеран: отпрянул и на секунду зажмурился. Однако не прошло и нескольких часов, как он стоял перед Гавроном в его кабинете с кипой папок под мышкой и двумя планами ответной операции наготове. Один план предназначался самому Гаврону, другой, более расплывчатый, — руководству, состоявшему из слабонервных политиков и агрессивно настроенных генералов.

Какой конфиденциальный разговор произошел при этом между ними, никто в точности не знал, так как оба не имели большой склонности рассказывать о своих делах, но на следующее утро Курц уже действовал в открытую и, очевидно, получив на это благословение, набирал свежие силы. Самым молодым в этой наскоро сколоченной группе был Одед, двадцатитрехлетний товарищ Литвака по кибуцу и однокашник по престижному сайярету, а старейшиной — семидесятилетний грузин по фамилии Бугашвили, которого сокращенно звали просто Швили. У Швили была лысая, как бильярдный шар, голова, сутулые плечи и клоунского покроя брюки — мешковатые и короткие. Наряд его довершал черный котелок, который он не снимал даже в помещении. Когда-то в юности Швили занимался контрабандой и прочими темными делами — ремесло весьма распространенное в его краях, с годами же он превратился в изготовителя фальшивых документов широкого профиля. Наивысшее профессиональное достижение Швили относилось ко времени его пребывания на Лубянке, когда он готовил фальшивые документы для своих сокамерников из старых номеров газеты «Правда», которые перемалывал и делал собственную бумагу. Выпущенный наконец на свободу, он нашел применение своему таланту в области изящных искусств, создавая подделки и в то же самое время являясь экспертом, работавшим по контракту во многих известных галереях. Несколько раз, как он уверял, он имел удовольствие удостоверять подлинность собственных подделок. Курц любил Швили и, когда у него выдавались свободные десять минут, тащил его в кафе-мороженое у подножия горы и угощал там двойным кремом-карамель — любимым лакомством Швили.

Курц снабдил Швили двумя помощниками — помощниками весьма необычными. Первого раздобыл Литвак. Это был выпускник Лондонского университета, которого звали Леон, израильтянин, получивший воспитание в Англии — не по своей воле, а потому что отец его был послан в Европу в качестве представителя торгового кооператива. В Лондоне Леон проявил вкус к литературе, начал издавать журнал и опубликовал роман, прошедший совершенно незаметно. Три обязательных года в израильской армии дались ему нелегко, и после демобилизации он очутился в Тель-Авиве, где обосновался в одном из высокоинтеллектуальных еженедельников, которые появляются и исчезают с такой же быстротой, как красота хорошеньких девушек. Ко времени краха этого журнальчика Леон писал для него все статьи собственноручно. Однако среди мирной, страдающей клаустрофобией тель-авивской молодежи он странным образом воспрял, ощутив себя вдруг евреем, обуреваемым страстным желанием сокрушить врагов Израиля, прошлых и будущих.

— Теперь, — сказал ему Курц, — пишите для меня. Круг читателей вы этим не расширите, но ценить вас будут.

Вторым помощником Швили после Леона стала мисс Бах, уравновешенная и деловитая дама из Саут-Бенда, штат Индиана. На Курца произвела впечатление интеллигентность мисс Бах, равно как и ее нееврейская внешность, он взял ее к себе и многому научил, после чего отправил в Дамаск в качестве инструктора по компьютерному программированию. Затем в течение ряда лет невозмутимая мисс Бах поставляла сведения о мощности и местоположении сирийских радарных установок. Отозванная наконец оттуда, она некоторое время задумчиво примеряла к себе перспективу кочевой жизни на Западном берегу Иордана, когда последовавший от Курца новый вызов избавил ее от всех неудобств, связанных с такого рода существованием.

Итак, Швили, Леон и мисс Бах составили необычайное трио, которое Курц прозвал «Комитетом чтения и письма», особо выделив его среди своей быстро набиравшей численность армии.


В Мюнхене обосновались не менее шести человек из его вновь сформированной команды, и занимали они две квартиры в разных концах города. Первая группа насчитывала двух агентов, ведавших наружным наблюдением. Первоначально предполагалось, что их будет пятеро, но Гаврон был все еще полон решимости любыми способами ущемить Курца, и пятеро превратились в двоих. Встретив Курца не в аэропорту, а в мрачном кафе в Швабинге и запрятав в побитый фургон, принадлежавший какой-то строительной конторе (фургон также был данью экономии), они отвезли его в Олимпийскую деревню, к одному из темных подземных гаражей, центру притяжения всякой местной швали и проституток обоего пола. Олимпийская деревня, разумеется, вовсе не деревня, а ветхая, пришедшая в упадок цитадель, где здания, выстроенные из серого бетона, больше напоминают поселение в Израиле, чем в Баварии. Из громадного подземного гаража по грязной лестнице, испещренной надписями на всех языках, и через садик на крыше они провели его к квартирке на двух уровнях, снятой ими на короткий срок, частично меблированной. На улице они говорили по-английски и называли шефа «сэр», но в квартирке перешли на почтительный иврит и стали обращаться к нему «Марти».

Квартирка помещалась на самом верху углового дома и была загромождена причудливого вида фотоаппаратурой, переносными камерами на штативах, монтажными столами, экранами и проекторами. Квартирку украшала красного дерева лестница и старомодная галерея, которая скрипела и сотрясалась от малейшего неосторожного шага. С галереи можно было попасть в пустую комнату площадью четыре на три метра и с отверстием в потолке, которое, как ему подробно объяснили, они заделали, прикрыв одеялом, затем стружечной плитой, а затем слоем звукоизолирующей ваты. Стены и пол они также обили, в результате комната превратилась не то в исповедальню в ее современном варианте, не то в палату психиатрической больницы. Дверь они укрепили стальным листом, а наверху, на уровне глаз, встроили окошечко с пуленепробиваемым многослойным стеклом. На двери была табличка с надписью: «Темная комната. Не входить». И ниже тоже по-немецки: «Dunkelkammer kein Eintritt!» Курц заставил их войти в эту комнату, закрыть дверь и крикнуть так громко, как только можно. Услышав из-за двери лишь слабый шорох, он комнату одобрил.

Исходив все вдоль и поперек, осмотрев все входы и пожарные выходы, Курц посчитал разумным снять и нижнюю квартиру и в тот же день позвонил одному нюрнбергскому адвокату и попросил его оформить контракт. Ребята его старались выглядеть возможно неряшливее, как и подобает неудачникам, а молодой Одед обзавелся бородой. В документах они значились аргентинцами и профессиональными фотографами, хотя, что они снимали, никто не знал и никто этим не интересовался. Они рассказали Курцу, как иногда — чтобы жизнь их казалась более естественной и разнообразной — объявляли соседям, что вечером ждут гостей, но единственным доказательством этого были громкая музыка, а позднее — пустые бутылки в мусорных ящиках. На самом же деле они не пускали к себе никого, кроме курьера из другой группы: ни гостей, ни каких бы то ни было посетителей. Что же касается женщин — забудьте. Они выкинули из головы самую мысль о них до тех пор, пока не вернутся в Иерусалим.

Доложив все это и еще кое-что и обсудив с Курцем такие частности, как дополнительный транспорт, расходы на проведение операции и не стоит ли вбить в стены темной комнаты железные кольца — идея, которую Курц одобрил, они по его просьбе отправились с ним на прогулку, глотнуть, как он выразился, свежего воздуха. Побродив по кварталам, населенным обеспеченной студенческой богемой, они, словно притянутые магнитом, устремились к злополучному дому, который в 1977 году стал ареной нападения на израильских спортсменов, чья горестная судьба потрясла весь мир. Мемориальная доска с надписями на иврите и немецком была установлена на доме в память об одиннадцати погибших. Будь погибших вместо одиннадцати человек одиннадцать тысяч, их чувство возмущения не могло бы быть большим.

— Вот и помните об этом, — приказал Курц, когда они вернулись к фургону. Слова эти были излишни.

Затем они проводили Курца в центр города, где он намеренно оторвался от них и зашагал куда глаза глядят, пока ребята, не терявшие его из вида, не просигналили ему, что путь свободен и он может идти на очередную встречу. Контраст между первой квартирой и этой был разительный. Эта квартира помещалась в мансарде старинного пряничного дома с островерхой крышей, в самом сердце фешенебельного Мюнхена, на узкой, дорогой, вымощенной булыжником улочке. Улочка эта славилась швейцарским рестораном и элегантным магазином готового платья, владелец которого словно бы и ничего не продавал, но жил припеваючи. Курц поднялся по темной лестнице и едва ступил на площадку перед квартирой, как дверь открылась: пока он шел по улице, за ним следили на экране телевизионного монитора. Не проронив ни слова, он вошел в квартиру. Обитатели ее были старше тех двоих из первой квартиры. Они годились тем в отцы. Лица их отличались бледностью, словно у заключенных, пробывших в тюрьме длительный срок, а движения были скупы, в особенности когда они кружили по квартире в одних носках, ловко лавируя, чтобы не столкнуться нос к носу. Это были специалисты слежения из-за шторы, и даже в Иерусалиме они занимались тем же — замкнутый клан, особая группа людей. Окно прикрывали кружевные занавески, и в комнате, как и на улице, царил полумрак. Было не убрано, что создавало впечатление какой-то унылой запущенности. Вперемежку с мебелью «под бидермейер» — электронная и фотоаппаратура, несколько внутренних антенн. В тусклом свете призрачные их очертания делали помещение еще более унылым.

Без улыбки Курц обнял каждого. Потом за чаем с крекерами и сыром старший из обитателей квартиры, которого звали Ленни, представил подробный отчет, как будто Курцу и без того вот уже которую неделю не докладывали обо всем хоть сколько-нибудь достойном внимания: телефонные звонки Януки, кто бывал у него за последнее время, его последние интрижки. Ленни был великодушен и добр, но застенчив — стеснялся всех, за кем ни следил. У него были большие уши и очень некрасивое лицо с крупными чертами, может быть, в том числе и поэтому он предпочитал скрываться от мира. На нем был вязаный серый жилет, напоминавший кольчугу. В других обстоятельствах Курца бы утомили такие чрезмерные подробности, но Ленни он уважал и потому слушал его очень внимательно, кивая, подбадривая и никак не выказывая нетерпения.

— Нормальный парень этот Януки, — с жаром уверял Курца Ленни, — лавочники обожают его, друзья обожают его. Симпатичный покладистый малый, вот что он такое, Марти. Учится, но и повеселиться любит, поболтать. Серьезный, но и ничто человеческое ему не чуждо. — Поймав взгляд Курца, он смешался. — Ей-богу, Марти, иногда и поверить трудно, что он ведет двойную жизнь!

Курц заверил Ленни, что понимает его, и заверял бы еще долго, если бы в окне мансарды, расположенной через улицу, не зажегся свет. Этот желтый яркий прямоугольник на темном сумеречном фоне был для них как любовный призыв. Не теряя времени, молча, на цыпочках один из обитателей квартиры прокрался к подзорной трубе, установленной на штативе, а другой, нацепив наушники, приник к радиоперехватчику.

— Хочешь взглянуть, Марти? — с надеждой спросил Ленни. — Иешуа улыбается, значит, сегодня видимость хорошая. А если ждать, то он, не ровен час, может задернуть штору. Ну что видишь, Иешуа? Перышки начистил? Собирается куда-нибудь? А по телефону с кем говорит? Наверняка с девчонкой.

Легонько отстранив Иешуа, Курц склонился к подзорной трубе и надолго прилип к ней, нахохлившись, как старый морской волк во время качки, едва дыша, он изучал Януку, подросшего сосунка.

— Видишь, сколько там, позади него, книг, — сказал Ленни. — Парнишка начитан, как старый еврей!

— Ты прав, парень что надо, — заключил наконец Курц, улыбнувшись своей жесткой улыбкой. Подняв серый плащ, брошенный на кресло, он нащупал рукав и начал не спеша натягивать плащ. — Только не жени его ненароком на своей дочери.

Ленни смутился еще больше, и Курц поспешил его утешить:

— Ты заслужил благодарность, Ленни, и мы благодарны тебе, искренне благодарны. — И добавил: — И снимай, снимай его без конца. Не стесняйся, Ленни. Пленка стоит недорого.

Обменявшись со всеми рукопожатиями, он нахлобучил на голову синий берет и, защитившись таким образом от всех превратностей часа пик, решительно двинулся к выходу.

Когда Курца опять водворили в фургон и фургон этот в ожидании часа отбытия самолета стал колесить по городу, пошел дождь, и погода, казалось, привела всех троих в мрачное настроение. Одед вел машину, его молодое бородатое лицо в отблесках вечерних огней выглядело угрюмым и сердитым.

— А сейчас у Януки какая машина? — спросил Курц, хотя, по всей видимости, ответ ему был известен заранее.

— Шикарный «БМВ», — ответил Одед. — Руль с гидравлическим усилителем, непосредственный впрыск топлива, пробег — всего пять тысяч километров. Машины — его слабость.

— Машины, женщины и прочее баловство — все это слабости, — заметил с заднего сиденья второй агент. — В чем же, спрашивается, его сила?

— Опять взял напрокат? — уточнил у Одеда Курц.

— Опять.

— Глаз не спускайте с этой машины, — сказал Курц, обращаясь к обоим спутникам сразу. — А если он вернет машину фирме и не возьмет другой, в ту же секунду сообщите нам.

Требование это они уже выучили наизусть. Еще в Иерусалиме Курц твердил им: «Самое важное — знать, когда Янука вернет машину».

И вдруг Одед не выдержал. Возможно, наниматели не учли его молодости и темперамента, делавших его уязвимым в стрессовых ситуациях. Возможно, такому молодому парню нельзя было поручать работу, в которой то и дело приходилось ждать. Резко вырулив к обочине, он с таким исступлением нажал на тормоз, что ручка чуть не отвалилась.

— Да зачем же ему все спускать? — вскричал он. — К чему все эти вокруг да около? Он же может смотаться к себе, а там ищи его! Что тогда?

— Тогда он для нас пропал.

— Если так, почему сейчас его не прикончить? Да хоть сегодня вечером! Только прикажите, и дело будет сделано!

Курц не прерывал полета его фантазии.

— Ведь у нас же квартира напротив, так? Можно запулить снаряд через дорогу.

Курц молчал. С тем же успехом Одед мог бушевать перед лицом сфинкса.

— Так почему же не сделать этого, почему? — повторял Одед громко и взволнованно.

Курц не то чтобы жалел Одеда, просто он не терял самообладания.

— Потому что это нас ни к чему не ведет, Одед, вот почему. Ты что, не слыхал, может быть, что говорит Миша Гаврон? Есть у него выражение, я его очень люблю: если хочешь поймать льва, сперва постарайся хорошенько привязать козленка. Чьих это бредней ты наслушался? Кто это у нас такой вояка, вот что мне хотелось бы знать! Ты всерьез хочешь вывести из игры Януку, в то время как еще немножко, и мы доберемся до их главного боевика — лучшего из всех за многие-многие годы?

— Он устроил взрыв в Бад-Годесберге! Вена, а может быть, и Лейден — это тоже он. Евреи гибнут, Марти! Неужели Иерусалиму теперь на это наплевать? И скольких еще мы подставим, пока будем играть в эти наши игры?

Крепко ухватив своими ручищами Одеда за воротник куртки, Курц хорошенько встряхнул его. Когда он проделал это вторично, Одед больно стукнулся головой о стекло машины. Но Курц не извинился, а Одед не посмел выразить неудовольствие.

— *Они,* Одед. Не *он,* а *они,* — сказал Курц на этот раз с угрозой в голосе. — *Они* произвели взрыв в Бад-Годесберге и взрыв в Лейдене. И обезвредить мы собираемся *их,* а не шестерых ни в чем не повинных немецких обывателей и одного глупого мальчишку.

— Ладно, — сказал Одед и покраснел. — Пустите меня.

— Нет, *не ладно,* Одед. Ведь у Януки есть *друзья.* Родственники. Вокруг него есть люди, о которых мы и понятия не имеем. Так будешь и дальше работать на меня?

— Я ведь сказал — ладно.

Курц отпустил его, и Одед опять нажал на стартер. Курц выразил желание продолжить увлекательное путешествие в частную жизнь Януки, и они затряслись по неровной, вымощенной булыжником улочке туда, где был его любимый ночной клуб, затем к магазину, где он покупал рубашки и галстуки, к парикмахерской, где стригся, к книжным магазинам, торговавшим леворадикальной литературой, в которой он любил рыться, подбирая себе книжки. И всю поездку Курц в прекрасном расположении духа лучезарно улыбался, кивая, словно смотрел старый, не раз уже виденный фильм. На площади неподалеку от аэропорта они распрощались. Курц потрепал Одеда по плечу, выразив тем самым свою неизбывную симпатию, и взъерошил ему шевелюру.

— Слушай, это обоих вас касается: не рвите так постромки. Поешьте лучше где-нибудь повкуснее и запишите это на мой счет, хорошо?

Это была отеческая ласка командира перед битвой, а ведь командиром — пока Гаврон это допускал — он и был.

Из всех европейских маршрутов ночной полёт из Мюнхена в Берлин тем немногим, кто совершает этот путь, доставляет острейшие ностальгические переживания. Как бы ни обстояли дела с покойными, отходящими в небытие или искусственно поддерживаемыми «Восточным экспрессом», «Золотой стрелой» и «Голубым скорым», для тех, кому есть что вспомнить, шестьдесят минут ночного полета по восточногерманскому коридору в дребезжащем и на три четверти пустом самолете «Пан-Америкен» — это как сафари для охотника-ветерана, пожелавшего тряхнуть стариной. «Люфтганзе» этот маршрут заказан. Он принадлежит только победителям, хозяйничающим в бывшей немецкой столице, историкам и первооткрывателям островов, а вместе с ними поседевшему в битвах пожилому американцу, излучающему свойственный профессионалам покой, американцу, совершающему это путешествие на излюбленном своем месте, зовущему стюардессу по имени, которое он произносит с ужасающим акцентом оккупантов. Так и кажется, что ему ничего не стоит завести с ней особо доверительные отношения и за пачку хороших американских сигарет договориться за спиной властей о чем угодно. Двигатель поднимает рев, и самолет взлетает, мигают огни, не верится, что у самолета нет пропеллеров. Ты смотришь на неосвещенную враждебную землю — бомбить ее или спрыгнуть? Ты предаешься воспоминаниям, в которых войны путаются: по крайней мере, там, внизу, как это ни странно, мир остался прежним.

Курц не был исключением.

Он сидел у окна, устремив взгляд на что-то, заслоняемое собственным его отражением в ночи, и, как всегда на этом маршруте, воскрешал в памяти прошлое. В черноте этой ночи затерялась железнодорожная ветка, но остался товарный вагон, по-черепашьи медленно ползший с востока и загнанный на занесенный снегом запасной путь, потому что пять ночей и шесть дней по железной дороге движутся военные грузы, а это куда важнее Курца, его матери и еще ста восемнадцати евреев, втиснутых в этот вагон. Они едят снег, они окоченели, и многим из них так и не суждено больше согреться. «Следующий лагерь будет лучше», — шепчет мать, чтобы подбодрить его. В черноте этой ночи осталась его мать, безропотно принявшая смерть, в полях остался и мальчик из Судет, которым когда-то был он, мальчик, который голодал, воровал, убивал и ждал без всякой надежды, чтобы новый, но такой же враждебный, как и все прочие, мир отыскал и принял его. Он видит союзнический лагерь для перемещенных лиц, людей в незнакомых мундирах, лица детей, старообразные и лишенные выражения, как и его лицо. Новое пальто, новые ботинки, новая колючая проволока и новый побег — на этот раз от спасителей. И опять поля, долгие недели он бредет от поселка к поселку и от усадьбы к усадьбе, забирая к югу, где мерещится ему спасение, пока мало-помалу не становится теплее и в воздухе не разливается аромат цветов. И вот впервые в жизни он слышит, как шелестят пальмы от морского ветерка. «Слышишь, озябший мальчик, — шепчут ему пальмы, — вот так шелестим мы в Израиле. И море там синее, совсем как здесь». А у пирса стоит развалюха-пароходик, который кажется ему огромным и прекрасным. На пароходике черным-черно от черноволосых евреев, и поэтому, поднявшись на борт, он стянул где-то вязаную шапочку и носил ее не снимая, пока они не покинули гавань. Но светлые у него волосы или темные — он им подошел. На борту командиры обучали их стрельбе из краденых «лиэнфилдов». До Хайфы еще два дня пути, но для Курца война уже началась.

Самолет идет на посадку. Он чувствует, как кренится борт, и видит, как они проходят над стеной. У него лишь ручной багаж, но служба безопасности остерегается террористов и поэтому формальности отнимают много времени.

Шимон Литвак в старом «Форде» ждал его на автомобильной стоянке. Сам он прилетел из Голландии, где в течение двух дней изучал следы лейденского происшествия. Как и Курц, он чувствовал, что не вправе спать.

— Бомбу в книге передала девушка, — сказал он, как только Курц влез в машину. — Видная брюнетка. В джинсах. Портье в отеле решил, что она студентка университета, и в конце концов уверил себя в том, что приезжала она на велосипеде. Доказательств мало, но кое в чем я ему верю. Кто-то из свидетелей показал, что это мотоцикл. Сверток был перевязан красивой лентой, и на нем была надпись: «С днем рождения, Мордухай». План, способ передвижения, бомба, девушка — что в этом нового?

— Взрыватель?

— Из русского пластика. Сохранились лишь остатки изоляционного слоя. Ничего, что могло бы дать ключ.

— Отличительный знак?

— Аккуратный моточек красного провода в «кукле».

Курц внимательно поглядел на него.

— Собственно, никакого провода нет. Обугленные крошки. Ничего не разберешь.

— И бельевой прищепки нет? — спросил Курц.

— На этот раз он предпочел мышеловку. Обычную кухонную мышеловку. — Литвак нажал на стартер.

— Мышеловки у него уже были.

— Были и мышеловки, и прищепки, и старые бедуинские одеяла, и не дающие нам ключа взрыватели, дешевые часы с одной стрелкой, дешевые девицы. И был этот никчемный террорист-любитель, — сказал Литвак, ненавидевший непрофессионализм почти столь же яростно, как и врага. — Никчемный даже для араба. Сколько времени он дал вам?

Курц изобразил недоумение:

— Дал мне? Кто дал?

— На какой срок все рассчитано? На месяц? На два? Каковы условия?

Однако ответы Курца вовсе не всегда отличались точностью.

— Условия таковы, что многие в Иерусалиме предпочитают сражаться с ливанскими ветряными мельницами, а не напрягать мозги.

— Их сдерживает Грач? Или вы?

Курц погрузился в непривычную для него тихую задумчивость, а Литвак не захотел ему мешать. В центре Западного

Берлина не было тьмы, а на окраинах — света. Они направлялись к свету.

— Вы здорово польстили Гади, — неожиданно нарушил молчание Литвак, искоса поглядывая на начальника. — Самому вот так нагрянуть в его город... Этот ваш приезд для него большая честь.

— Это не его город, — ровным голосом возразил Курц. — Он здесь на время. Ему дали возможность поучиться, получить специальность и начать жизнь как бы заново. Для того только он здесь, в Берлине. Кстати, кто он теперь? Напомника мне, под каким именем он живет?

— Беккер, — сухо ответил Литвак.

Курц коротко усмехнулся.

— А как у него с дамами? Значат ли теперь для него что-нибудь женщины?

— Случайные встречи. Ни одной женщины, которую он мог бы назвать своей.

Курц поерзал, усаживаясь поудобней.

— Так, может быть, сейчас ему как раз и нужен роман? А потом он смог бы вернуться в Иерусалим к своей милой жене, этой Франки, которую ему, как мне представляется, вовсе и незачем было покидать.

Свернув на неприглядную улочку, они остановились перед нескладным трехэтажным доходным домом с облупленной штукатуркой. Вход обрамляли чудом сохранившиеся с довоенных времен пилястры. Сбоку от входа на уровне тротуара в освещенной неоном витрине красовались унылые образцы дамского платья, увенчанные вывеской: «Только оптовая торговля».

— Верхнюю кнопку, пожалуйста, — подсказал Литвак. — Два звонка, пауза, затем третий звонок — и он выйдет. Он живет над магазином.

Курц вылез из машины.

— Удачи вам! Нет, серьезно — желаю удачи!

Литвак смотрел, как Курц поспешил через улицу, как он зашагал враскачку по тротуару, чересчур стремительно и так же стремительно остановился у облезлой двери; толстая рука его потянулась к звонку, и в следующую же секунду дверь отворилась, как будто за дверью кто-то ждал, да так, наверное, и было на самом деле. Литвак видел, как Курц ступил за порог, как наклонился, обнимая человека меньше себя ростом, видел, как открывший дверь тоже обнял его в ответ в скупом солдатском приветствии. Дверь затворилась, Курц исчез.

На обратном пути, когда он медленно ехал по городу, Литвак был сердит — так выражалась его ревность, распространявшаяся на все, что он видел вокруг в этом ненавидимом им, ненавидимом наследственной ненавистью Берлине, испокон веков и поныне являвшемся колыбелью террора. Литвак направлялся в дешевый пансион, где, казалось, никто, и он в том числе, не знал, что такое сон. Но без пяти семь Литвак опять завернул на ту улочку, где оставил Курца. Нажав на кнопку звонка и подождав, он услышал поспешные шаги — шаги одного человека. Дверь открылась, Курц вышел, с удовольствием потянулся, глотнул свежего воздуха. Он был не брит, без галстука.

— Ну как? — спросил его Литвак, лишь только они очутились в машине.

— Что как?

— Что он сказал? Возьмется он за это или хочет жить-поживать в Берлине, поставляя тряпки заезжим полячкам?

Курц искренне удивился. Он как раз собирался поглядеть на часы и выворачивал себе руку, одновременно отводя манжет жестом, так загипнотизировавшим в свое время Алексиса, но, услыхав вопрос Литвака, он забыл о часах.

— *Возьмется ли?* Шимон, он ведь израильский офицер! — И улыбнулся вдруг — так тепло, что Литвак от неожиданности тоже улыбнулся ему в ответ. — Поначалу, правда, Гади сказал, что предпочел бы и дальше совершенствоваться в своей новой профессии. Так что пришлось припомнить, как хорошо он действовал в шестьдесят третьем, когда его перебросили через Суэц. Тогда он возразил, что план наш не годится, после чего мы подробно обсудили все неудобства жизни нелегала в Триполи, где он провел, помнится, года три, налаживая там сеть из ливийских агентов, чьей отличительной чертой было ужасное корыстолюбие. Затем он сказал: «Вам нужен кто-нибудь помоложе», но это была пустая отговорка, так она и была воспринята, и мы припомнили все его ночные вылазки в Иорданию и все трудности открытых военных действий против партизанских объектов, в чем обнаружили полное взаимопонимание. После этого мы детально разработали стратегию операции. Чего же больше?

— А сходство? Сходство достаточное? Рост, черты?

— Сходство достаточное, — ответил Курц. Лицо его посуровело, резче обозначились морщины. — Мы учитываем это. Работаем в данном направлении. А теперь хватит о нем, Шимон. Я и так тебе в пику чересчур расхвалил его.

Он вдруг оставил серьезный тон и от души рассмеялся, расхохотался так, что слезы потекли по щекам — слезы усталости и облегчения. Литвак тоже рассмеялся и почувствовал, как со смехом выходит из него зависть.


Сам захват происходил как обычно. Опытная группа в наши дни делает это быстро, по раз и навсегда разработанной схеме. В данном случае напряжение операции придавал лишь предполагаемый масштаб ее. Но ни беспорядочной стрельбы, ни какого бы то ни было насилия допущено не было. Просто в тридцати километрах от греко-турецкой границы, на греческой ее стороне, быстро и без шума был захвачен «Мерседес» вишневого цвета вместе с водителем. Операцией руководил Литвак, который, как всегда в подобных обстоятельствах, оказался на высоте. Курц, снова возвратившийся в Лондон для урегулирования неожиданно возникшего конфликта в группе Швили, все время, пока решался исход операции, просидел у телефона в израильском посольстве. Два мюнхенских парня, своевременно доложившие о возврате взятой напрокат машины и о том, что замены не предвидится, проводили Януку до аэропорта, а в следующий раз, как явствует из достоверных источников, он объявился лишь три дня спустя в Бейруте: группой подслушивания, работавшей в каком-то подвале в палестинской части города, был перехвачен его разговор с сестрой Фатьмой, служившей при штабе одной из экстремистских организаций. Он весело поздоровался с сестрой, сказал, что прибыл недели на две повидаться с друзьями, и осведомился, свободна ли она вечером. Группа доложила, что говорил он оживленно, напористо, радостно. Фатьма же, напротив, особой радости не выказывала. Может быть, как заключили они, она за что-то сердилась на брата, а может быть, и знала, что телефон ее прослушивается. Впрочем, возможно, действовали обе причины. Во всяком случае, встретиться брату и сестре так и не удалось.

Затем след Януки обнаружили в Стамбуле, где, предъявив кипрский дипломатический паспорт, он поселился в «Хилтоне». Два дня он пробыл там, отдавая дань всем религиозным и светским увеселениям, какие только может предложить этот город. Наблюдавшие за ним решили, что, прежде чем сесть за скудный рацион европейского христианства, он, видимо, решил как следует глотнуть ислама. Он посетил мечеть Сулеймана Великолепного — его видели там молящимся раза три, видели, как он чистил ботинки на зеленой аллее возле Южной стены. Он выпил несколько стаканов чая в обществе двух тихих мужчин, тут же сфотографированных, но так и не опознанных, — как оказалось, то были случайные люди, агентам вовсе не интересные.

В сквере на площади Султана Ахмеда он посидел на скамейке между лиловых и оранжевых цветочных клумб, одобрительно глядя на купола и минареты вокруг и на стайки американских туристов, а вернее — туристок, хихикающих старшеклассниц в шортах. Но что-то удержало его от того, чтобы подойти к ним — хотя такой поступок и был бы вполне в его характере, — подойти, поболтать, посмеяться вместе, чтобы поближе познакомиться. Он накупил слайдов и открыток у мальчишек-торговцев, ни капли не смущаясь бешеными ценами. Побродил по храму Святой Софии, с одинаковым удовольствием разглядывая как византийские достопримечательности времен Юстиниана, так и памятники турецкого владычества; в отчетах нашлось место даже возгласу искреннего удивления, которое вызвали у него колонны, вручную доставленные из Баальбека, города в стране, которую он так недавно покинул.

Но самое пристальное внимание вызвала у него мозаика с изображениями Августина и Константина, вручающих деве

Марии судьбу своей церкви и города, так как именно в этом месте храма произошла таинственная встреча с высоким неторопливым человеком в легкой куртке, сразу же ставшим его гидом, — услуга, дотоле Янукой неизменно отвергавшаяся. Помимо магии места и времени, когда мужчина подошел к Януке, было, видимо, что-то в его словах, моментально заставившее собеседника сдаться. Бок о бок они вторично проделали весь путь, бегло осмотрев еще раз внутренность храма Святой Софии, отдали дань восхищения его древнему безопорному своду и отправились вместе на старом «Плимуте» американского производства по набережной Босфора до автомобильной стоянки неподалеку от того места, где начинается шоссе на Анкару. «Плимут» уехал, и Янука опять остался один в этом мире, но теперь уже владельцем красивого «Мерседеса», который он спокойно подогнал к «Хилтону», сказав портье, что это его машина.

Вечер Янука провел в отеле — даже танец живота, накануне произведший на него столь сильное впечатление, не смог выманить его наружу, — и увидели его снова уже на следующее утро, на рассвете, когда он покатил по шоссе на запад, в сторону Эдирне и Ипсалы. Утро было туманным и прохладным, и линия горизонта терялась вдали. Он остановился в маленьком городишке выпить кофе и сфотографировать аиста, свившего гнездо на крыше мечети. Затем поднялся на пригорок и помочился, любуясь видом на море. Становилось жарче, тускло-коричневые холмы окрасились в красные и желтые тона. Теперь море проглядывало между холмами слева. Единственное, что оставалось преследователям делать на такой дороге, это, как говорится, «зажать жертву в клещи» — замкнуть двумя машинами, далеко спереди и так же сзади, горячо надеясь, что он не улизнет, свернув на какую-нибудь неприметную дорогу, что было вполне вероятно. Пустынное шоссе не позволяло им действовать иначе, ибо признаки жизни были здесь немногочисленны: цыганские шатры, стойбища пастухов да изредка появление хмурого типа в черном, который, казалось, посвятил свою жизнь изучению процесса дорожного движения. У Ипсалы Янука одурачил всех, неожиданно взяв вправо от развилки и направившись в городок, вместо того чтобы устремиться к границе. Не задумал ли он избавиться от машины? Упаси бог! Но тогда какого черта ему понадобилось в этом вонючем турецком пограничном городке?

Однако дело тут было вовсе не в черте. В захудалой мечети на главной площади городка, на самой границе с христианским миром, Янука в последний раз препоручил себя Аллаху, что было, по справедливому, хоть и мрачноватому, замечанию Литвака весьма предусмотрительно с его стороны. Когда он выходил из мечети, его укусила коричневая шавка, убежавшая от его карающей десницы. В этом увидели еще одно предзнаменование.

Наконец, ко всеобщему облегчению, он опять появился на шоссе. Здешняя пограничная застава представляет собой местечко не слишком приветливое. Греция и Турция объединяются здесь без большой охоты. С обеих сторон земля изрыта: по ней проложили свои тайные тропы разного рода террористы и контрабандисты, перестрелка здесь настолько привычна, что о ней никто и не упоминает; всего в нескольких километрах к северу проходит болгарская граница. На турецкой стороне надпись по-английски: «Приятного путешествия». Для отъезжающих греков таких добрых слов не нашлось, только щит с какими-то турецкими надписями, потом мост, перекинутый через стоячую зеленую лужу, небольшая очередь, нервно ожидающая турецкого пограничного контроля, которого Янука, предъявив свой дипломатический паспорт, попытался избежать, в чем и преуспел, тем самым ускорив развязку. Потом, зажатая между турецкими пограничными службами и постами греческих часовых, следует нейтральная полоса шириною метров в двадцать. На ней Янука купил себе бутылку беспошлинной водки и съел мороженое в кафе под пристальным взглядом с виду сонного длинноволосого парня по имени Ройвен. Ройвен уже три часа поедал в этом кафе булочки. Последним приветом турецкой земли является бронзовая статуя Ататюрка, декадента и пророка, злобно взирающего на плоские равнины вражеской территории. Как только Янука миновал Ататюрка, Ройвен оседлал мотоцикл и передал пять условных сигналов по азбуке Морзе Литваку, ожидавшему в тридцати километрах от границы на греческой территории, в месте, где уже не было охраны и машинам предписывалось сбавить скорость ввиду ремонтных работ на дороге. После чего и Ройвен на мотоцикле поспешил туда, дабы насладиться зрелищем.

Для приманки они использовали девушку, что было вполне резонно, учитывая не однажды проявленные склонности Януки. В руки ей дали гитару — тонкая деталь, ибо в наши дни наличие гитары снимает с девушки всякие подозрения, даже если та и не умеет на ней играть. Гитара — универсальный знак мирных намерений и духовности, что показали их недавние наблюдения в совсем другой сфере. Они лениво обсудили, какая девушка лучше подойдет — блондинка или брюнетка, так как знали, что Янука предпочитает блондинок, но учитывали и его постоянную готовность допускать исключения. В конце концов, они остановились на темноволосой девушке на том основании, что она лучше смотрелась сзади, да и походка у нее была попикантнее. Девушке предстояло возникнуть там, где кончался ремонтируемый участок. Ремонтные работы явились для Литвака и его команды благословением божьим. Кое-кто уверовал даже, что руководит их операцией никакой не Курц и не Литвак, а сам господь бог — в его иудейском варианте.

Сперва шел гудрон, затем — без всякого дорожного знака — начиналась грубая серо-голубая щебенка величиной с мячик для игры в гольф, хоть и не такая круглая. Далее следовал деревянный настил с желтыми предупредительными мигалками по бокам, максимальная скорость здесь была десять километров, и только безумец мог нарушить это предписание. Вот здесь-то и следовало появиться девушке, медленно бредущей по пешеходной части дороги. «Иди естественно, — сказали ей, — и не суетись, а только выстави опущенный большой палец». Их беспокоила лишь чересчур явная привлекательность девушки: не подхватил бы ее кто-нибудь, прежде чем Янука успеет предъявить на нее права.

Нет, ремонтные работы и впрямь оказались удачей чрезвычайной. Они временно отгородили одну от другой встречные полосы движения, разделив их пустырем шириною в добрых пятьдесят метров, где стояли вагончики строителей и тягачи и всюду валялся мусор. Здесь можно было, не вызывая ни малейших подозрений, укрыть целый полк солдат. В их же случае ни о каком полке и речи не было. Вся группа непосредственных участников операции состояла из семи человек, считая Шимона Литвака и девушку, служившую приманкой. Гаврон-Грач не допустил бы ни малейшего превышения сметы расходов. Остальные же пятеро были легко одетые и обутые в кроссовки парни, из тех, что, не вызывая ничьих подозрений, часами могут стоять, переминаясь с ноги на ногу, и разглядывать свои ногти, а потом вдруг хищно кинуться в атаку, за которой опять последует полоса созерцательного бездействия.

Тем временем приближался полдень, солнце было в зените, в воздухе стояла пыль. На шоссе появлялись лишь серые грузовики, груженные не то глиной, не то известью. Сверкающий вишневый «Мерседес», хоть и не новый, но достаточно элегантный, казался среди этих мусоровозов свадебной каретой. Он въехал на щебенку, делая тридцать километров в час, что было явным превышением скорости, и тут же сбавил ее до двадцати километров, так как по днищу машины застучали камешки. Когда он приблизился к настилу, скорость машины упала до пятнадцати, а затем и до десяти километров: Янука заметил девушку. Наблюдавшим было видно, как он обернулся, проверяя, так ли она хороша спереди, как сзади. И остался удовлетворен. Янука проехал еще немного — до того места, где опять начинался гудрон, — тем самым доставив несколько неприятных минут Литваку, уже решившему использовать дополнительно разработанный вариант операции, вариант более сложный, требовавший подключения добавочных участников: инсценировку дорожного происшествия в ста километрах от ремонтируемого участка. Но похоть, или природа, или еще что-то, делающее из нас дураков, все-таки победило. Янука подъехал к обочине, нажал кнопку, опустил стекло и, высунув красивую голову жизнелюбца, стал ждать, пока освещенная солнцем девушка волнующей походкой подойдет к нему. Когда она поравнялась с машиной, он по-английски осведомился, не собирается ли она проделать весь путь до Калифорнии пешком. Так же по-английски она ответила, что «вообще-то ей надо в Салоники», и спросила, не туда ли он направляется. На что, по ее словам, в тон ей он ответил, что «вообще-то поедет, куда она захочет», однако никто этого не слышал, и потому, когда операция завершилась, в группе эти слова вызвали сомнения. Сам Янука решительно утверждал, что не говорил ей ничего подобного, так что, возможно, окрыленная успехом, она кое-что и присочинила. Ее глаза и все ее черты и впрямь были весьма привлекательны, а плавная зазывность походки довершала впечатление. Чего еще было желать чистокровному молодому арабу после двух недель суровой политической переподготовки в горах южного Ливана, как не такую вот райскую гурию в джинсах?

Следует добавить, что и сам Янука был строен и ослепительно красив вполне семитской, под стать ей, красотой и обладал даром заразительной веселости. В результате они ощутили тягу друг к другу, тягу такого рода, какую только и могут ощутить две физически привлекательные особи, сразу почувствовавшие потенциального партнера. Девушка опустила гитару и, как ей было велено, высвободила плечи из лямок рюкзака, затем с видимым удовольствием скинула рюкзак на землю. По замыслу Литвака, этот попахивающий стриптизом жест должен был подтолкнуть Януку к одному из двух, на выбор: либо открыть заднюю дверцу, либо выйти из машины и отпереть багажник. Так или иначе, появлялся удобный шанс для нападения.

Разумеется, в некоторых моделях «Мерседеса» багажник открывается изнутри. Однако модель Януки была иной, что Литвак знал доподлинно. Как знал он и то, что багажник заперт или же что выставлять на шоссе девушку с турецкой стороны границы совершенно бессмысленно. Как бы мастерски ни были подделаны документы Януки — а по арабским меркам они были подделаны отлично, — Янука не настолько глуп, чтобы осмелиться пересекать границу с неизвестным грузом. По общему мнению, все произошло наилучшим образом. Вместо того чтобы просто повернуться и вручную открыть заднюю дверцу, Янука — возможно, чтобы произвести на девушку впечатление, — решил использовать автоматику и открыть перед ней все четыре дверцы разом. Девушка забросила через ближайшую заднюю дверцу на сиденье рюкзак и гитару, после чего, захлопнув дверцу, лениво и грациозно двинулась к передней дверце, как бы намереваясь сесть рядом с водителем. Но к виску Януки уже был приставлен пистолет, а Литвак, выглядевший даже более немощным, чем обычно, стоя на коленях на заднем сиденье, жестом испытанного головореза самолично зажимал в тиски голову Януки, другой рукой поднося к его рту снадобье, которое, как уверили Литвака, было крайне тому необходимо — в отрочестве Янука страдал астмой.

Что позднее удивляло всех, так это бесшумность операции. Ожидая, пока подействует снадобье, Литвак даже услышал в этой тишине отчетливый хруст стекол попавших под колеса солнцезащитных очков, на миг он подумал, что это хрустнула шея Януки, и похолодел — ведь это испортило бы все. Поначалу они опасались, что Янука ухитрился забыть или выбросить поддельную регистрационную карточку своей машины и документы, с которыми он собирался ехать дальше, но, по счастью, тревога оказалась ложной: и карточка, и документы были обнаружены в его элегантном черном бауле между шелковыми сшитыми на заказ рубашками и броскими галстуками, которые они вынуждены были конфисковать у него для собственных их нужд вместе с красивыми золотыми часами от Челлини, золотым браслетом в виде цепочки и золотым амулетом, который Янука носил на груди, уверяя, что это подарок любимой его сестры Фатьмы... Повезло им вдобавок и с затемненными стеклами автомобиля Януки, что не давало возможности посторонним глазам увидеть то, что происходило внутри. Ухищрение это — одно из многих доказательств приверженности Януки к роскоши — также сыграло роковую роль в его судьбе. Свернуть в таких условиях на запад, а затем на юг было проще простого; они могли бы сделать это совершенно естественно, не вызвав ничьих подозрений. И все же из осторожности они подрядили еще грузовик, из тех, что перевозят ульи. В местах этих пчеловодство процветает, а Литвак резонно предположил, что даже самый любознательный полицейский хорошенько подумает, прежде чем соваться в такой грузовик и тревожить пчел.

Единственным непредвиденным обстоятельством явился укус собаки — а что, если шавка эта была бешеной? На всякий случай они раздобыли сыворотку и вкатили Януке укол.

Важно было обеспечить одно: чтобы ни в Бейруте, ни где-либо еще не заметили временного исчезновения Януки. Люди Курца уже достаточно изучили его независимый легкомысленный нрав, знали, что поступки его отличает удивительное отсутствие логики, что он быстро меняет замыслы, частью по прихоти, частью из соображений безопасности, видя в этом наилучший способ сбить с толку преследователей. Знали они и о его новом увлечении греческими древностями: не раз и не два он по пути менял маршрут, чтобы посмотреть какие-нибудь античные развалины.

Итак, можно было начинать творить легенду, как называли это Курц и его помощники. А вот удастся ли ее завершить, хватит ли времени, сверенного по допотопным часам Курца, развернуть все, как они намеревались, это уже другой вопрос. Курца подстегивали два обстоятельства: первое — желание двинуть вперед дело, пока Миша Гаврон не прикрыл их лавочку, второе — угроза Гаврона в случае отсутствия видимых результатов внять голосам, все более настойчиво требовавшим от него перехода к военным действиям. Этого-то Курц и страшился.

# Глава 3

Иосиф и Чарли познакомились на острове Миконос, на пляже, где находились две таверны, за поздним обедом, когда греческое солнце второй половины августа самым беспощадным образом палит вовсю. Или, мысля в масштабе истории, через месяц после налета израильской авиации на густонаселенный палестинский квартал Бейрута, позднее объявленного попыткой обезглавить палестинцев, лишив их руководителей, хотя среди сотен погибших никаких руководителей не было, если не считать потенциальных, так как в числе убитых оказались и дети.

— Поздоровайся с Иосифом, Чарли, — весело предложил кто-то, и дело было сделано.

Оба при этом притворились, что ничего особенного не произошло. Она сурово нахмурилась, как и подобает истой революционерке, и протянула ему руку фальшиво добропорядочным жестом английской школьницы, он же окинул ее спокойно-одобрительным взглядом, не выразившим, как это ни странно, никаких дурных поползновений.

— Ну привет, Чарли, здравствуй, — сказал он, улыбнувшись, с любезностью не большей, чем того требовали приличия.

Итак, на самом деле поздоровался он, а не она.

Она заметила его привычку — прежде чем сказать слово, по-военному сдержанно поджать губы. Голос у него был негромкий, что придавало его речи удивительную мягкость — казалось, он куда меньше говорит, чем умалчивает. Держался он с ней как угодно, только не агрессивно.

Звали ее Чармиан, но всем она была известна как Чарли или же Красная Чарли — прозвище, которым она была обязана не только цвету волос, но и несколько безрассудному радикализму убеждений — следствию ее обеспокоенности тем, что происходит в мире, и желания искоренить царящее в нем зло. Ее видели в шумной компании молодых английских актеров, живших в хижине-развалюхе в двух шагах от моря и спускавшихся оттуда на пляж, — сплоченная стайка обросших и лохматых юнцов, дружная семейка. Получить в свое распоряжение эту хижину, да и вообще очутиться на острове было для них настоящим чудом, но актеры — народ к чудесам привычный. Облагодетельствовала же их какая-то одна контора в Сити, с некоторых пор пристрастившаяся оказывать поддержку странствующим актерам. По окончании турне по провинции несколько основных актеров труппы с удивлением услыхали предложение отдохнуть и поправить свое здоровье за счет фирмы. Чартерным рейсом их переправили на остров, где их ожидали гостеприимная хижина и прожиточный минимум, покрываемый за счет продления их скромного контракта. Это было щедростью невиданной, неслыханной и неожиданной.

Обсудив все, они решили, что лишь свиньи-фашисты способны на такое самоотверженное великодушие, после чего начисто забыли о том, как они попали сюда. Лишь изредка то один, то другой, поднимая стакан, заплетающимся языком хмуро и нехотя провозглашал здравицу облагодетельствовавшей их фирме.

Чарли никак нельзя было назвать самой хорошенькой в их компании, хотя в чертах ее угадывалась явная сексуальность, равно как и неистощимая доброта, столь же явная, несмотря на внешнюю суровость. Тупица Люси — вот та была сногсшибательна. Чарли же, по общепринятым меркам, была даже некрасива: крупный длинный нос, уже потрепанное лицо казалось то почти детским, то минуту спустя вдруг таким старым и скорбным, что оставалось лишь уповать, чтобы будущее не прибавило к ее жизненному опыту новых разочарований. Порою она была их приемышем, порою — заботливой мамашей, казначейшей, хранительницей и распорядительницей мази от комаров и пластырей от порезов. В этой роли, как и во всех прочих, она была само великодушие, сама компетентность. А часто, становясь их совестью, она обрушивалась на своих товарищей за их грехи, подлинные и мнимые, и обвиняла в шовинизме, сексуальной распущенности, истинно западной апатичности. Право на это давала ее «культура», поднимавшая, как они сами не раз признавались, и их на ступеньку выше. Чарли получила образование в частной школе и была как-никак дочерью биржевого маклера, хоть и окончившего свои дни за решеткой по обвинению в мошенничестве — прискорбный финал, о котором она время от времени им напоминала, и все же культура в человеке всегда скажется.

Но самое главное: она была общепризнанной премьершей. Когда по вечерам актеры, нацепив соломенные шляпы и завернувшись в пляжные халаты, разыгрывали в своем кругу небольшие пьески, именно Чарли, если снисходила до этого, была неподражаема. Если они собирались, чтобы попеть, то аккомпанировала на гитаре им Чарли, причем делала она это так хорошо, что гитара совершенно забивала их голоса; Чарли знала и песни протеста и великолепно исполняла их, сердито, по-мужски напористо. Иногда, хмурые, молчаливые, они собирались в кружок и, развалясь, курили марихуану и пили сухое вино по тридцать драхм за пол-литра. Все, но не Чарли, которая держалась в стороне с таким видом, словно давно выпила и выкурила положенную ей норму.

— Подождите, вот придет революция, — говорила она с ленивой угрозой, — тогда, голубчики, вы у меня попляшете, поработаете ни свет ни заря на турнепсовых грядках.

Тут они изображали испуг. А когда это начнется, Чарли? Где полетит с плеч первая голова?

— В проклятом Рикмансуэрте, — отвечала она тогда, вспоминая свое неспокойное окраинное детство. — Мы загоним их проклятые «Ягуары» в их же собственные проклятые бассейны.

Тут раздавались вопли ужаса, хотя всем была отлично известна слабость, которую сама Чарли питала к быстроходным машинам.

И все же они любили ее. И принимали безоговорочно. И Чарли, несмотря на то, что нипочем бы в этом не призналась, платила им взаимностью.

А вот Иосиф, как они его называли, был в их жизни чужаком и в гораздо большей степени, чем даже отщепенка Чарли. Ему никто не был нужен, кроме себя самого, — черта, которую натуры слабые считают доблестью. Отсутствие друзей его не тяготило, он не нуждался даже в их компании. Его вполне удовлетворяло общество полотенца, книги и фляжки с водой и возможность зарыться в индивидуальную песчаную норку. Лишь одна Чарли знала, что на самом-то деле он наваждение, призрак.

В здешних краях он появился наутро после ужасающей драки Чарли с Аластером, закончившейся полным поражением Чарли. Была в ней какая-то кротость, что ли, почему ее вечно и тянуло к забиякам. На сей раз выбор ее пал на забулдыгу-шотландца, верзилу, которого их братия называла Длинный Ал, сквернослова и любителя перевранных цитат из Бакунина. Как и Чарли, он был рыжеволос и белокож, а голубые глаза его глядели холодно и жестко. Когда Чарли и Ал мокрые вылезали вместе из воды, они казались людьми особой расы, а судя по угрюмости их, они словно догадывались, что окружающие это видят. Когда вдруг, взявшись за руки и не сказав никому ни слова, они направлялись к хижине, все понимали, что они находятся в когтях страсти, столь же мучительной, как и неразделенная боль. Но когда между ними происходили баталии, как это случилось и накануне вечером, то нежные души, вроде Уилли и Поли, так отчаянно пугались их ярости, что всегда старались улизнуть куда-нибудь до тех пор, пока не отгремит гроза. А в этот раз улизнула сама Чарли — ретировалась в темный угол чердака и залечивала свои раны. Проснулась она, однако, ровно в шесть и решила сходить выкупаться, а потом побаловать себя в поселке газетой на английском языке и завтраком. Она покупала «Геральд трибюн», когда появился этот призрак — чистейшей воды мистика.

Это был тот тип в красном клубном пиджаке с металлическими пуговицами. Он стоял позади нее совсем близко и, не обращая на нее внимания, выбирал какую-то книжицу. Но теперь на нем не было красного пиджака, а была футболка с короткими рукавами и вдобавок шорты и сандалии. И все же это, вне всякого сомнения, был он. Те же стриженные под ежик черные с проседью волосы, спускающиеся мыском на лоб, тот же внимательный взгляд карих глаз, словно бы любезно извиняющий чужие страсти, взгляд этот, как неяркий свет фонарика, устремлялся к ней из первого ряда партера ноттингемского Барри-тиэтр целых полдня — сначала на утреннике, затем на вечернем спектакле, — он не отпускал Чарли, провожая каждый ее жест. Лицо — такие черты с годами не оплывают и не грубеют, в них есть окончательность печатного оттиска. Лицо, в отличие от неуловимости актерских масок, как это показалось Чарли, четко отражающее живую жизнь, индивидуальность — сильную и определенную.

Она играла «Святую Иоанну» и злилась на Дофина, бесстыдно тянувшего на себя внимание публики и срывавшего ей все монологи. Поэтому она и заметила его лишь во время последней картины, он сидел в первом ряду полупустого зала в группе школьников. Если бы не плохой свет, она бы и тогда не разглядела его, но их осветительная аппаратура застряла в Дерби, дожидаясь пересылки, и софиты на этот раз не ослепили ее. Поначалу она приняла его за школьного учителя, но дети покинули зал, а он остался на месте, погруженный в чтение не то текста пьесы, не то предисловия к ней. И на вечернем спектакле, когда поднялся занавес, он был тут как тут, все на том же месте в центре первого ряда и все так же не сводил с нее глаз. Спектакль окончился, занавес упал, и ее возмутило, что его отнимают у нее.

А несколько дней спустя в Йорке, когда она и думать забыла о нем, ей вдруг явственно почудилось, что он опять в зале, хотя она и не была в этом уверена, потому что свет был теперь нормальный и перед глазами расплывалась дымка. Но в перерыве между спектаклями он ушел. И все же, хоть убейте, это был он, на том же месте, в центре первого ряда, так же пожирал ее глазами, и красный пиджак тот же. Кто же он — критик, режиссер, администратор, кинопродюсер? Может быть, из той конторы, что им покровительствует, связан с Советом по делам культуры? Но для бизнесмена, проверяющего, достаточно ли надежно помещен его капитал, он слишком худощав и нервозен. А критики, администраторы и прочие в этом роде и один-то акт насилу выдерживают, не то что два спектакля подряд. Когда же она увидела его или вообразила, что увидела, в третий раз на последнем их представлении в маленьком театрике в Ист-Энде — он стоял у портала, — она чуть было не бросилась к нему, не спросила, что ему надо и кто он такой: потенциальный убийца, собиратель автографов или просто сексуальный маньяк, как, впрочем, все мы. Но стоял он с таким подчеркнуто добродетельным видом, что она не посмела с ним заговорить.

Теперь же, всего в нескольких шагах от нее, он словно бы не замечал ее присутствия и занят был только книгами, будто это вовсе не он еще так недавно пожирал ее глазами! Несообразность такого поведения потрясла ее. Повернувшись к нему и встретив его бесстрастный взгляд, она принялась его разглядывать — с откровенностью уже вовсе неприличной. По счастью, чтобы скрыть синяк, она надела темные очки, что дало ей преимущество. Вблизи он оказался старше, худощавее и изможденнее. Она решила, что он, наверное, не выспался, может, сказывается разница во времени, если на самолете прилетел, возле глаз у него залегли тени усталости. Искры узнавания и ответного интереса в этих глазах она не заметила. Сунув «Геральд трибюн» в стопку прочих газет, Чарли поспешила укрыться в одной из прибрежных таверн.

«Я сошла с ума, — говорила она себе, и кофейная чашечка дрожала в ее руке, — выдумала бог знает что! Это его двойник. Напрасно я проглотила ту таблетку транквилизатора, когда Люси, после скандала с Алом, хотела поддержать мои гаснущие силы!» Где-то она читала о том, что иллюзия déjà-vu[1] возникает, когда нарушаются какие-то связи между мозгом и глазными нервами. Она оглянулась на дорогу, по которой пришла, и совершенно явственно, всем существом своим увидела — вот он, сидит в соседней таверне, в белой шапочке-каскетке для игры в гольф с козырьком, надвинутым на глаза, и читает свою книжицу — «Разговоры с Альенде» Дебре. Вчера она сама собиралась купить эту книжку.

«Он по мою душу пришел, — думала она, проходя в двух шагах от него с беззаботным видом, так, словно ей до него и дела не было, — но с чего он вообразил, что моя душа ему предназначена?»

После полудня он, как и следовало ожидать, занял позицию на пляже, метрах в шестидесяти от их места. Он был в строгих по-монашески черных плавках и с фляжкой воды, из которой время от времени отхлебывал по глотку, экономно, словно до ближайшего оазиса по меньшей мере день пути. Он вроде бы и не смотрел, и внимания на нее не обращал — прикрывшись широким козырьком шапочки-каскетки, почитывал своего Дебре — и все-таки ловил каждое ее движение. Она чувствовала это даже в его позе, в застывшей неподвижности его красивой головы. Из всех пляжей Миконоса он выбрал их пляж. А всем местам между дюн предпочел местечко с прекрасным обзором, и чем бы она ни занималась —

[1] Уже виденного (фр.).

плавала ли или тащила из таверны очередную бутылку вина для Ала, — он без малейших усилий мог следить за ней из своей удобной лисьей норы, и она, черт побери, ничего не могла с этим поделать.

Поэтому она бездействовала, как бездействовал и он, однако она знала, что он выжидает, чувствовала терпеливую целеустремленность, с какой он отсчитывал часы. Даже когда он лежал пластом без движения, от гибкого шоколадного тела его исходила какая-то таинственная настороженность, которую она чувствовала так же реально, как солнечное тепло. Иногда напряженность разряжалась движением: неожиданно он вскакивал, снимал свою шапочку-каскетку и серьезно, степенно направлялся к воде, точно первобытный охотник, только без копья, нырял бесшумно, почти не взбаламутив воды. Она ждала, ждала, казалось, годы, не иначе как утонул! Наконец, когда она мысленно уже прощалась с ним, он выныривал где-то далеко, чуть ли не у другого края бухты, и плыл размеренным кролем — так, словно ему предстояло проплыть еще многие мили, коротко остриженная черная голова его по-тюленьи блестела в воде. Вокруг него сновали моторки, но он их не боялся, попадались девушки, он и головы не поворачивал им вслед — Чарли специально за ним следила. После купания он неспешно делал несколько гимнастических упражнений, а потом опять нахлобучивал свою каскетку и принимался за своих Дебре и Альенде.

«Чей он? — беспомощно думала она. — Кто сочиняет ему реплики и ремарки?» Он вышел на сцену ради нее и для нее играет, точно так же, как в Англии она играла для него. Они с ним оба комедианты. В дрожащем знойном, слепящем солнечно-песчаном мареве она не сводила глаз с его загорелого крепкого тела — тела мужчины, к которому устремлялось теперь ее распаленное воображение. «Ты предназначен мне, — думала она, — я — тебе, а эти несмышленыши ничегошеньки не понимают!» Но подошло время обеда, и вся их компания продефилировала мимо его песчаного замка, направляясь в таверну. Поведение Люси, однако, возмутило Чарли: высвободив руку из-под руки Роберта и распутно вильнув бедром, Люси кивком указала на незнакомца.

— *Потрясный* парень! — громко сказала она. — Так бы его и слопала!

— Я тоже! — еще громче подхватил Уилли. — Ты как, Поли, не против?

Незнакомец и бровью не повел.

После обеда Ал увел ее в хижину, где яростно, без всякой лирики, они предались любви. Когда перед вечером она вернулась на пляж, а незнакомца там не оказалось, ей стало грустно: ведь она изменила своему тайному суженому. Она прикинула даже, не стоит ли вечером обойти кабаки. Не сумев познакомиться с ним днем, она решила, что вечером он наверняка будет более доступен.

Наутро на пляж она не пошла. Ночью поглощенность одной-единственной мыслью вначале позабавила ее, а потом испугала. Лежа рядом с тушей спящего Ала, она воображала себя в разнообразных любовных сценах и страстных объятиях человека, с которым не обмолвилась и словом, думала она и о том, как бросит Ала и убежит куда глаза глядят с этим незнакомцем. В шестнадцать лет такие безумства простительны, но в двадцать шесть они никуда не годятся. Бросить Ала — еще ничего, так или иначе, все равно дело к этому идет, следовательно, чем раньше, тем лучше. Но лететь мечтой вслед за прекрасным видением в шапочке-каскетке, даже на отдыхе в Греции, — занятие странное. Она повторила вчерашний маршрут, но на этот раз, к ее разочарованию, видение не возникло ни за ее спиной в книжном магазине, ни за столиком соседней таверны, ни рядом с ее отражением в стеклянных витринах на набережной. Во время обеда, встретившись в таверне со своими, она выяснила, что в ее отсутствие они окрестили его Иосифом.

Необычного в этом не было, они привыкли придумывать имена всем, как-нибудь привлекшим их внимание, имена, по большей части взятые из фильмов и пьес. Имя, однажды принятое и одобренное, так к человеку и прилипало. Иосифом, как они это объяснили, они назвали его из-за семитской внешности и пестрого, поверх черных плавок, полосатого халата, в котором он приходил на пляж и уходил с него. А кроме того, отстраненность от прочих смертных, надменная уверенность в своей избранности тоже превращали его в Иосифа, отвергнутого братьями отщепенца, коротающего дни с фляжкой и книжкой.

Сидя за столом, Чарли мрачно наблюдала за этой аннексией того, кто уже втайне был ее собственностью. Аластер, которому всегда становилось не по себе, когда начинали хвалить кого-нибудь, не испросив на то его, Аластера, разрешения, в это время наполнял свой стакан из кружки Роберта.

— К дьяволу Иосифа! — нагло заявил он. — Он просто развратник, как Уилли и Поли. Распустил хвост, вот как это называется. Так и шарит вокруг своими сальными глазками. Хочется в морду ему дать. И я дам ему в морду, помяните мое слово.

К тому времени Чарли была уже порядком раздражена, ей надоело выполнять функции подстилки и одновременно мамаши Аластера. Сварливость обычно не была ей свойственна, но крепнувшее отвращение к Аластеру, вкупе с чувством вины из-за Иосифа, заставило ее встать на дыбы.

— Ты, олух! Если он развратник, зачем ему особенно хвост-то распускать! — яростно обрушилась на него Чарли. Лицо ее исказилось злобой. — Стоит ему на пляж заглянуть — и половина всех греческих красавиц в его распоряжении. Как и в твоем, если тебе взбрендится.

Оценив этот неосторожный намек, Аластер закатил ей оплеуху, отчего щека ее сначала побелела, затем пунцово покраснела.

Проезжаться на счет Иосифа они продолжали и после обеда. Иосиф — наводчик. Или жулик. Он пижон. Убийца. Токсикоман. Жалкий мазилка. Тори. Но решающее слово, как всегда, осталось за Алом.

— Да он просто онанист! — презрительным басом процедил Ал и цыкнул передним зубом: дескать, вот как здорово я его припечатал.

Но сам Иосиф, к полному удовольствию Чарли, пропускал мимо ушей все эти оскорбления, поэтому уже ближе к вечеру, когда солнце и марихуана ввергли их в некоторое отупение — всех, кроме опять-таки Чарли, — они окончательно решили, что он человек исключительной выдержки, а это в их устах было весьма лестной характеристикой.

Но стоило им прийти к этому выводу, как поднялась Люси — теперь она была единственной вертикально стоявшей на всем этом выжженном солнцем пляже.

— Спорим, он на меня клюнет? — сказала она, стягивая с себя купальный костюм.

Следует сказать, что Люси была широкобедрой блондинкой, соблазнительной, как наливное яблочко. Играла она барменш, проституток, а иногда и мальчиков, но в основном специализировалась на ролях молоденьких нимфоманок и славилась тем, что стоило ей мигнуть, и любой мужчина терял голову. Слабо под самыми грудями подпоясав свой белый халат, она взяла кувшин с вином и пластмассовый стаканчик, водрузила кувшин на голову и, крутя бедрами и оттопырив зад, направилась в сторону Иосифа — шаржированный голливудский вариант греческой богини. Одолев дюну, она приблизилась к нему, встала на одно колено и, высоко держа кувшин, налила стакан вина, отчего халат ее распахнулся, но она никак этому не воспрепятствовала. Потом она протянула Иосифу стакан, обратившись к нему почему-то по-французски и пользуясь теми немногими словами, которые были ей известны на этом языке.

— Aimez-vous?[1] — спросила Люси.

Сначала Иосиф словно не замечал ее присутствия. Он перевернул страницу, потом поглядел на тень Люси из-под козырька оценивающим взглядом темных глаз, после чего принял стакан и под аплодисменты и идиотские выкрики ее болельщиков, устроивших неподалеку импровизированную палату общин, серьезно, без улыбки отпил.

— Ты, должно быть, Гера, — заметил он, выказав при этом ровно столько чувства, как если бы разглядывал географическую карту. Вот тут-то Люси и сделала захватывающее открытие: он весь был в шрамах!

Люси едва не ахнула. Самый удивительный из них — слева на животе, наподобие ямки — был с пятицентовую монету

---

[1] Любите? (фр.)

и напоминал ярлычок на одинаковых плавках Уилли и Поли. Не так уж и заметен, но, когда она дотронулась до него, шрам оказался нежным и бугристым.

— А ты Иосиф, — уклончиво отвечала Люси, которая не знала, кто такая Гера.

По пескам дюн опять разнеслись аплодисменты, Аластер поднял стакан и выкрикнул тост:

— Иосиф! Мистер Иосиф, сэр! Бог в помощь! И к чертям завистников!

— Присоединяйся к нам, Иосиф! — крикнул Роберт, причем Чарли тут же шикнула на него, сердито приказав заткнуться.

Но Иосиф к ним не присоединился. Он поднял стакан, словно провозглашая тост, и жест этот, как показалось разгоряченному воображению Чарли, предназначался персонально ей. Однако можно ли утверждать наверняка, улавливать столь тонкие детали с расстояния в двадцать метров, если не больше? После чего он опять углубился в чтение. Вызова в этом не было, вообще он никак к ним не отнесся, ни хорошо, ни плохо, как сформулировала это Люси. Он снова повернулся на живот, снова взялся за книгу и — о господи, шрам-то этот ведь, действительно, след от пули, вон на спине и *выходное отверстие!* Люси все глядела не отрываясь и наконец поняла, что ранен он был, видимо, не однажды: внутренняя сторона обеих рук вся в шрамах, на плечах безволосые, странного цвета участки кожи, позвоночник весь искорежен — «точно кто-то припечатал его раскаленным прутом», как она выразилась, а может, и отхлестал этим прутом? Люси помедлила еще немного, притворившись, что через его плечо заглядывает к нему в книгу, на самом-то деле она хотела погладить его по спине — спину, помимо шрамов, густо покрывала шерсть, спина была мускулистой, как раз такой, как любила Люси, — но не рискнула прикоснуться к нему вторично, не будучи уверена, как позднее признавалась она Чарли, что имеет на это право. А может быть, говорила она в припадке неожиданной скромности, ей следовало вначале спросить разрешения? Слова эти не раз потом приходили Чарли на память. Люси хотела было вылить из его фляжки воду и наполнить ее вином, но раз он не допил и стакана, так, может, вода ему нравится больше? Она опять поставила свой кувшин на голову и с ленивой грацией отправилась восвояси, к своей компании, где, прежде чем заснуть на чьем-то плече, взволнованно и захлебываясь обо всем поведала. Выдержку Иосифа посчитали не просто исключительной, но выдающейся.

Событие, послужившее поводом к их формальному знакомству, произошло на следующий день, и связано оно было с Аластером. Длинный Ал покидал их. Агент Ала вызвал его телеграммой — случай сам по себе невиданный. Агент этот до той поры, казалось, и не подозревал о существовании столь дорогостоящего способа связи. Телеграмма была принесена к ним в хижину в десять утра и доставлена на пляж Уилли и Поли, допоздна провалявшимися в постели. В ней сообщалось дословно «о возможности получить главную роль в фильме», что явилось сенсацией, так как голубой мечтой Аластера было сыграть главную роль в большом коммерческом фильме, или, по их выражению, «сбацать ролищу».

— Им со мной не сладить, — объяснял он всякий раз, когда кинопродюсеры отказывали ему. — Им пришлось бы всю картину под меня подстраивать, а мерзавцы чуют это.

Поэтому, когда пришла телеграмма, все очень обрадовались за Аластера, а на самом-то деле еще больше за себя, так как неугомонный Аластер у них уже в печенках сидел. Им было жаль Чарли, постоянно ходившую в синяках от его побоев, а кроме того, они опасались за свою шкуру. Одна Чарли расстроилась, что Ал уезжает, хотя печаль свою и постаралась скрыть. Уже давно она, как и все они, мечтала, чтобы Аластер убрался куда-нибудь. Но теперь, когда молитвы ее, казалось, были услышаны и телеграмма пришла, она чувствовала себя виноватой, и ей было страшно, что в жизни ее в который раз наступает какая-то новая полоса.

До ближайшего агентства авиакомпании «Олимпик», расположенного в поселке, они проводили Длинного Ала сразу после перерыва на обед, чтобы он успел утренним рейсом вылететь в Афины. Чарли тоже пошла со всеми вместе, но она была бледна, у нее кружилась голова, и она все время ежилась, зябко поводя плечами.

— Конечно, мест на этот чертов рейс не окажется, — уверяла она всех. — И этот подонок еще застрянет здесь на неделю-другую!

Но Чарли ошиблась. Для Ала не просто нашлось место, нашелся билет, три дня назад *заказанный* на его имя телексом из Лондона, а накануне заказ был еще и подтвержден. Открытие это рассеяло все сомнения. Длинного Ала ожидают великие свершения! Такого ни с кем из них еще не случалось. Не случалось ни разу в жизни. Рядом с этим меркло даже добросердечие их покровителей. Агент Ала, который до недавнего времени и слова-то доброго не стоил — обормот каких мало, резервирует Алу билет, и не как-нибудь, а телексом, черт его подери совсем!

— Я срежу ему комиссионные, попомните мое слово! — божился разгоряченный спиртным Аластер, когда они ждали обратного автобуса. — Не потерплю, чтоб какой-то паразит до гробовой доски выкачивал из меня десять процентов! Ейей, срежу!

Чудаковатый хиппи с льняными волосами — он часто ходил за ними хвостиком — напомнил ему, что всякая собственность — это грабеж.

Они направились в таверну, где Ал торжественно уселся на почетное место во главе стола, после чего выяснилось, что он потерял и паспорт, и бумажник, и кредитную карточку, и авиабилет — словом, почти все, что последовательный анархист может с полным правом причислить к бессмысленному хламу, с помощью которого общество потребления порабощает личность.

Непонятливые, каких среди их компании было большинство, поначалу не поняли, в чем, собственно, дело. Они решили, что назревает очередной скандал между Аластером и Чарли, потому что Аластер схватил Чарли за запястье и, не обращая внимания на гримасу боли, выкручивал ей руку, шипя в лицо оскорбления. Она глухо вскрикнула, потом замолчала, и они наконец расслышали то, что он на все лады уже несколько минут ей твердил:

— Велел же я тебе спрятать их в сумку, корова! Они лежали там, на стойке, у кассы, а я сказал, я велел тебе, слышишь, велел: «Забери их к себе в сумку». Потому что *парни,* если только это не педерасты паршивые, вроде Уилли и Поли, а нормальные парни, *сумок не носят,* понятно, *радость моя,* так или не так? А если так, то куда же ты их сунула, а? Куда сунула? Ты что, думала, этим можно помешать мужику идти к намеченной цели? Нет, видит бог, ничего ты этим не добьешься! На то и мужик, чтобы делать то, что он считает нужным, и можешь сколько угодно пятки себе кусать и ревновать к чужим успехам! Мне предстоит *работа,* ясно? И я иду *на штурм!*

И здесь, в самый разгар поединка возник Иосиф. Откуда возник — непонятно, как потом сказал Поли: «Словно в «Лампе Аладдина». Позже припомнили, что появился он слева, то есть, другими словами, со стороны пляжа. Так или иначе, но он стоял перед ними в своем пестро-полосатом халате и надвинутой на лоб шапочке-каскетке, а в руках у него были паспорт Аластера, его бумажник и новехонький авиабилет — все это, видимо, валялось на песке возле дверей таверны. Бесстрастно — разве что несколько озадаченно — наблюдал он ожесточенную перепалку любовников и, как исполненный достоинства вестовой, ожидал, пока на него обратят внимание. После чего и выложил на стол свои трофеи. Один за другим. В таверне все замерло, только слышен был шорох, с каким ложились на стол документы.

— Извините, но, по-моему, кому-то из вас это вскоре очень понадобится. Конечно, прожить без этого можно, но, боюсь, все же несколько затруднительно.

Голоса его, кроме Люси, еще никто не слышал, а Люси была тогда слишком взволнована, чтобы обращать внимание на то, как он говорит. Говорил он на безличном, лощеном английском, из которого был тщательно изгнан даже намек на иностранный акцент. Знай они это, они бы уж поупражнялись, копируя его! Всеобщее изумление, затем смех, затем благодарности. Они умоляли его сесть с ними за столик. Иосиф отнекивался, они упорствовали. Он был Марком Ан-

тонием перед шумной толпой, которая *добилась-таки* своего.
Он изучал их лица, взгляд его вобрал в себя Чарли, он отвел
глаза, затем опять встретился с ней взглядом. Наконец с
улыбкой покорности капитулировал.

— Ну, если вы настаиваете, — сказал он.

Да, они настаивали. Люси на правах старого друга обняла
его, к чему Уилли и Поли отнеслись с полным пониманием.
Каждый член их содружества по очереди почувствовал на
себе его твердый взгляд, пока наконец его темные глаза не
встретились с неулыбчивым взглядом голубых глаз Чарли, а
ее бурное замешательство не столкнулось с абсолютным
самообладанием Иосифа, уравновешенностью, в которой не
было ни грана торжества, но в которой Чарли все же угадала
маску, прикрывающую иные мысли, иные побуждения.

— Ну привет, Чарли, здравствуй, — спокойно сказал он,
и они пожали друг другу руки. Театральная пауза — и затем,
как пленница, вдруг отпущенная на свободу, к ним полетела
его улыбка, широкая, как у мальчишки, и даже более заразительная. — Только я всегда думал, что Чарли — это мужское
имя, — заметил он.

— Ну а я — девушка! — сказала Чарли, и все рассмеялись,
Чарли в том числе, после чего лучезарная улыбка его, так же
неожиданно, как перед тем возникла, вновь была отправлена
в тюрьму строгого режима.

На несколько дней, что еще оставались их семейке на
острове, Иосиф стал их любимцем.

Вздохнув наконец свободно после отбытия Аластера, они
всей душой предались ему и приняли в свой круг. Люси сделала ему известное предложение, которое он отклонил, отклонил вежливо, даже как бы с сожалением. Она передала
нерадостное это известие Поли, чье аналогичное предложение было также встречено отказом, на сей раз более реши-
тельным — еще одно убедительное доказательство того, что
он, по-видимому, дал обет целомудрия. До отъезда Аластера
жизнь в семейке, как они себя называли, стала замирать. Узы
рушились, и даже новые комбинации не спасали положения.
Люси подозревала, что беременна, подозрение для Люси не

новое и часто находившее подтверждение. Политические споры заглохли, так как единственная истина, твердо ими усвоенная, заключалась в том, что Система против них, они же, в свой черед, против Системы, но сыскать признаки Системы на Миконосе оказалось затруднительно, тем паче, что отправила их сюда за свой счет именно она, пресловутая Система. По вечерам, сидя за стаканчиком сухого вина с закуской из хлеба и помидоров в оливковом масле, они теперь вздыхали по дождливому холодному Лондону, не без грусти вспоминая аромат жареного бекона. Неожиданное исчезновение Аластера воскресным утром и появление Иосифа встряхнуло их, придав новый смысл существованию. И они с жадностью приникли к Иосифу. Не довольствуясь его обществом на пляже и в таверне, они пригласили его к себе, устроив вечеринку, названную Иосифабенд[1]. Примеряясь к роли будущей мамы, Люси достала бумажные тарелочки, поставила на стол сыр, салат, фрукты. Только Чарли, остро ощущавшая с отъездом Аластера свою незащищенность и испуганная сумятицей чувств, оставалась в стороне.

— Он старый пролаза, проходимец, слышите вы, идиоты! Вы что, не видите, ослепли совсем? Вы и сами проходимцы порядочные, вот вы ничегошеньки и не видите!

Ее поведение ставило их в тупик. Куда девалась ее хваленая широта? И за что называть его пролазой, если он никуда не собирается лезть? Да ладно тебе, Чэс, смени уж гнев на милость! Но она упорствовала. В таверне за длинным столом все рассаживались кто где придется, только на председательском месте по общему согласию неизменно и спокойно восседал теперь Иосиф, заправляя всем, внимая всему, но говоря удивительно мало. Чарли же, если она вообще приходила в таверну, располагалась там как можно дальше от него и злилась или дурачилась, презирая его за доступность.

Загадкой оставалась для всех национальность Иосифа. Роберт почему-то объявил его португальцем. Еще кто-то утверждал, что он армянин и жертва турецкого геноцида. Еврей Поли считал, что он «из наших», но так Поли говорил почти

[1] Вечер Иосифа (*нем.*).

про всех, поэтому пока что, просто чтобы досадить Поли, его записали в арабы.

Но кто он на самом деле, они не спрашивали, а когда пристали к нему с расспросами о профессии, он сказал лишь, что раньше много бывал в разъездах, а теперь не бывает. Получилось так, будто он отошел от дел.

— А что у вас за фирма, Осси? — спросил Поли, самый храбрый. — Ну, в смысле — на кого вы работаете?

Вообще-то он не сказал бы, что работает в фирме, отвечал Иосиф, задумчиво теребя козырек. Во всяком случае, сейчас не работает. Читает понемножку, ведет кое-какую торговлю, недавно вот наследство получил, так что, строго говоря, он теперь работает на себя. Да, именно на себя. Пожалуй, можно так сказать.

Объяснение удовлетворило всех, кроме Чарли.

— Одним словом, ты паразит, верно? — сказала она и покраснела. — Читаешь понемножку, торгуешь понемножку, а когда вздумается, срываешь цветы удовольствия на роскошном греческом острове. Так или не так?

Безмятежно улыбнувшись, Иосиф с этой характеристикой согласился. Но Чарли не угомонилась. Совершенно разъярившись, она закусила удила.

— Но *что* ты читаешь, интересно бы знать! И чем торгуешь, — могу я тебя спросить?

Его добродушная покорность только раззадорила ее. В том, как он принимал ее издевки, была снисходительность взрослого по отношению к ребенку.

— Может, ты книготорговец? Чем ты все-таки промышляешь?

Иосиф выдержал паузу. Это он умел. Длительные паузы, оставляемые им на размышление, были уже известны в их компании и назывались «трехминутные предупреждения Иосифа».

— Промышляю? — повторил он, изображая крайнее удивление. — *Промышляю?* Я, может быть, кто угодно, но уж никак не махинатор и не разбойник с большой дороги!

— Вы — идиоты, не может же он сидеть тут в пустоте и торговать! — воскликнула Чарли, стараясь перекричать их хохот. — Делает-то он что? Чем занимается? — Она откинулась на стуле. — О боже, — сказала она, — вот дебилы! — Теперь она выглядела побежденной и усталой, лет на пятьдесят, что-что, а трансформация давалась ей легко.

— Вам не кажется, что это слишком скучная тема? — вполне любезно осведомился Иосиф, когда никто из присутствующих не поддержал ее. — По-моему, на Миконос приезжают не за тем, чтобы думать о работе и деньгах. Разве не так, Чарли?

— С тобой и *вправду* говорить, как с Чеширским котом: только разлетишься с вопросом, а тебя и след простыл, — резко ответила Чарли.

Что-то словно надломилось в ней. Прошипев какие-то невнятные слова, она встала и, набравшись храбрости, с преувеличенной, чтобы прогнать нерешительность, яростью грохнула кулаком по столу. Это был тот самый стол, за которым они сидели, когда Иосиф, как в сказке, принес им вдруг паспорт Ала. Клеенка съехала, и пустая бутылка из-под лимонада, в которую они ловили ос, упала прямо на колени Поли. Чарли разразилась потоком ругательств, смутивших всех присутствовавших, потому что в обществе Иосифа они старались не распускать языки: она сравнила его с клозетным пачкуном, который шляется по пляжу и клеит девочек, что в дочери ему годятся. Хотела добавить «рыщет по Ноттингему, Йорку и Лондону», но теперь, по прошествии времени, она не была так уж уверена в том, что не ошиблась, и боялась насмешек. Что разобрал он в этом ее залпе, они так и не поняли. Чарли была зла, как черт, захлебывалась словами, выкрикивала нечто невразумительное, как рыночная торговка. Но лицо Иосифа выражало лишь пристальный интерес к Чарли.

— Так что же именно ты хочешь знать, Чарли? — спросил он после обычной своей раздумчивой паузы.

— Для начала, как тебя зовут. У тебя ведь есть имя?

— Вы назвали меня Иосифом.

— А по-настоящему как?

В зале стояла смущенная тишина. Даже те, кто, любя Чарли, безоговорочно принимал ее, например Уилли с Поли, подумали, что это уж чересчур.

— Рихтховен, — ответил он, словно из длинного списка имен выбрал наконец подходящее. — Рихтховен, — со вкусом повторил он, как будто сам привыкая к звучанию этого имени. — Ну как? Очень меня это изменило? А если я такой негодяй, каким ты меня выставила, то как вообще можно мне верить?

— Рихтховен — это фамилия, а дальше? Как тебя зовут?

Опять пауза, чтобы придумать ответ.

— Петер. Но Иосиф мне больше нравится. Где я живу? В Вене. Но я много езжу. Хочешь знать адрес? Сделай одолжение. В телефонном справочнике, к сожалению, не значусь.

— Так ты австриец?

— Чарли, пожалуйста... Ну, скажем так, я полукровка, смесь Востока с Европой. Удовлетворена?

Тут, очнувшись, за Иосифа вступилась вся их компания, раздались неловкие: «Чарли, ну что ты...», «Перестань, Чэс, ты ведь не на Трафальгарской площади», «Да ладно тебе, Чэс, в самом деле».

Но отступать Чарли было некуда. Выбросив вперед руку, она щелкнула пальцами перед носом Иосифа, щелкнула очень громко — раз, другой. Теперь уже вся таверна, все официанты и посетители глазели на представление.

— Паспорт прошу! Предъявите на контроль! Притащил паспорт Ала, теперь давай свой! Дата рождения, цвет глаз, подданство. Изволь-ка *показать паспорт!*

Он посмотрел на ее вытянутую руку — жест был безобразный, вызывающий. Потом перевел взгляд на ее пылающее лицо, как бы проверяя, не шутит ли она. И улыбнулся. И для Чарли эта улыбка была подобна изящному размеренному танцу перед завесой тайны, дразнящему ее догадками и недоговоренностями.

— Извини, Чарли, но, знаешь ли, полукровки питают глубокое предубеждение — это можно, по-моему, объяснить и исторически — ко всяким канцелярским формальностям, сводящим индивидуальность к клочку бумаги. Как человек прогрессивный ты, надеюсь, поймешь меня?

Он взял ее руку в свои ладони и бережно, ласково отвел назад.

На следующей неделе для Чарли и Иосифа началось путешествие по Греции. Как все счастливые идеи, мысль о совместном путешествии не была высказана вслух. Окончательно отбившись от своих, Чарли пристрастилась по утрам, когда не так жарко, уходить в поселок и коротать день в двух или трех тавернах, прихлебывая кофе по-гречески и уча текст «Как вам это понравится», — пьесы, которую ей осенью предстояло играть в Западной Англии. Однажды, сидя так в таверне, она почувствовала на себе чей-то взгляд и подняла глаза: совсем близко от себя она увидела Иосифа, выходившего из пансиона напротив, где он значился как «Рихтховен Петер, номер 18, проживает один». Потом она, конечно, уверила себя, что это по чистой случайности она зашла в таверну в тот самый час, когда, выйдя из пансиона, он направлялся на пляж. Заметив ее, он подошел и сел рядом.

— Убирайся, — сказала она.

Но он улыбнулся и заказал себе кофе.

— Наверное, твои друзья бывают иногда утомительны, возникает желание раствориться в толпе, — предположил он.

— Похоже, что так, — сказала Чарли.

Он заглянул, что она читает, и не успела она опомниться, как они уже увлеченно обсуждали роль Розалинды, не пропуская ни одной сцены, правда, говорил за обоих Иосиф — за себя и за нее:

— Она ведь многогранна. Если проследить эту роль, сцену за сценой, получается, что в одном персонаже как бы объединены противоположности. Она добрая, умная, не очень удачливая, чересчур проницательная и к тому же хочет быть полезной людям. Должен сказать, что для этой роли они совершенно правильно выбрали тебя, Чарли.

И тут она не выдержала.

— Тебе случалось бывать в Ноттингеме, Осси? — спросила она и уставилась на него, забыв даже улыбнуться.

— В Ноттингеме? По-моему, нет. А должен был? Что в этом городе такого замечательного? Почему ты спрашиваешь?

Ее тянуло объяснить почему. Но она лишь сказала:

— Просто месяц назад я там играла. Думала, может, ты меня видел на сцене.

— Ах, как интересно! А в чем я мог тебя видеть? В какой пьесе?

— В «Святой Иоанне» Бернарда Шоу. Я играла Иоанну.

— Но это же одна из самых моих любимых пьес! По-моему, и года не проходит, чтобы я не перечитывал начало «Святой Иоанны»! А будешь ты еще ее играть? Может быть, есть возможность посмотреть?

— И в Йорке мы ее играли, — сказала она, по-прежнему не сводя с него глаз.

— Правда? Так вы ездили с гастролями? Как интересно!

— Верно. Интересно. А в Йорке ты во время своих разъездов не бывал?

— Увы. Севернее лондонского Хэмпстеда бывать не приходилось. Говорят, Йорк очень красивый город.

— Да, замечательный. Особенно хорош собор.

Она разглядывала его лицо так пристально, как только смела, — лицо из первого ряда партера. Изучала его темные глаза и каждую морщинку на гладкой коже — не проявится ли тайный умысел, не дрогнет ли что-нибудь в лице от смеха, но нет, он ничем не выдал себя, не признался.

«У него что-то с памятью, — решила она. — У него или у меня. О господи!»

Он не предложил ей позавтракать с ним, не то она, конечно, отказалась бы. Он просто подозвал официанта и осведомился по-гречески, какая рыба у них самая свежая. Спросил уверенно, зная, что рыба — это именно то, что она любит. Поймал пробегавшего официанта за рукав, затем, отпустив официанта, опять заговорил с ней о театре так, словно это в порядке вещей — пить вино и есть рыбу летом в десять утра, хотя для себя он заказал кока-колу. В театре он разбирался. Может быть, на севере страны он и не бывал, но что касается лондонских театров, тут он проявил компетентность, о которой никто в их компании и не подозревал. Она слушала его и никак не могла освободиться от беспокойного чувства, которое мучило ее с первого дня их знакомства: он и его присутствие здесь — это лишь повод внедриться, чтобы выполнить какую-то иную, тайную и подлую задачу. Она спросила, часто ли он бывает в Лондоне. Он воскликнул, что любит Лондон почти как Вену.

— Если есть хоть малейшая возможность очутиться в Лондоне, я хватаю ее за хвост, — заявил он.

Иногда даже в его английском ей виделось что-то ненатуральное, нечестное. Перенасыщенность его речи идиомами заставляла ее воображать украденные у ночи часы, проведенные за книгой и словарем, и строгую норму, положенную себе: столько-то идиом в неделю.

— Мы ведь «Святую Иоанну» и в Лондоне играли — знаешь когда? Месяца полтора назад.

— В Вест-Энде? Но, Чарли, это просто безобразие! Почему я не знал об этом? Я бы со всех ног ринулся в Вест-Энд.

— Не в Вест-Энд, а в Ист-Энд, — хмуро поправила она.

На следующий день они опять встретились в таверне, на этот раз в другой. Была ли эта встреча случайностью, Чарли не знала, но чутье подсказывало ей, что вряд ли. Он спросил ее, как бы между прочим, когда начинаются репетиции «Как вам это понравится». Она ответила, совершенно не придав этому значения, что только в октябре.

«А как собирается она провести время до тех пор?» — довольно безразлично спросил он. И вот что любопытно, — потом она долго об этом размышляла: утверждая, будто не видел ее на сцене, он полагал само собой разумеющимся, что они должны компенсировать друг другу эту потерю.

Чарли отвечала рассеянно. Может быть, поработает барменшей в каком-нибудь театрике. Может, официанткой. Ремонт в квартире надо сделать. А почему он спрашивает?

Иосиф ужасно огорчился.

— Но, Чарли, это же бог знает что. Неужели ты, такая талантливая, недостойна занятия получше, чем стоять за стойкой бара? Как ты относишься к преподаванию, к профессиям, связанным с политикой? Наверное, это тебе было бы интереснее?

Она рассмеялась, нервно и не совсем учтиво. Что за непрактичность!

— Это в Англии-то? При нашей безработице? Да полно

тебе! Кто это станет платить мне пять тысяч фунтов в год за подрыв устоев? Ты что, не знаешь, что я подрывной элемент?

Он улыбнулся. Даже рассмеялся с легким укором. Непонятно и неубедительно!

— Брось, Чарли. Перестань. В каком смысле «подрывной элемент»?

Приготовившись к отпору, она спокойно встретила его взгляд.

— В прямом. Я неблагонадежная.

— Но каким образом ты подрываешь устои, Чарли? — искренне возмутился он. — По-моему, ты как раз весьма ортодоксальна.

Каких бы убеждений в этот период она ни придерживалась и кем бы себя ни считала, Чарли подозревала, что в споре он ее разобьет. Поэтому из чувства самосохранения она предпочла внезапно ощутить усталость.

— Хватит, Осси, право! Мы на греческом острове, так или не так? Отдыхаем, так или не так? И не трогай мою политику, а я за это не стану трогать твой паспорт!

Он тут же внял ее словам, чем произвел на нее известное впечатление. Она была удивлена, почувствовав свою власть над ним в тот момент, когда больше всего боялась оказаться беспомощной. Принесли заказанные напитки, и он, потягивая кока-колу, поинтересовался, много ли греческих древностей видела Чарли за время пребывания в стране. Вопрос был самый общий, и Чарли ответила так же между прочим. Сказала, что они с Длинным Алом на один день съездили на Делос, чтобы посмотреть храм Аполлона, а больше она никуда не выбралась. Она не стала рассказывать, что на пароходе тогда Ал зверски напился, чем испортил, по существу, всю поездку, и как потом она рыскала по книжным магазинам и покупала путеводители, выуживая из них сведения о той малости, что успела посмотреть. Ей почему-то показалось, что Иосиф и так все об этом знает. Заподозрила же она умысел за его любознательностью, лишь когда он заговорил о ее обратном билете в Англию. Иосиф попросил показать ему билет. Пожав плечами, она равнодушно вытащила его. Он взял билет, осмотрел со всех сторон, подробно изучил все детали.

— Ну что ж, ты свободно можешь вылететь из Салоник, — наконец заключил он. — Позвонить знакомому в агентстве и попросить переписать билет мне не трудно. И мы сможем с тобой попутешествовать. — Сказал он это так, словно к решению они пришли вместе и давным-давно.

Она промолчала. Внутри нее шла борьба, словно каждая частица ее существа, восстав, ополчилась на соседку — ребенок боролся в ней с матерью, потаскуха с монашкой. Ей стало душно и жарко, взмокла спина, но что сказать, она не знала.

— Через неделю мне надо быть в Салониках, — объяснил он. — В Афинах мы могли бы взять напрокат машину, съездить в Дельфы, а оттуда махнуть на денек-другой на север. Почему бы нет, правда? — И, не смущаясь ее молчанием, он продолжал: — А если ты боишься, что всюду будет полно народу, то нетрудно так все рассчитать, чтобы нам не мешала толпа. Из Салоник ты улетишь в Лондон. И вести машину, если хочешь, можно по очереди. Мне все уши прожужжали о том, как ты прекрасно водишь машину. И разумеется, все это за мой счет.

— Разумеется, — сказала она.

— Так почему бы и нет?

Ей припомнилось, как часто воображала она себе эту или похожую минуту, вспомнилось, и с какой лаконичной решительностью пресекала всегда ухаживания стариков. Она подумала об Аластере, о том, до чего скучно ей с ним было всюду, кроме постели, и как в последнее время стало скучно и в постели тоже, о том, как давно она обещала себе начать новую жизнь. Подумала, какой тоской обернется для нее возвращение в Англию: денег больше нет, значит, жизнь ее заполнит грошовая экономия и мытье полов, о чем — случайно ли или из хитрости — напомнил ей Иосиф. Она опять покосилась на него — нет, он ничего у нее не просит, не похоже. *Так почему бы и нет?* Вот все, что он ей сказал. Она вспомнила, как рассекало морскую волну, оставляя на воде одинокую борозду, его гибкое сильное тело. *Так почему бы и нет?*

— Наши не должны ничего знать, — пробормотала она, низко склонившись над стаканом. — Тебе придется как-то все уладить. Не то они животики надорвут.

На это он, недолго думая, ответил, что утром же отправится и все уладит.

Непонятно было, продумал ли он заранее свой план или же просто обладал быстрой реакцией. Так или иначе, деловитость его была ей на руку, а впоследствии Чарли поняла, что на это и рассчитывала.

— Ты доберешься с ними пароходиком до Пирея. Вечерами он не ходит, но на этой неделе, как я слышал, рейсы из-за чего-то передвинулись. В последнюю минуту ты им скажешь, что решила несколько дней поездить по стране. Неожиданное решение вполне в твоем духе. Только не проговорись слишком рано, не то они будут всю дорогу стараться тебя отговорить. И вообще не болтай лишнего: словоохотливость — признак нечистой совести, — добавил он с видом человека, хорошо разбирающегося в такого рода делах.

— Ну а если я на мели? — вопрос вырвался неожиданно. Дело в том, что Аластер, как обычно, растратил не только собственные деньги, но и ее сбережения. И все-таки, сказав так, она в ту же секунду об этом пожалела. Кто ее за язык тянул! Если он сейчас предложит деньги, она швырнет их ему в лицо. Но он словно почувствовал ее настроение.

— *Они* знают, что ты на мели?

— Нет, что ты!

— Тогда, по-моему, они должны поверить твоей версии. — И, как бы подытоживая разговор, он положил во внутренний карман ее авиабилет.

«Эй, эй, а ну-ка давай его назад!» — вскрикнула она. Жест этот вдруг вызвал в ней тревогу. Нет, она не вскрикнула, хотела вскрикнуть.

— Избавишься от своих друзей, бери такси до площади Колокотрони. Ко-ло-ко-трони, — повторил он по слогам. — Обойдется тебе это драхм в двести.

Он помолчал, проверяя, смутит ли ее эта сумма. Нет, не смутила: у нее еще оставалось восемьсот драхм, о чем она ему не сообщила. Он еще раз повторил название и проверил, запомнила ли она его. Так приятно было подчиняться его по-военному четким распоряжениям! Он объяснил, что у самой площади есть ресторанчик со столиками на тротуаре. Называется «Диоген». Он будет ждать ее в «Диогене». Не снаружи за столиком, а внутри, где прохладнее и тише. Повтори, Чарли: *Диоген*. Странно покорная, она повторила.

— Рядом с «Диогеном» отель «Париж». Если случайно я задержусь, я оставлю тебе записку в отеле у портье. Спроси господина Ларкоса. Это мой хороший знакомый. Если тебе понадобится что-нибудь — деньги или что другое, покажешь ему вот это, и он тебе поможет.

Он дал ей визитную карточку.

— Все запомнила? Конечно, все! Ты ведь актриса. Умеешь запоминать слова, жесты, цифры, краски и все прочее.

«Фирма Рихтховен» — значилось на карточке. «Экспортная торговля». И номер почтового ящика в Вене.

Проходя мимо киоска, возбужденная, в прекрасном настроении, Чарли купила вязаную скатерть для матери — пускай подавится! А для зануды-племянника по имени Кевин — феску с кисточкой. В придачу она выбрала еще десяток открыток, большинство из которых адресовала Неду Квили, своему незадачливому лондонскому импресарио. На открытках она сделала шутливые надписи, призванные возмутить стародевичью чопорность его помощниц и секретарш. «Нед, о Нед, — значилось на одной открытке, — береги себя для меня». «Что будет с оступившейся, Нед?» — гласила другая открытка. Однако третью она решила выдержать в более серьезном тоне, в ней она сообщала, что несколько задерживается, чтобы хоть немножко посмотреть страну. «Пора, Нед, крошке Чэс повысить свой культурный уровень», — написала она, пренебрегши тем самым советом Иосифа не быть в объяснениях чересчур словоохотливой. Переходя улицу, чтобы отправить открытки, она вдруг почувствовала на себе чей-то взгляд. Она резко обернулась, вообразив, что это, конечно, Иосиф, но увидела лишь парня-хиппи с льняными волосами, прицепившегося к их компании и принимавшего деятельное участие в проводах Аластера. Он плелся за ней, нескладный, с болтающимися, как у шимпанзе, руками. Встретившись с ней взглядом, он медленно поднял правую руку, как бы благословляя ее наподобие Христа, и она весело помахала ему в ответ.

«Не везет бедняге, — сочувственно подумала она, бросая одну за другой открытки в ящик, — даже подойти не рискует. Может, надо помочь ему?»

Последняя открытка была адресована Аластеру и содержала множество фальшиво-нежных слов, которые она, набросав текст, даже не удосужилась перечитать.

# Глава 4

В пятницу днем, в промозглую сырую погоду, Курц и Литвак навестили Неда Квили в его конторе в Сохо — визит вежливости с серьезными деловыми намерениями, нанесенный, как только им стало известно об успешной антрепризе Иосифа и Чарли. Они были близки к отчаянию. Со времени взрыва в Лейдене хриплое дыхание Гаврона обжигало им затылок, а тиканье старых часов Курца заглушало все прочие звуки. Но внешне ничего этого видно не было. Обычная хорошо дополняющая друг друга пара — два американца среднеевропейского типа в мокрых плащах фирмы «Бэрбери», один — плотный, с энергичной стремительной походкой, другой — молодой, долговязый, как бы заморенный, с интеллигентно-доверительной улыбкой. Они подписались: «Голд и Кэрман. Творческое объединение», нацарапав это на клочке фирменной бумаги, украшенной синей с золотом, наподобие старомодной галстучной булавки, монограммой, удостоверявшей их принадлежность к фирме. О визите запросило посольство, но просьба исходила из Нью-Йорка, причем встреча была назначена через одну из многочисленных доверенных дам Неда, пришли же они минута в минуту, как приходили заинте-

ресованные в Неде местные деятели, хотя к последним они
не принадлежали.

— Мы — Голд и Кэрман, — сказал Курц миссис Лонгмор,
престарелой секретарше Квили, представ перед ней без двух
минут двенадцать. — Нам назначено на двенадцать.

В приемную Неда Квили вела лестница, ничем не покрытая
и очень крутая. За пятьдесят лет своей службы миссис Лонгмор привыкла слышать сетования на это от других американских джентльменов, тяжело, с паузами на каждом повороте
поднимавшихся по ней. Но к Голду и Кэрману это не относилось. В окошечко она видела, как быстро взбежали они по
лестнице, минута — и они скрылись из глаз, словно в жизни
своей не знали, что такое лифт. «Вот что делает бег трус-
цой, — подумала она, возвращаясь к своему вязанию, за которое получала четыре фунта в час. — Ведь, кажется, все они
в Нью-Йорке сейчас помешаны на этом. Бегают по Цент-
ральному парку, стараются, а там полно собак, и за каждым
кустом извращенец!»

— Мы — Голд и Кэрман, сэр, — еще раз повторил Курц,
когда Нед Квили радушно распахнул перед ними дверь. —
Я Голд. — И его могучая правая рука ухватила руку бедняги
Неда прежде, чем тот успел протянуть ее визитеру. — Мистер
Квили... сэр... Нед... знакомство с вами для нас большая
честь. О вас так замечательно отзываются в наших кругах.

— А я Кэрман, сэр, — доверительно и в то же время безукоризненно почтительно ввернул Литвак, наклонившись к
хозяину из-за плеча Курца. Рукопожатие ему было не положено по чину, за него тряс руки Курц.

— Но боже, дорогой мой, — с прелестной старомодной
учтивостью запротестовал Нед, — напротив, это вовсе не для
*вас*, а для *меня* честь!

Он подвел их к узкому с поднимающейся рамой окну, до-
стопамятному еще со времен Квили-старшего, — здесь по
традиции полагалось восседать за рюмкой любимого отцов-
ского хереса, наблюдая сверху круговерть рынка Сохо и со-
вершая сделки во имя процветания семейства Квили и его
клиентов. Нед Квили в свои шестьдесят два года свято со-
блюдал традиции сыновней почтительности. Жить в свое

удовольствие, как жил его отец, — о большем он не мечтал. Это был милый седовласый коротышка, щеголеватый, что нередко отличает энтузиастов театра, и несколько косоватый, с розовыми щечками, всегда оживленный и в то же время как бы меланхоличный.

— Боюсь, для проституток сейчас слишком сыро, — объявил он, задорно побарабанив по стеклу изящной ручкой.

Визитеры вежливо хмыкнули, а он достал из нежно лелеемого встроенного книжного шкафа графинчик хереса, сладострастно понюхал пробку, после чего налил хересу в три хрустальных рюмки, наполнив их до половины. Курц с Литваком внимательно и настороженно наблюдали за ним. Их настороженность он почувствовал сразу. Ему казалось, что они прицениваются к нему, к мебели, к кабинету. В душу запало ужасное подозрение — мысль эта маячила где-то в подкорке с тех пор, как они дали о себе знать. Обеспокоенный, он спросил:

— Слушайте, а вы, часом, не контору мою купить задумали? Можно не бояться?

Курц успокоил его, расхохотавшись громко и заразительно:

— Да нет, право же, нет!

Литвак тоже засмеялся.

— Хоть на этом спасибо, — с чувством произнес Нед, передавая рюмки. — Знаете, ведь сейчас покупают буквально всех и вся. Скупают направо и налево. И мне сколько раз по телефону деньги предлагали — какие-то молодцы, которых я знать не знаю. Маленькие агентства, приличные, с добрыми традициями, сейчас скупаются на корню. Страшно подумать! Знакомятся и тут же — ам, и съели! Счастливого пути!

Он неодобрительно покачал головой. Потом встряхнулся и стал опять галантно гостеприимен. Он спросил, где они остановились. Курц ответил, что в «Конноте», что они наслаждаются каждой минутой пребывания там, но завтра отправляются в Мюнхен.

— В Мюнхен? Господи, там-то вы что забыли? — вскричал Нед, изображая перед ними денди былых времен, приверженца старины и идеалиста. — Ну и скачки в пространстве!

— Деньги одного совместного предприятия, — отвечал Курц так, словно разрешал этим все недоумения.

— И деньги немалые, — добавил Литвак голосом таким же мягким, как и его улыбка. — Немецкий рынок представляет сейчас большой интерес. Дела там, мистер Квили, пошли в гору.

— Надо думать, — негодующе отозвался Нед. — Немцы очень окрепли, приходится с этим считаться. И задают тон. Во всем задают. Война забыта напрочь. Так сказать, запрятана под сукно.

Дождевая морось за окном превратилась в клочья тумана.

— Нед, — сказал Курц, весьма точно рассчитав момент, — Нед, я хочу немножко объяснить вам, кто мы, почему писали вам и почему отнимаем у вас драгоценное время.

— Да, дорогой, конечно, рад буду выслушать вас, — отвечал Нед, переменив настроение и позу: скрестив коротенькие ножки, он изобразил полнейшее и благожелательнейшее внимание, в то время как Курц легко и плавно взял бразды правления в свои руки.


Широкий скошенный лоб Курца навел Неда на мысль о его венгерском происхождении, но с тем же успехом он мог быть выходцем из Чехии или какой-нибудь другой страны по соседству. Природа наделила его громким голосом, а в речи чувствовался среднеевропейский акцент, который еще не успели поглотить просторы Атлантики. Говорил он быстро, так и сыпал словами, будто читал рекламу по радио, узкие глаза его настороженно поблескивали, а правая ладонь отмечала сказанное короткими решительными рубящими взмахами. Он, Голд, занимается юридической стороной дела, в то время как задачи Кэрмана скорее творческие — он и пишет, и выступает в качестве продюсера, главным образом в Канаде и на Среднем Западе. Не так давно они перебрались в Нью-Йорк, где хотели бы делать независимые программы для телевидения.

— Наши творческие задачи, Нед, на девяносто процентов сводятся к идее. Мы вырабатываем идею, приемлемую как в смысле финансовом, так и в смысле легкости вхождения в сетку телевизионных передач. Идею мы продаем спонсорам, а постановку предоставляем режиссерам — временно предоставляем.

Он закончил и со странно смущенным видом поглядел на часы. Теперь Неду полагалось сказать что-нибудь толковое. К чести его, он довольно успешно справился с задачей. Он нахмурился и, держа рюмку в почти вытянутой руке, медленно и задумчиво сделал ногами изящное антраша, бессознательно отозвавшись тем самым на жест Курца.

— Но, старина, если вы *разработчики,* зачем вам вдруг понадобилось наше театральное агентство? — недоуменно воскликнул Нед. — Я хочу сказать, почему вдруг я удостоился ленча, а? Понимаете, что я имею в виду? Зачем этот ленч, если вы занимаетесь *программами?*

С ответом на заданный Недом важный вопрос выступил на этот раз Литвак, ответ был тщательно взвешен и отрепетирован, так как от него зависело слишком многое.

Наклонив вперед, к коленям, свое длинное угловатое тело, Литвак растопырил пальцы правой руки, потом стиснул один из них и, словно обращаясь к нему, заговорил с гнусавым бостонским прононсом — плодом кропотливой работы его самого и американо-еврейских учителей.

— Мистер Квили, сэр, — начал он с такой благоговейной важностью, словно собирался приобщить его к святыне, — мы тут замыслили нечто совершенно оригинальное. Ничего подобного до сих пор не было и, надеюсь, не будет. Рассчитано на шестнадцать часов телевизионного времени в лучший сезон, скажем, осенью и зимой. Мы организуем передвижной театр. Дневные представления. Талантливейшие популярные актеры, английские и американские, в интереснейшем сочетании — рас, индивидуальностей, характеров. Труппа гастролирует по городам, актеры выступают в разном качестве — то играют главные роли, то изображают толпу. Их собственная жизнь, их прошлое, взаимоотношения — все это также включается в действие и сообщает ему дополнительный интерес. Живые передачи из разных мест.

Вскинув голову, он с подозрением посмотрел на Квили,

как если бы тот что-то произнес, но Квили хранил подчеркнутое молчание.

— Мы разъезжаем с труппой, мистер Квили, — сказал он в заключение, произнося слова медленно, почти через паузу, тем медленнее, чем больше его увлекала собственная речь. — Разъезжаем вместе с ними в автобусах. Помогаем менять декорации. Мы, публика, делим с ними их жизнь, их быт в паршивых отелях, наблюдаем их ссоры, их романы. Мы, публика, присутствуем на репетициях, разделяем с ними волнение премьеры, а на следующее утро кидаемся читать отзывы прессы, мы радуемся их успехам, печалимся, когда их постигает неудача, переписываемся с их семьями. Мы возвращаем театру элемент авантюры. Дух первооткрывательства. Непосредственную связь со зрителем.

Квили подумал было, что Литвак кончил, но тот только переменил палец и ухватился за другой.

— Мы ставим классику, мистер Квили, не охраняемую авторским правом, и это стоит нам недорого. Мы гастролируем в глухой провинции, привлекаем новичков, актеров и актрис малоизвестных, правда, время от времени появляется какая-нибудь заезжая знаменитость, чтоб окупить проезд, но в основном мы помогаем выдвигаться новым талантам, приглашая их демонстрировать весь спектр своих возможностей в течение минимум четырех месяцев, а иногда, если повезет, то и больше. Значительно больше. Для актеров это прекрасная возможность показать себя, прекрасная реклама, чудесные целомудренные пьесы, никакой грязи — видите, сколько преимуществ. Такова, мистер Квили, наша идея, и нашим спонсорам она, кажется, очень пришлась по вкусу.

Тут — прежде чем Квили успел поздравить их с блестящей идеей, как поздравлял каждого, поделившегося с ним творческим замыслом, — за дело принялся Курц.

— Нед, мы хотим подписать контракт с вашей Чарли, — объявил он торжественно и вдохновенно, словно шекспировский герольд, объявляющий о победе. Правая рука его взметнулась вверх и застыла.

Крайне взволнованный, Нед хотел было что-то сказать, но понял, что Курц все равно не даст ему это сделать.

— Нед, мы уверены и в уме Чарли, и в ее способности перевоплощаться, в больших ее актерских возможностях. И если бы вы могли снять несколько небольших «но», развеять некоторые наши сомнения, я думаю, мы обеспечили бы ей место на театральном небосклоне, о чем ни вы, ни она не пожалели бы потом.

Наступила внезапная тишина, для Неда заполненная лишь звуками его внутреннего ликования. Он напыжился, стараясь придать лицу выражение деловитости, и поправил поочередно оба своих элегантных манжета. Он поправил розу, которую Марджори утром вдела ему в петлицу, как всегда попросив его не пить за ленчем слишком много. Но что сказала бы Марджори, если б знала, что вместо предложения о покупке агентства они предложат Неду долгожданную вакансию для их любимой Чарли? Если б она знала это, старушка Мардж сняла бы с него все ограничения. Несомненно сняла бы.

Курц и Литвак пили чай, но в «Плюще» эксцентричность была в порядке вещей. Что же касается Неда, он не заставил себя долго упрашивать и заказал благопристойные полбутылки из меню и, так как они очень уж настаивали, большой запотевший бокал фирменного «шабли» к своему копченому лососю. В такси, которое они взяли, спасаясь от дождя, Нед начал рассказывать им забавную историю своего знакомства с Чарли. В «Плюще» он продолжил рассказ:

— Попался на ее крючок сразу и бесповоротно... Старый болван, разумеется, тогда не такой старый, как сейчас, но все же болван. Пьеса слова доброго не стоила, паршивая старомодная штучка, подправленная, чтобы отвечать современным вкусам. Но Чарли была неподражаема. Как только опустился занавес, я уже был в ее уборной — если только это можно было назвать театральной уборной — и, выступив, так сказать, в роли Пигмалиона, моментально подписал с ней контракт. Сперва она мне не поверила. Приняла за старого сластолюбца. Пришлось призвать на помощь Марджори. Марджори, ха!

— Что же было потом? — любезно осведомился Курц,

передавая ему еще черного хлеба с маслом. — Путь, сплошь усеянный розами?

— Ничего подобного! — бесхитростно возразил Нед. — Она разделила судьбу многих и многих из ее поколения. Выпархивают из театральной школы с глазами, лучащимися от радостных надежд, получают две-три роли, покупают квартиру или какое-нибудь барахло, и вдруг все кончено. Сумерки — вот как мы это называем. Одни способны это вынести, другие нет. Ваше здоровье!

— Но Чарли это вынесла, — мягко подсказал Литвак, прихлебывая чай.

— Она сдюжила. Переломила себя. Ей пришлось нелегко, но это уж всегда так. В ее случае это длилось годы. Слишком долго длилось. — Он сам не ожидал, что так растрогается. Судя по выражению их лиц, они тоже были растроганы. — Ну теперь справедливость для нее восторжествовала, не правда ли? О, я *так* за нее рад! Честное слово! Правда, рад!

И еще одна странность, о чем впоследствии Нед рассказал Марджори. А может быть, не еще одна, а все та же странность. Странным ему показалось то, как менялось их поведение в течение дня. В конторе, например, они почти не давали ему слово молвить, в «Плюще» же, наоборот, говорил главным образом он, а они лишь поддакивали да изредка бросали реплику-другую. А потом — ну, что было потом, это вообще дело особое.

— Детство у нее, конечно, было ужасное, — с важностью заметил Нед, — по моим наблюдениям, у многих девчонок детство ужасное. Вот что в первую очередь пробуждает их фантазию. Притворство, необходимость скрывать свои чувства. Подражать тем, кто выглядит счастливее тебя. *Или* несчастнее. Заимствовать у них то одно, то другое — это уже путь к актерству. Нищета. Воровство. Я слишком много болтаю. Ваше здоровье — еще раз!

— Ужасное в *каком смысле,* мистер Квили? — почтительно осведомился Литвак, как ученый, всесторонне исследующий вышеозначенную проблему. — Детство у Чарли было ужасное. А чем ужасное?

Не обращая внимания на то, как посерьезнел Литвак и

как впился в него взглядом Курц, Нед поделился с ними всем, что удалось ему почерпнуть на интимных завтраках наверху «У Бьянки» — в кафе, куда он изредка приглашал Чарли, как приглашал их всех. Что ж, объяснил он, мать — идиотка, а отец — порядочный мошенник, какой-то маклер, пускавшийся во все тяжкие, покуда милостивый господь не прибрал его, прирожденный шулер, вознамерившийся всех перехитрить. Кончил кутузкой. И умер там. Кошмар! Тут опять мягко вмешался Литвак:

— «Умер в тюрьме» — так вы сказали, сэр?

— И похоронен там же. Мать так рассердилась на него, что не захотела тратить деньги на перевозку.

— Это вам сама Чарли рассказала, сэр?

Квили опешил.

— Ну а кто же еще?

— Никаких побочных сведений? — спросил Литвак.

— Никаких *чего?* — переспросил Нед. И страх лишиться агентства опять зашевелился в нем.

— Подтверждений, сэр. Со стороны незаинтересованных лиц. Иной раз актрисы, знаете...

Его прервал Курц. Отечески улыбнувшись, он сказал:

— Не обращайте внимания на мальчика, Нед. Майк *крайне* подозрителен. Правда, Майк?

— Может быть, в этом вопросе, — согласился Литвак голосом тихим, как вздох.

И только после этого Неду пришло в голову спросить, в каких ролях они ее видели. Он был приятно удивлен тем, что к делу своему они и впрямь подошли очень серьезно: не только достали записи всех ее ролей на телевидении, в том числе и самых незначительных, но в прошлый свой приезд предприняли путешествие в Ноттингем, эту чудовищную дыру, специально, чтобы посмотреть ее в «Святой Иоанне».

— Но каковы хитрецы! — воскликнул Нед, наблюдая за тем, как официант готовит стол, освобождая на нем место для жареной утки. — Позвонили бы мне, так я бы сам отвез вас туда или поручил бы это Марджори. А за кулисы вы к ней ходили? Или, может, возили в ресторан? Нет? Ну, знаете!

После секундного колебания Курц решился, голос его

посуровел. Он бросил вопросительный взгляд на своего спутника, и Литвак ответил еле заметным ободряющим кивком.

— Нед, — сказал Курц, — откровенно говоря, мы не были уверены, что в настоящих обстоятельствах это уместно.

— Какие обстоятельства вы имеете в виду? — воскликнул Нед. У него промелькнула мысль, что их смущает этическая сторона дела. — Господи, да за кого вы нас тут принимаете! Хотите предложить ей контракт — предлагайте. И никаких разрешений от меня не требуется. Придет время, и я затребую свои комиссионные, не беспокойтесь!

Сказал и притих, потому что у них у обоих были такие каменные лица — как потом объяснял он Марджори, — словно они наглотались тухлых устриц. Прямо вместе с раковинами.

Литвак аккуратно промокнул салфеткой тонкие губы.

— Можно задать вам вопрос, сэр?

— Конечно, дорогой, — сказал весьма озадаченный Нед.

— Каковы, по вашему мнению, возможности Чарли в плане интервью?

Нед опустил на стол бокал с кларетом.

— Интервью? Ну, если вас тревожит это, можете мне поверить, она на них держится совершенно естественно. Прекрасно держится. Нюхом чует, что надо журналистам, ей только намекни, и она все сделает наилучшим образом. Настоящий хамелеон — вот что она такое. В последнее время, может, немножко растренировалась, но надо будет — все вспомнит моментально, сами увидите. Насчет этого не волнуйтесь, все будет в порядке. — Для пущей убедительности он сопроводил свои слова щедрым глотком вина. — Да. В порядке.

Но информация эта, вопреки ожиданиям Неда, вовсе не воодушевила Литвака. Наморщив губы в гримасе озабоченности и неодобрения, он принялся собирать крошки на скатерти, катая их своими длинными, тонкими пальцами. Нед поначалу и сам пригорюнился, а затем все-таки поднял голову в надежде как-то переломить воцарившееся за столом тоскливое настроение.

— Ну, голубчик, — несколько неуверенно начал он, — ну не сидите вы с таким видом! Чем вас смущает интервью

Чарли? Другие девушки двух слов связать не могут! Если вам *такие* нужны, у меня их сколько угодно!

Но добиться благосклонности Литвака было не так-то просто. В ответ он лишь вскинул глаза на Курца, как бы говоря: «Вот видите!», а потом опять уставился на скатерть. «Ну прямо как один человек! — удрученно говорил потом Нед Марджори. — Казалось, им ничего не стоит подменять друг друга».

— Нед, — сказал Курц, — если мы остановимся на Чарли, ей придется выставить на всеобщее обозрение всю себя. «Всю» в полном смысле слова. Связавшись с нами, она отдает на потребу публике свою биографию. Не только личную жизнь, историю своей семьи, личные вкусы — кого она любит среди актеров или поэтов. Не только все об отце. Но и веру, мнения, взгляды.

— И политические взгляды тоже, — тихонько вставил Литвак, подбирая крошки. Жест, который вызвал у Неда легкое, но явственное отвращение к еде. Он положил нож и вилку, в то время как Курц продолжал развивать тему:

— Понимаете, Нед, за нашим замыслом стоят американцы, жители Среднего Запада. Это люди крайне добропорядочные, и все при них — большие деньги, неблагодарные дети, виллы во Флориде, нетленные ценности. *В особенности* нетленные ценности. И эти ценности, все, до последней, они желают видеть в нашем шоу. Хоть смейся, хоть плачь, но таковы факты, это телевидение, а оно нас кормит.

— И это Америка, — тихонько подал верноподданнический голос Литвак, обращаясь к своим крошкам.

— Мы будем с вами откровенны, Нед, откроем вам все карты. Когда мы наконец решили обратиться к вам, мы совершенно серьезно намеревались — при условии, что согласятся и все прочие, — перекупить у вас Чарли: заплатить за разрыв всех ее контрактов и открыть перед ней широкую дорогу. Но не могу от вас скрыть, что в последние два дня до Кэрмана и меня донеслись кое-какие разговоры, заставившие нас насторожиться и даже заколебаться. Талант ее несомненен, Чарли очень талантлива, и хоть не так опытна, но полна желания работать и добиваться успеха. Но выгодна ли она для нашего проекта, можно ли ее *рекламировать,* Нед? Вот здесь бы мы хотели ваших гарантий, что дела обстоят не так серьезно.

И опять решительный шаг сделал Литвак. Покончив наконец с крошками, он подпер согнутым пальцем нижнюю губу и сквозь стекла очков в темной оправе мрачно уставился на Неда.

— Как мы слышали, в настоящее время она придерживается радикальных убеждений. И говорят, взгляды ее весьма... весьма крайние. Настроена воинственно. Сейчас связана с каким-то подозрительным и не совсем нормальным типом анархистского толка. Упаси нас боже обвинять кого-то из-за пустых слухов, но по всему, что нам удалось узнать, она представляется нам теперь Фиделем Кастро в юбке и сестренкой Арафата в одном лице!

Нед поглядывал то на одного, то на другого, и на какую-то секунду ему померещилось, что четырьмя глазами, которые он видел перед собой, управляет единый зрительный нерв. Он хотел что-то сказать, но возникшее чувство было слишком странным. Он подумал, не слишком ли переусердствовал с «шабли».

Охватившее его смущение нарастало, как снежный ком. Он чувствовал себя старым и беспомощным. Чувствовал, что с задачей своей он не совладает — слишком слаб для этого, слишком устал. Американцы всегда вызывали у него неловкость, а многие даже пугали — одни компетентностью своей, другие — невежеством, а некоторые тем и другим вместе. Но эти двое, безучастно наблюдавшие, как он барахтается в поисках ответа, почему-то ввергли его в настоящую панику. К тому же он ощутил гнев, бессильный гнев. Ведь он ненавидел сплетни. Всякие сплетни. Он даже хотел было намекнуть на это Курцу — шаг для Неда весьма смелый, — и, видимо, намерение это отразилось на его лице, потому что Литвак вдруг забеспокоился и как бы начал отступать, а на необычайно живом лице Курца появилась улыбка, казалось, говорившая: «Ну, будет, Нед, будет!» Однако неистребимая галантность, как всегда, удержала Неда. Ведь пригласили-то его они. А кроме того, они иностранцы, и, значит, мерки у них для всего другие. К тому же он вынужден был признать волей-неволей, что действуют они в интересах дела и тех, кто стоит за ним, а значит, ему, Неду, следует подчиниться, если он не хочет погубить все, а с этим «всем» и карьеру Чарли.

Тем временем Курц говорил и говорил.

— *Помогите* нам, Нед, — искренне просил он, — *наставьте* нас. Мы должны быть уверены, что затея не выйдет нам боком. Потому что, скажу вам прямо, — короткий крепкий палец уперся в него, как дуло пистолета, — в штате Миннесота еще не было такого, чтобы кто-то захотел выложить четверть миллиона, субсидируя отъявленного врага нашей демократии, а если ее и впрямь можно так назвать, никто в нашем объединении не рискнет толкать вкладчиков на это харакири.

Поначалу Нед еще как-то собрался с мыслями. Не вдаваясь в лишние подробности, он напомнил все, что уже рассказал о детстве Чарли, и заключил, что, по всем общепринятым меркам, ей уготована была судьба малолетней преступницы или же будущей обитательницы тюрьмы, под стать папаше. Что же касается ее политических взглядов, как называют это некоторые, то за девять с лишним лет, что он и Марджори с ней знакомы, Чарли проявила себя непримиримой противницей апартеида. Но ведь это вряд ли можно поставить ей в вину, не так ли? Хотя находились и такие, что ставили. Она была ярой пацифисткой, последовательницей суфизма, участницей антиядерных маршей, активисткой общества защиты животных и — пока опять не втянулась в курение — сторонницей запрещения табака в театрах и на подземном транспорте. В общем, он не сомневался, что на своем жизненном пути она окажет поддержку, страстную, пусть мимолетную, еще не одному десятку всевозможных начинаний.

— И несмотря на все это, вы не отступились от нее! — восхитился Курц. — Вы поступили благородно, Нед.

— И с каждым из них я поступил бы точно так же! — подхватил Нед, ощутивший в себе прилив храбрости. — Учтите, она *актриса!* Не принимайте ее чересчур всерьез. У актеров, мой дорогой друг, *убеждений* не бывает, а у актрис тем более. Они люди настроения. Живут увлечениями. Внешними эффектами. Страстями на двадцать четыре часа. В мире, черт возьми, много несправедливости. Актеры любят драматические развязки. Насколько я знаю Чарли, стоит ей с вашей помощью переменить обстановку, и она переродится!

— Но не в смысле политики. Тут ей не переродиться, — заметил Литвак тихо, но язвительно.

С благотворной помощью кларета Нед еще несколько минут развивал эту рискованную тему. Его охватила какая-то эйфория. В голове звучали слова, он повторял их вслух, чувствуя себя опять молодым и совершенно безответственным в своих поступках. Он рассуждал об актерах как таковых, о том, как преследует их «страх перед мнимостями». О том, как на сцене выплескивают они подлинные человеческие чувства и страдания, превращаясь за кулисами в пустые сосуды, жаждущие, чтобы их наполнили. Он говорил об их застенчивости, приниженности и ранимости, об их привычке прикрывать свои слабости грубостью и обращением к крайним идеям, заимствованным из мира взрослых. Говорил об их нарциссизме, о том, что двадцать четыре часа в сутки они ощущают себя на сцене, даже когда рожают, любят или лежат под ножом хирурга. Потом он иссяк, в последнее время с ним это случалось нередко. Он потерял нить, выдохся. Официант по винам подкатил к ним тележку. Под холодно-трезвым взглядом хозяев Квили очертя голову выбрал марочное шампанское и позволил официанту налить себе большой фужер. Тем временем Литвак, хорошенько отдохнув, созрел для новой вылазки. Пошарив костлявыми пальцами во внутреннем кармане пиджака, он извлек оттуда блокнот, в обложке под крокодиловую кожу, с тиснением и медными скобками.

— Давайте разберем все по порядку, — мягко предложил он, обращаясь скорее к Курцу, чем к Неду. — Итак, *когда, где, с кем и как долго.* — Он отчеркнул поля, намереваясь, видимо, проставлять там даты. — Сборища, на которых она присутствовала. Демонстрации. Петиции. Марши протеста. Все, что могло привлечь внимание общественности. Когда мы получим все эти сведения, то сможем их квалифицированно оценить. И тогда пойти на риск или же капитулировать. Когда, на ваш взгляд, она оказалась втянутой в эту деятельность?

— Мне это нравится! — воскликнул Курц. — Нравится такой метод. И к Чарли он, на мой взгляд, подходит. — Сказано это было так, словно предложение Литвака явилось для него неожиданностью, а вовсе не было плодом многочасовой предварительной дискуссии.

Итак, Нед рассказал им и об этом. Где мог, он сглаживал детали, раз или два кое в чем солгал, но, в общем, он сообщил им все, что было ему известно. Мелькали у него и опасения, но появились они потом. Тогда же, как объяснял он впоследствии Марджори, они прямо заколдовали его. Конечно, не то чтобы он был очень уж хорошо осведомлен обо всех этих вещах. Выступления против апартеида, марши за безъядерный мир — кто же этого не знает. Потом была группа «Актеры за радикальные реформы», к которой Чарли одно время примыкала, они бузили возле Национального театра и срывали спектакли. И еще группа в Ислингтоне, которая называлась «Альтернативное действие», она откололась от группы этого полоумного Трота и всего-то насчитывала пятнадцать человек. И какие-то ужасные женщины, которые собирались в зале сентпанкрасской мэрии. Чарли бывала там и один раз даже Марджори туда притащила, чтобы просветить ее. А года два или три тому назад она позвонила ему среди ночи из полицейского участка в Дареме — ее задержали на каком-то антинацистском сборище — и просила взять ее на поруки.

— Это и был тот случай, когда ее фотография появилась в газетах, мистер Квили?

— Нет, то, про что вы говорите, было позже, в Рединге.

— Расскажите нам про Рединг, мистер Квили, — сказал Литвак. — Что там произошло?

— О, обычная история. Кто-то поджег автобус, а обвинили их всех. Они, помнится, протестовали против сокращения помощи престарелым. А может быть, против дискриминации чернокожих кондукторов. — И торопливо добавил: — Автобус был пустым, конечно. Никто *не пострадал!*

— О господи! — воскликнул Литвак и покосился на Курца — допрос приобретал характер поистине фарсовый!

— Нед, вы сказали, по-моему, что в последнее время Чарли перестала придерживаться крайних взглядов. Я правильно вас понял?

— Да, похоже, что так. То есть если вообще их можно было назвать крайними. Да, у меня сложилось такое впечатление, и старушка Марджори так считает. Уверен, что считает.

— Чарли сама говорила вам об этих переменах, Нед? — нетерпеливо прервал его Курц.

— Я думаю, как только представится случай, она обязательно...

— Может, она признавалась миссис Квили? — опять встрял Курц.

— Нет, пожалуй, нет.

— А могла она исповедоваться еще кому-нибудь? Вроде этого своего дружка-анархиста?

— О нет, уж ему-то в последнюю очередь!

— Нед, есть кто-нибудь, кроме вас, — подумайте только хорошенько, не спешите, — кто-нибудь: подруга, друг, может быть, старший друг или друг дома, кому Чарли могла бы поведать о переменах в своих воззрениях? О том, что *отходит* от радикализма.

— Да нет, не знаю такого. Никто не приходит в голову. Она ведь по-своему скрытная. Хотя с виду и не скажешь.

И тут произошла вещь крайне странная. Нед подробно рассказал о ней потом Марджори. Неловко чувствуя себя под огнем их, по мнению Неда, нарочито проницательных взглядов, он не отрывал глаз от фужера с шампанским. Вертя его в руках, заглядывал в него, так и эдак взбалтывая пену, он инстинктивно почувствовал, что Курц закончил свою часть допроса, и, вскинув на него глаза, перехватил выражение явного облегчения на его лице и успокаивающий жест, какой он сделал Литваку, словно *рад* был, что Чарли все-таки не переменила своих убеждений. А если и переменила, никому из тех, кому бы стоило об этом поведать, не поведала. Он поглядел на Курца еще раз. Выражение исчезло. Но потом даже Марджори не смогла его убедить, что это ему померещилось.

Литвак, словно помощник знаменитого адвоката, выполняющий поручение патрона, бегло закруглял допрос:

— Не храните ли вы у себя в агентстве, мистер Квили, дела ваших клиентов? Досье на каждого, а?

— У миссис Эллис, я уверен, есть такие досье, — отвечал Нед. — Она их где-то там держит.

— И давно она занимается подобной работой?

— Да, очень давно. Она ведь еще при моем отце работала.

— И какого рода информацию она хранит в этих досье? Гонорары, затраты, полученные комиссионные — такого рода вещи? Сухой перечень фактов?

— Да нет же, разумеется, нет! Чего она только не включает туда! И дни рождения, и кто какие цветы предпочитает, и какие рестораны любит. В одном таком досье есть даже старая балетная туфелька! И имена детей. И про собак. И газетные вырезки. Вещи самые разнообразные.

— А личные письма тоже хранятся?

— Да, конечно.

— И письма Чарли за много лет, написанные ее собственной рукой?

Это шокировало Курца. Насупленные славянские брови страдальчески сдвинулись к переносице.

— По-моему, Кэрман, мистер Квили уже уделил нам достаточно времени и внимания, — внушительно заметил он Литваку. — Знакомство с вами, Нед, было крайне полезно и поучительно. Очень вам признательны, сэр.

Однако отступать Литвак не привык. Молодости свойственно упрямство.

— Но от нас-то у мистера Квили нет секретов! — воскликнул он. — Если существуют документы — письма, написанные самой Чарли и доказывающие, что радикализм ее в последнее время стал более умеренным, почему бы мистеру Квили их нам не показать? Если он этого хочет, конечно. Если же не хочет, дело другое.

Последняя фраза прозвучала неприязненно.

— Не допускаю, чтобы Нед мог не хотеть, — отрезал Курц, решительно уничтожая последние сомнения. И покачал головой, как бы говоря, как трудно ему мириться с беззастенчивостью современной молодежи.

Дождь прекратился. Они пошли пешком — коротышка Квили в середине, Курц и Литвак по бокам, приноравливая свой быстрый шаг к его нетвердой походке. Квили был смущен, раздосадован, его преследовало дурное похмельное чувство; и пар, поднимавшийся от мокрых машин, не мог развеять это чувство. «Какого дьявола им надо?» — все время вертелось у него в голове. То сулят Чарли луну с неба, то считают препятствием ее идиотские политические увлечения. А теперь вот — он забыл для чего — им надо свериться с *досье,* которое и не досье вовсе, а хаотичная мешанина всякой чепухи, вотчина престарелой подчиненной, которую неудобно отправить на пенсию. Секретарша миссис Лонгмор видела, как они вошли; лицо ее выразило неодобрение, из чего Нед тут же заключил, что вел себя в ресторане, видимо, без должной осмотрительности. Ну и пошла она куда подальше! Курц настоял на том, чтобы Нед сам проводил их наверх. Под их нажимом он позвонил из кабинета миссис Эллис и попросил ее принести в приемную бумаги Чарли и оставить их там.

— Мы стукнем вам, мистер Квили, когда закончим, хорошо? — сказал Литвак, словно взрослый, попросивший ребенка выйти из комнаты.

Последнее, что видел Квили, это как они сидели за конторкой розового дерева, уставленной всеми шестью безобразными картонными ящиками с картотекой миссис Эллис, выглядевшими так, словно их вытащили из огня. Эти двое были похожи на фининспекторов, корпящих над одним и тем же налоговым отчетом, — карандаши и бумага наготове, а Голд — тот, коренастый, — снял пиджак и положил на стол рядом с собой эти свои паршивые часы, как будто засек время для своих дьявольских выкладок. Затем Квили, должно быть, задремал. В пять часов он проснулся как от толчка: приемная была пуста. Квили позвонил миссис Лонгмор, та едко ответила, что посетители не захотели его тревожить.

Марджори он рассказал это не сразу.

— Ах, *эти,* — протянул он, когда вечером она сама спросила его. — Ну это просто пара телевизионщиков, проездом в Мюнхен. Про них и думать можно забыть.

— Евреи?

— Да, кажется, евреи. Похоже, во всяком случае. — Марджори кивнула так, будто знала это с самого начала. — Но при этом очень *милые,* — без особого энтузиазма заметил он тогда.

Но позже, ночью, когда Марджори все-таки вытянула из него неизбежное признание, он поделился с нею и своей тревогой.

— Все было в такой спешке, — сказал он. — Они действовали с таким напором, с такой энергией, редкой даже для американцев. Накинулись на меня, как полицейские в участке, сперва один, потом другой. Ищейки проклятые, — проворчал он, несколько изменив метафору. — Наверное, мне следует доложить властям.

— Но, дорогой, — наконец выговорила Марджори, — судя по тому, что ты рассказываешь, это и были власти.

— Я напишу ей, — очень решительно объявил Нед. — Я совершенно уверен, что должен написать и на всякий случай предупредить ее. У нее могут быть неприятности.

Но если бы он даже и осуществил свое намерение, было уже поздно. Прошло уже почти двое суток с того времени, как Чарли отбыла на пароходе в Афины для встречи с Иосифом.

# Глава 5

Пароходик пришвартовался в Пирее с опозданием на два часа, и если бы не авиабилет, который Иосиф взял у нее и положил к себе в карман, Чарли могла бы его и надуть. А могла бы и не надуть, потому что резкость манер скрывала в ней натуру преданную и мягкую, качества в ее среде совершенно никчемные. Но все же, хотя времени для размышления у нее было сколько угодно и хотя в конце концов она пришла к выводу, что упорный поклонник, преследовавший ее в Ноттингеме, Йорке и Ист-Энде это вовсе не он, а может быть, и вообще ей лишь почудился, сомнения все же не оставляли ее. А потом объявить друзьям о своем решении оказалось совсем не так просто, как представлял это Иосиф. Люси плакала и совала ей деньги: «Последние пятьсот драхм, Чэс, все тебе отдаю!» Пьяные Уилли и Поли рухнули перед ней на колени прямо в порту, при всей почтенной публике: «Чэс, Чэс, как можешь ты так с нами поступать!» Чтобы вырваться от них, ей пришлось проталкиваться через толпу, кругом ухмылялись какие-то сальные рожи, потом она бежала по дороге, ремень на сумке лопнул, гитара неловко болталась на боку, а по щекам, как это ни глупо, текли слезы раскаяния. Спас ее — кто бы мог подумать — тот самый парень-хиппи с льняными волосами; оказывается, он приехал тем же пароходом, хотя она его и не заметила. Проезжая мимо в такси, он подобрал ее, подвез, значительно сократив ей путь. Он был швед, и звали его Рауль. Он объяснил, что его отец сейчас находится в Афинах по делам и он надеется перехватить его там и попросить денег. Чарли немного удивило, что он так разумно рассуждал и при этом ни разу не ругнулся.

Вот и синий навес ресторана «Диоген». Чопорный метрдотель милостиво кивнул ей, приглашая войти.

*Нет, Осси, прости, но время и место были выбраны неудачно. Прости, но это был бред: праздник кончился, а с ним и похмелье — Чэс лишь возьмет свой билет и испарится.*

А может быть, она облегчит себе задачу и скажет, что ей предложили роль.

Чувствуя себя в потертых джинсах и поношенных башмаках какой-то жуткой неряхой, она побыстрее проскочила между столиками на тротуаре и очутилась возле двери во внутреннее помещение. «Так или иначе, он, конечно, уже ушел, — говорила она себе. — Кто это в наши дни два часа ждет девушку! Билет, должно быть, у портье в отеле. Будешь знать, как охотиться по ночам в Афинах за пляжными знакомыми».

Она уже открывала дверь, когда заметила, как два каких-то грека потешаются над лопнувшим ремнем на ее сумке. Шагнув к ним, она обозвала их грязными свиньями и сексуальными маньяками и, все еще дрожа от негодования, толкнула дверь ногой. Внутри было прохладно и тихо, говор толпы не доносился сюда, а в полумраке обшитой деревом залы, в ореоле своей темной тайны сидел этот святой Иосиф с пляжа, несомненная и пугающая причина всех ее несчастий, греха и душевного смятения, с кофейной чашечкой и какой-то книжкой перед ним.

«Только не прикасайся ко мне, — мысленно остановила она его в ту минуту, когда он поднялся ей навстречу. — И не позволяй себе лишнего. Я еще ничего не знаю, слишком устала, слишком голодна. Я могу оскалить зубы, укусить, и никакой секс мне сейчас сто лет не нужен!»

Но все, что он себе позволил, это взять у нее гитару и сумку с лопнувшим ремнем и стиснуть ей руку в открытом и деловитом, на американский манер, рукопожатии. В ответ же она ничего лучше не придумала, как протянуть: «На тебе шелковая рубашка!» — что было истинной правдой, действительно, рубашка на нем была шелковая, кремового цвета и золотые запонки величиной с пробку.

— О господи, Осси! — воскликнула она, разглядев его костюм целиком. — Смотри-ка: золотой браслет, золотые часы — стоит мне зазеваться, а поклонница-миллионерша тут как тут! — выпалила одним духом, с каким-то надрывом и вызовом, может быть, втайне желая заставить и его застесняться своей одежды, как стеснялась она своей.

«Ну а в чем, ты думала, он появится? — с раздражением спрашивала она себя. — В этих своих идиотских черных плавках и с фляжкой на животе?»

Но Иосиф все это пропустил мимо ушей.

— Привет, Чарли. Пароход опоздал. Бедняжка. Ну ничего. Ты все-таки здесь.

Хоть в этом он остался верен себе: ни тени торжества или удивления. Библейская важность приветствия и повелительный кивок официанту.

— Виски или сперва умоешься? Дамская комната наверху.

— Виски, — сказала она, устало плюхнувшись в кресло напротив него.

Ресторан был хороший, это она поняла сразу. Из тех ресторанов, которые греки держат для себя.

— Да, чтобы не забыть... — отвернувшись от нее, он потянулся за чем-то.

«Что не забыть?» — промелькнуло в голове. Подперев подбородок рукой, она следила за ним, ждала. Полно тебе, Осси. В жизни своей ты еще ничего не забыл. Откуда-то из-под кресла он извлек шерстяную греческую торбу, расшитую, с ярким узором, и подал ей — подчеркнуто просто, без всяких церемоний.

— Так как мы отправляемся в совместное плавание, вот твой спасательный круг на случай аварии. Там внутри твой авиабилет из Салоник в Лондон... Его еще можно поменять, если захочешь. И все необходимое для самостоятельных покупок, бегства или просто если ты передумаешь. Трудно было отделаться от приятелей? Подозреваю, что так. Ведь обманывать тяжело. А тех, к кому привязан, — в особенности.

Он сказал это как опытный обманщик, привыкший обманывать. И сокрушаться об этом.

— Спасибо, Осси. — Второй раз она его благодарила. — Шикарная вещь. Большое спасибо.

— А как насчет омара? На Миконосе ты как-то призналась, что омар — твое любимое блюдо. Я не ошибся? Метрдотель припас для тебя омара, и по первому твоему слову его прикончат. Так как же?

Все еще не меняя позы и не поднимая головы, Чарли собрала силы для шутки. С усталой улыбкой она опустила вниз большой палец, как Цезарь, повелевающий омару умереть.

— Скажи им, пусть не мучают его.

Она взяла его руку, сжала в своих, словно прося прощения за свою угрюмость. Он улыбнулся и руки не отнял, разрешил вертеть ее сколько хочешь. Рука была красивая, с сильными тонкими пальцами, мускулистая рука.

— Из вин ты любишь «Бутарис», — сказал Иосиф. — Белый «Бутарис». Охлажденный. Ведь так ты всегда говорила?

«Да, — подумала она, следя, как его рука ползет через стол обратно в свое укрытие. — Да, так я говорила. Сто лет назад на этом странном греческом острове».

— А после ужина я в качестве твоего персонального Мефистофеля поведу тебя на гору и покажу второе место в мире по красоте. Согласна? Заинтригована?

— Я хочу первое место в мире, — сказала она, отхлебнув виски.

— Первых премий я никогда не присуждаю, — спокойно отрезал он.

«Заберите меня отсюда! — подумала она. — Увольте драматурга. Закажите новый сценарий!» Она попробовала ход, заимствованный из своего рикмансуэртского прошлого:

— Ну чем занимался в эти дни, Осси? Не считая, конечно, того, что тосковал по мне?

Но он так, по существу, и не ответил. Вместо этого он принялся расспрашивать, как она сама ожидала поездки, о том, что было на пароходе, и о «семейке». Он улыбнулся, когда она рассказала ему, как счастливо подвернулся ей этот хиппи в такси и каким смышленым и благонравным он ей вдруг показался. Иосиф спросил, есть ли известия от Аластера, и выразил вежливое сожаление, когда она ответила, что нет.

— О, он *никогда* не пишет! — воскликнула она с беззаботным смешком.

Иосиф спросил, какую роль, по ее мнению, ему могли предложить. Она считала, что, должно быть, роль в каком-нибудь «макаронном вестерне». Выражение показалось ему забавным, он никогда раньше не слышал его и попросил растолковать. Прикончив виски, она подумала, что, видно, все-таки нравится ему.

Говоря с ним об Але, она ловила себя на том, что расчищает в своей жизни место для нового мужчины, и сама удивлялась этому.

— Во всяком случае, надеюсь, что ему повезло, вот и все, — заключила она, как бы намекая на то, что это везение должно вознаградить его за прочие неудачи.

Но и сделав этот шажок к Иосифу, она не могла преодолеть в себе чувства, что делает что-то не то. Подобное ей случалось испытывать на сцене, когда роль «не шла»: действие вдруг казалось странным, надуманным, а язык жалким и неестественным.

Поколебавшись, она сказала участливо и мягко, глядя Иосифу в глаза:

— Знаешь, Осси, не надо тянуть канитель. Я успею к самолету, если ты хочешь этого. Ни к чему тебе...

— Что ни к чему мне?

— Ни к чему тебе держать слово, которое вырвалось впопыхах.

— Вовсе не впопыхах. Я все серьезно обдумал.

Теперь очередь была за ним. И он достал кипу путеводителей. Без всякого приглашения она встала со своего места и, обойдя стол, уселась с ним рядом. Небрежно закинув левую руку ему за спину, она склонилась с ним над путеводителями. Плечо его оказалось твердым, как скала, и таким же неприветливым, но руки она не сняла. Дельфы, Осси, — это здорово, потрясающе. Ее волосы касались его щеки. Накануне вечером она вымыла для него голову. Олимп — вот это да! Метеора — никогда не слыхала о таком месте. Их лбы соприкасались. Салоники — с ума сойти! Отели, где они будут останавливаться. Все расписано, зарезервировано. Она поцеловала его в скулу возле самого глаза, чмокнула невзначай, как бы мимоходом. Он улыбнулся и как добрый дядюшка пожал ей руку. И она почти перестала мучиться мыслью о том, что же в ней или в нем заставило ее покориться ему — безропотно, словно так было надо, — и когда это все началось, почему его «Ну привет, Чарли, здравствуй» сразу превратило их знакомство во встречу старых друзей, и вот уже они обсуждают, как лучше провести медовый месяц.

«Забудь об этом», — думала она. И вдруг выпалила:

— Ты никогда не носил красного пиджака, а, Осси? Вернее, бордового, с медными пуговицами, немного в стиле двадцатых годов?

Он медленно поднял голову, повернулся к ней, выдержал ее пристальный взгляд.

— Ты что, шутишь?

— Нет, просто спрашиваю.

— Красный пиджак? Почему именно красный? Это что, цвет твоей любимой футбольной команды?

— Тебе бы такой пошел. Вот и все.

Но он по-прежнему ждал от нее объяснений, и она начала выпутываться:

— Я иногда мысленно устраиваю себе такие представления. Не забывай, что я актриса. Воображаю людей в разном гриме. С бородами, в париках. Рассказать, так не поверишь. Примеряю к ним костюмы. Брюки-гольф или мундиры. Интересно получается. Привычка такая.

— Хочешь, отращу для тебя бороду? Хочешь?

— Если захочу, скажу.

Он улыбнулся, и она улыбнулась ему в ответ — еще одна встреча через рампу. Отведя взгляд, он отпустил ее, и она отправилась в дамскую комнату, а там, глядя в зеркало, дала волю ярости, вспоминая, как пыталась его перехитрить. «Неудивительно, что он весь изрешечен пулями, — думала она. — Это женщины стреляли в него».

За едой они беседовали — серьезно, степенно, как незнакомые. По счету он заплатил из бумажника крокодиловой кожи — такой бумажник, наверное, потянет половину национального долга той страны, чьим подданным он является.

— Ты что, берешь меня на содержание, Осси? — спросила она, следя за тем, как он аккуратно сложил и сунул в карман счет.

Но вопрос повис в воздухе, так как, слава богу, он опять впал в свой обычный администраторский раж, а они ужасно опаздывали.

— Посмотри, где там стоит такой побитый зеленый «Опель» с вмятиной на крыле и мальчишкой за рулем, — сказал он, пропуская ее вперед в узком проходе за кухней и таща ее вещи.

— Слушаю и повинуюсь, — ответила она.

Машина ждала у бокового входа, на крыле действительно была вмятина. Шофер взял у Иосифа ее вещи и положил в багажник, проделав это очень быстро. Он был веснушчатый, белобрысый и румяный, с простодушной ухмылкой, не мальчишка, но совсем молоденький юноша лет пятнадцати. Духота вечера, как обычно, разрешилась мелким дождем.

— Познакомься с Димитрием, Чарли, — сказал Иосиф,

усаживая ее на заднее сиденье. — Мама разрешила ему сегодня задержаться попозже. Димитрий, отвези нас ко второму месту в мире по красоте! — И он сел в машину рядом с нею. Машина тут же тронулась, а он с места в карьер принялся разыгрывать роль гида-экскурсовода: — Итак, Чарли, вот перед нами средоточие новогреческой демократии — площадь Конституции: обрати внимание на демократов, наслаждающихся независимостью в близлежащих ресторанах. Теперь посмотри направо, и ты увидишь Олимпейон и арку Адриана.

«Очнись, — думала она. — Отключись от всего. Ты вольна ехать куда глаза глядят, с тобой шикарный новый поклонник, кругом греческие древности, и это все жутко любопытно». Машина замедлила ход. Справа Чарли разглядела какие-то развалины, но их тут же скрыли новые кусты. Они доехали до знака объезда, взобрались по брусчатому серпантину на гору и встали. Выскочив из машины, Иосиф распахнул перед ней дверцу и торопливо, с видом почти заговорщическим, подвел к узким каменным ступеням, укрытым нависающими над ними зарослями.

— Говорить здесь надо шепотом и помня о коде! — прошипел он, как злодей на сцене. Она ответила ему что-то столь же бессмысленное.

Прикосновение его обжигало, как электрический ток. Когда он касался ее руки, пальцы пощипывало. Они шли то по тропинке, выложенной камнем, то по голой земле; тропинка неуклонно карабкалась вверх. Луна ушла, стояла непроглядная темень, но Иосиф как среди бела дня упорно и неотступно вел ее все вверх и вверх. Раз они пересекли площадку каменной лестницы, потом вдруг выбрались на широкую проторенную тропу, но легкий путь был им заказан. Деревья кончились, и справа она увидела городские огни, они были далеко внизу. Слева от нее, еще повыше, над окаймленной оранжевой полосой линией горизонта чернел силуэт какого-то кряжа. За собой она различала шаги и смех, но это оказались лишь какие-то подростки, они хохотали, дурачась.

— Ты не против подняться еще немного? — спросил он, не сбавляя скорости.

— Вообще-то не хотелось бы.

Иосиф приостановился.

— Хочешь, чтобы я понес тебя?

— Да.

— К сожалению, я повредил спину.

— Я видела, — ответила она и еще крепче сжала его руку.

Он уже шел вперед, решительными шагами прокладывая путь. Она задыхалась, но ведь обычно, если надо, она могла ходить хоть день напролет и не уставать, значит, задыхаться ее заставила не усталость. Тропинка перешла в широкую дорогу. Перед ними выплыли две серые тени в форме. Они караулили небольшое каменное строение, обнесенное решетками и освещенное прожектором. Иосиф подошел к ним, и Чарли услышала, как он поздоровался, а они ответили ему. Строение было замкнуто между двух железных дверей. За первой дверью еще был город — марево далеких огней, за второй — уже черная ночь, и пропустить их должны были туда, в темноту: Чарли услыхала позвякивание замков и скрип железных петель. На мгновение ее охватила паника: «Что я здесь делаю? Где я? Беги отсюда, кретинка!» Иосиф кивнул, приглашая войти. Она оглянулась и различила позади себя двух девушек, они глядели вверх. Чарли шагнула к железной двери. Она почувствовала, что глаза полицейских раздевают ее, и подумала, что Иосиф никогда еще не глядел на нее так, не давал ей явных доказательств своих желаний. В своем замешательстве она страстно хотела, чтобы это произошло.

Дверь затворилась за ней. Дальше были ступени, а затем скользкая каменистая тропка. Она услышала его голос, он просил ее подниматься осторожнее. Она хотела опереться на его руку, но он пропустил ее вперед, объясняя, что не хочет загораживать ей вид. «Ах да, вид! — вспомнила она. — Второй в мире по красоте». Скала, должно быть, была мраморной, потому что светилась даже в темноте, и кожаные подошвы Чарли самым плачевным образом скользили. Раз она чуть не упала, но рука Иосифа подхватила ее со стремительностью и силой, о которых Ал мог только мечтать. Он стиснул ее, и костяшки его пальцев на секунду коснулись ее груди. «Не будь таким бесчувственным, — отчаянно молила она его мысленно. — Ведь это моя грудь! Одна, а есть и другая. Левая более чувствительна, но да уж ладно!» Тропка петляла, и тьма стала реже, жарче, точно ее пропитало горячим полуденным солнцем. Внизу, за деревьями, как покинутая планета, сгинул город, а над головой возвышались лишь темные силуэты каких-то причудливых уступов. Затих городской шум, и в ночи безумствовали цикады.

— Теперь иди помедленнее, пожалуйста.

По голосу его она поняла: что бы это ни было, оно рядом. Начиналась деревянная лестница. Ступеньки, площадка, опять ступеньки. Иосиф шел легким шагом, ступая осторожно, и она старалась идти так же, как он. Теперь их объединял и этот крадущийся шаг. Рука об руку они прошли через какие-то огромные ворота, самая величина которых заставила ее оглядеться, поднять голову. Посмотрев вверх, она заметила, как между звезд мелькнул, скользнув вниз, красный серп луны и утвердился там, среди колонн Парфенона.

— Господи, — ахнула она.

Она почувствовала вдруг свою ничтожную малость, свое одиночество. Медленно, словно приближаясь к миражу, она сделала несколько шагов вперед — вот сейчас видение исчезнет, но нет, не исчезло. Она прошла вдоль него, ища путь наверх, но первую же лестницу загораживала строгая надпись: «Подъем запрещен». И вдруг, непонятно почему, ей захотелось бежать. Это был вдохновенный бег по камням, туда, в темноту, к краю небесного града; она бежала, почти забыв о том, что Иосиф, в этой его шелковой рубашке, без всяких усилий бежит рядом. Она смеялась и говорила что-то в забытьи — как ей рассказывали, вот так же вела она себя в постели, — произнося слова, странные, первые, что приходили в голову. Тело стало легким, а душа рвалась из него куда-то вверх, устремлялась к небу, в полет. Заставив себя перейти на шаг, она дошла до парапета и, облокотившись, свесилась вниз, глядя на сияющий остров среди темного океана аттической равнины. Она оглянулась, он стоял в нескольких шагах, наблюдая за ней.

— Спасибо, — наконец выговорила она.

Подойдя к нему, она обеими руками обхватила его голову

и поцеловала в губы, поцелуем долгим-предолгим, сначала не очень крепко, потом крепче, проникновеннее, поворачивая его голову — в одну сторону, в другую, вглядываясь в лицо, как бы проверяя действие поцелуя. Объятие было достаточно долгим, и теперь она знала точно: да, он чувствует то же самое.

— Спасибо, Осси, — повторила она, но в ответ он лишь отстранился.

Удивленная, почти рассерженная, она разглядывала его застывшее, как у солдата на часах, лицо. Когда-то ей казалось, что она хорошо знает мужчин. Закулисных остряков, блефующих, пока дело не заканчивалось слезами. Старых девственников, мучимых страхом воображаемой импотенции. Известных донжуанов и половых гигантов, вдруг отступающих в последний момент в припадке робости или стеснения. Как правило, ей всегда хватало нежности, чтобы стать каждому из них матерью, сестрой и не только сестрой, чтобы завязать какие-то узы. Но неподатливость Иосифа, которую она разглядела в провалах его темных глаз, была какого-то иного толка. Не от бесстрастия и не от бессилия. Такой опытный боец, как она, уж конечно, почувствовал бы это в его объятии. Нет, скорее всего он стремился к чему-то вне ее и невольным движением своим попытался дать ей это понять.

— Поблагодарить тебя еще раз? — спросила она.

Он молчал, глядя на нее. Потом вскинул руку повыше, к лунному лучу, посмотрел на циферблат золотых часов.

— Вообще-то, я думаю, так как времени у нас мало, пора показать тебе кое-какие храмы. Ты не прочь немного поскучать?

В этой странной пропасти, которая зияла сейчас между ними, ему нужна была ее поддержка, чтобы не нарушить монашеский обет!

— Мне все они интересны, Осси, — сказала она, беря его под руку, словно он был ее трофеем. — Кто построил, цена каждого памятника, кому там молились и молятся ли сейчас. Я готова скучать, слушая это, до гробовой доски!

Она была уверена, что слов для нее у него хватит, и она не ошиблась. Он начал свою лекцию, она слушала. Он водил ее от храма к храму, говорил размеренно. Она ходила следом, держась за его руку, думая: «Я буду твоей сестрой, твоей ученицей, всем на свете. Я помогу тебе во всем и объявлю это твоей заслугой, я соблазню тебя и скажу, что виновата во всем я, я добьюсь от тебя этой твоей улыбки, даже если она принесет мне смерть».

— Нет, Чарли, — с самым серьезным видом говорил он, — Пропилеи — это не боги, а вход в святилище. Название происходит от греческого «пропилон», формой множественного числа у греков обозначались святыни.

— Специально выучил к этой поездке, да?

— Конечно. Для тебя! А как же!

— Я тоже так могу. Я ведь, знаешь, как губка все впитываю. Ты ахнешь. Стоит заглянуть одним глазом в книгу, и я уже все знаю.

— Тогда повтори, что я тебе рассказывал, — предложил он.

Она не послушалась, подумала, что он дразнит ее. Потом, ухватив обеими руками, она резко крутанула его, повернув обратно, туда, откуда они только что пришли, и слово в слово повторила ему все, что недавно слышала!

— Ну как, подходит? — Они еще раз проделали весь маршрут. — Присудишь мне второй приз?

В ответ она ожидала услышать один из его нудных критических разборов, но он лишь сказал:

— Не *гробница* Агриппы, а *статуя*. Но кроме этой маленькой ошибки, ты была безукоризненно точной. Поздравляю.

И тут же далеко внизу просигналила машина — три гудка. Она сразу почувствовала, что сигналы предназначались ему. Он встрепенулся, вслушался, как зверь, нюхающий ветер, потом взглянул на часы. «Карета превратилась в тыкву, — подумала она. — Послушным детям пора в постель, а перед тем пора объяснить друг другу, какого черта им было надо».

Они стали спускаться вниз, но по пути Иосиф решил посмотреть еще и театр Диониса. Пустая чаша амфитеатра грустно освещалась луной и одинокими отблесками далеких огней. «В последний раз», — растерянно подумала она, глядя на неподвижный темный силуэт Иосифа на фоне яркого зарева городских огней.

— Я где-то прочел, что хорошее драматическое произведение не может быть субъективным, — заговорил он. — Романы, стихи — пожалуйста. Но драма — нет. Драма должна соприкасаться с жизнью. Она должна приносить пользу. Ты тоже так считаешь?

— Ну да, как в женской богадельне в Бертон-он-Тренте! — со смехом отвечала она. — Играть Прекрасную Елену перед пенсионерками на субботних утренниках!

— Я говорю серьезно. Скажи мне свое мнение.

— О чем? О театре?

— О его функциях.

Такая серьезность смутила ее. Слишком многое зависело от ее ответа.

— Что ж, я согласна, — сказала она в некотором замешательстве. — Театр *должен* приносить пользу. Должен заставлять зрителей переживать и сопереживать. Он должен... ну, как это... давать людям знание.

— Быть живой жизнью, да? Ты уверена?

— Конечно, а как же иначе!

— Ну, если так... — сказал он, словно подразумевая, что тогда она не должна винить его ни в чем.

— Ну, если так... — весело повторила она.

«Мы сумасшедшие, — решила Чарли. — Законченные, стопроцентные безумцы». Полицейский отдал им честь, когда они спустились вниз, на землю.


Сначала она решила, что это лишь глупая шутка, которую он вздумал с ней сыграть. Кроме «Мерседеса», на дороге ничего не было — пустынная дорога, и на ней одиноко стоящий «Мерседес». На скамейке неподалеку обнималась какая-то парочка, а больше никого. «Мерседес» стоял возле самой обочины, и номерного знака видно не было. С тех пор как Чарли стала водить машину, ей больше всего нравились «Мерседесы», и одного взгляда на внушительный силуэт ей было достаточно, чтобы понять: машина эта — салон на колесах, а по внутренней отделке и антеннам Чарли поняла, что видит

перед собой чью-то обожаемую и лелеемую игрушку, снаб-
женную всеми новомодными приспособлениями. Иосиф взял
ее под руку, но, только подойдя к дверце, она поняла, что он
собирается открыть машину. Она смотрела, как он вставил
ключ, и тут же щелкнули кнопки всех четырех замков, и вот
он уже ведет ее к машине с другой стороны. Что, черт возьми,
происходит?

— Тебе она не нравится? — спросил он с безразличием,
тут же насторожившим ее. — Другую заказать? Мне казалось,
ты питаешь слабость к хорошим машинам.

— Ты хочешь сказать, что нанял ее?

— Не совсем. Мне одолжили ее для нашего путешествия.

Он придерживал дверцу для нее. Но она медлила.

— Кто одолжил?

— Хороший знакомый.

— Как его зовут?

— Не смеши меня, Чарли. Герберт, Карл... Какая разница! Ты хочешь сказать, что предпочла бы демократичный и
неудобный греческий «Фиат»?

— Где мои вещи?

— В багажнике. Я распорядился, чтобы Димитрий положил их туда. Хочешь — посмотри и убедись.

— Я не сяду в эту машину, это безобразие!

Тем не менее она села, и в ту же минуту он занял место
рядом с ней. На нем теперь были шоферские перчатки. Черные, с дырочками для вентиляции. Должно быть, он держал
их в кармане, а в машине надел. Золото на его запястьях ярко
блестело, оттеняемое черной кожей. Правил он умело и быстро.

— Часто проделываешь это, да? — спросила она громко. — Испытанный трюк? Пригласить даму покататься с ветерком, лететь в никуда быстрее звука?

Молчание. Он внимательно глядел прямо перед собой.
Кто он? Боже милостивый, как говорила ее стерва-мамаша,
подскажи, кто он такой? Машина вдруг осветилась. Резко
обернувшись, Чарли увидела через заднее стекло метрах в ста
позади автомобильные фары, они не приближались и не уда-
лялись.

— Это наши или не наши? — спросила она.

И, едва успокоившись, вдруг поняла, что́ еще обратило на себя ее внимание. На заднем сиденье лежал красный пиджак — с медными пуговицами, точь-в-точь, как тот в Ноттингеме и Йорке. Она могла бы побиться об заклад, что и сшит он так же: немножко старомодно, в стиле 20-х годов.

Она попросила сигарету.

— Почему ты сама не возьмешь в отделении для перчаток? — не поворачивая головы, спросил он.

Она открыла дверцу на приборной доске и увидела несколько пачек «Мальборо». Рядом лежал шелковый шарф и дорогие солнечные очки. Она взяла шарф, понюхала — он пах мужской туалетной водой. Достала сигарету. Рукой в перчатке Иосиф приблизил к ней огонек автомобильной зажигалки.

— Твой приятель изрядный франт, правда?

— О да! Действительно. А почему ты спрашиваешь?

— Этот красный пиджак на заднем сиденье, он твой или его?

Он быстро покосился на нее, словно отдавая должное вопросу.

— Ну, скажем так: его, но он дал мне поносить, — спокойно ответил он, увеличивая скорость.

— Солнечные очки он тебе тоже дал поносить? Они, по-моему, тебе здорово пригодились там, у рампы! Ты ведь завсегдатай, театрал, можно сказать, почетный член труппы. По фамилии Рихтховен, так?

— Так.

— А зовут тебя Петер, но имя Иосиф тебе нравится больше. Проживаешь в Вене, ведешь кое-какую торговлю, учишься, всего понемножку. — Она замолчала, но он ничего не сказал на это. — Писать «до востребования», — настойчиво продолжала она. — Почтовый ящик семьсот шестьдесят два, центральный почтамт. Верно?

Он еле заметно кивнул, словно одобряя такую хорошую память. Стрелка спидометра подползла к ста тридцати километрам.

— Национальность неизвестна, видимо, смесь самого таинственного происхождения, — вызывающе бросила она. — Имеются трое детей и две жены. До востребования.

— Жен и детей нет.

— И не было? Или нет в настоящее время?

— В настоящее время.

— Будь добр, сообщи о себе хоть какие-нибудь положительные сведения. Успокой мою душу.

— В качестве положительного сведения сообщаю, что старался лгать тебе как можно меньше, а также что скоро тебе станет известно множество веских причин, по которым тебе следует сохранять дружбу с нами.

— С кем это с *нами?* — возмутилась она.

До этого момента он был один. Перемена ей совершенно не понравилась. Они направлялись к шоссе, но он не сбавлял скорости. Она увидела фары двух машин, вот-вот готовых наехать на них сзади, и затаила дыхание.

— Вы, случаем, не поставками *оружия* занимаетесь? — осведомилась она, вдруг вспомнив его шрамы.

— Нет, Чарли, оружием мы не торгуем.

— «Оружием не торгуем». Может быть, это работорговля?

— И не работорговля.

Она повторила и это.

— Остаются наркотики. Потому что ведь чем-то ты же *торгуешь,* правда? Только, говоря откровенно, наркотики тоже не по мне. Длинный Ал дает мне пронести свою травку, когда мы проходим таможню, так я потом сколько дней в себя прийти не могу, такого понатерпишься страха! — Иосиф молчал. — Бери повыше, да? Не вам чета? Птица другого полета? — Она потянулась и выключила радио. — Как насчет того, чтобы остановить машину? На самом деле, а?

— Бросить тебя неизвестно где, на дороге? Ну это уж полный абсурд.

— Останови немедленно! — воскликнула она. — *Останови машину, черт тебя дери!*

Они проскочили светофор, свернули налево, так резко, что ремень, которым она была пристегнута, натянувшись, перехватил ей дыхание. Она хотела рвануть к себе руль, но рука Иосифа опередила ее. Он еще раз свернул налево и через белые ворота въехал на подъездную аллею, окаймленную азалиями и каким-то кустарником. Дорога петляла, и они вместе с ней, пока не выехали на разворот, а оттуда на усыпанную гравием площадку с бордюром из белых камней. Машина встала. Вслед за ними подъехала и тоже встала, загородив им путь к отступлению, задняя машина. Раздался шелест шагов по гравию. Перед нею был старый загородный дом, утонувший в каких-то красных зарослях. В лучах автомобильных фар цветы казались пятнами свежей крови. Крыльцо тускло освещалось единственной лампочкой. Иосиф выключил двигатель, положил в карман ключ зажигания. Потянувшись через Чарли, открыл ей дверцу, впустив в машину горьковатый и душный запах зелени и назойливый стрекот цикад. Он вышел из машины, но Чарли оставалась сидеть. Ни ветерка, ни малейшего свежего дуновения, только негромкий шелест шагов молодых легконогих людей, со всех сторон окруживших машину. Димитрий, недоросль-шофер с простодушной ухмылкой, Рауль, ангелоподобный хиппи с льняными волосами, разъезжавший на такси в надежде разжиться деньгами у богатого папаши-шведа. Две девушки в джинсах и рубашках навыпуск, те самые, что были с ними на Акрополе и — теперь, разглядев их получше, она вспомнила, — попадались ей несколько раз у магазинных витрин на Миконосе. Услышав, что кто-то открывает багажник, она рванулась из машины.

— Моя гитара! — вскрикнула она. — Не трогайте, или...

Но Рауль уже взял гитару под мышку, в то время как сумкой завладел Димитрий. Она хотела кинуться, отнять у них вещи, но девушки схватили ее за локти и кисти рук и без труда проэскортировали к крыльцу.

— Где этот подонок Иосиф? — крикнула она.

Но подонок Иосиф, сделав свое дело, уже поднимался по ступенькам крыльца, быстро, не оглядываясь, словно не желая быть свидетелем аварии. Обходя машину, Чарли увидела задний номер: его освещала лампочка на крыльце. Буквы были не греческие. Это были арабские буквы: вокруг номера вилась по-голливудски затейливая арабская вязь, а на крышке багажника, слева от фирменного знака «Мерседеса», она различила значок дипломатического корпуса.

# Глава 6

Девушки проводили ее в уборную и без всякого стеснения оставались там, пока она не закончила все свои дела. Одна была блондинка, другая брюнетка, обе лохматые, обе получили приказ действовать с новенькой поделикатнее. Они были в теннисных туфлях и рубашках поверх джинсов; два раза, когда Чарли бросалась на них с кулаками, они без труда одолевали ее, а слушая ее проклятия, улыбались рассеянной улыбкой глухих.

— Я Рахиль, — быстро произнесла брюнетка во время недолгого мирного промежутка. — А она Роза. Рахиль и Роза, запомнила? Обе на букву «Р».

Рахиль была хорошенькой. У нее был густой североанглийский акцент и веселые глаза; это ее задница остановила Януку при пересечении границы. Роза была высокой, гибкой, с мелко вьющимися светлыми волосами и подтянутой фигурой спортсменки, тонкие кисти ее рук действовали как наконечники стрел.

— Не бойся, Чарли, все будет хорошо, — ободрила ее Роза, чей странный выговор можно было принять за южноафриканский.

— Все и было хорошо, пока вы не влезли, — ответила Чарли, делая новую безуспешную попытку наброситься на них.

Из уборной они провели ее в спальню на первом этаже, дали гребенку, щетку и стакан жидкого чая без молока. Она опустилась на кровать и попыталась отдышаться, то прихлебывая чай, то вновь разражаясь проклятиями.

— Захвачена нищая актриса! — пробормотала она. — Для чего? Что с нее возьмешь? Если только долги!

На это они лишь улыбнулись еще дружелюбнее прежнего и, отпустив ее руки, велели подняться по лестнице. На первой же лестничной площадке она снова замахнулась на них на этот раз кулаком, широко отведя руку, и тут же поняла, что аккуратно уложена на пол, на спину и разглядывает витраж из цветного стекла; лунный свет, как в призме, дробился в нем, создавая мозаику — розовую и золотую.

— Хотела нос тебе расквасить! — объяснила она Рахили, но ответом ей был лишь взгляд, полный ласкового понимания.

Дом был ветхий, пахло кошками и чем-то напоминавшим стерву-мамашу. Он был заставлен убогой греческой мебелью в стиле ампир, увешан выцветшими бархатными портьерами и медными люстрами.

Они остановились перед двойными дверями. Толкнув створки, Рахиль отступила, и перед Чарли открылась мрачноватая комната. В центре над столом склонились двое — один коренастый, другой сутулый и очень худой, оба одетые во что-то серое и пыльно-коричневое, что делало их похожими на призраки. На столе были разложены какие-то бумаги, лампа хорошо освещала их, и, еще не подойдя к столу, Чарли решила, что это газетные вырезки.

При ее появлении оба мужчины вскочили. Худой остался у стола, а коренастый решительно направился к ней, его правая рука каким-то крабьим движением ловко ухватила ее руку и тряханула в рукопожатии, прежде чем она успела этому воспротивиться.

— Чарли, мы очень рады, что все сошло благополучно и вы среди нас! — воскликнул Курц с таким энтузиазмом, словно ей пришлось бог знает как рисковать. — *Меня* зовут, нравится вам это, Чарли, или нет, но *меня* зовут Марти. — Ее рука опять очутилась в его ладони, и ласковость этого пожатия была совершенно неожиданной. — А после того как господь меня создал, у него остался кое-какой материал, и потому он создал вдобавок еще и Майка. Итак, познакомьтесь и с Майком тоже. А вот там мистер Рихтховен, или же, для вашего удобства, как вы его зовете, Иосиф, ведь вы так его окрестили, не правда ли?

Должно быть, он вошел в комнату незаметно. Оглядевшись, она увидела его за маленьким переносным столиком в углу. Сумрачный свет настольной лампы освещал его склоненное лицо.

— Могу окрестить и заново, — сказала она.

Ей захотелось кинуться на него, как перед тем на Рахиль, — три стремительных шага и, прежде чем они успели бы остановить ее, — пощечина. Но она знала, что никогда не сделает этого, и ограничилась залпом грязных ругательств, которые Иосиф рассеянно выслушал. Он переоделся в тонкий спортивный свитер, шелковая рубашка мафиози и броские золотые запонки бесследно исчезли.

— Советую тебе не торопиться с суждениями и ругательствами, лучше послушать сначала, что скажут эти двое, — заметил он, не поднимая головы и продолжая сортировать бумаги. — Ты среди хороших людей.

Двое у стола все еще не садились, дожидаясь, пока сядет она, что само по себе было более чем странно. Более чем странно соблюдать правила вежливости с девушкой, которую захватили в плен, втолковывать ей что-то о добродетели, странно начинать переговоры с похитителями после того, как они дали тебе чаю и возможность привести себя в порядок.

— Ну, кому первому начинать игру? — задорно выпалила она, вытирая непрошеную слезу.

На полу возле их ног она заметила потертую коричневую папку, папка была приоткрыта, но что там внутри — не разглядеть. На столе же и в самом деле лежали газетные вырезки, и, хотя Майк уже начал убирать их в папку, Чарли все же узнала рецензии, в которых говорилось о ней и ее ролях.

— Вы не ошиблись, захватили ту девчонку, какую надо? — с вызовом спросила она.

— О, конечно же, Чарли, конечно, *именно* ту, — радостно воскликнул Курц, воздев кверху руки с толстыми пальцами.

Он бросил взгляд на Литвака, затем в угол комнаты — на Иосифа — взгляд благодушный, но пристальный, оценивающий, и вот он уже говорит с властной убедительностью, с силой, покорившей Квили и Алексиса, покорявшей за время его блистательной карьеры бесчисленное множество его самых невероятных помощников, говорит с густым евро-американским акцентом, рассекая воздух короткими взмахами руки.

Но Чарли была актрисой, и профессиональная зоркость не изменила ей и тут: ни красноречие Курца, ни собственная растерянность от этого внезапного насилия не притупили ее наблюдательности. «Разыгрывается спектакль, — промелькнула мысль, — на сцене *они* и *мы*». Молодые охранники отступили в темноту, рассредоточившись по углам, а ей почудился шорох и шарканье ног опоздавших зрителей, когда в темноте по ту сторону занавеса они рассаживаются по местам. Действие, как показалось ей, когда она разглядела комнату, происходит в покоях свергнутого тирана. Ее тюремщики — это борцы за свободу, вторгшиеся сюда и прогнавшие тирана. Верхний свет четко очерчивает тени на лицах двух мужчин, унылое единообразие их экипировки. Вместо элегантного костюма с Мэдисон-авеню — хоть Чарли и не смогла бы провести подобное сравнение — на Курце была теперь бесформенная армейская тужурка с темными пятнами пота под мышками и целой батареей дешевых авторучек, торчавших из нагрудного кармана. Щеголеватый и изысканный Литвак предпочел надеть рубашку цвета хаки с короткими рукавами, из которых торчали его руки — белые, как сучья с ободранной корой. Одного взгляда ей было достаточно, чтобы понять, что между этими двумя и Иосифом существует прочная связь. «Они одной выучки, — думала она, — у них общие взгляды и общая жизнь!» Перед Курцем на столе лежали его часы. Она вспомнила фляжку Иосифа.

На фасад дома выходили два закрытых ставнями окна. Два других глядели во двор. Двойные двери за кулисы были закрыты, если бы даже она и собралась ринуться к ним, она понимала, что это безнадежно. Несмотря на внешнюю флегматичность охранников, она уже убедилась — случай ей был предоставлен — в их высоком профессионализме. Где-то далеко в углу, за тем местом, где расположилась охрана, горели, как бикфордов шнур, четыре кольца переносного радиатора.

Запах от него был тяжелый. А позади нее светилась настольная лампа Иосифа — несмотря на все, а может быть, как раз благодаря этому всему, — единственный теплый огонек.

Все это Чарли осознала еще до того, как звучный голос Курца наполнил комнату и началось это его хитроумное увещевание. Если бы она и не была уверена, что ночь ей предстоит долгая, то теперь, слушая этот неумолчный раскатистый голос, она бы это поняла.

— Я уверен, Чарли, что у вас есть к нам масса вопросов, которые вам не терпится на нас обрушить. Будет время, и мы безусловно ответим на них и как можно полнее. А пока постараемся прояснить главное. Желаете знать, кто мы такие? Во-первых, Чарли, мы люди порядочные, как сказал Иосиф, хорошие люди. Зная это, вы с полным основанием можете счесть нас, как это всегда и бывает, людьми независимыми, внепартийными, но глубоко обеспокоенными, подобно вам самой, некоторыми тенденциями в современном мироустройстве. Добавив, что мы еще и граждане Израиля, я надеюсь, вы не возмутитесь, не содрогнетесь от отвращения, не выпрыгнете в окно. Правда, это в том случае, если вы не считаете, что Израиль следует стереть с лица земли, затопить, сжечь напалмом, предоставив жителей в полное распоряжение многочисленным арабским организациям, занятым их уничтожением. — Почувствовав, как она внутренне съежилась, Курц тут же пошел в атаку. — Может быть, вы действительно так считаете, Чарли? — спросил он, доверительно понизив голос. — Наверное, да. Так скажите нам об этом прямо. Может быть, хотите на этом и кончить? Отправиться домой? У вас, по-моему, есть авиабилет. Мы дадим вам денег. Выбираете этот вариант?

— А что, собственно, намечается? — спросила она, игнорируя предложение Курца распрощаться, прежде чем успели познакомиться. — Военная вылазка? Карательная акция? Ко мне подключат электроды? В общем, что вам от меня, черт возьми, надо?

— У вас есть знакомые среди евреев?

— Да нет, не думаю.

— Вы испытываете к евреям предубеждение? К евреям

как таковым? Может быть, вы считаете, что от нас плохо пахнет или что мы не умеем вести себя за столом? Вы скажите. Для нас это дело привычное.

— Бросьте чушь пороть!

Голос изменил ей или так только показалось?

— Вы считаете, что попали к врагам?

— О господи, с чего вы это взяли? Да любой, кто выкрадет меня, станет моим другом по гроб жизни! — ответила она, вызвав неожиданно для себя искренний смех своих собеседников. Но не Иосифа, слишком поглощенного, судя по тихому шелесту листов, чтением бумаг.

Тогда Курц приступил к делу несколько решительнее.

— Итак, успокойте наши души, — сказал он все с тем же лучезарным добродушием. — Выкинем из головы то, что вы здесь в некотором роде пленница. Жить ли Израилю или всем нам следует сложить свои вещички и отправиться туда, откуда приехали, чтобы начать все заново? Может быть, вы предпочли бы, чтоб мы переселились куда-нибудь в Центральную Африку? Или в Уругвай? Только, ради бога, не в Египет: однажды мы уже попробовали, и успехом это не увенчалось. А может, нам опять рассеяться по разным гетто Европы и Азии и подождать очередного погрома? Что скажете, Чарли?

— По-моему, вы должны оставить в покое этих чертовых арабов, — сказала она, набравшись храбрости.

— Чудесно. И как именно, по-вашему, нам следует это сделать?

— Перестать бомбить их лагеря, сгонять их с их земель, уничтожать их деревни, подвергать их пыткам.

— Вам когда-нибудь случалось разглядывать карту Ближнего Востока?

— Разумеется, случалось.

— А когда вы разглядывали ее, вам не приходило в голову посоветовать арабам оставить в покое *нас?* — спросил Курц все с той же подозрительной улыбчивостью.

К ее смятению и страху теперь, как, очевидно, и рассчитывал Курц, прибавилось смущение. В сопоставлении с живой реальностью ее нахальные сентенции казались дешевым школярством. Она чувствовала себя дурой, убеждающей мудрецов.

— Я просто хочу мира, — сказала она глупо, хотя и искренне. Потому что если она когда-нибудь и представляла себе этот мир, то лишь как водворение на земле Палестины, словно по волшебству, ее исконных обитателей, изгнанных оттуда в угоду могущественным европейским опекунам.

— В таком случае почему бы вам не взглянуть на эту карту опять и не поинтересоваться, чего же хочет *Израиль,* — благодушно предложил Курц и замолчал — пауза эта была как воспоминание обо всех дорогих и любимых, кто не был в этот вечер с ними рядом.

И чем дольше длилась пауза, тем она становилась удивительнее, потому что присоединилась к ней и Чарли. Чарли, которая еще минуту назад богохульствовала, посылая проклятия всему и всем, вдруг замолчала, иссякнув. И прервала молчание не Чарли, прервал его Курц, выступив с чем-то вроде заявления для прессы:

— Чарли, мы здесь не собираемся опровергать ваши политические взгляды. Вы пока что плохо знаете меня и можете мне не поверить — в самом деле, почему вы должны верить мне? — но ваши взгляды нам нравятся. Целиком и полностью. При всей их парадоксальности и утопичности. Мы уважаем их, ценим, нам и в голову не приходит высмеивать их; я искренне надеюсь, что мы обратимся к ним и как следует все обсудим — откровенно и плодотворно. Мы обратимся к вашему врожденному человеколюбию. К вашему доброму сердцу. К вашему чувству справедливости. Мы не станем задавать вам вопросов, способных возмутить нравственное чувство, которое в вас так сильно и безошибочно. Все, что есть в ваших взглядах *полемического,* спорного, как вы сами говорите, мы пока отставим. Мы обратимся к вашим подлинным убеждениям, — как бы путаны, как бы сумбурны они ни были — мы их уважаем. На этих условиях вы, я думаю, не откажетесь немного побыть в нашем обществе и выслушать нас.

И опять Чарли вместо ответа сама пустилась в атаку.

— Если Иосиф израильтянин, — спросила она, — то какого черта он разъезжает в этом до мерзости роскошном арабском лимузине?

— Мы украли его, Чарли, — весело ответил Курц, и признание это было встречено взрывом хохота всех участников операции, хохота такого заразительного, что Чарли и самой захотелось рассмеяться. — А *еще,* Чарли, вы, конечно, хотите узнать, почему вас доставили к нам таким непростым и, можно сказать, бесцеремонным образом. Причина, Чарли, заключается в том, что мы хотим предложить вам работу. *Актерскую* работу.

Рифы остались позади. Широкая улыбка на его лице показывала, что он это знает. Речь его стала медленной и взвешенной, как у того, кто объявляет счастливые номера.

— Из всех ваших ролей это будет самая большая, самая ответственная, самая трудная и, уж конечно, самая опасная и самая важная. Я не о деньгах говорю. Денег вы можете получить сколько угодно, не в них дело, назовите любую цифру. — Его крепкая ладонь отмела в сторону все финансовые соображения. — Роль, которую мы хотим вам предложить, потребует от вас, Чарли, всех ваших способностей — человеческих и профессиональных. Вашего ума. Вашей удивительной памяти. Вашей смекалки. Храбрости. И редкого качества, о котором я уже говорил. Вашего человеколюбия. Мы выбрали вас, Чарли. Мы поставили на вас. У нас был большой выбор — множество кандидатов из разных стран. Мы решили, что это будете вы, вот почему вы здесь. Среди поклонников. Каждый из присутствующих здесь, в этой комнате, видел вас на сцене, каждый восхищается вами. Поэтому давайте уточним. В наших сердцах нет враждебности к вам. А есть симпатия, восхищение, и есть надежда. Выслушайте нас. Как сказал ваш приятель Иосиф, мы хорошие люди, как и вы. И вы нам понадобились. Вы нам нужны. А вне этих стен есть люди, которым вы нужны даже больше, чем нам.

Он умолк, и пустота зазвенела вокруг. Чарли знала некоторых актеров — их было немного, — умевших делать этот голосовой трюк. Голос зачаровывал. Он был таким проникновенно ласковым, что гипнотизировал вас, и, когда он замолкал, вы чувствовали потерянность. «Значит, сперва главную роль отхватил Ал, а потом и я», — не без профессионального тщеславия подумала она.

— Вы всегда так распределяете роли? — спросила она, на этот раз призвав на помощь весь свой скептицизм. — Оглоушиваете актера чем-нибудь тяжелым и выволакиваете на сцену в наручниках? Наверное, это ваш обычный метод.

— Но ведь мы и не утверждаем, что это обычный спектакль, — невозмутимо ответил Курц, опять предоставляя ей возможность атаковать.

— И что же это все-таки за спектакль? — Она еще раз поборола улыбку.

— Театральный спектакль, скажем так.

Она вспомнила Иосифа и как посерьезнело его лицо, когда он высказал этот свой афоризм о том, что театр должен быть живой жизнью.

— Так, значит, это все-таки роль в пьесе! — воскликнула она. — Что же вы сразу не сказали?

— В известном смысле, да, роль в пьесе, — согласился Курц.

— Кто автор?

— За сюжет ответственны мы, Иосиф займется диалогом. С вашей неоценимой помощью, конечно.

— А перед кем играть? — Она кивнула в угол, в темноту. — Перед этими молодцами?

Торжественная серьезность Курца была столь же неожиданной и внушительной, как и его благодушие. Его натруженные руки, потянувшись одна к другой над столом, сцепились, голова гордо откинулась, и даже самый закоренелый скептик не устоял бы теперь перед убедительностью его речи.

— Существуют люди, которые этой пьесы так и не увидят, не узнают ничего о нашем спектакле, но всем на свете будут обязаны вам. Невинные люди. Те, о ком вы всегда печетесь, от чьего имени выступаете, кому пытаетесь помочь. Во всем, что бы отныне ни последовало, различайте эту сторону и помните, что я вам сказал, иначе вы потеряете нас, а также и себя.

— Да кто вы такие, чтоб определять, кто виновен, а кто

нет? — грубо спросила она, стараясь не поддаваться силе его внушения.

— Я немного переиначу ваш вопрос, Чарли, и отвечу так: по нашему мнению, прежде чем приговорить кого-то к смерти, его вину следует доказать, и доказать поистине неопровержимо.

— Чью вину? Кого приговорить к смерти? Несчастных на правом берегу Иордана? Или тех, кого вы бомбите в Ливане?

«Как случилось, что мы вдруг заговорили о смерти? — недоуменно спрашивала она себя, бросая ему эти яростные вопросы. — Кто первый начал — он или я?» Неважно. Он уже отмеривал свой ответ.

— Только тех, Чарли, кто окончательно потерял человеческий облик, — твердо ответил Курц. — Они должны умереть.

— А евреи среди них есть? — Она все-таки упрямо пыталась сопротивляться.

— Есть и евреи. И израильтяне. Но к присутствующим это не относится, и, по счастью, не о смерти нам сегодня следует думать.

Он имел право так говорить. Его ответы были по-школьному четкими. За этими ответами стояло многое, и все находившиеся в комнате, включая Чарли, знали, что это так: знали, что человек этот рассуждает лишь о том, что испытал сам. Когда он вел допрос, чувствовалось, что и сам он не раз подвергался подобным допросам. Когда отдавал приказания, видно было, что он умеет не только приказывать, но и повиноваться приказам. Если говорил о смерти, то лишь потому, что не раз смотрел ей в глаза и в любую минуту готов был встретиться с ней опять лицом к лицу. А если предупреждал об опасности, как сейчас, то только потому, что знал, что такое опасность, не понаслышке.

— Представление наше не шутка, Чарли, — строго сказал он. — Там все не понарошку. Когда на сцене гаснет свет, то и на улице темно. Когда актеры смеются, это значит, они и вправду рады. А когда плачут, значит, у них на самом деле сердце разрывается от горя. Когда их ранят, — а раненые среди них будут, Чарли, — они не смогут, едва упадет занавес, вскочить и помчаться на последний автобус. Они не смогут малодушно отказаться от участия в жестоких эпизодах, не смогут взять бюллетень. Это игра на пределе возможностей. Если такая роль вам по плечу, если вы чувствуете, что справитесь, — а мы думаем, что справитесь, — тогда выслушайте нас. Если нет, давайте прервем наши переговоры.

— Чарли никогда не прячется в кусты, Марти, — возразил Шимон Литвак. — Мы не *думаем* так — мы *знаем*. Это ясно из ее досье.

Полдела сделано, как объяснил потом Курц Мише Гаврону, описывая во время редкого для них перемирия этот момент: дама, которая согласна вас слушать, есть в перспективе дама, которая согласна. На что Миша Гаврон изволил даже улыбнуться.

Полдела, может быть, но по сравнению с тем, что им предстояло сделать, они находились лишь в самом начале. Настаивая на сжатых сроках, Курц никоим образом не предполагал спешки. Он придавал огромное значение тщательности, исподволь подпитывая растерянность Чарли, играя на ее нетерпении. Никто лучше Курца не понимал, что значит обладать реактивным темпераментом в нашем косном мире, и не умел это использовать. Не прошло и нескольких минут со времени ее прибытия, она еще не оправилась от испуга, а он уже подружился с ней — как бы удочерив возлюбленную Иосифа. Еще несколько минут — и он стянул воедино все нити ее дотоле безалаберной жизни. Он много говорил ее сердцу — сердцу актрисы, защитницы всех угнетенных, авантюристки; ей было радостно получить отца, а вместе с ним — надежду, перед ней забрезжили контуры новой семьи, к которой она не возражала бы присоединиться, он подарил ей это, зная, что в глубине души ей, как и большинству бунтарей, хочется лишь обрести новый, более совершенный конформизм. А главное, завалив ее подарками, он сделал ее богатой, а с богатства, как давно уже поняла Чарли, доказывая это всем, кто согласен был ее слушать, и начинается рабство.

— Итак, Чарли, мы предлагаем вот что, — сказал Курц медленнее и как-то проще, по-домашнему, — давайте, пока ничего не решая, ответим на ряд вопросов, честно и откровенно, пусть цель этих вопросов вам пока и не ясна. — Он сделал паузу, но она молчала, и в молчании ее было некое согласие. — Вопрос. Что будет, если когда-нибудь — сейчас или потом — один из нас решит спрыгнуть с эскалатора? Разрешите на этот вопрос ответить мне.

— Хорошо, ответьте, Марти, — согласилась она, и, облокотившись о стол и опершись подбородком на руки, улыбнулась ему, стараясь вложить в эту улыбку все свое смятение и недоверие.

— Спасибо, Чарли, тогда слушайте меня внимательно. В зависимости от того, когда это произойдет и в какой степени вы к тому времени будете осведомлены о наших делах, а также насколько мы будем вас ценить, выбираем одно из двух. Способ первый: взять с вас самым торжественным образом слово о неразглашении, снабдить вас деньгами и отправить назад в Англию. Рукопожатие, взаимное доверие, как это принято у друзей, и некоторая бдительность с нашей стороны, дабы увериться в том, что уговор вами выполняется. Улавливаете?

Она опустила глаза, желая не только избежать его испытующего взгляда, но и скрыть все возрастающее любопытство.

— Способ второй — покруче, погрубее, но тоже не такой уж страшный. Мы помещаем вас в карантин. Симпатизируя вам, мы все же считаем, что на данном этапе вы можете представлять для нас угрозу. В таком случае что же мы предпримем, Чарли? Мы найдем виллу где-нибудь, скажем, на взморье, в каком-нибудь хорошем месте, это нам не трудно. Окружим вас людьми, похожими на этих вот ребят. Людьми очень милыми, но отнюдь не простачками. Мы придумаем какую-нибудь причину вашего отсутствия, скорее всего, что-нибудь ультрасовременное, в духе вашей легкомысленной репутации, например мистическое паломничество на Восток.

Его толстые пальцы нащупали на столе старые наручные часы. Не глядя, Курц взял их и передвинул поближе к себе.

Испытывая такую же потребность в действии, Чарли взяла ручку и принялась чертить в лежавшем перед ней блокноте.

— Когда вы выйдете из карантина, мы вас не оставим никоим образом. Мы наладим вам жизнь, хорошо обеспечим вас, поддерживая с вами связь, убедимся в том, что вы достаточно благоразумны, и, как только посчитаем это для себя безопасным, поможем вам возобновить и актерскую карьеру, и прерванные дружеские связи. Это в худшем случае, Чарли, и я ставлю вас в известность об этом лишь затем, чтобы вы не подумали, будто стоит вам сказать «нет», и вы с камнем на шее отправитесь кормить рыб в каком-нибудь водоеме. Это не наш почерк. В особенности когда дело касается друзей.

Она продолжала чертить. Нарисовала кружок. Потом пририсовала сверху стрелку. Это будет мужчина. Когда-то в популярной книжке по психологии ей встретился подобный символ. И тут вдруг заговорил Иосиф — недовольным тоном, словно его оторвали от дела, и все-таки это успокоило, ободрило ее.

— Чарли, хватит кукситься и молчать, словно все, о чем идет речь, тебя не касается. Твое будущее в опасности. Так неужели ты позволишь посторонним все за тебя решить, даже не спросив твоего мнения? Дело-то ведь крайне важное. Проснись же, Чарли!

Она нарисовала еще один кружок. Еще один мужчина. Нет, она не была сейчас ни рассеянной, ни безразличной, но инстинкт подсказывал ей скрыть это и не высовываться.

— А на сколько рассчитан спектакль, Марти? — спросила она бесцветным голосом, словно не расслышав того, что сказал Иосиф.

— Другими словами, насколько я понимаю, вы хотите знать, что будет с вами, когда работа окончится. Прав я или нет? — уточнил ее вопрос Курц.

Она была неподражаема. Настоящая мегера! Отшвырнув ручку, она ударила по столу ладонью.

— Нет, и еще раз нет! Я хочу знать, сколько это продлится и что будет осенью с моей ролью в «Как вам это понравится».

Услышав столь практическое возражение, Курц ничем не выдал своей радости.

— Чарли, — серьезно сказал Курц, — вашей запланированной гастрольной поездке ничто не помешает. Мы не хотим, чтобы из-за нас вы нарушали контракт, тем более что вам предстоит получить по нему порядочные деньги. Что же касается нашего ангажемента, то он может продлиться месяца полтора, а может, и два года, чего, мы надеемся, не случится. В данный же момент нас интересует, согласны ли вы вообще продолжать переговоры с нами или предпочитаете пожелать «спокойной ночи» всем присутствующим и возвратиться домой, к жизни более безопасной и более монотонной. Каков ваш приговор?

Это был предусмотренный им пик ложного выбора. Он хотел дать ей ощущение победы и одновременно подчинения чужой воле. Словно она сама выбрала себе тюремщиков. На ней была хлопчатобумажная куртка, одна из металлических пуговиц болталась; утром, надевая куртку, она решила, что на пароходе пришьет пуговицу, но в предвкушении встречи с Иосифом начисто забыла об этом. Сейчас, ухватив пуговицу, она вертела ее, проверяя прочность нитки. Она была центральной фигурой на сцене. Она чувствовала, что взгляды всех устремлены на нее — тех, у стола, и тех, безмолвных, как тени, в углу и за нею. Она чувствовала, как напряглись в ожидании ее ответа их тела — всех и Иосифа в том числе. Она слышала приглушенный звук, который издает публика, когда она захвачена происходящим. И она чувствовала силу их желания и свою собственную силу — решится она или не решится?

— Осси, — сказала она, не поворачивая к нему головы.

— Да, Чарли?

Она не смотрела в его сторону и все же точно знала, что на своем тускло освещенном острове он ждет ее ответа с бо́льшим нетерпением, чем все они вместе взятые.

— Так это она и есть? Наша романтическая поездка по Греции? Дельфы и все эти вторые по красоте места?

— Нашей запланированной поездке на север ничто не помешает, — ответил Иосиф, повторив таким образом фразу Курца.

— И даже не отложит ее?

— Нет, она состоится очень скоро.

Нитка лопнула, и пуговица лежала теперь на ее ладони. Чарли кинула ее на стол и наблюдала, как та вертится, замедляя движение. «Орел или решка», — загадала она.

Пусть еще поволнуются. Вытянув губы, она выдохнула воздух, как бы сдувая со лба упавшую прядь.

— Ну, так я остаюсь для переговоров, ладно? — небрежно сказала она Курцу, не сводя глаз с пуговицы. — Ведь я же ничего не теряю.

И подумала: «Занавес, аплодисменты, вот, Иосиф, пожалуйста, и подождем завтрашних рецензий». Но ничего не произошло. Тогда, взяв опять ручку, она начертила еще один символ, на этот раз девушки, в то время как Курц, возможно совершенно машинально, опять передвинул свои часы на место более удобное.

Теперь с любезного согласия Чарли переговоры могли начаться всерьез.


Первые вопросы Курца были намеренно беспорядочны и как бы совершенно безобидны. «Словно в мозгу у него невидимый анкетный бланк, — подумала Чарли, — и я заполняю невидимые графы».

Полное имя матери, Чарли. Когда и где родился ваш отец, если это вам известно. Профессия дедушки, нет, Чарли, с отцовской стороны. А за этим, неизвестно по каким причинам, последовал адрес тетки с материнской стороны, а вслед за тем малоизвестные подробности образования, полученного ее отцом. Ни один из этих первых вопросов впрямую не касался Чарли, да это и не входило в планы Курца. Словно сама Чарли была запретной темой, которую он тщательно избегал. Подлинной целью этой канонады вопросов было вовсе не получение информации, а воспитание в ней эдакой школьной «да — нет — господин учитель» покорности, навыка, от которого зависело их будущее сотрудничество. И Чарли, чем дальше, тем больше чувствуя, как начинает пульсировать в ней актерская кровь, повиновалась и откликалась все чутче, все самозабвеннее. Разве не то же самое сотни раз проделывала она для режиссеров и постановщиков, поддерживая пустую беседу, единственным смыслом которой было продемонстрировать себя и свои возможности? Тем приятнее делать это сейчас под гипнотическим и одобрительным взглядом Курца.

— Хайди? — эхом откликнулся Курц. — *Хайди?* Чертовски странное имя для старшей сестры-англичанки, не так ли?

— Нет, для Хайди вовсе не странное! — с живостью возразила Чарли и тут же отметила послышавшиеся из темноты смешки охранников. — Ее назвали Хайди, потому что родители проводили свой медовый месяц в Швейцарии, — объяснила она, — и Хайди зачали именно там. Среди эдельвейсов, — со вздохом прибавила она, — и благочестивых молитв.

— Тогда откуда возникла *Чармиан?* — спросил Марти, когда веселье наконец затихло.

Голос Чарли стал тоньше, и она, копируя ледяную интонацию своей стервы-матери, объяснила:

— «Чармиан» выбрали, чтобы подлизаться к одной богатой дальней родственнице, носящей это *имечко.*

— Ну и как, помогло? — спросил Курц, одновременно наклоняя голову, чтобы лучше расслышать то, что говорил ему Литвак.

— Нет еще, — игриво ответила Чарли, все еще копируя манерную интонацию своей мамаши. — Папа, знаете ли, уже опочил, но кузине Чармиан это еще предстоит.

Так с помощью этих и подобных этим безобидных околичностей подошли они постепенно к самой Чарли.

— Весы, — с удовлетворением пробормотал Курц, записывая дату ее рождения. Тщательно, но быстро расспросил он ее о годах детства: адреса квартир, пансионы, имена друзей, клички домашних животных; Чарли отвечала соответственно — пространно, иногда шутливо, но с готовностью. Ее замечательная память, побуждаемая как вниманием Курца, так и все растущей потребностью самой Чарли в добрых отношениях с ним, и тут не подвела ее. От школы и детских впечатлений совершенно естественно было — хоть Курц и проделал это со всей деликатностью — перейти к горестной истории ее разорившегося папаши; Чарли поделилась и этой историей, рассказала спокойно, с трогательными деталями обо всем, начиная с первого известия о катастрофе и кончая тем, как пережила суд над отцом, приговор и заключение. Правда, изредка голос изменял ей, а взгляд сосредоточивался на руках, которые так красиво и выразительно жестикулировали, освещенные ярким светом лампы, но на ум приходила какая-нибудь лихая, полная самоиронии фраза, и настроение менялось.

— Все было бы в порядке, будь мы рабочей семьей, — сказала она между прочим, улыбнувшись мудро и горестно. — Вас увольняют, вы переходите на пособие, капиталистический мир ополчился на вас, такова жизнь, все верно и естественно. Но наша семья не имела отношения к рабочему классу. Мы — это были мы. Из числа победителей. И вдруг ни с того ни с сего мы пополнили собой ряды побежденных.

— Тяжело, — серьезно сказал Курц, покачав своей большой головой.

Вернувшись назад, он уточнил основные факты: когда и где состоялось судебное разбирательство, Чарли, и имена юристов, если вы их помните. Она не помнила, но все, что сохранилось в памяти, сообщила. Литвак усердно записывал ее ответы, предоставив Курцу полную возможность лишь внимательно и благожелательно слушать. Смех теперь совершенно прекратился. Словно вырубили фонограмму, оставив звучать только их двоих — ее и Марти. Ни единого скрипа, покашливания, шарканья ног. Никогда еще, по мнению Чарли, ей не попадался такой внимательный и благодарный зрительный зал. «Они понимают, — думала она. — Знают, что такое скитальческая жизнь, когда все зависит только от тебя, а судьба подбрасывает тебе плохие карты». В какую-то минуту Иосиф негромко приказал погасить свет, и они сидели в абсолютной темноте, как при воздушном налете. Вместе с остальными Чарли напряженно ждала отбоя. Действительно ли Иосиф что-то услышал или это просто способ показать ей, что теперь она заодно с ними? Как бы то ни было, но несколько мучительных мгновений она действительно чувствовала себя их сообщницей и о спасении не помышляла.

Несколько раз, оторвав взгляд от Курца, она различала фигуры других участников операции, дремавших на своих постах. Вот швед Рауль — голова с льняными волосами свесилась на грудь, толстая подошва упирается в стену. Южноафриканская Роза прислонилась к двойным дверям, вытянула перед собой стройные ноги бегуньи, а длинные руки скрестила на груди. Вот Рахиль — ее волосы цвета воронова крыла разметались, глаза полузакрыты, а на губах еще бродит мягкая задумчивая и чувственная улыбка. Но стоит раздаться постороннему шепоту, и сон их мигом прервется.

— Так как можно было бы озаглавить, — ласково осведомился Курц, — как определить ранний период вашей жизни, до того момента, который многие посчитали бы падением?

— Период невинности, Марти? — с готовностью подсказала Чарли.

— Совершенно точно. Опишите мне его вкратце.

— Это был ад.

— Не хотите назвать причины?

— Жизнь в предместье. Этого достаточно?

— Нет.

— О Марти, вы такой... — Слабый голос. Тон доверчивый и безнадежный. Вялые движения рук. Разве сможет она объяснить? — Вы — совсем другое дело. Вы — еврей. Как вы этого не понимаете? У вас есть эти удивительные традиции, уверенность. Даже когда вас преследуют, вы знаете, кто вы и почему вас преследуют.

Курц невесело подтвердил это.

— Но нам, богатым детям английских предместий, привилегированным детям, это недоступно. У нас нет традиций, нет веры, нет понимания себя, ничего нет.

— Но вы говорили, что ваша мать католичка?

— На Рождество и на Пасху! Чистейшей воды лицемерие! Мы принадлежим постхристианской эре, Марти. Вам никто этого не говорил? Вера, когда уходит, оставляет после себя вакуум. Мы находимся в вакууме.

— А вы не испытывали страха?

— Только стать такой, как мама!

— И так думаете вы все — дети древней страны, воспитанные в древних традициях?

— Бросьте, какие там традиции!

Курц улыбнулся и покачал своей головой мудреца, словно желая сказать, что учиться никогда не поздно.

— Значит, как только представилась возможность, вы оставили семью и нашли прибежище в театре и радикальной политике, — заключил он с довольным видом. — На сцене вы стали политической репатрианткой. Я где-то прочел это в одном из ваших интервью. Мне это понравилось. Продолжайте с этого момента.

Она опять принялась чертить, и в блокноте появились новые символы внутренней жизни души.

— Были и другие способы вырваться, еще до этого, — сказала она.

— Например?

— *Секс,* знаете ли, — беззаботно призналась Чарли. — По-моему, мы даже не касались секса, а секс — это же основа бунтарства, правда? Так же как и наркотики.

— Бунтарства мы не касались, — сказал Курц.

— Ну так я расскажу про это, Марти.

Произошла странная вещь, доказывающая, возможно, то, каким неожиданным образом может влиять на исполнителя внимательная публика. Чарли уже совсем было собралась произнести свой хорошо обкатанный монолог, предназначенный рабам конформизма. О том, как необходимо будет, когда придет время исторических исследований о «новых левых», вскрыть подлинные истоки их философии, коренящиеся в угнетающей терпимости, которая царит в буржуазных гостиных. Но вместо этого, к своему удивлению, Чарли услышала, как перечисляет для Курца — а может быть, для Иосифа? — своих бесчисленных бывших любовников и все дурацкие оправдания, придуманные ею, чтобы спать с ними.

— Это как-то помимо меня происходит, Марти, — сказала она, беспомощно разводя руками. Может быть, она злоупотребляла этим? Похоже, что да, и сажала их себе на шею. — И по сей день это так. Я ведь *не хотела их. Не любила.* Я им просто *позволяла* это.

Мужчины, которых она подбирала от скуки, все, что угодно, лишь бы разогнать затхлую скуку Рикмансуэрта, Марти! Из любопытства. Мужчины как доказательство своей власти, мужчины как способ мести — чтобы отомстить за себя другим мужчинам, или другим женщинам, или своей сестре, или матери, будь она неладна! Мужчины из вежливости, Марти, или устав от их бесконечных домогательств. Мужчины на театральных банкетах, Марти, представляете? Мужчины, чтобы разрядиться и чтобы зарядиться. Мужчины для эрудиции — ее учителя в политике, их предназначением было рассказывать ей в постели то, что ей было непонятно в книгах. Краткосрочные вожделения, рассыпавшиеся в прах под ее руками, как глиняные безделушки, и оставлявшие ее еще более одинокой, чем раньше. Недотепы, недотепы, ах какие они недотепы, считай, все они, Марти. Но они *дали мне свободу,* понимаете? Я распоряжалась своим телом так, как этого хотелось мне! Пусть и не так, как надо! Режиссером была я!

В то время как Курц глубокомысленно слушал, Литвак строчил не переставая. А она думала об Иосифе, сидевшем так, что ей его не было видно, воображала, как он оторвется от своих бумаг и, слыша ее признания, предназначавшиеся лишь ему одному, взглянет на нее, подперев указательным пальцем свою гладкую щеку. «Подбери меня, — мысленно молила она его, — дай мне то, что другие так и не смогли дать!»

Когда она замолчала, последовавшая тишина заставила ее содрогнуться. Зачем она это сделала? В жизни своей не выступала в подобной роли, даже перед самой собой. Виновата, видно, бессонная ночь. Спать хочется. С нее довольно. Пускай дают ей эту роль, или отсылают домой, или и то и другое вместе.

Но Курц не сделал ни того, ни другого. Пока не сделал. А всего лишь объявил короткий перерыв и, взяв со стола часы на солдатском ремешке, надел их на руку. И поспешил из комнаты, прихватив с собой Литвака. Она ждала, что позади раздадутся шаги уходящего Иосифа. Но все было тихо. Она хотела оглянуться и не посмела. Роза принесла ей стакан сладкого чаю. Без молока. Рахиль подала какие-то глазированные штучки, похожие на английские коржики. Чарли взяла одну.

Отхлебывая чай, Чарли откинулась на спинку стула, чтобы незаметно и естественно повернуть голову. Иосиф исчез, унеся с собой бумаги.

Комната, куда они отправились отдохнуть, была такая же большая и голая. В ней стояли две раскладушки и телетайп, двустворчатая дверь вела в ванную. Беккер и Литвак сидели друг против друга на раскладушках и изучали папки с бумагами; у телетайпа дежурил стройный юноша по имени Давид. Время от времени аппарат со стоном вздрагивал и изрыгал еще один исписанный лист, который Давид подкладывал в стопку уже собранных. Кроме звуков, издаваемых телетайпом, слышался только плеск воды из ванной, где мылся, повернувшись к ним спиной, голый до пояса, похожий на отдыхающего спортсмена Курц.

— Толковая барышня! — крикнул Курц, обращаясь к Литваку; тот в это время перевернул страницу и отчеркнул на ней что-то фломастером. — Полностью оправдывает наши надежды. С головой, воображением и неиспорченная!

— Врет, как сивый мерин, — сказал Литвак, не поднимая головы от бумаг. Поза его и нагловатый тон, каким это было сказано, ясно говорили о том, что реплика ушам Курца не предназначалась.

— Кто бы жаловался! — воскликнул Курц, бросая себе в лицо еще одну пригоршню воды. — Сегодня врет себе на пользу, завтра — нам на пользу. Так зачем нам ангел с крылышками?

Гудение телетайпа вдруг совершенно изменилось. Беккер и Литвак оба резко обернулись на этот звук, но Курц словно ничего не слышал. Возможно, ему в уши налилась вода.

— Для женщины ложь — это способ обороны. Они обороняют правду, как обороняют девственность. Женская ложь — свидетельство добропорядочности.

Сидевший возле аппарата Давид поднял руку, привлекая их внимание.

— Предназначено вам одному, — сказал Давид и встал, уступая место Курцу.

Телетайп затрясся. С полотенцем на шее Курц сел на стул Давида, вставил диск и стал ждать, когда сообщение будет расшифровано. Печатание прекратилось; Курц прочитал сообщение, оторвал его от ролика, прочитал снова. Затем раздраженно хмыкнул.

— Инструкция с самого верха, — с горечью объявил он. — Грач распорядился, чтобы мы выдали себя за американцев. Как вам это нравится? «Ни в коем случае не открывайте ей вашего подданства, кого представляете и на кого работаете». Прелесть, правда? Конструктивное и полезное распоряжение. Притом весьма своевременное. Миша Гаврон, как всегда, неподражаем. Другого такого надежного человека еще мир не видел. Отвечай: «Да, повторяю: нет», — бросил он удивленному юноше, вручая оторванный клочок с сообщением, и трое мужчин опять заняли свои места на сцене.

# Глава 7

Для продолжения беседы с Чарли Курц выбрал интонацию благожелательной твердости, словно, прежде чем двигаться дальше, ему необходимо уточнить некоторые малозначительные детали.

— Итак, Чарли, возвращаясь к вашим родителям... — сказал он.

Литвак вытащил папку и держал ее так, чтобы Чарли не видела.

— Возвращаясь к родителям? — повторила она и храбро потянулась за сигаретой.

Курц помолчал, проглядывая какую-то бумагу из тех, что подал ему Литвак.

— Вспоминая последний период жизни вашего отца — разорение, неплатежеспособность и в конце концов смерть, — не могли бы вы еще раз восстановить точную последовательность событий? Вы находились в пансионе. Пришло ужасное известие. С этого места, пожалуйста.

Она не сразу поняла.

— С какого места?

— Пришло известие. Начинайте отсюда.

Она пожала плечами.

— Меня вышвырнули из школы, я отправилась домой, по дому, точно крысы, рыскали судебные исполнители. Я уже рассказывала это, Марти. Чего ж еще?

— Вы говорили, что директриса вызвала вас, — помолчав, напомнил ей Курц. — Прекрасно. И что она вам сказала? Если можно, поточнее.

— «Простите, но я велела служанке уложить ваши вещи. До свидания и счастливого пути». Насколько я помню, это все.

— О, *такое* не забывается! — сказал Курц с мягкой иронией. Наклонившись через стол, он снова заглянул в записи Литвака. — И никакого напутственного слова девочке, отправляющейся на все четыре стороны во враждебный жестокий мир? Не говорила «будьте стойкой» или что-нибудь в этом роде? Нет? Не объяснила, почему вам следует оставить ее заведение?

— Мы задолжали к тому времени уже за два семестра, неужели это повод не достаточный? Они — деловые люди, Марти. Счет в банке — это их первейшая забота. Не забудьте, школа-то частная! — Она демонстративно зевнула. — Вам не кажется, что пора закругляться? Не знаю почему, но я не держусь на ногах.

— Не думаю, что все так трагично. Вы отдохнули и еще можете поработать. Итак, вы вернулись домой. Поездом?

— Исключительно поездом! Одна. С маленьким чемоданчиком. Домой, в родные пенаты.

Она потянулась и с улыбкой оглядела комнату, но Иосиф смотрел в другую сторону. Он словно слушал далекую музыку.

— И *что именно* вы застали дома?

— Хаос, разумеется. Как я уже и говорила.

— Расскажите поподробнее об этом хаосе. Хорошо?

— Возле дома стоял мебельный фургон. Какие-то мужчины в фартуках. Мать плакала. Половину моей комнаты уже освободили.

— Где была Хайди?

— Хайди не было. Отсутствовала. *Не входила в число тех,* кто там был.

— Никто не позвал ее? Вашу старшую сестру, любимицу

отца? Которая жила всего в десяти милях оттуда? Счастливую и благополучную в своем семейном гнездышке? Почему же Хайди не появилась, не помогла?

— Наверное, беременна была, — небрежно сказала Чарли, разглядывая свои руки. — Она всегда беременна.

Но Курц лишь смотрел на нее долгим взглядом и ничего не говорил.

— Кто, вы сказали, была беременна? — спросил он, словно не расслышал.

— Хайди.

— Чарли, Хайди не была беременна. Первый раз она забеременела на следующий год.

— Хорошо, не была так не была.

— Почему же она не приехала, не оказала помощь своим родным?

— Может быть, она знать ничего об этом не желала, не имела к этому отношения. Вот все, что я помню, Марти, хоть убейте. Прошло ведь десять лет. Я была тогда ребенком, совсем другим человеком.

— Значит, это из-за позора. Хайди не могла примириться с позором. Я имею в виду банкротство вашего отца.

— Ну а какой же еще позор можно иметь в виду? — бросила она.

Курц счел ее вопрос риторическим. Он опять погрузился в бумаги, читая то, на что указывал ему Литвак своим длинным пальцем.

— Так или иначе, Хайди к этому не имела отношения, и весь груз ответственности в этот тяжелый для семьи период приняли на свои хрупкие плечи вы, не правда ли? Шестнадцатилетняя Чарли поспешила на помощь, чтобы «продолжить опасный путь среди обломков капиталистического благополучия», если использовать ваше недавнее изящное высказывание. «Это был незабываемый наглядный урок». Все утехи потребительской системы — красивая мебель, красивые платья, — все эти признаки буржуазной респектабельности, все на ваших глазах исчезло, было отнято у вас. Вы остались одна. *Управлять* и распоряжаться. На непререкаемой высоте по отношению к своим несчастным буржуазным родителям, которые должны были бы родиться рабочими, но, по досадному упущению, не родились ими. Вы утешали их. Помогали им сносить их позор. Чуть ли не отпускали им, как я думаю, их грехи. Трудная задача, — печально добавил он, — очень трудная.

И он замолчал, ожидая, что скажет она. Но и она молчала.

Курц заговорил первым:

— Чарли, мы понимаем, что это весьма болезненно для вас, и все же мы просим вас продолжать. Вы остановились на мебельном фургоне, описали, как увозили пожитки. Что еще вы нам расскажете?

— Про пони.

— Они забрали и пони?

— Я уже говорила это.

— Вместе с мебелью? В том же фургоне?

— Нет. В другом. Что за чушь!

— Значит, фургонов было два. И оба пришли одновременно. Или сначала один, потом другой?

— Не помню.

— Где находился ваш отец все это время? Может быть, в кабинете? Смотрел в окно, наблюдая за происходящим? Как ведет себя человек в его положении, как переносит свой позор?

— Он был в саду.

— И что делал?

— Смотрел на розы. Любовался ими. И все твердил, что розы он не отдаст. Что бы ни случилось. Все повторял и повторял одно и то же: «Если они заберут мои розы, я себя убью».

— А мама?

— Мама была на кухне. Готовила. Единственное, на чем она могла сосредоточиться.

— Готовила на газовой плите или на электрической?

— На электрической.

— Если я не ослышался, вы сказали, что компания отключила электричество?

— Потом включила опять.

— А плиту они не забрали?

— По закону они оставляют плиту... Плиту, стол и по одному стулу на каждого.

— А ножи и вилки?

— По одному прибору на каждого.

— Почему они не опечатали дом? Не вышвырнули вас на улицу?

— Он был на имя матери. Еще гораздо раньше она настояла на этом.

— Мудрая женщина. Однако дом был записан на имя вашего отца. Откуда, вы сказали, директриса узнала о его банкротстве?

Чарли чуть было не потеряла нить. На секунду образы, теснившиеся в голове, стали расплываться, но затем они обрели четкие очертания и вновь начали подсказывать ей необходимые слова; мать в лиловой косынке склонилась над плитой, она исступленно готовит хлебный пудинг — любимое блюдо их семьи. Отец с землисто-серым лицом, в синем двубортном пиджаке любуется розами. Директриса, заложив руки за спину, греет свою твидовую задницу возле незажженного камина в своей элегантной гостиной.

— Из «Лондон газетт», — безразлично отвечала она. — Там сообщается обо всех банкротствах.

— Она была подписчицей этого издания?

— Вероятно.

Курц кивнул, неспешно, задумчиво, потом взял карандаш и в лежавшем перед ним блокноте написал на листке слово «вероятно», написал так, чтобы она могла это прочесть.

— Так, а после банкротства пошли фальшивые чеки и распоряжения о выплате. Верно? Поговорим, если можно, о процессе.

— Я уже рассказывала. Папа не разрешил нам на нем присутствовать. Сначала он собирался защищаться, защищаться как лев. Мы должны были сидеть в первом ряду, чтобы вдохновлять его. Но после того как ему предъявили улики, он передумал.

— В чем его обвиняли?

— В присвоении денег клиентов.

— Какой срок дали?

— Восемнадцать месяцев минус тот срок, что он уже отсидел. Я рассказывала, Марти. Все это я уже вам говорила. Так зачем вам еще?

— Вы посещали его в тюрьме?

— Он не хотел. Стыдился.

— Стыдился, — задумчиво повторил Курц. — Такой стыд. Позор. Падение. Вы и сами так думали, верно?

— А вы бы предпочли, чтобы не думала?

— Нет, Чарли, конечно, нет.

Он опять сделал маленькую паузу.

— Так, продолжаем. Вы остались дома. В школу не вернулись, несмотря на блестящие способности, с образованием было покончено — вы ухаживали за матерью, ждали из тюрьмы отца. Так?

— Так.

— Тюрьму обходили стороной?

— Господи, — горько пробормотала она, — зачем еще и рану бередить!

— Даже и взглянуть в ту сторону боялись?

— Да!

Она не плакала, сдерживала слезы с мужеством, которое должно было вызывать у них восхищение. Наверное, думают: «Как вытерпела она такое — тогда и теперь?»

— Что-нибудь из этого тебе пригодится, Майк? — спросил Курц у Литвака, не спуская глаз с Чарли.

— Грандиозно, — выдохнул Литвак, в то время как перо его продолжало свой бег по бумаге. — Чрезвычайно ценная информация, мы сможем ее использовать. Только вот интересно, не запомнился ли ей какой-нибудь яркий случай из того периода или, может быть, даже лучше когда отец вышел из тюрьмы, в последние месяцы его жизни?

— Чарли? — кратко осведомился Курц, переадресовывая ей вопрос Литвака.

Чарли изображала глубокое раздумье, пока ее не осенило вдохновение.

— Ну, вот есть, например, история с дверями.

— С дверями? — переспросил Литвак. — С какими дверями?

— Расскажите нам, — предложил Курц.

Большим и указательным пальцами Чарли тихонько пощипывала переносицу, что должно было обозначать печаль и легкую мигрень. Много раз рассказывала она эту историю, но никогда еще рассказ ее не был столь красочен.

— Мы считали, что он пробудет в тюрьме еще около месяца, он не звонил — как бы он мог звонить? В доме все было разворочено. Мы жили на вспомоществование. И вдруг он появляется. Похудевший, помолодевший. Стриженый. «Привет, Чэс, меня выпустили». Обнимает меня. Плачет. А мама сидит наверху и боится спуститься вниз. Он совершенно не изменился. Единственное — это двери. Он не мог открыть дверь, подходил к двери и замирал. Стоит по стойке «смирно», голову свесит и ждет, когда тюремщик подойдет и отомкнет замок.

— А тюремщик — это *она,* — тихо подал голос сидевший рядышком Литвак. — Его родная дочь. *Вот это да!*

— В первый раз я сама не поверила. Не поверила собственным глазам. Кричу: «Да открой же ты эту проклятую дверь!», а у него руки не слушаются!

Литвак строчил как одержимый, но Курц был настроен менее восторженно. Он опять погрузился в бумаги, и лицо его выражало серьезные сомнения.

Чарли не выдержала. Резко повернувшись на стуле, она обратилась к Иосифу, в словах ее была скрытая мольба о пощаде, просьба отпустить ее, снять с крючка:

— Ну, как допрос, все в порядке?

— По-моему, допрос очень успешный, — ответил он.

— Успешнее даже, чем представление «Святой Иоанны»?

— Твои реплики гораздо остроумнее, чем текст Шоу, Чарли, милая.

«Это не похвала, он всего лишь утешает меня», — невесело подумала она. Но почему он с ней так суров? Так резок? Так сдержан, с тех пор как привез ее сюда.

Южноафриканская Роза внесла поднос с сандвичами. За ней шла Рахиль с печеньем и сладким кофе в термосе.

— Здесь что, никогда не спят? — жалобно протянула Чарли, принимаясь за еду. Но никто ее вопроса не расслышал. Вернее, так как все его, конечно, слышали, он просто остался без ответа.


Безобидная игра в вопросы-ответы кончилась. Перед рассветом, когда голова у Чарли была совершенно ясной, а возмущение достигло предела, наступил важный момент: тлеющий огонь ее политических убеждений, которые, по словам Курца, они так уважали, предстояло раздуть в пламя — яркое и открытое. В умелых руках Курца все обрело свою хронологию, причины, следствия. Люди, оказавшие на вас первоначальное влияние, — попрошу перечислить. Время, место, имя. Назовите нам, пожалуйста, пять ваших основополагающих принципов, десять первых встреч с активистами-неформалами. Но Чарли была уже не в том состоянии, чтобы спокойно рассказывать и перечислять. Сонное оцепенение прошло, в душе зашевелились беспокойство и протест, о чем говорили и суховатая решительность ее тона, и быстрые подозрительные взгляды, которые она то и дело бросала на них. Они ей надоели. Надоело чувствовать себя завербованной. Служа верой и правдой этому союзу, основанному на силе оружия, надоело ходить из комнаты в комнату с завязанными глазами и не понимать, что делают с твоими руками ловкие руки и что шепчут тебе в ухо хитрые голоса. Жертва готовилась к бою.

— Чарли, дорогая, все эти строгости для протокола, — уверял ее Курц. — Когда все будет зафиксировано, мы, так и быть, разрешим вам опустить кое над чем завесу молчания.

Но пока что он настоял на утомительной процедуре перечисления тьмы-тьмущей всевозможного народа, каких-то сидячих и лежачих забастовок, маршей протеста и революционных субботних манифестаций, причем всякий раз он просил ее рассказать и о том, что ее побудило участвовать в той или иной акции.

— Ради бога, не пытайтесь вы оценивать нас! — наконец не выдержала она. — Поступки наши нелогичны, мы не обучены и неорганизованны.

— Кто это «мы», милочка?

— И никакие мы не *милочки!* Просто *люди*. Взрослые люди, ясно? И хватит надо мной издеваться!

— Чарли, ну разве мы издеваемся? О чем вы говорите!

— К чертям собачьим!

Ох, как же она ненавидела себя в подобном состоянии! Ненавидела свою грубость — грубость от безысходности. Словно бьешься в запертую дверь, бессмысленно барабанишь слабыми девчоночьими кулачками, оголтело выкрикивая срывающимся голосом рискованные слова. И в то же время ей нравилась свежесть красок, которыми такая ярость вдруг зажигала мир, чувство раскованности, осколки стекла вокруг.

— Зачем отвергающим *вера?* — воскликнула она, вспомнив хлесткий и до смерти надоевший афоризм Ала. — Вам не приходило в голову, что отвергать — это уже само по себе акт веры? Наша борьба, Марти, борьба совсем особая и единственно справедливая. Не сила против силы, не война Запада против Востока. Голодные ополчились против всяческих свиней. Рабы против угнетателей. Вы считаете себя свободными, так? Это лишь потому, что в цепях не вы, а другие! Вы жрете, а рядом голодают! Вы мчитесь во весь опор, а кто-то должен стоять по стойке «смирно»! Все это надо поломать!

Когда-то она верила в это, верила истово. Может быть, и сейчас еще верит. Раз уверовав, ясно различала перед собою цель. Она стучалась в чужие двери со своей проповедью и замечала, когда ее охватывало вдохновение, как с лиц спадает маска враждебности. Искренняя вера толкала ее на борьбу — за право людей на инакомыслие, за то, чтобы помочь друг другу выбраться из трясины буржуазности, освободиться от капиталистического и расового гнета, за естественное и вольное содружество и братство людей.

— Видите ли, Марти, разница между вашим и моим поколением в том, что нам почему-то *не безразлично,* на кого или на что тратить жизнь! Нам почему-то вовсе не улыбается перспектива отдавать жизнь ради транснациональной корпорации, которая расположена в Лихтенштейне, а филиалы — на Антильских островах! — Все это она заимствовала у Ала. Она даже сопроводила фразу, совсем как он, характерным звуком, выражающим сарказм и отчасти напоминающим отрыжку. — Мы не считаем разумным, когда люди, которых мы в жизни не видели и не слышали, которых никак не уполномочивали действовать от нашего имени, занимаются тем, что ведут мир к гибели. Нам не нравятся, как это ни странно, диктатуры — все равно, одиночек ли это или группы лиц, учреждения или даже страны, — и мы не в восторге от гонки вооружений, опасности химической войны и тому подобных составных частей смертоносной игры. Мы против того, чтобы израильское государство было ударным батальоном империалистической Америки, и не согласны раз и навсегда объявить арабов либо паршивыми дикарями, либо развратными нефтяными магнатами. Мы отвергаем все это. Предпочитаем отринуть некоторые догмы, некоторые предрассудки и установления. Отринуть что-то — это уже позиция, уже факт позитивный. Отсутствие предрассудков — разве это не позитивно, а?

— Каким же образом, по-вашему, они ведут мир к гибели, Чарли? — спросил Курц, и Литвак аккуратно записал вопрос.

— Травят землю. Жгут. Засоряют мир всякой чушью — колониализмом, целенаправленным, рассчитанным совращением рабочих и... («Что там следующее? Без паники, сейчас вспомню текст», — промелькнуло в голове.) ...и незачем выспрашивать у меня имена, адреса и кто были пять моих духовных вождей, как вы это делали, да, Марти? Вожди мои *здесь,* — она стукнула себя в грудь, — и нечего ухмыляться, если я не в состоянии цитировать вам на память Че Гевару всю эту ночь, пропади она пропадом, достаточно поинтересоваться, хочу ли я, чтобы мир выжил, а мои дети...

— Вы можете цитировать Че Гевару? — спросил Курц, весьма заинтересованный.

— Да нет, конечно, на кой он мне сдался!

Откуда-то сзади, казалось — очень издалека, послышался голос Иосифа. Он уточнял ее ответ:

— Могла бы, если б *выучила.* У нее превосходная память. — В голосе его звучали нотки гордости за свое творение. — Ей стоит раз услышать что-нибудь — и кончено, уже усвоила. Если постарается, может выучить все его работы за неделю.

Почему он вдруг заговорил? Из желания сгладить? Предупредить? Загородить Чарли от неминуемой опасности, прикрыть собой? Но Чарли сейчас было не до этих тонкостей, а Курц и Литвак вполголоса совещались друг с другом, на этот раз на иврите.

— Вы бы не могли в моем присутствии ограничиваться английским, вы, двое? — вскричала она.

— Минутку, милочка, — беззлобно ответил Курц и опять перешел на иврит.

Так же бесстрастно-тщательно, подобно хирургу («Только для протокола, Чарли!»), он обсудил с ней все, на чем держалось ее нестойкое мировоззрение. Чарли громила, собиралась с духом и громила вновь с отчаянной решимостью недоучки. Неизменно вежливый, редко возражавший ей Курц сверялся с ее делом, устраивал паузы для кратких совещаний с Литваком или для собственных таинственных надобностей и писал что-то в лежавшем перед ним отдельном блокноте. Яростно барахтаясь в поисках выхода, Чарли воображала себя опять студенткой, разыгрывающей этюды в театральной школе, вживающейся в роль, которая чем дальше, тем больше обнаруживала свою бессмысленность. Она делала жесты — нелепые, совершенно не соответствующие ее словам. Протестовала — что должно было означать свободу. Кричала — что должно было означать протест. Она слышала собственный голос, ни на что не похожий, чужой. Из постельных бесед с давно позабытым любовником она выхватывала строчку Руссо, а вот высказывание Маркузе, где она его подобрала? Бог весть! Она заметила, что Курц откинулся на спинку стула и, прикрыв глаза, кивает каким-то своим мыслям. Карандаш он положил — значит, кончено, по крайней мере с его стороны.

— От всей души поздравляю вас, Чарли! — торжественно заявил Курц. — Вы говорили с беспримерной откровенностью и чистосердечием. Мы очень вам благодарны.

— Несомненно, — пробормотал протоколист Литвак.

— К вашим услугам, — ответила Чарли, думая, какая она, наверное, сейчас красная и уродливая.

— Не возражаете, если я сформулирую вам вашу позицию? — спросил Курц.

— Возражаю.

— Почему же? — спросил Курц, не выказывая удивления.

— Потому что мы придерживаемся альтернативных взглядов, вот почему. Мы не образуем никакой партии, никакой организации и ни в грош не ставим ваши хреновые формулировки.

Как бы ей хотелось избавиться от них от всех или чтобы ей хоть легче было ругаться:

Несмотря на ее возражения, Курц все же принялся формулировать, делая это весьма серьезно и обдуманно:

— С одной стороны, Чарли, мы видим тут основную посылку классического анархизма, с восемнадцатого века и по сей день.

— Чушь собачья!

— Современная жизнь, — невозмутимо продолжал Курц, — дает больше пищи для подобных теорий, чем та, которой жили наши предки, потому что в наши дни государство-нация сильно как никогда, и это же относится ко всякого рода корпорациям и возможностям регламентировать всех и вся.

Она понимала, что он кладет ее на обе лопатки, но не знала, как помешать этому. Он сделал паузу, ожидая ее возражений, но все, что она могла, это отвернуться от него и спрятать все растущую неуверенность под маской яростного негодования.

— Вы выступаете против засилья техники, — ровным голосом продолжал Курц. — Что ж, Хаксли еще раньше сформулировал эту точку зрения. Вы желаете высвободить в человеке его природное начало, которому, по-вашему, не свойственно ни стремление к главенству, ни агрессивность. Но чтобы это свершилось, сперва надо уничтожить эксплуатацию. Каким же образом? Приумножение собственности есть зло, следовательно, зло и сама собственность, а значит, злом являются и те, кто эту собственность охраняет, и из этого можно сделать вывод: так как эволюционный — демократический — путь развития вы открыто отрицаете, вы должны стремиться к тому, чтобы уничтожить собственность и казнить богачей. Вы согласны с этим, Чарли?

— Не порите чушь! Ко мне это все не относится!

Курц явно был разочарован.

— Вы хотите сказать, что отрицаете необходимость уничтожения грабительской власти государства, Чарли? В чем же дело? Откуда эта неожиданная застенчивость? Я прав, Майк? — опять обратился он к Литваку.

— «Власть государства — это власть тираническая», — тут же находчиво ввернул Литвак. — Это точные слова Чарли. А еще она говорила о «государственном насилии», «государственном терроре», «диктаторской власти государства» — одним словом, ругала государство на все лады, — прибавил он удивленно.

— Но это не значит, что я убиваю людей и граблю банки! С чего вы это взяли?

Возмущение Чарли не произвело на Курца никакого впечатления.

— Вы показали нам, Чарли, что законы правопорядка — это лишь жестокие слуги, на которых держится неправедная власть.

— И что истинная справедливость в судах и не ночевала, — от себя добавил Литвак.

— Конечно! Виновата система — косная, насквозь прогнившая, бесчестная, она...

— Так почему бы вам ее не разрушить? — благодушно осведомился Курц. — Не взорвать ее вместе со всеми полицейскими, которые вам мешают, а заодно и с теми, которые не мешают? Не подложить бомбы под всех этих империалистов и колониалистов, где бы они ни находились? Где же ваша хваленая цельность натуры? Куда подевалась?

— Не хочу я ничего подрывать! Я хочу мира! Хочу, чтобы все были свободны! — отчаянно упорствовала она, устремляясь в безопасную гавань.

Но Курц словно не слышал ее.

— Вы разочаровываете меня, Чарли. Ни с того ни с сего вы теряете последовательность. Вы сделали определенные наблюдения. Так почему же не довершить начатое? Давайте, Чарли, переходите к действию! Вы свободны, и вы здесь. Так зачем слова? Продемонстрируйте нам дело!

Заразительная веселость Курца достигла апогея. Он так сощурился, что глаза его превратились в щелки, а дубленая кожа вся пошла морщинами. Но Чарли тоже была опытным бойцом и отвечала смело, под стать ему, не стесняясь в словах, била его словами наотмашь в последней отчаянной попытке освободиться.

— Послушайте, Марти, я — пустой номер, понимаете? Необразованная, почти неграмотная, не умею ни считать, ни рассуждать, ни анализировать, ведь училась-то я в частных школах, которые слова доброго не стоят! Бог мой, чего бы я не дала, чтобы родиться в какой-нибудь захолустной дыре и чтобы отец мой зарабатывал на жизнь собственными руками, а не обиранием почтенных старушек! Как я устала от поучений, когда мне по сто тысяч раз на дню объясняют, почему любовь и уважение к ближнему следует сдать в архив, а кроме того, сейчас мое единственное желание — спать!

— Чарли, вы упомянули вскользь, что ездили с Алом на какой-то семинар радикалов в Дорсете, — сказал Курц, аккуратно разворачивая газетную вырезку. — «Недельный курс радикализма» — так вы, по-моему, охарактеризовали его. Мы не очень подробно поговорили о том, что там происходило. Насколько я помню, мы как-то замяли этот вопрос. Вы не возражаете, если мы к этому вернемся?

С видом человека, желающего освежить что-то в памяти, Курц молча перечитал вырезку, время от времени покачивая головой, словно говоря: «Ну и ну!»

— Интересно, должно быть, — добродушно продолжал он. — «Отработка боевых приемов холостым оружием», «Техника диверсии» с заменой взрывчатки полиэтиленом, разумеется, «Как скрываться в подполье», «Способы выживания». «Философия ведения партизанской войны в городе». Не оставлены без внимания даже правила хорошего тона. Видите: «Как в повседневных условиях обуздать непокорных». Мне нравится этот эвфемизм! — Он поглядел, откуда вырезка. — Сообщение верно, или мы имеем дело с типичным преувеличением продажной сионистской прессы?

В доброжелательность Курца она теперь не верила, да он и не старался ее в этом убедить. Единственной его целью было доказать ей экстремизм ее взглядов и, как следует припугнув, заставить ужаснуться убеждениям, о которых она сама и не подозревала. Бывают дознания, преследующие раскрытие истины, есть и другие, цель которых — ложь. Курцу нужна была ложь. Его скрипучий голос стал строже, маска веселости спала.

— Не расскажете ли об этом поподробнее, а, Чарли?

— Это был ангажемент Ала, не мой, — решительно заявила она, первый раз увиливая.

— Но вы же ездили вместе.

— Это давало возможность недорого провести уикенд за городом, а у нас тогда было туго с деньгами. Только и всего.

— Только и всего, — негромко повторил он, и она сразу же почувствовала себя виноватой. Последовавшая затем тишина показалась ей слишком глубокой. В одиночку ей такой тишины не выдержать.

— Не только мы ездили, — возразила она, — а еще... Господи боже, да нас было человек двадцать! Все наши, актеры... Некоторые еще и театральной школы не окончили. Они наняли автобус, достали травку и всю ночь куролесили. Ну и что тут дурного, спрашивается?

Но морально-этическая сторона дела Курца в тот момент не интересовала.

— *Они,* — сказал он. — А чем занимались вы? Вели автобус? Мы слышали, вы прекрасно водите машину.

— Я уже сказала, что была с Алом. Это был его ангажемент, не мой.

Почва уходила у нее из-под ног, она падала в пропасть, не понимая, когда оступилась и кто подтолкнул ее. А может, она просто устала и ослабела. Может, она все время и ждала этого.

— И часто вы развлекаетесь таким образом, Чарли? Говорите безо всякого стеснения обо всем. Ку́рите травку. Спите с кем попало, в то время как другие обучаются терроризму. Судя по вашим словам, для вас это вещь привычная. Верно? Привычная?

— Нет, не привычная! Дело прошлое. Теперь с этим покончено, и я больше *не развлекаюсь* таким образом!

— Так скажете, как часто это было?

— Вовсе не часто.

— Сколько раз?

— Раз-другой. И все. Потом надоело.

Падает, падает. Вниз головой. Быстрее и быстрее. Все вертится водоворотом вокруг, но она еще цела.

Иосиф, вытащи меня отсюда! Но ведь это Иосиф ее сюда и притащил! Она прислушивалась, не произнесет ли он хоть слово, посылала ему сигналы затылком, не поворачивая головы. Но ответа не было.

Курц смотрел на нее в упор, но она не отводила глаз. С каким бы удовольствием она прожгла его взглядом, ослепила своим гневом!

— «Раз-другой», — задумчиво повторил он. — Так ведь, Майк?

Литвак поднял голову от своих записей.

— «Раз-другой», — эхом отозвался он.

— Не скажете ли, почему вдруг вам надоело? — спросил Курц.

Не спуская с нее взгляда, он потянулся за папкой Литвака.

— Это было мерзко, — сказала она, эффектно понизив голос.

— Судя по откликам, да, — отозвался Курц, открывая папку.

— Я не про политику. Я имею в виду секс. Для меня это было слишком. Вот что я хотела сказать. Не притворяйтесь, что не поняли.

Послюнив палец, Курц перевернул страницу. Опять послюнил и опять перевернул. Пробормотал что-то Литваку. Литвак ответил ему коротко и тихо. Говорили они не по-английски. Закрыл досье и сунул его обратно в папку.

— «Раз-другой. И все. Потом надоело», — задумчиво повторил он. — Хотите переписать показания?

— Это еще зачем?

— «Раз-другой». Верно записано?

— Ну а как может быть иначе?

— «Раз-другой» значит два раза. Верно?

Лампочка над ней покачнулась или это ей показалось? Открыто, не таясь, она обернулась. Иосиф склонился над своим столом, слишком занятый, он даже головы не поднял.

Отвернувшись от него, она поняла, что Курц все еще ждет ответа.

— Два раза или три, — ответила она. — Не все ли равно?

— А если четыре? Может, «раз-другой» значит «четыре раза»?

— Ах, оставьте вы!

— По-моему, это вопрос лингвистический. «В прошлом году я раз-другой был у тетки». Ведь это может значить три раза, правда? Возможно, даже и четыре. Вот пять — это уже предел. Про пять мы обычно говорим «раз шесть». — Он опять зашуршал бумагами. — Хотите переделать «раз-другой» на «раз шесть», Чарли?

— Я сказала «раз-другой» и именно это имела в виду!

— Значит, два раза?

— Два.

— Так. Понятно. «На этом семинаре я была только два раза. Кое-кто интересовался там проблемами военными, я же занималась только сексом, отдыхала, общалась. И все». Подпись «Чарли». Может, назовете даты ваших поездок на семинар?

Она назвала прошлый год, вскоре после того, как начался ее роман с Алом.

— А второй раз?

— Забыла. Какая разница?

— «Забыла», — протянул он медленно голосом словно замирающим, но по-прежнему звучным. Ей почудилось, что он шагает прямо на нее — диковинный, уродливый зверь. — Второй раз был вскоре после первого, или между этими двумя событиями прошло какое-то время?

— Не знаю.

— Не знает. Значит, ваш первый уикенд был задуман как вводный курс для новичков. Верно я говорю?

— Да.

— И во что же ввел вас этот курс?

— Я уже сказала. Это был групповой секс.

— Никаких бесед, обсуждений, занятий?

— Обсуждения были.

— Что же вы обсуждали?

— Основные принципы.

— Принципы чего?

— Левого радикализма. А вы чего подумали?

— Вам запомнились какие-нибудь выступления?

— Прыщеватая лесбиянка говорила о женском движении. Один шотландец рассказывал о Кубе. И еще что-то. Алу очень понравилось.

— А на втором уикенде, неизвестно когда состоявшемся, втором и последнем, кто выступал?

Молчание.

— И это забыли?

— Да.

— Странно, правда? Первый уикенд вы так хорошо, во всех подробностях помните — и секс, и обсуждавшиеся темы, и кто выступал. А второй уикенд совершенно улетучился у вас из памяти.

— После того как я всю ночь отвечаю на ваши идиотские вопросы, — ничего странного!

— Куда это вы собрались? — спросил Курц. — Хотите пройти в ванную? Рахиль, проводи Чарли в ванную! Роза!

Она стояла, не двигалась. Из темноты послышались мягкие шаги. Шаги приближались.

— Я ухожу. Пользуясь данным мне правом выбора. Я хочу прекратить это. Сейчас.

— Правом выбора вы можете пользоваться не всегда, а лишь когда мы вам скажем. Если вы забыли, кто выступал на втором семинаре, то, может быть, вспомните, чему он был посвящен?

Она продолжала стоять, и почему-то это делало ее как бы меньше. Она огляделась и увидела Иосифа — он сидел, отвернувшись от настольной лампы, подперев голову рукой. Ее испуганному воображению почудилось, что он брошен на нейтральную полосу где-то между ее и чужим миром. Но куда бы она ни отводила взгляд, вся комната полнилась Курцем, а голос его оглушал всех сидящих в этой комнате. Голос Курца звучал отовсюду, и неважно, лечь ли ей на пол или вылететь в окно с цветными витражами — даже за сотни миль от этого места ей никуда не деться от этого голоса, оглушительно бьющего по нервам. Она убрала руки со стола, спрятала за спину, сжала изо всех сил, потому что они перестали ей повиноваться. Руки — вот это очень важно. Руки красноречивы. Руки выдают. Руки жались друг к другу, как перепуганные дети. Курц выспрашивал у нее о принятой семинаром резолюции.

— Разве вы не подписывали ее, Чарли?

— Не знаю.

— Но, Чарли, в конце любого собрания выносится резолюция. Ее обсуждают. Затем она принимается. Какую же резолюцию вы вынесли? Вы всерьез хотите уверить меня, что ничего *не знаете* о ней, не знаете даже, подписали вы ее или нет? Может быть, вы *отказались* подписывать?

— Нет.

— Чарли, ну подумайте сами, как может человек ваших умственных способностей, способностей еще и недооцененных, забыть такую вещь, как официальная резолюция, принятая трехдневным семинаром? Резолюция, которая сначала выносится в виде проекта, затем проекта с поправками, за которую голосуют, принимают или отвергают, подписывают или не подписывают? Как такое возможно? Ведь принятие резолюции — это целое мероприятие, требующее тщательной подготовки. Откуда вдруг такая неопределенность, если во всем прочем вы проявляете завидную четкость?

Ей все равно. Настолько все равно, что ничего не стоит даже признаться в этом ему. Она до смерти устала. Ей хочется сесть, но ноги приросли к полу. Ей хочется перерыва — пописать, подкраситься и спать, спать. И лишь остатки актерского навыка подсказывали ей, что она должна выстоять и выдержать все до конца.

Сверху она смотрела, как Курц вытащил из папки чистый лист бумаги. Покорпев над ним, он вдруг спросил Литвака:

— Она упомянула о двух посещениях семинара, так?

— О двух, самое большее, — подтвердил Литвак. — Вы дали ей полную возможность исправить показания, но она упорно утверждает, что их было два.

— А сколько значится у нас?

— Пять.

— Так откуда же взялась цифра два?

— Это преуменьшенная цифра, — пояснил Литвак, голо-

6*

сом еще более удрученным, нежели у Курца. — Преуменьшена процентов на двести.

— Значит, она врет, — тихо, словно с трудом постигая сказанное, заметил Курц.

— Конечно, — подтвердил Литвак.

— Я не врала! Я забыла! Это все Ал придумал! Я поехала ради Ала, *больше ни для чего!*

Среди самопишущих ручек серого цвета в верхнем кармане куртки Курц держал еще и носовой платок цвета хаки. Вытащив платок, Курц странным характерным движением вытер щеки, потом рот. Положив платок обратно в карман, он опять потрогал часы на столе, передвинул их немного вправо в соответствии с ритуалом, ведомым лишь ему одному.

— Хотите сесть?

— Нет.

Отказ, казалось, огорчил его.

— Чарли, я перестаю вас понимать. Моя вера в вас постепенно убывает.

— Ну и черт с ней, с вашей верой! Найдите себе еще когонибудь и шпыняйте его на здоровье! Чего мне расшаркиваться перед вами, шайкой еврейских бандитов! Ступайте подложите еще парочку бомб в машины к арабам. А меня оставьте в покое! Ненавижу вас! Всех до единого!

Выкрикивая это, Чарли испытывала странное чувство — словно они слушают не ее слова, не то, что она говорит, а как говорит. Если бы кто-нибудь вдруг вмешался, сказал: «Еще разок, Чарли, и лучше помедленнее», она бы ни капельки не удивилась. Но теперь настала очередь Курца, а если Курц собрался говорить, то — она это уже хорошо усвоила — никто на свете, включая его еврейского господа бога, не мог бы этому помешать.

— Я не понимаю вашей уклончивости, Чарли, — решительно начал он. Речь его набирала темп, звучность. — Не понимаю несоответствия между той Чарли, какой вы хотите казаться, и той, которая предстает из нашего досье. Первое ваше посещение школы революционеров-активистов произошло пятнадцатого июля прошлого года, это был двухдневный семинар для новичков, посвященный проблемам колониализма и революции, и вы прибыли туда на автобусе — группа активистов, и Аластер в том числе. Второе посещение состоялось месяц спустя и также вместе с Аластером; на этот раз там перед вами выступили политический репатриант из Боливии, отказавшийся назвать свое имя, и господин, представлявший, по его словам, один из временных комитетов ИРА, господин этот тоже предпочел остаться неизвестным. Вы великодушно подписали в пользу каждой из организаций чек на пять фунтов — у нас есть фотокопии обоих чеков, они здесь.

— Я подписала их за Ала! У него денег не было!

— Третий раз вы были там еще через месяц — приняли участие в весьма оживленной дискуссии, посвященной деятельности американского мыслителя Торо. Участники семинара вынесли ему приговор, под которым подписались и вы, приговор гласил, что в вопросах революционной борьбы Торо оставался на позициях аморфного идеализма, что значения революционного действия он так и не понял — в общем, бродяга он, бродяга и есть! Вы не только поддержали такой приговор, но и предложили в дополнение принять резолюцию, призывавшую участников оставаться стойкими радикалами.

— И это для Ала! Я хотела им понравиться. Хотела угодить Алу. Да я на следующий же день все забыла!

— Но в октябре вы с Аластером снова были там, на этот раз на семинаре, посвященном проблеме фашизации европейского капитализма, вы играли там весьма заметную роль, выступали в дискуссиях, развлекали ваших товарищей выдуманными историями из жизни вашего преступника-отца и дуры-матери — словом, кошмарами вашего сурового детства.

Она уже не возражала. Не видела, не соображала. Глаза застилала туманная пелена, она закусила губу и лишь крепче сжимала зубы, сдерживая боль. Но не слушать она не могла — громкий голос Марти проникал ей в душу.

— А самое последнее ваше посещение, как напомнил нам Майк, состоялось в феврале этого года, когда вы и Аластер почтили своим присутствием заседание, на котором речь шла исключительно о теме вам вовсе незнакомой, как упорно утверждали вы всего минуту назад, до того как походя оскорбили государство Израиль. Тема эта — прискорбное распространение сионизма в мире и связи его с американским империализмом. Докладчиком был господин, естественно, представлявший мощную организацию палестинских революционеров, но какое крыло ее, он сообщить отказался. Так же недвусмысленно он отказался и открыть лицо, спрятанное под черным вязаным шлемом, — деталь эта придавала ему вид достаточно зловещий. Неужели и теперь вы не припомнили его? — Но ответить ей он не дал, тут же продолжив: — Говорил он о том, как борется с сионистами, как убивает их. «Автомат — это паспорт моей страны, — сказал он. — Мы больше не изгнанники! Мы — революционные бойцы!» Речь его вызвала некоторое замешательство, кое-кто выразил сомнение, не зашел ли он слишком далеко, кое-кто, но не вы. — Курц помолчал, но она так ничего и не сказала. — Почему вы скрыли это от нас, Чарли? Почему вы мечетесь, делая ошибку за ошибкой, не зная, что еще придумать? Разве я не объяснил вам, что нас интересует ваше прошлое? Что оно очень ценно для нас?

И опять он терпеливо подождал ее ответа, и опять ответа не последовало.

— Мы знаем, что ваш отец не был в заключении. Судебные исполнители никогда не входили к вам в дом, никто и в мыслях не имел ничего у вас конфисковывать. Незадачливый господин действительно потерпел небольшое фиаско по собственной оплошности, но при этом никто не пострадал, кроме двух служащих местного банка. Он был уволен с почетом, если можно так выразиться, после чего прожил еще немало лет. Несколько друзей его скинулись, собрали небольшую сумму, и ваша матушка до конца его дней оставалась его преданной и добродетельной супругой. Что же касается вашего исключения из школы, то виноват в этом вовсе не ваш отец, а только вы сами. Вы повели себя слишком — как бы это сказать поделикатнее? — слишком легкомысленно с несколькими молодыми людьми, жившими по соседству, и слух об этом дошел до ушей школьной администрации. Вас, разумеется, тотчас же исключили как девицу с дурными наклонностями и возмутительницу спокойствия, и вы опять поселились под кровом ваших чересчур снисходительных родителей, которые, к вашему великому огорчению, простили вам и эту выходку, как прощали все ваши прегрешения, и сделали все от них зависящее, чтобы поверить всему, что вы им наплели. С годами вы опутали эту историю подобающим количеством лжи, дабы придать ей благопристойный вид, и сами же уверовали в эту ложь, хотя память иногда просыпается в вас, толкая на поступки более чем странные. — И опять он передвинул часы на более безопасное, с его точки зрения, место. — Мы ваши *друзья,* Чарли. Думаете, мы когда-нибудь упрекнем вас за это? Думаете, мы не понимаем, что в ваших политических убеждениях выразились поиски истины, нравственных ориентиров, поиски сочувствия, в котором вы некогда так нуждались и которого не нашли? Ведь мы ваши друзья. И не похожи на серых, сонных и унылых провинциальных конформистов. Мы хотим поддержать вас, использовать вас для дела. Зачем же вы громоздите ложь на ложь, когда единственным нашим желанием с начала и до конца было услышать от вас правду — полную и неприкрашенную? Зачем же вы мешаете вашим *друзьям,* вместо того чтобы полностью довериться им?

Красной горячей волной ее затопил гнев. Волна гнева подняла ее, омыла, она чувствовала, как гнев набухает в ней, объемлет ее, охватывает со всех сторон — единственный ее друг и союзник. Профессиональное чутье актрисы подсказало ей довериться этому чувству, подождать, пока оно завладеет ею окончательно, в то время как крохотное существо, ее подлинное «я», так старавшееся держаться прямо, облегченно вздохнув, на цыпочках удалится за кулисы, чтобы оттуда следить за действием. Гнев вытеснил растерянность, притупил боль и стыд, гнев обострил все чувства, вернул ясность мысли. Шагнув к Курцу, она подняла кулак для удара, но Курц был слишком стар и слишком храбр: не один удар довелось получить ему на своем веку! А кроме того, она не рассчиталась еще с тем, кто сзади.

Конечно, это Курц своим умелым обхаживанием зажег спичку, разгоревшуюся в пожар. Но ведь заманил-то ее сюда, в эту позорную западню, Иосиф своей хитростью и своими чарами! Резко повернувшись, она сделала к нему два медленных шага, надеясь, что кто-нибудь ее остановит, но никто не остановил. Ударом ноги она отпихнула столик, увидела, как полетела в тартарары, сделав грациозный пируэт, настольная лампа и, натянув до предела провод, удивленно вспыхнув, погасла. Она замахнулась кулаком, ожидая, что он начнет защищаться. Этого не произошло, и она, рванувшись вперед, с силой ударила его по скуле. Она обрушила на него все грязные ругательства, которые обычно адресовала Алу и всей своей путаной, несчастной и никчемной жизни. Но хотела-то она, чтобы он поднял на нее руку, ударил ее. Она ударила его еще раз другой рукой, целясь так, чтобы удар оказался как можно больнее, ранил его. И опять она ожидала, что он начнет обороняться, но знакомые карие глаза глядели прямо на нее, неизменно, как прибрежный маяк в бурном море. И новый удар — полураскрытым кулаком, отчего заныла рука, а по его подбородку потекла кровь. «Ублюдок фашистский!» — кричала она, повторяя это вновь и вновь, чувствуя, как с каждым разом силы ее слабеют. Она заметила Рауля, хиппи с льняными волосами, — он стоял в дверях, и одна из девушек — южноафриканская Роза — заняла место у балконной двери и растопырила руки, опасаясь, видно, что Чарли может рвануться туда, а Чарли больше всего хотелось внезапно потерять рассудок, чтобы ее пожалели и отпустили, она впала бы в бред, безумие, забыла, что она всего лишь глупенькая радикалка, актриса, которая так неубедительно притворялась, которая предала отца и мать своих, ухватившись за опасную теорию, не посмев ее отвергнуть, — а вообще-то, если бы не эта теория, что тогда? Она слышала, как Курц по-английски приказал всем оставаться на месте. Видела, как Иосиф, отвернувшись, вытащил из кармана платок и промокнул кровь на разбитой губе с таким хладнокровием, словно рану ему нанес неразумный балованный ребенок.

— Подонок! — вскрикнула она и опять ударила его, ударила по голове, неловко подвернувшаяся кисть руки тут же онемела. Она была одинока, измучена и хотела лишь одного: чтобы и он ударил ее.

— Не стесняйтесь, Чарли, — спокойно посоветовал Курц. — Ведь вы читали Франца Фанона. Помните? Ярость — это очистительная сила, которая освобождает нас от комплекса неполноценности, делает бесстрашными, поднимает в собственных глазах.

Ей оставалось только одно. Вобрав голову в плечи, она трагически сжала лицо ладонями, горько расплакалась и плакала так до тех пор, пока, повинуясь кивку Курца, Рахиль не отделилась от балконной двери, подошла, обняла за плечи, — жест, которому Чарли сначала воспротивилась, но потом смирилась, приняла его.

— Три минуты, не больше, — сказал Курц, когда Чарли с Рахилью направились к двери. — Пусть не переодевается, ничего с собой не делает, возвращайтесь сейчас же. Надо продолжать. Подождите-ка минутку, Чарли. Стойте. Подождите, я сказал!

Чарли остановилась, но не обернулась. Она стояла неподвижно, демонстративно не поворачивая головы и думая, что сейчас делает Иосиф со своим пораненным лицом.

— Вы молодец, Чарли, — спокойно, без всякой снисходительности сказал Курц, не вставая с места, через всю комнату. — Примите мои поздравления. Был момент — вы растерялись, но потом пришли в себя. Вы лгали, выкручивались, но не отступили, а когда мы пошли в атаку, приперли вас к стенке, вы поднялись на дыбы и перешли от обороны к наступлению, обвинив в своих бедах весь мир. Мы гордимся вами. В следующий раз поможем вам сочинить историю более правдоподобную. А сейчас возвращайтесь скорее, хорошо? Времени действительно в обрез.


В ванной Чарли рыдала и билась головой об стенку в то время, как Рахиль наливала для нее воду в раковину, а Роза, на всякий случай, дежурила у двери снаружи.

— Не знаю, как ты могла жить в этой Англии, — говорила Рахиль, держа наготове мыло и полотенце, — я бы и минуты лишней там не выдержала, пятнадцать лет мыкалась, пока не уехала. Думала, умру. Ты Маклсфилд знаешь? Убийственное место! По крайней мере для еврейки убийственное. Все эти соученицы, вся эта ложь, холодность, лицемерие. Нарочно не придумаешь! Я имею в виду Маклсфилд — для еврейской девушки это просто бред какой-то. Я там все кожу лимоном терла, потому что они говорили, будто у меня сальная кожа. Не подходи к двери, голубушка, одной тебе нельзя, не то мне придется тебя остановить.

Рассветало, и это значило, что скоро в постель, и она была опять с ними, в комнате, куда стремилась всей душой. Они рассказали ей кое-что, высветив, как лучом прожектора, некоторые детали, до того остававшиеся в тени. Дайте волю воображению, говорили они, и расписывали ей идеального, невиданного любовника.

А ей было все равно. Она нужна им. Они видят ее насквозь, знают ее неверность, многоликость. И все-таки она им нужна. Ее выкрали, чтобы спасти. После всех ее блужданий — путеводная нить. Несмотря на такую ее вину, несмотря на увертки, ее приняли. После всех ее слов их действие, их сдержанность, искренний, истинный пыл, подлинная верность и вера, чтобы заполнить пустоту ее души — пропасть, зияющую, вопиющую, как тоскливый демон, который всегда с ней, сколько она себя помнит. Она — перышко, унесенное вихрем, но, к ее изумлению и великому облегчению, оказалось, что ветром правят они.

Они посадили Иосифа за стол на председательское место. А по бокам безмолвные Курц и Литвак, как два неярких лунных серпа. У Иосифа на лице кровоподтеки — там, куда она его ударила; на левой скуле — ссадины. Сквозь ставни на половицы и столик сочится утренний свет. Они молчат.

— Разве я еще не решила? — спросила она.

Иосиф покачал головой. Темная щетина подчеркивала впалость его щек. Свет настольной лампы освещал сеточку морщин возле глаз.

— Расскажите мне еще раз, зачем я вам нужна! — попросила она.

Она чувствовала, как возросло напряжение — словно подключили ток. Литвак сцепил на столе белые руки, глаза его мертвенно-суровы и глядят на нее почему-то сердито;

Курц, этот пророк без возраста, его обветренное лицо как бы припорошено серебристой пылью. А по стенам парни-охранники, неподвижные, серьезные, будто выстроились в ожидании первого причастия.

— Возможно, тебе предстоит спасать человеческие жизни, Чарли, — произнес Иосиф. — Возвращать матерям их детей, нести мир мирным людям. Невинным будет дарована жизнь. Благодаря тебе.

— Возможно... А ты, ты сам тоже так думаешь? К тебе это тоже относится?

Ответ был предельно прост:

— Иначе зачем бы я здесь находился? От любого из нас такая работа требует самопожертвования, отдачи всех сил. Что же до тебя, ну не исключено, что и для тебя это окажется так.

— А где будешь ты?

— Мы будем рядом, постараемся быть поближе к тебе.

— Я спросила про тебя. Тебя одного.

— Ну и я, разумеется, тоже буду рядом. Это ведь мое задание.

*Только задание,* вот ведь что, оказывается. А она-то думала...

— Иосиф будет все время с вами, Чарли, — мягко сказал Курц. — Иосиф — опытный профессионал. Напомни ей о времени, Иосиф.

— Времени у нас очень мало, — сказал Иосиф. — Каждый час на вес золота.

Курц все улыбался, словно ожидая, что он скажет еще что-нибудь. Но Иосиф уже все сказал.

Она согласилась. Наверное, согласилась. По крайней мере, на что-то она согласилась, потому что почувствовала, как спало напряжение. А больше, к ее разочарованию, ничего не произошло. В своем склонном к гиперболизации воображении она представила себе, что все присутствующие разразятся аплодисментами, утомленный Майк, уронив голову в сплетенные на столе паучьи руки, без всякого стеснения разрыдается. На глазах постаревший Марти по-стариковски обнимет ее за плечи своими толстыми лапами — дитя мое, доченька, — прижмется колючей щетиной к ее щеке. Парни-охранники, эти сочувствующие ей бесшумные тени, сорвутся со своих мест и столпятся вокруг, чтобы пожать ей руку. А Иосиф прижмет ее к груди. Но в театре реального действия, наверное, так не бывает. Курц и Литвак деловито разбирали бумаги и складывали папки. Иосиф о чем-то беседовал с Димитрием и южноафриканской Розой. Рауль убирал со стола чайные стаканы и оставшиеся сладкие коржики. Судьбой их новобранца, казалось, была озабочена одна только Рахиль. Тронув Чарли за плечо, она повела ее, как она выразилась, баиньки. У самой двери Иосиф негромко окликнул Чарли. Она оглянулась. Он смотрел на нее задумчиво, с любопытством.

— Ну, спокойной ночи тогда, — проговорил он, словно не зная, что бы такое сказать.

— И тебе спокойной ночи, — сказала Чарли с вымученной улыбкой актрисы, кланяющейся, когда падает занавес.

Но занавес не упал. Идя вслед за Рахилью по коридору, она вдруг вспомнила отцовский клуб в Лондоне, ей почему-то показалось, что она опять перенеслась туда и сейчас идет по коридору, направляясь в дамскую гостиную. Приостановившись, она с удивлением огляделась вокруг, пытаясь обнаружить причину столь странной галлюцинации. И поняла эту причину: назойливый стрекот невидимого телетайпа — в клубе тоже все время стрекотал телетайп, сообщая последние биржевые новости. Похоже, стрекот шел из-за полуприкрытой двери. Но Рахиль торопливо увлекла ее дальше, не дав в этом удостовериться.

Трое мужчин вернулись в комнату, куда, как сигнал военного рожка, призывали их шифрованные сообщения телетайпа. Беккер и Литвак встали у аппарата, а Курц склонился над столом и расшифровывал с недоверчивым видом последнее срочное, совершенно секретное и неожиданное сообщение из Иерусалима. Стоя у него за спиной, они видели, как на его рубашке, точно кровь из раны, расползается темное пятно пота. Связист исчез: как только шифровка стала поступать, Курц отослал его. Кроме стрекота аппарата, в доме все замерло, а на птичий щебет или шум проходящей машины они не обращали внимания. Они слышали лишь постукивание аппарата.

— Ты был, как никогда, на высоте, Гади, — изрек Курц, привыкший делать два дела одновременно. Он говорил по-английски, на языке шифрованного сообщения. — Острый, властный, высокоинтеллектуальный. — Он оторвал листок с сообщением и подождал следующей порции. — Как раз о таком и мечтают заблудшие девушки, верно я говорю, Шимон? — Машина заработала опять. — Некоторые из наших коллег в Иерусалиме выражали сомнения относительно твоей кандидатуры, назовем хотя бы господина Гаврона. Да и присутствующий здесь господин Литвак был того же мнения. Кто угодно, только не я. Я был в тебе уверен. — Негромко чертыхнувшись, он оторвал очередной листок. — У меня отродясь никого еще не было лучше Гади. Сердце льва, а душа поэта — вот как я тебя характеризовал. Жизнь, сопряженная с насилием, не ожесточила его — вот буквально мои слова! Ну как она, Гади?

Он даже повернулся и наклонил голову в ожидании ответа.

— Разве вы сами не видели? — сказал Беккер.

Если Курц и видел, то ничего на это не ответил.

Сообщение кончилось, Курц повернулся на вращающемся кресле и поднял листки так, чтобы свет настольной лампы за его плечом осветил их.

— Миша Гаврон приветствует нас и шлет нам три новых сообщения. Сообщение первое: некоторые объекты в Ливане завтра подвергнутся обстрелу, но наших это не коснется. Сообщение второе, — он кинул на стол листки, — содержит приказ, по характеру и смыслу сходный с приказом, который мы получили ранее. Мы немедленно должны порвать с доблестным доктором Алексисом. Никаких контактов. Миша Гаврон показывал его досье некоторым проницательным психологам, и заключение их однозначно: он совсем рехнулся.

Литвак опять попытался возражать. Может, это был результат усталости? А может, на него так подействовала жара? Но Курц с прежней ласковой улыбкой спустил его с небес на землю.

— Успокойся, Шимон. Наш доблестный предводитель

осторожничает, только и всего. Если Алексис что-нибудь натворит и произойдет скандал, который так или иначе затронет наши национальные интересы и отношения с союзником, в котором мы так заинтересованы, наказание понесет Марти Курц. Если же Алексис, храня нам верность, будет помалкивать и делать то, что мы ему велим, вся слава достанется Мише Гаврону. Ты ведь знаешь, как Миша со мной обращается. Я тот еврей, которым можно помыкать.

— А третье сообщение? — спросил Беккер.

— Шеф напоминает нам, что наше время истекает. Гончие у него за спиной — так он передает, имея в виду наши спины, конечно.

Курц велел Литваку собираться, и тот пошел за зубной щеткой. Оставшись с глазу на глаз с Беккером, Курц испустил вздох облегчения и, сразу успокоившись, подошел к раскладушке, взял лежавший на ней французский паспорт и принялся его изучать, запоминая данные.

— Успех зависит от тебя, Гади. — Он окинул его взглядом и опять погрузился в чтение паспорта. — В случае каких-нибудь осложнений, если что понадобится, ты дашь мне знать. Слышишь меня?

Беккер его слышал.

— Ребята рассказывали, что вы хорошо смотрелись вместе на Акрополе. «Как киногерои» — так они мне сказали.

— Передайте им от меня спасибо за комплимент.

Вооружившись старой грязной щеткой для волос, Курц встал перед зеркалом и стал трудиться над пробором.

— В деле этом, что существенно, замешана девушка, — задумчиво сказал он, не прерывая движений своей щетки. — Я надеюсь на благоразумие нашего сотрудника. Иногда полезно бывает сохранять дистанцию, а иногда лучше... — Он бросил щетку в открытый чемоданчик.

— В данном случае требуется дистанция, — сказал Беккер.

Открылась дверь, и на пороге появился Литвак, одетый для выхода и с чемоданчиком в руке, он горел нетерпением поскорее вытащить начальство.

— Мы опаздываем, — сказал он, бросив на Беккера недружелюбный взгляд.

И все же, несмотря на все допросы, насилие к Чарли применено не было — во всяком случае, по меркам Курца. На этом Курц настаивал с самого начала. Дело это, утверждал он, надо делать чистыми руками. На первых стадиях действительно высказывались некоторые бредовые идеи о необходимости давления, принуждения, даже сексуального порабощения ее каким-нибудь Аполлоном, менее щепетильным, чем Беккер; речь шла и о временной изоляции Чарли, о содержании ее в течение некоторого времени под стражей, чтобы затем протянуть ей руку помощи. Психологи Гаврона, ознакомившись с ее досье, выдвигали проекты один другого глупее, причем некоторые были весьма жестоки. Но опытный стратег Курц уложил этих иерусалимских экспертов на обе лопатки. Добровольцы более стойки, доказывал Курц, они работают лучше и упорнее. Уж они-то знают, как себя переломить. А кроме того, зачем насиловать девушку, которой собираешься предложить руку и сердце?

Другие — и Литвак в том числе — были за то, чтобы предпочесть Чарли какую-нибудь израильтянку, во всем схожую с нею, кроме происхождения. Литвак и его единомышленники яростно спорили, доказывая, что нельзя доверять нееврейке, а англичанке в особенности. Курц с неменьшей яростью доказывал обратное. В Чарли ему нравилась естественность, и он жаждал иметь не копию, а оригинал.

Кроме того, противная сторона — ибо команда их, несмотря на естественное верховенство Курца, была построена на принципах демократических — настаивала на длительном и постепенном обхаживании, которое начнется еще задолго до пленения Януки и завершится честным предложением сотрудничества в соответствии с классическими и общепринятыми канонами вербовки. И здесь, как и в первом случае, Курц настоял на своем, задушив идею в зародыше. Девушке с темпераментом Чарли, чтобы решиться на что-то, вовсе не надо часами над этим размышлять, спорил он, как, впрочем, и ему, Курцу. Лучше ускорить! Лучше все изучить, подготовить до мельчайших деталей и взять ее нахрапом, ошеломить молниеносным мощным ударом! Беккер, сам поглядев на нее, согласился, что действовать сразу в данном случае лучше.

«Ну а что, если, боже упаси, она откажется?» — волновались некоторые, и Гаврон-Грач в том числе. Так долго ухаживать, чтобы потом невеста сбежала буквально от алтаря!

«Если случится так, друг мой Миша, — говорил Курц, — это будет означать лишь, что мы даром потратили некоторую толику времени и денег вкупе с нашими горячими молитвами». Сбить его с этой позиции было невозможно, и лишь в кругу самых близких людей — включавшем в себя жену и временами Беккера — он признавался, что затеял чертовски рискованную игру. Хотя, возможно, и тут он всего не рассказывал. Курц заприметил Чарли сразу, как только она впервые появилась на семинаре в Дорсете. Он выделил ее, расспросил о ней, так и эдак мысленно примеряясь к этой кандидатуре.

Но зачем тащить ее в Грецию, Марти? Да еще и остальных! Что вдруг за странная щедрость — осыпать благодеяниями из наших секретных фондов этих перекати-поле, леваков-артистов из Англии?

Но Курц был непоколебим. С самого начала он потребовал больших фондов, зная, что потом их сократят. Если этой одиссее суждено начаться в Греции, доказывал он, так лучше доставить туда Чарли заблаговременно, чтобы необычность обстановки и красоты пейзажа помогли ей поскорее освободиться от привычных пут. Пусть размякнет на солнышке! А так как одну Аластер ее ни за что не отпустит, пускай и он поедет с нею, а в нужный момент мы его удалим, чем лишим ее поддержки. А кроме того, учитывая, что актеры — народ общественный и вне своего круга не чувствуют себя уверенно, никак иначе эту пару за границу не выманишь... Так и шел этот спор — аргумент следовал за аргументом, пока не сложилась окончательная легенда, а логика ее — вещь несокрушимая, от нее не отмахнуться, и попавшему в эту сеть из нее не выбраться.

Что же касается удаления Аластера, то у этой истории в тот же день возникло забавное лондонское продолжение — постскриптум к их тщательно спланированной операции.

Местом действия стала контора Неда Квили, а происходило все в то время, когда Чарли еще видела сны, а Нед в укромной тиши кабинета тайно укреплял свой дух, готовясь к строго безалкогольному завтраку. Он как раз вынимал пробку из графинчика, когда до его изумленных ушей докатился поток ужасающе жаргонных кельтских непристойностей, выкрикиваемых мужским голосом и несшихся откуда-то снизу, предположительно из норки миссис Лонгмор; заключительным аккордом было требование «выманить старого козла из его сарая, а не то я сам подымусь и выволоку его оттуда». Гадая, кто из непутевых его клиентов мог в нервном экстазе, да еще и перед завтраком перейти на шотландский, Квили тихонько прокрался к двери и приложил к ней ухо. Но голоса он так и не узнал. А в следующую секунду прогрохотали шаги, дверь распахнулась и перед ним предстала покачивающаяся фигура Длинного Ала, которого он знал по своим спорадическим набегам в гримуборную Чарли, где тот, дожидаясь ее возвращения со сцены, имел обыкновение коротать время в обществе бутылки, благо времени этого, из-за его нечастых выходов на сцену, было у Ала предостаточно. Сейчас Ал был грязен, щеки поросли трехдневной щетиной, и он был в дымину пьян. Квили попытался было самым предупредительным образом выяснить причину его возмущения, но попытка оказалась тщетной. Кроме того, наученный горьким опытом, Квили знал, что в таких случаях самое разумное говорить как можно меньше.

— Ты мерзкий старый развратник, — любезно начал Аластер, уставив дрожащий указательный палец прямо в лицо Квили, пониже носа, — подлый интриган, сейчас я сверну тебе твою гусиную шею!

— Дорогой мой, — сказал Квили, — за что, однако?

— Я звоню в полицию, мистер Нед! — крикнула снизу миссис Лонгмор. — Уже набираю: девять-девять-девять...

— Вы немедленно сядете и объясните, в чем дело, — строго сказал Квили, — или миссис Лонгмор вызовет полицию.

— Уже вызываю! — крикнула миссис Лонгмор, которой несколько раз приходилось это делать.

Аластер сел.

— Ну а теперь, — произнес Квили со всей суровостью, на какую был способен, — как вы отнесетесь к тому, чтобы выпить чашечку черного кофе, а заодно рассказать, чем я вас так обидел?

Список обид получился длинным, но, если вкратце, то он, Квили, обвел Ала вокруг пальца. Ради Чарли. Под видом какой-то несуществующей кинокомпании. Подговорил его агента засыпать его телеграммами на Миконосе. Вступил в сговор с проходимцами из Голливуда. Забронировал авиабилеты, чтобы выставить его дураком перед его приятелями. И чтобы оторвать его от Чарли.

Постепенно Квили распутал всю историю. Агенту Аластера позвонили из Калифорнии, звонивший назвался представителем голливудской кинокомпании «Дар Божий Глобаль» и сообщил, что их кинозвезда заболел и им срочно требуется Аластер для кинопробы в Лондоне. Они, конечно, оплатят все расходы, только бы он их выручил. Узнав, что Аластер находится в Греции, они немедленно выслали агенту чек на тысячу долларов. Прервав отпуск, Аластер стремглав примчался в Лондон и дергался там целую неделю, потому что никакая кинопроба так и не материализовалась. «Будьте наготове», — телеграфировали они ему. Все общение только по телеграфу, заметьте. «Договор в стадии согласования». На девятый день Аластер, находившийся в состоянии, близком к помешательству, был затребован на киностудию в Шеппертоне. Обратиться там к некоему Питу Вышински, сектор «Д».

Никакого Вышински. Никакого и нигде. И Питом не пахнет.

Агент Аластера дозвонился в Голливуд. Телефонистка сообщила ему, что «Дар Божий Глобаль» ликвидировала свой счет. Агент позвонил коллегам, никто не слышал о компании «Дар Божий Глобаль». Полный крах. По здравом размышлении и после двухдневного запоя на остатки тысячедолларового чека Аластер рассудил, что единственным человеком, кто имел повод и возможности сыграть с ним эту злую шутку, был Нед Квили, именуемый в их кругах Беззаветный Квили который никогда и не скрывал своей антипатии к Аластеру оказывавшему, по его убеждению, дурное влияние на Чарли и втягивавшему ее в идиотские политические игры. Однако после нескольких чашек кофе Аластер уже заверял хозяина в своей неизменной преданности, и Квили попросил миссис Лонгмор вызвать ему такси.

В тот же вечер, когда чета Квили, сидя в саду, любовалась закатом в ожидании ужина — незадолго перед тем они сделали удачное приобретение в виде садовой мебели, современной, но отлитой по викторианским образцам, — Марджори серьезно выслушала всю историю, после чего, к крайней досаде Неда, расхохоталась.

— Вот чертовка! — воскликнула она. — Наверное, нашла себе богатого любовника и выставила парня, заплатив ему хорошенько!

Но выражение лица Квили отрезвило ее. Малопочтенные американские компании. Телефоны, которые не отвечают. Кинопродюсеры, которых невозможно отыскать. И все это вокруг Чарли. И ее Неда.

— Хуже того, — несчастным голосом признался Квили.

— Чего уж хуже, дорогой!

— Они выкрали все ее письма.

— *Что?*

— Все письма, написанные ее рукой, — пояснил Квили. — За последние пять лет или даже больше. Все ее шутливые и доверительные любовные записочки, написанные в гастролях или в минуты одиночества. Чудные письма. Характеристики режиссеров и товарищей по труппе. Забавные зарисовки, которые она любила делать, когда бывала в настроении. Все исчезло. Выбрано из досье. Этими ужасными американцами, которые капли в рот не берут, — Кэрманом и этим его кошмарным приятелем. Миссис Лонгмор вне себя. Миссис Эллис от расстройства заболела.

— Отчитай их в письме, — предложила Марджори.

— А какой в этом смысл? — ответил убитый горем Квили. — И куда писать?

— Поговори с Брайаном, — предложила она.

Ну хорошо, Брайан — его поверенный, но что может сделать Брайан?

Квили побрел в дом, налил себе неразбавленного виски и включил телевизор, где застал лишь ранние вечерние новости — хронику, в которой показывали очередную зверскую бомбежку. Кареты «Скорой помощи», иностранные полицейские несут на носилках пострадавших. Такие веселые развлечения были сейчас не для него. Они стащили бумаги Чарли, повторял он про себя. Бумаги моего клиента, черт подери! В моей конторе! А сын старого Квили сидел рядом и клевал носом после сытного ленча. Давно его так не обштопывали!

# Глава 8

Если ей и снились сны, проснувшись, она забыла их. А может быть, она, как Адам, пробудилась и увидела: сон стал явью, ибо первое, что она заметила, открыв глаза, был стакан апельсинового сока у изголовья. Иосиф деловито сновал по комнате, открывая шкафы, раздвигая занавески на окнах, чтобы в комнату проник солнечный свет. Сквозь полуприкрытые веки Чарли наблюдала за ним, как тогда, на пляже. Очертания изуродованной спины. Легкая изморозь седины на висках. И опять шелковая рубашка с золотыми запонками.

— Который час? — спросила она.

— Три. — Он дернул полотнище занавески. — Три часа дня. Ты поспала достаточно. Пора.

«И золотая цепочка, — думала она, — а на ней медальон, засунутый под рубашку».

— Как твой рот? — спросила она.

— Увы, кажется, петь мне отныне будет трудно.

Он подошел к старому крашеному платяному шкафу, вытащил оттуда и положил на стул синее платье.

Никаких следов от вчерашнего на лице у него не осталось,

только под глазами залегли усталые тени. «Он не ложился», — подумала она и вспомнила его за столом, целиком поглощенного бумагами.

— Помнишь наш разговор, перед тем как ты отправилась спать? Когда встанешь, мне бы очень хотелось, чтобы ты надела этот наряд, и новое белье надень, пожалуйста, вот оно — в коробке. Сегодня, по-моему, тебе пойдет синий цвет и распущенные волосы. Без всяких пучков.

— То есть кос.

Он оставил без внимания поправку.

— Всю эту одежду я тебе дарю. Для меня большая радость советовать тебе, что надевать и как выглядеть. Сядь, пожалуйста. И оглядись вокруг.

На ней ничего не было. Натянув до подбородка простыню, она опасливо села. Неделю назад, на пляже, он мог разглядывать ее тело сколько душе угодно. Но это было неделю назад.

— Запоминай все хорошенько. Мы — тайные любовники и провели ночь здесь, в этой комнате. Произошло все так, как произошло. Мы встретились в Афинах, приехали сюда, в пустой дом. Никого не было — ни Марти, ни Майка, никого, только мы одни.

— А ты-то кто?

— Мы поставили машину туда, куда на самом деле ее поставили. Над крыльцом горел свет. Я отпер входную дверь, и мы, держась за руки, поднялись по парадной лестнице.

— А вещи?

— Два предмета. Мой баул и твоя сумка через плечо. Я нес все это.

— Тогда как же мы держались за руки?

Она думала поймать его, но такая точность ему только понравилась.

— Сумку с лопнувшим ремнем я нес под мышкой правой руки и в этой же руке — баул. От тебя я шел справа, а моя левая рука оставалась свободной. В комнате все было так, как теперь. Едва переступив порог, мы бросились друг другу в объятия. Мы не могли дольше сдерживать нашу страсть.

Сделав два больших шага, он очутился возле кровати; порывшись в сброшенном на пол постельном белье, он извлек ее куртку и показал ей. Все петли на ней были порваны, двух пуговиц не хватало.

— Экстаз, — сказал он так буднично, словно экстаз был всего лишь днем недели. — Можно это так назвать?

— Можно назвать и так.

— Значит, экстаз.

Он бросил куртку и позволил себе сдержанно улыбнуться.

— Хочешь кофе?

— Кофе — это было бы отлично.

— Хлеба? Йогурта? Маслин?

— Нет, только кофе. — Когда он уже подошел к двери, она окликнула его: — Осси, прости, что я ударила тебя. Ты должен был, как истинный израильский агрессор, нанести превентивный удар и сбить меня с ног, так, чтобы я и ахнуть не успела.

Дверь захлопнулась, она услышала его шаги уже в коридоре и подумала, вернется ли он. Как во сне, она осторожно выбралась из постели. «Цирк, — думала она. — Танцы на панихиде». Вокруг себя она видела следы их воображаемого пиршества: в ведерке со льдом лежала бутылка водки, на две трети полная; два использованных стакана; ваза с фруктами; на двух тарелках — яблочная кожура и виноградные косточки. На спинке стула висит красный пиджак. Щегольский черный баул с боковыми карманами — необходимая часть экипировки молодого мужчины, успешно продвигающегося по служебной лестнице. На двери висит короткое кимоно стиля карате; тяжелый черный шелк — парижская фирма «Гермес» — это тоже его. В ванной ее школьная косметичка примостилась рядом с его лайковым несессером. Из двух имевшихся полотенец она выбрала сухое.

Синее платье, когда она разглядела его как следует, ей очень понравилось: хлопчатобумажное, плотное, со скромным закрытым воротом и совсем новое — даже завернуто в фирменную бумагу «Зелид. Рим — Лондон». Белье было как у дорогой кокотки — черное, размер угадан точно. Рядом на полу стояла новенькая кожаная дорожная сумка на ремне и пара красивых сандалий на плоской подошве. Она примерила одну сандалию. Подходит. Оделась и принялась расчесывать щеткой волосы. В комнату вошел Иосиф с кофейной чашкой на подносе. Какая удивительная походка — он мог ступать тяжело, а мог так бесшумно, что хотелось крикнуть: «Звук!» И красться он тоже умел мастерски.

— Должен тебе сказать, что ты прекрасно выглядишь, — заметил он, ставя поднос на стол.

— *Прекрасно?*

— Замечательно. Восхитительно. Блестяще. Ты видела орхидеи?

Нет, не видела, но сейчас увидела, и сердце у нее дрогнуло, как тогда, на Акрополе; к вазе с золотисто-рыжими цветами был прислонен белый конвертик. Подчеркнуто неторопливо она завершила причесывание, затем, взяв конверт, уселась с ним в шезлонге. Иосиф все продолжал стоять. Распечатав конверт, она вытащила оттуда карточку, на которой косым, неанглийским почерком было написано: «Я тебя люблю». И рядом знакомая буква «М».

— Ну что? Что это тебе напоминает?

— Ты отлично знаешь что, — отрезала она, как только — отнюдь не сразу — в мозгу у нее установилась связь.

— Так скажи мне.

— Ноттингем — «Барри-тиэтр»; Йорк — «Феникс»; Стрэтфорд — «Арена» и ты в первом ряду — весь внимание и глаз с меня не сводишь.

— Для тебя я — Мишель. «М» значит «Мишель».

Открыв элегантный черный баул, он стал ловко укладывать туда свои вещи.

— Я твой идеал, — сказал он, не поднимая на нее глаз. — Чтобы выполнить задание, ты должна не просто помнить это, но верить в это, проникнуться этой верой. Мы творим новую реальность, реальность лучшую.

Отложив карточку, она налила себе кофе. Зная, что он спешит, она нарочито замедляла движения.

— Кто сказал, что она будет лучше?

— На Миконосе ты была с Аластером, но в глубине души ты надеялась на встречу со мной, Мишелем. — Он бросился в ванную и вернулся оттуда с несессером. — Не с Иосифом — с

Мишелем. Уехав с Миконоса, ты поспешила в Афины. На пароходике ты сказала друзьям, что хочешь несколько дней побыть одна. Ложь. У тебя было назначено свидание с Мишелем. Не с Иосифом, с Мишелем. — Он бросил несессер в баул. — Ты взяла такси до ресторана, ты встретилась там со мной. С Мишелем. В моей шелковой рубашке. С моими золотыми часами. Были заказаны омары. Все, что ты видела. Я принес показать тебе путеводители. Мы ели то, что мы ели, мы весело болтали о милых пустяках, как всегда болтают тайные любовники, когда наконец свидятся. — Он снял с крючка на двери кимоно. — Я дал щедрые чаевые и забрал, как ты видела, счет; потом я повез тебя на Акрополь — неурочная, неповторимая поездка. Нас ожидало специальное, мной заказанное такси. Шофера я представил тебе как Димитрия.

Она прервала его.

— Так вот зачем ты повез меня на Акрополь! — резко сказала она.

— Это не я повез тебя. Тебя повез Мишель. Мишель гордился тем, что хорошо знает языки, что он ловкий организатор. Он любит размах, романтические жесты, внезапные фантазии. В твоем представлении он волшебник.

— Я не люблю волшебников.

— К тому же, как ты могла заметить, он искренне — пусть и поверхностно — интересуется археологией.

— Так кто же меня целовал?

Аккуратно сложив кимоно, он уложил его в баул. Первый мужчина в ее жизни, который умеет складывать вещи.

— Более практическая причина, по которой он поднялся с тобой на Акрополь, это то, что Акрополь давал ему возможность красиво сесть за руль «Мерседеса», которым он — неважно почему — не хотел пользоваться в городе в часы пик. Ты ничего не спрашиваешь о «Мерседесе», ты принимаешь его как очередное волшебство, как принимаешь и душок секретности во всем, что мы делаем. Ты все принимаешь. Поторопись, пожалуйста. Нам предстоят еще долгая дорога и долгие разговоры.

— А ты сам? — спросила она. — Ты тоже влюблен в меня или это все одна игра?

Она ожидала его ответа, и ей представилось, будто он отступает в тень, чтобы луч света беспрепятственно выхватил из темноты неясную фигуру Мишеля.

— Ты любишь Мишеля и веришь, что и Мишель тебя любит.

— Это так и есть?

— Он клянется, что любит. Он доказывает это на деле. Каких еще доказательств можно требовать от мужчины? Думать только о тебе? Бредить тобой?

Он опять прошелся по комнате, оглядывая все вокруг, трогая то одно, то другое. Остановился перед вазой с прислоненной к ней карточкой.

— А чей это дом? — спросила она.

— На такие вопросы я не отвечаю. Моя жизнь должна быть для тебя загадкой. Так было, когда мы встретились, и я хочу, чтобы так оставалось и впредь. — Взяв карточку, он передал ее Чарли. — Положи это в свою новую сумку. На память обо мне тебе отныне стоит хранить маленькие сувениры. Видишь? — Он приподнял водочную бутылку, наполовину вытащив ее из ведерка со льдом. — Я мужчина и потому, естественно, выпиваю больше, чем ты, но пью я немного: спиртное вызывает у меня головную боль, а иногда и тошноту. — Он опять опустил бутылку в ледяные кубики. — Что же касается тебя, ты выпила лишь маленькую рюмочку, потому что — при всем моем свободомыслии — я в целом не одобряю пьющих женщин. — Он поднял грязную тарелку и показал ее Чарли. — Я сластена — люблю конфеты, сладкие пироги и фрукты. Фрукты в особенности. Виноград, но он должен быть зеленым, как виноград в моей родной деревне. А что ела Чарли этой ночью?

— Ничего. В таких случаях я ничего не ем... Только курю после постели.

— Должен огорчить тебя, но в спальне курить я не разрешаю. В афинском ресторане я терпел это, потому что я современный человек. Даже в «Мерседесе» я иногда позволяю тебе это. Но в спальне — нет. Если ночью тебе хотелось пить, ты пила воду из-под крана. — Он начал надевать красный пиджак. — Ты заметила, как журчала вода в кране?

— Нет.

— Значит, она не журчала. Иногда вода журчит, иногда — нет.

— Тот человек — араб, верно? — сказала она, по-прежнему не сводя с него глаз. — Настоящий арабский патриот. И это его машину ты слямзил!

Он закрывал баул. Закрыв, распрямился, на секунду задержал на Чарли взгляд — не то, как ей показалось, пренебрежительно, не то прикидывая что-то.

— О, не просто араб и не просто патриот. Он вообще человек не *простой,* особенно в твоих глазах. Подойди сюда, пожалуйста! — Он внимательно смотрел, как она шла к кровати. — Сунь руку под мою подушку. Не спеши, осторожно! Я сплю справа. Посмотри, что там.

Осторожно, как он и велел, она скользнула рукой под холодную, несмятую подушку, воображая на ней тяжесть головы спящего Иосифа.

— Нашла? Осторожно, я сказал!

— Да, Осси, нашла.

— Теперь давай его сюда. Осторожно! Предохранитель спущен. Такие, как Мишель, стреляют без предупреждения. Оружие — это наше дитя. Оно всегда с нами, даже в постели. Мы так и зовем пистолет — «крошка». Даже когда спишь с женщиной и забываешь обо всем на свете, помнишь о подушке и о том, что под ней находится. Вот как мы живем. Видишь теперь, что и я человек отнюдь не простой?

Она разглядывала пистолет, примеряла, удобен ли он для руки. Маленький. Коричневый, очень изящный.

— Доводилось держать в руках что-нибудь подобное? — спросил Иосиф.

— И не раз.

— Где? Против кого ты его использовала?

— На сцене. Очень часто.

Она отдала ему пистолет, посмотрела, как привычно, словно бумажник, скользнуло оружие в карман его пиджака. Потом спустилась вслед за ним по лестнице. В доме было пусто и, как оказалось, очень холодно. «Мерседес» ожидал их возле входной двери. Сначала единственным желанием Чарли было поскорее уехать — все равно куда, лишь бы выбраться отсюда, и пусть будет дорога и они одни. Пистолет напугал ее, хотелось движения. Но когда машина тронулась и покатила по подъездной аллее, что-то заставило ее оглянуться и окинуть последним взглядом облупленный желтый фасад, красные заросли, окна, прикрытые ставнями, ветхую красную черепицу. Вот теперь она оценила красоту и привлекательность места, но слишком поздно — когда уезжала.

— А *мы,* мы существуем еще? — спросила она, когда они выехали на погружавшуюся в сумерки автостраду. — Или это теперь уже другая пара?

Он молчал, молчал довольно долго, наконец ответил:

— Конечно, существуем. А как же иначе! — И чудесная улыбка, та самая, ради которой она бы вытерпела что угодно, осветила его лицо. — Видишь ли, мы берклианцы. Если мы не существуем, то как же могут существовать они?

«Кто такие берклианцы?» — недоуменно подумала она. Она была слишком самолюбива, чтобы спросить.


Минут двадцать, отсчитанных по кварцевым часам на щитке, Иосиф почти не нарушал молчания. Но никакой расслабленности в нем она не заметила, наоборот, похоже было, что он собирает силы перед атакой.

— Итак, Чарли, — внезапно сказал он, — ты готова?

— Да, Осси, готова.

— Двадцать шестого июня, в пятницу, ты играешь «Святую Иоанну» в ноттингемском «Барри-тиэтр». Играешь с чужой труппой: в последнюю минуту вызвалась заменить актрису, нарушившую условия контракта. С декорациями опоздали, осветительная аппаратура еще в пути, весь день ты репетировала, двое из состава гриппуют. Ты ведь ясно помнишь все это, правда?

— Как сейчас.

Не одобрив столь легкомысленный тон, он вопросительно взглянул на нее, но, очевидно, не нашел ничего предосудительного.

— Перед самым началом тебе в дверь за кулисы передали

орхидеи и записку на имя Иоанны: «Иоанна, я люблю тебя бесконечно».

— Там нет двери.

— Но существует же задняя, служебная дверь. Твой обожатель, кто бы он ни был, позвонил в звонок и сунул в руки мистеру Лемону, швейцару, орхидеи вместе с пятифунтовым банкнотом. Мистер Лемон в достаточной мере оценил размер чаевых и пообещал передать тебе орхидеи незамедлительно. Он их передал?

— Да, вплывать непрошеным в женские гримуборные — излюбленное занятие Лемона.

— Итак, что ты сделала, когда получила цветы?

Она замялась.

— Там была подпись: «М».

— Правильно — «М». Что же ты сделала?

— Ничего.

— Чушь!

Она обиделась:

— А что я должна была сделать? Мне было вот-вот на сцену!

Прямо на них, нарушая правила, шел запыленный грузовик. С великолепным хладнокровием Иосиф вырулил на обочину и поддал газу.

— Значит, ты выкинула в корзинку орхидеи за тридцать фунтов, пожала плечами и поспешила на сцену. Замечательно! Поздравляю тебя!

— Я поставила их в воду.

— А во что ты налила ее?

Неожиданный вопрос активизировал резервы памяти.

— В керамический кувшин. По утрам помещение «Барритиэтр» арендует школа искусств.

— Ты отыскала кувшин, наполнила его водой и поставила орхидеи в воду. Так. А что ты при этом почувствовала? Ты была ошарашена? Взволнована?

Вопрос этот почему-то смутил ее.

— Я просто отправилась на сцену, — сказала она и неожиданно для себя хихикнула. — Решила выждать и посмотреть, кто это окажется.

— А как ты отнеслась к «я люблю тебя»? — спросил он.

— Так это же театр! В театре все любят всех — время от времени. Вот «бесконечно» я оценила. Это уже кое-что.

— Тебе не пришло в голову поглядеть в зрительный зал, поискать там знакомого?

— Времени не было.

— А в антракте?

— В антракте я поглядела в щелочку, но знакомых не увидела.

— Что сделала ты после окончания спектакля?

— Вернулась к себе в гримуборную, переоделась, послонялась там немножко. Подумала, попереживала и отправилась домой.

— Домой, то есть в гостиницу «Звездная» возле вокзала.

Он давно уже отучил ее удивляться.

— Да, в гостиницу «Звездная» возле вокзала, — согласилась она.

— А орхидеи?

— Отправились со мной в гостиницу.

— Но при этом ты не попросила бдительного мистера Лемона описать человека, принесшего орхидеи?

— На следующий день. В тот вечер — нет.

— И что ответил тебе мистер Лемон, когда ты спросила его?

— Ответил, что это был иностранец, но человек приличный. Я спросила, какого он возраста. Мистер Лемон ухмыльнулся и сказал, что возраста подходящего. Я пыталась сообразить, кто из моих знакомых иностранцев начинается на букву «М», но так ничего и не придумала.

— Неужели в твоем зверинце не найдется ни одного иностранца на букву «М»? Ты меня разочаровываешь.

— Ни единого.

Они оба улыбнулись, но улыбкой, не предназначенной собеседнику.

— А теперь, Чарли, перейдем ко второму дню. Итак, субботний утренник, а затем, как и положено, вечерний спектакль.

— И ты опять тут как тут, правда? Вот, пожалуйста, в середине первого ряда в своем красивом красном пиджаке и в окружении этих несносных школьников, которые кашляют и все время хотят писать!

Раздосадованный ее легкомыслием, он стал следить за дорогой, а когда после паузы опять возобновил свои расспросы, был так серьезен, что даже хмурился, как сердитый школьный учитель.

— Я попрошу тебя в точности описать, что ты тогда чувствовала, Чарли. Время перевалило за полдень, зал полузатемнен, потому что плохие шторы пропускают дневной свет, вообще это не столько похоже на зрительный зал, сколько на большую классную комнату. Я сижу в первом ряду. Я определенно похож на иностранца — это видно и по манерам, и по одежде. Среди детей я очень выделяюсь. Меня описал тебе Лемон, а кроме того, я не свожу с тебя глаз. Ты догадалась, что я и есть тот человек, который подарил тебе орхидеи, тот чудак, что подписался буквой «М» и признался, что любит тебя бесконечно?

— Конечно, догадалась. Я поняла.

— Как? Соотнесла свои впечатления с впечатлениями Лемона?

— Зачем? Просто поняла. Заметила тебя, увидела, как ты на меня пялишься, и подумала: «Кто бы он ни был, вот он, голубчик!» А потом, когда утренник кончился и занавес опустился, а ты остался на своем месте, предъявив билет на следующий спектакль...

— Откуда ты узнала? Кто тебе сказал?

«Ах, и ты туда же! — подумала она, прибавляя еще один нелегко добытый штришок к его портрету. — Не успел добиться своего, как тут же начинаешь ревновать и придираться».

— Да от тебя самого и узнала. Это же малюсенький театр с маленьким залом. И орхидеи нам дарят нечасто, так, по букетику раз в десять лет, а уж охотники смотреть по два спектакля сразу и вовсе наперечет! — И тут же не удержалась, спросила: — Очень скучно было, Осси? Я имею в виду спектакль, просмотреть его два раза без перерыва? Или тебе временами все-таки было интересно?

— Это был самый томительный день моей жизни, — без запинки ответил он. И тут же его суровое лицо преобразилось, расплывшись в чудесной улыбке, словно ему на секунду удалось проскользнуть между прутьями камеры, где он был заключен. — Ты, между прочим, была неподражаема, — добавил он.

На этот раз эпитет не вызвал в ней протеста.

— Разбей машину, Осси! Счастливее мне уже не бывать!

И прежде чем он успел остановить ее, она схватила его руку и крепко поцеловала костяшку большого пальца.

Дорога была прямой, но вся в выбоинах, окрестные холмы и деревья припорошила белая цементная пыль. А они были замкнуты в своем мирке, и близость других движущихся предметов делала этот мирок еще интимнее. Она была предана ему и в мыслях, и в той легенде, которая творилась сейчас. Она была подругой солдата, сама учившаяся военному ремеслу.

— А теперь скажи мне вот что. Пока ты играла в «Барритиэтр», тебе, кроме орхидей, не дарили каких-нибудь подарков?

— Коробку, — ответила она взволнованно и сразу, даже не сумев притвориться, что думает, вспоминает.

— Расскажи, пожалуйста, какую коробку.

Этого вопроса она ждала и потому быстро состроила недовольную мину, думая, что это ему должно понравиться.

— Это был розыгрыш. Какая-то сволочь прислала мне в театр коробку. Все честь по чести, заказной бандеролью.

— В какой день это было?

— В субботу. В тот самый день, когда ты пришел на утренник и присох там в зале.

— Что было в коробке?

— Ничего. Пустая коробка от ювелира. Заказная бандероль — и ничего.

— Как странно. А надпись на бандероли? Ты изучила ее?

— Написано все было синей шариковой ручкой. Большими буквами.

— Но бандероль была заказная. Там должен значиться и отправитель.

— Неразборчивое что-то. Похоже на «Марден». Или «Хордерн». Какой-то местный отель.

— Когда ты вскрыла бандероль?

— В моей гримуборной в перерыве между спектаклями.

— Ты была одна?

— Да.

— И что ты решила?

— Решила, что кто-то мстит мне за мои политические убеждения. Такое уже случалось. Письма с грязными ругательствами: «негритянская подстилка», «пацифистка проклятая», «коммунистка». Вонючие хлопушки, брошенные в окно моей гримуборной. Я подумала, что коробка из той же оперы.

— Ты не связала пустую коробку с орхидеями?

— Мне *понравились* орхидеи, Осси! Мне понравился *ты!*

Он затормозил. Затор возле какой-то стройки. Кругом ревут грузовики. В первую секунду она подумала, что мир перевернулся и сейчас он прижмет ее к груди — так странно, так бешено вдруг забилось сердце. Но нет. Вместо этого он потянулся к кармашку на дверце и достал оттуда заказную бандероль — запечатанный конверт из плотной бумаги с чем-то твердым внутри — точное повторение того конверта. Почтовый штемпель: Ноттингем, 25 июня. На лицевой стороне синей шариковой ручкой выведено ее имя, адрес «Барритиэтр». Вместо адреса отправителя, как и тогда, на оборотной стороне неразборчивые каракули.

— Теперь создадим легенду, — спокойно объявил Иосиф, наблюдая, как недоуменно она вертит в руках конверт. — На действительное событие накладывается вымысел.

Она сидела так близко от него, что, боясь выдать себя, промолчала.

— После сумасшедшего дня, каким он и был на самом деле, ты у себя в уборной в перерыве между двумя спектаклями. Бандероль еще не распечатана и интригует тебя. Сколько времени у тебя еще в запасе до выхода на сцену?

— Минут десять. Или даже меньше.

— Очень хорошо. Теперь вскрой конверт.

Она украдкой покосилась на него — взгляд его был устремлен вперед, к незнакомому горизонту. Она опустила глаза, повертела конверт и, сунув палец в щель, надорвала его. Коробка от ювелира, точно такая же, только поувесистей.

Маленький белый незаклеенный конвертик. В нем картонная белая карточка. На карточке надпись: *«Иоанне, духу свободы»*. И дальше: *«Я потрясен. Я люблю тебя»*. Почерк определенно тот же. Только вместо подписи «М» крупными буквами выведено «Мишель» с уверенным росчерком в конце, как бы подчеркивающим значимость имени. Она потрясла коробку, и внутри что-то негромко и интригующе стукнуло.

— Поджилки трясутся, — пошутила она, но не смогла этим снять напряжения ни у себя, ни у него. — Открыть? А что там?

— Откуда мне знать? Поступай по собственному усмотрению.

Она приподняла крышку. В шелковом гнезде лежал тяжелый золотой браслет с синими камнями.

— Боже! — негромко вскрикнула она и захлопнула крышку. — Чего от меня за это потребуют?

— Очень хорошо. Это твоя первая реакция, — моментально откликнулся Иосиф. — Глянула, сказала «боже» и захлопнула крышку. Запомни, как это было. В точности запомни. Так ты отреагировала, теперь так и будет.

Снова открыв коробку, она осторожно вынула браслет и взвесила его на ладони. Но весь ее опыт с драгоценностями ограничивался фальшивыми побрякушками театрального реквизита.

— Он настоящий? — спросила она.

— К сожалению, здесь не присутствуют эксперты, способные представить тебе квалифицированное заключение. Делай собственные выводы.

— Он старинный, — наконец решила она.

— Хорошо. Ты решила, что он старинный.

— И тяжелый.

— Старинный и тяжелый. Не чепуховая рождественская побрякушка, не бижутерия для подростков. Солидная вещь. Что же дальше?

Его нетерпение отдалило их друг от друга: она такая осторожная, взволнованная, а он такой практичный. Она осмотрела застежку, пробу, хотя в пробах и не разбиралась. Легонько ногтем поскребла металл. Он был глянцевитый, мягкий.

— Тебе очень некогда, Чарли. Через полторы минуты тебе

7 - 7014

пора на сцену. Как ты поступишь? Оставишь его в гримуборной?

— О, нет, конечно!

— Тебя зовут. Пора, Чарли. Ты должна решить.

— Не дави на меня! Я дам его на сохранение Милли. Милли — моя дублерша. И суфлерша.

Предложение его никак не устроило.

— Ты ей не доверяешь.

Близкая к отчаянию, она сказала:

— Я спрячу его в туалете. За бачком.

— Слишком явно.

— В мусорной корзине. И прикрою мусором.

— Кто-нибудь придет и выкинет мусор. Думай.

— Осси, хватит с меня... Я положу это за баночки с гримом. Правильно! На полку. Там годами никто не прибирает.

— Прекрасно. Ты прячешь это на полке и торопишься на выход. Опаздываешь. Чарли, Чарли, куда ты запропастилась? Занавес поднимается. Так?

— Ладно, — сказала она и перевела дух, вздохнула шумно, как паровоз.

— Что ты чувствуешь? *Теперь*. Что думаешь о браслете, о том, кто подарил его?

— Ну... я... в ужасе... разве не понятно?

— Почему же ты в ужасе?

— Да потому, что не могу принять это... такое сокровище... то есть такую дорогую вещь.

— Но ты уже приняла ее. Ты пошла на это, ты ее спрятала.

— Только до конца спектакля.

— А потом?

— Потом отдам этот браслет. Неужто же нет!

Он, видимо, тоже почувствовав облегчение, перевел дух, будто слова ее наконец подтвердили давнее его убеждение.

— Ну, а пока что ты чувствуешь?

— Потрясена. Поражена. Что еще я могу чувствовать?

— Он в нескольких шагах от тебя, Чарли. Его глаза устремлены на тебя и излучают страсть. Уже третий спектакль подряд он здесь. Он шлет тебе орхидеи и драгоценности, уже дважды он признался тебе в любви. Один раз — просто в любви, другой раз — в бесконечной. Он красив. Гораздо красивее меня.

В раздражении своем она не стала пока протестовать, что он опять заговорил с ней тоном властным и требовательным.

— Тогда я поступлю так, как подсказывает мне сердце, — сказала она и, чувствуя, что поймана в ловушку и говорит не то, решительно добавила: — Но кто выиграл, мы еще посмотрим.

Тихонько, словно боясь ее потревожить, Иосиф нажал на стартер. Дневной свет померк, поток транспорта поредел, превратившись в прерывистую, пунктирную линию одиноких запоздалых машин. Они ехали берегом Коринфского залива. По свинцовой воде на запад тянулась вереница стареньких танкеров — казалось, их как магнитом притягивало зарево последних закатных лучей. Впереди над ними в сумерках обозначился темный силуэт горной гряды. Дорога расщеплялась, и они поехали по той, что поднималась в гору; длинной спиралью, виток за витком устремлялась она вверх, к небесной пустоте.

— Помнишь, как я аплодировал тебе? — спросил Иосиф. — Помнишь, давали занавес, опять и опять, а я все стоял и хлопал?

«Да, Осси, помню». Но она побоялась произнести это вслух.

— Ну а теперь запомни еще и браслет.

Она запомнила. Вообразила это для него: подарок, который следует вернуть неизвестному красавцу-благодетелю. Спектакль окончен, она выходит на аплодисменты и, как только освобождается, сразу же бежит к себе в гримуборную, достает из тайника браслет, в считанные минуты разгримировывается, кое-как напяливает на себя одежду, чтобы поскорее отправиться к нему.

До сих пор безропотно принимавшая его версию, Чарли вдруг осеклась — на помощь, пускай с опозданием, пришел здравый смысл:

— Минутку... погоди... послушай, почему бы ему не отправиться ко мне? Он же все это затеял. Так почему бы мне не остаться в уборной, дожидаясь его появления, вместо того чтоб рыскать самой в поисках его?

— Возможно, он собирается с духом. Он слишком благоговеет перед тобой, разве нет? Ты совершенно ошеломила его.

— Ну так я могу и *подождать* какое-то время.

— Как ты собираешься поступить, Чарли? Что ты мысленно говоришь этому человеку?

— Говорю: «Заберите это назад, я не могу это принять», — с большой убедительностью произнесла она.

— Хорошо. А ты не боишься, что он может исчезнуть, раствориться в ночи и никогда больше не появиться, оставив тебя с этой драгоценностью, от которой ты так искренне желаешь избавиться?

Смущенно, нехотя она согласилась отправиться на поиски.

— Но как его найти? Где ты будешь искать в первую очередь?

— Через заднюю дверь выйду на улицу, а потом за угол — к главному входу. Подожду там, пока он выйдет.

— Почему ты не выйдешь вместе со всеми?

— Потому что там толпа. Пока я буду пробираться через нее, он уйдет.

Он обдумывал ее слова.

— Тогда тебе понадобится плащ, — сказал он.

И здесь он был прав. Она забыла, какой дождь лил в Ноттингеме в тот вечер, прекращался и опять припускал, и так весь спектакль. Надо начинать заново. Моментально переодевшись, она накинула свой новый плащ — длинный, французский, купленный на распродаже в «Либертиз», завязала узлом пояс и вышла под дождь за угол к главному входу.

— И увидела там, что половина зрителей столпилась под навесом и пережидает дождь, — прервал ее Иосиф. — Чему ты улыбаешься?

— Мне нужен платок на голову. Помнишь, желтый платок от «Йейгера», я купила его на деньги, полученные на телевидении?

— Отметим также, что, как бы ты ни спешила отделаться от браслета, ты все же не забыла про желтый платок. Хорошо. В плаще, в желтом платке Чарли выскакивает под дождь в поисках своего чересчур пылкого поклонника. Возвращается в переполненный вестибюль, может быть, зовет его: «Мишель,

Мишель!» Да? Прекрасно. Однако кричи не кричи, Мишеля там нет. Что ты делаешь?

— Ты *написал* это все, Осси?

— Неважно.

— Я возвращаюсь к себе в уборную.

— А тебе не приходит в голову поискать его в зале?

— Да, черт возьми, конечно! Пришло!

— Через какую дверь ты войдешь?

— Ведущую в партер. Ты же сидел в партере.

— В партере сидел Мишель. Ты подойдешь к двери, пощупаешь засов. Ура, дверь поддается! Мистер Лемон еще не запер ее. Ты входишь в пустой зал и медленно идешь по проходу.

— И вот он передо мной, — негромко сказала она. — Боже, какая пошлость!

— Но она годится.

— Да, *годится*.

— Потому что он действительно сидит в зале на том же месте, в первом ряду, в середине. И не сводит глаз с занавеса, словно надеется усилием воли опять поднять его и увидеть на сцене свою Иоанну, которую любит бесконечно.

«Я хочу домой, — думала она. — Хочу остаться совсем одна, хочу заснуть в своем отеле. Сколько раз на дню можно искушать судьбу?» Потому что теперь, описывая ее нового поклонника, он явно говорит и увереннее, и как бы с большей доверительностью.

— Минутку ты медлишь, потом окликаешь его по имени: «Мишель»! Имя — это единственное, что тебе известно о нем. Он оборачивается, глядит на тебя, но не делает движения тебе навстречу. Не улыбается, не приветствует тебя, никак не использует свое незаурядное обаяние.

— Так что же он делает, этот мерзавец?

— Ничего. Глядит на тебя глубоким пламенным взором, как бы вызывая тебя на разговор. Ты можешь счесть его гордецом или романтиком, но ясно одно — он не из разряда обычных людей, и он, уж конечно, не будет ни оправдываться, ни стесняться. Он пришел бросить тебе вызов. Он молод, европеизирован, хорошо одет. Человек действия, обеспеченный человек, без малейших признаков застенчивости. Вот так. — Иосиф говорил теперь от первого лица. — Ты направляешься ко мне, идешь по проходу, уже догадываясь, что разговор будет не таким, как ты воображала. Не я, а ты должна будешь объясняться. Ты вынимаешь из кармана браслет. Протягиваешь мне. Я неподвижен. Дождевые струйки очень идут тебе.

Дорога, петляя, шла в гору. Властность его тона и завораживающая монотонность поворотов заставляли ее все глубже погружаться в этот лабиринт.

— Ты говоришь что-то. Что именно?

Не дождавшись ее ответа, он предложил свой собственный:

— «Я с вами незнакома. Спасибо, Мишель, я польщена, но я вас не знаю и не могу принять этот подарок». Ты так скажешь? Наверное, так. А может быть, как-нибудь и лучше.

Она с трудом понимает, что он говорит. Она стоит перед ним в зале, протягивает ему коробку, глядя в его темные глаза. «И мои новые сапоги, — думает она, — длинные, коричневые, те, что я сама подарила себе на Рождество. Теперь дождь испортил их, но какая разница?»

Иосиф продолжил свою волшебную сказку:

— Я все еще не произнес ни слова. А ты по своему актерскому опыту отлично знаешь, что паузы сближают собеседников. Если этот несчастный не хочет говорить, то как должна поступить ты? Тебе ничего не остается, как продолжать говорить самой. Скажи теперь, с какими словами ты обращаешься ко мне.

Разбуженное воображение борется в ней с непривычной застенчивостью.

— Я спрашиваю его, кто он.

— Меня зовут Мишель.

— Это я знаю. Мишель, а дальше как?

— Ответа нет.

— Я спрашиваю тебя, зачем ты приехал в Ноттингем.

— Чтобы влюбиться в тебя. Дальше!

— О господи, Осси...

— Дальше!

— Но он не должен мне это говорить!

— Тогда говори ты!

— Я спорю с ним. Убеждаю его.

— Так, произнеси эти слова. Он ждет, Чарли! Говори!

— Я бы так сказала...

— Как?

— Послушайте, Мишель... Так мило с вашей стороны... я так польщена... но вы меня простите... подарок слишком дорогой.

Иосиф был разочарован.

— Чарли, ты должна придумать что-нибудь поубедительнее, — сухо и недовольно сказал он. — Он араб — даже если ты еще не знаешь этого, то догадываешься, — и ты отвергаешь его подарок. Постарайся представить себе ситуацию.

— Это было бы нечестно по отношению к вам, Мишель... Такие увлечения актрисами, актерами случаются сплошь и рядом, они в порядке вещей... Неразумно губить свою жизнь... во имя иллюзии.

— Хорошо. Продолжай.

Теперь отыскивать слова стало легче. Насилие ее раздражало, как раздражала воля любого режиссера, но то, что оно возымело действие, отрицать было бессмысленно.

— Ведь в этом суть нашей профессии, Мишель: мы создаем иллюзию. Публика занимает места в ожидании чуда, в надежде, что ее очаруют иллюзией. А актеры выходят на сцену в надежде очаровать. Что и произошло. И я не могу принять подарок... Мы обманули вас. Вот и все. Театр — это шулерство, Мишель. Вы понимаете, что это значит? Что такое шулерство? Вас провели.

— Я все еще не говорю ни слова.

— Так заставь его сказать что-нибудь!

— Зачем? Ты уже почувствовала неуверенность? Разве ты не ощущаешь ответственности за меня? Молодой парень, вот такой, как я, красивый, сорит деньгами, тратя их на орхидеи, на драгоценности...

— Конечно, ощущаю ответственность! Я же сказала!

— Так защити меня! — Голос его был настойчивым, нетерпеливым.

— Я и пытаюсь!

— Браслет этот обошелся мне в сотни фунтов. Как ты считаешь — в тысячи. Возможно, я украл его для тебя. Убил.

Заложил полученное наследство. И все ради тебя. Я опьянен, Чарли! Будь милостивой! Прояви свою власть!

Мысленно Чарли видела, как садится рядом с Мишелем. Ее руки сложены на коленях; она наклоняется к нему, стараясь убедить, растолковать. Заботливо, по-матерински, по-сестрински. Дружески.

— Я говорю ему, что он будет разочарован, если узнает меня поближе.

— Точные слова, пожалуйста!

Она перевела дух и ринулась, как в воду:

— Послушайте, Мишель, я обычная девчонка, живущая в долг, и, поверьте, совсем не похожа на Жанну д'Арк. Я не девственница и не солдат, и с тех пор, как меня вышибли из школы из-за... Нет, про это не надо. Я Чарли, несчастная потаскушка, из тех, каких в Европе тьма-тьмущая.

— Прекрасно. Дальше.

— И бросьте эти глупости, Мишель. Просто я хочу вам помочь, ясно? Поэтому возьмите это назад и берегите ваши деньги и ваши иллюзии, а вообще — спасибо. В самом деле — спасибо! Большое спасибо. От всей души.

— Но ты *не хочешь,* чтоб он берег свои иллюзии! — сухо возразил Иосиф. — Или хочешь?

— Ну пускай тогда так: «Оставьте ваши иллюзии».

— Ну а под конец ты что сделаешь, чем закончишь?

— Тем и закончу. Положу браслет на кресло рядом с ним и уйду. Спасибо и все прочее, и — пока! Ноги в руки, и айда на автобусную остановку, тогда еще успею к волокнистому цыпленку в гостинице.

Лицо Иосифа выразило изумление, а рука, оставив руль, поднялась в сдержанно-умоляющем жесте.

— Но, Чарли, как ты можешь так обращаться со мной? Да знаешь ли ты, что этим, возможно, толкаешь меня на самоубийство? Или на то, чтобы скитаться одному всю ночь напролет под дождем по улицам Ноттингема, в то время как ты будешь нежиться в постели в окружении моих орхидей и любовных записок в элегантном отеле!

— Элегантном? Клоповник несчастный!

— Неужели у тебя нет чувства ответственности? У тебя, защитницы всех угнетенных? Ответственности за парня, которого ты пленила своей красотой, талантом, пылкостью революционерки?

Она попыталась остановить его, но он не дал ей это сделать.

— У тебя доброе сердце, Чарли. Другие на твоем месте могли бы принять Мишеля за хитрого соблазнителя. Только не ты. Ты веришь в людей. И соответственно говоришь в тот вечер с Мишелем. Мысль о себе тут не присутствует. Ты искренне растрогана его поступком.

Впереди на горизонте обозначились очертания полуразрушенной деревеньки, венчающей собой подъем. Потом промелькнули огни таверны.

— Так или иначе, твои слова неуместны. Ведь Мишель наконец-то решился заговорить с тобой, — сказал Иосиф, бросив на нее быстрый оценивающий взгляд. — Заговорить с мягким приятным акцентом, полуфранцузским-полуэкзотическим, обратиться к тебе откровенно и без всякого стеснения. Нет, он не собирается спорить с тобой, но ты его идеал, он жаждет стать твоим любовником и лучше всего — незамедлительно, для него ты Иоанна, хоть ты и сообщила ему, что тебя зовут Чарли. Он просит тебя поужинать с ним. Если после ужина тебе все-таки захочется его прогнать, что ж — тогда он будет решать, как быть с браслетом. Нет, говоришь ты, браслет он должен забрать сейчас, любовник у тебя есть, а кроме того, не смешите меня, где это в Ноттингеме в половине одиннадцатого можно поужинать, да еще в такой промозглый субботний вечер! Верно я говорю? Звучит правдоподобно?

— Да уж! — не поднимая глаз, хмуро подтвердила она.

— И насчет ужина. Ты ведь согласна, что поужинать в Ноттингеме представляется тебе вещью совершенно нереальной?

— Только в китайском ресторане или рыбой с картошкой.

— И все же ты уже пошла на опасную уступку!

— Каким образом? — Она была уязвлена.

— Ты возразила, исходя из практических соображений: «Мы не можем поужинать вместе, потому что нет подходящего ресторана». С тем же успехом ты могла бы сказать, что не можешь переспать с ним, так как нет подходящей постели. Мишель это чувствует. Он отметает все твои возражения. О знает место, он уже все устроил. Итак, поужинать можн Почему бы и нет?

Съехав с автострады, Иосиф подкатил к покрытой грави ем площадке возле таверны. Ошеломленная таким стрем тельным броском из выдуманного прошлого к действител ному настоящему, странно возбужденная всеми этими уто мительными упражнениями и успокоенная сознанием тог что в конце концов Мишель все же не увлек ее, Чарли не ш велилась. Не шевелился и Иосиф. Она повернулась к нему в мерцании рекламных огней уловила направление его взгляд Он глядел на ее руки, все еще сцепленные на коленях: прав рука лежала сверху. Его лицо, насколько она могла разгля деть в неверных отблесках реклам, было суровым, засты шим. Потянувшись к ней, уверенным и быстрым движение хирурга он сжал ей правую кисть и, отведя ее в сторону, пр открыл другую руку — переливаясь в темноте, на ней сверка золотой браслет.

— Ну что ж, поздравляю, — заметил он. — Вам, англича кам, палец в рот не клади!

Она сердито отняла руку.

— А в чем дело? — отрезала она. — Ревнуешь, что ли?

Но он не обиделся. Лицо его не выражало ничего. «К ты? — в безнадежной тоске думала она. — Ты это он? Или т это ты? Или вообще никто?»

# Глава 9

И все же, хотя она легко могла предположить совсе иное, не о ней думал в эту ночь Иосиф, да и Курц тоже, ка разумеется, и Мишель.

Задолго до того, как Чарли и ее мнимый любовник на

всегда распрощались с виллой в пригороде Афин, а значит, когда они еще, согласно легенде, покоились в объятиях друг друга, убаюкивая свою страсть, Курц и Литвак сидели, целомудренно разделенные проходом, в креслах самолета «Люфтганзы» на пути в Мюнхен, являя собой подданных двух различных держав: соответственно Франции и Канады. Немедленно после приземления Курц поспешил в Олимпийскую деревню, где его с нетерпением ожидали так называемые фотографы-аргентинцы, Литвак же — в отель «Байериш Хоф», где его встретил эксперт, известный ему лишь как Джейкоб, меланхоличный, не от мира сего парень в засаленной замшевой куртке и с кипой крупномасштабных карт в дешевой пластмассовой папке. Под видом геодезиста Джейкоб перед тем в течение трех дней проводил тщательные исследования на автостраде Мюнхен—Зальцбург. Задача состояла в том, чтобы выяснить действие в различных погодных и транспортных условиях некоторого количества взрывчатки, подложенной на обочину рано утром в один из будних дней. За несколькими чашечками отличного кофе в гостиной отеля они обсудили предварительные расчеты Джейкоба, а затем, наняв машину, медленно проделали вдвоем все сто сорок километров означенного пути, раздражая своей медлительностью водителей спешащих автомобилей и останавливаясь почти всюду, где только можно было останавливаться и даже кое в каких местах, где останавливаться не разрешалось.

Из Зальцбурга Литвак один отправился в Вену, где его ожидал новый десант — свежий транспорт и свежие лица. В звукоизолированном зале израильского посольства Литвак проинструктировал этих людей, после чего, попутно сделав еще ряд дел не столь значительных, в частности прочитав последние сообщения из Мюнхена, на разбитом экскурсионном автобусе препроводил их к югославской границе, где его подопечные с увлеченностью истинных сезонных туристов осмотрели ряд городских автопарков, железнодорожных вокзалов и живописных рыночных площадей, а совершив это, рассредоточились по нескольким скромным пансионам в районе Филлаха. Расставив, таким образом, свои сети, Литвак поспешил в Мюнхен, чтобы стать свидетелем решающих приготовлений.

* * *

До прибытия Курца и передачи дела в его руки допр[ос]
Януки шел уже четвертый день и шел как по маслу, что даж[е]
раздражало.

— В запасе у вас самое большее шесть дней, — еще в Иер[у]
салиме предупредил Курц двоих ответственных за допрос.
После этого ваши ошибки, как и его, будут лишь множить[ся].

Работу эту Курц любил. И если бы он умел одновремен[но]
делать не два дела, что было ему привычно, а целых три, о[н]
конечно, занялся бы допросом сам. Но за неимением друго[го]
выхода он выбрал в качестве доверенных лиц двух креп[ко]
сбитых мастеров мягкой тактики, известных своими скрыт[ы]
ми актерскими способностями и общим выражением мра[ч]
новатого добродушия. Хоть они и не были родственниками
никто никогда не подозревал их в противоестественно[й]
склонности друг к другу, они работали в паре так долго, ч[то]
черты их приобрели сходство, как у близнецов, и когда п[о]
вызову Курца они явились на улицу Дизраэли для разговор[а]
их руки лежали на краешке стола совершенно одинаково, ка[к]
лапы двух больших псов. Поначалу он разговаривал с ним[и]
очень строго, так как завидовал им и считал, что задание он[и]
провалят. Лишь намекнув на предстоящую операцию, о[н]
велел им изучить досье Януки и не появляться у него до те[х]
пор, пока малейшие детали не будут им досконально извест
ны. Придя к Курцу в следующий раз — по его мнению, слиш
ком рано, — они сами подверглись строжайшему допрос[у].
Курц выведывал у них все — о детстве Януки, о его привы[ч]
чках и образе жизни, стараясь поставить их в тупик. Но отве
чали они безукоризненно. Тогда он с неохотой призвал «Ко
митет чтения и письма» в лице мисс Бах, литератора Леона
старины Швили, за прошедшие недели сумевших пообломат[ь]
свои рога, притереться друг к другу и сработаться в прекрас
но спаянный коллектив. Инструкция Курца, в которой о[н]
сформулировал стоявшую перед ними задачу, была образц[о]
нечеткости.

— Мисс Бах назначается ответственной, — сказал о[н]
представив им новых сотрудников, — все нити она держи[т]

своих руках. — После тридцати пяти лет практики он все еще говорил на ужасающем иврите. — Мисс Бах обрабатывает черновой материал по мере его поступления на монитор, она готовит сводки для оперативников, дает указания Леону. Она проверяет его сочинения на предмет их соответствия нашему замыслу. Как только мисс Бах завизирует текст, она созывает совещание с Леоном и господином Швили. (Швили и не помнил, когда его называли господином.) На этом совещании решается вопрос о бумаге, чернилах, ручке, настроении и физическом состоянии отправителя или отправительницы в рамках легенды. В приподнятом он или она настроении или же, наоборот, подавленном. Сердится ли он или она на получателя. Каждую деталь ваша группа всесторонне рассматривает и обсуждает. — Постепенно, несмотря на явное стремление их нового шефа скорее подразумевать информацию, чем сообщать ее, ответственные за допрос начали различать общие контуры замысла, частью которого они теперь становились. — Не исключено, что для мисс Бах удастся раздобыть образец почерка в виде письма, открытки, дневниковой записи, чтобы было на что опереться. Но, может быть, она и не получит такого образца. — Правая рука Курца кинула им через стол по очереди каждую из этих возможностей. — Когда все эти тонкости будут учтены, господин Швили приступит к изготовлению своей подделки. Подделки мастерской. Господин Швили не просто занимается подделками, он *мастер своего дела*. — Сказано это было внушительным тоном, как нечто весьма существенное. — Закончив работу, господин Швили передает ее в собственные руки мисс Бах. Для дальнейшей проверки, для проставления отпечатков пальцев, наклеивания необходимых марок и хранения. Вопросы?

Улыбаясь своей застенчивой улыбкой, ответственные за допрос заверили его, что вопросов у них нет.

— Начинайте с конца, — рявкнул им вслед Курц. — А началом займетесь позже, если будет время.

Прочие совещания были посвящены более сложной проблеме: как заставить Януку подчиниться их замыслу за такой короткий срок. Еще раз попробовали прибегнуть к помощи психологов — излюбленному средству Гаврона; их недовольно выслушали и указали на дверь. Лекцию о новых наркотических и психотропных препаратах сочли более интересной и в спешном порядке начали отыскивать коллег, которым эти снадобья сослужили на допросах добрую службу. Таким образом, в тщательно продуманную долговременную программу действий Курц, как всегда, включил детали, сообщавшие ей привкус импровизации, которую он и все участники операции так любили. Все приказы были согласованы. Ответственных за допрос Курц отправил в Мюнхен заблаговременно, чтобы те могли отрепетировать свои шумовые и световые эффекты и ввести в курс дела охранников. Они прибыли в Мюнхен как джазовый дуэт — с тяжелой аппаратурой в металлических футлярах, в костюмах, как у Луи Армстронга. Спустя два дня к ним присоединилась группа Швили, скромно занявшая нижнюю квартиру и отрекомендовавшаяся специалистами в области филателии, приехавшими на большой аукцион. У соседей эта версия ни малейших подозрений не вызвала. «Евреи, — говорили они друг другу, — но кто в наши дни придает этому значение? Деляги, но чего же другого от них и ждать?» Вместе с ними, вкупе с портативным компьютером мисс Бах, магнитофонами, наушниками и ящиками консервов, прибыл и худощавый парень, именуемый «пианист Самуил» и прикомандированный к личной команде Курца в качестве мастера телетайпной связи. В потайном кармане своего стеганого жилета Самуил носил огромный кольт, постукивавший о стол при передачах, что не мешало Самуилу с ним никогда не расставаться. Тихий нрав Самуила делал его как бы двойником Давида, афинского связиста.

Распределение комнат было поручено мисс Бах. Леону, из-за его тихого характера, она выделила детскую. На ее стенах олень с влажными глазами мирно щипал огромные ромашки. Самуилу досталась кухня, выходящая, естественно, на задний двор, куда он вывел антенну, развесив на ней свои детские носочки. Но когда Швили увидел предназначавшуюся ему комнату, совмещавшую функции спальни и кабинета, он сразу выразил крайнюю степень недовольства:

— Но свет! Поглядите только на это освещение. Да при

таком освещении не подделать письма даже для подслеповатой старушки!

Нервный, как и подобает истинному художнику, Леон моментально спасовал перед этим натиском, а практичная мисс Бах молниеносно поняла задачу: Швили требуется дневной свет — и не только для работы, но ввиду длительного заключения, которому он подвергся, и для его душевного равновесия. Не теряя времени, она позвонила наверх, явились аргентинцы, пошвыряли под ее надзором мебель, как детские кубики, в результате чего стол Швили оказался в эркере гостиной с видом на зеленые деревья и небесный простор. Мисс Бах собственноручно повесила ему сетчатую занавеску, особо толстую, для уединенности, и приказала Леону удлинить провод его роскошной итальянской настольной лампы. Потом по кивку мисс Бах они оба оставили его, хотя Леон тайком из-за двери следил за ним.

Полюбовавшись закатом, Швили вытащил свои драгоценные перья, чернила и прочие принадлежности и аккуратно разложил их по местам, словно наутро ему предстоял важный экзамен. Затем он снял запонки и медленно потер руки, согревая их, хотя в доме было достаточно тепло даже и для старого заключенного. После этого он снял шляпу и по очереди потянул каждый палец, с легким пощелкиванием разминая суставы. А потом стал ждать, как ждал всю свою сознательную жизнь.


Знаменитость, которую все они готовились встречать, прибыла в Мюнхен через Кипр без опоздания, в тот же вечер. Фоторепортеры не толпились у трапа, потому что звезду несли на носилках санитар и частный доктор. Доктор был настоящий, чего нельзя было сказать о его паспорте; что же до Януки, то он преобразился в бизнесмена из Никозии, привезенного в Мюнхен для операции на сердце. Это подтверждалось внушительной кипой медицинских свидетельств, которые германские власти в аэропорту не удостоили даже взглядом. Само за себя говорило лицо больного — измученное и безжизненное. Карета «Скорой помощи» с больным и сопровождающими лицами устремилась в направлении городской больницы, но потом вдруг свернула в боковую улицу и, словно произошло самое худшее, встала возле дома знакомого гробовщика. После чего обитатели Олимпийской деревни видели, как два аргентинца и еще какие-то их приятели вытащили из побитого микроавтобуса плетеную корзину, наподобие бельевой, с надписью: «Осторожно, стекло!» — и отволокли ее к грузовому лифту. «Все оборудование покупают, — говорили соседи. — И так, наверное, у них повернуться негде!» Соседи еще шутили, прикидывая, не станут ли евреев внизу раздражать их музыкальные пристрастия — евреи ведь обычно такой придирчивый народ. Поднявшись к себе, аргентинцы между тем распаковали свою корзину, чтобы с помощью доктора удостовериться, не причинила ли дорога вреда ее содержимому. В считанные минуты Януку переложили на мягкий, обитый ватой пол их святилища, где ему и предстояло прийти в себя примерно через полчаса, хотя, конечно, темный мешок на голове мог этот процесс значительно замедлить. Доктор вскоре отбыл. Совестливый человек, он, опасаясь за будущее Януки, заручился у Курца заверениями, что ему не придется поступаться своими медицинскими принципами.

Как и следовало ожидать, менее чем через сорок минут Янука стал натягивать и рвать на себе путы — вначале те, что стягивали его руки, затем те, что были на коленях, потом все разом — точно бабочка, силящаяся прорвать кокон, однако, быстро осознав, что пленен окончательно и бесповоротно, затих, осмысливая свое положение, после чего издал негромкий пробный стон. Затем Янука, видно мучимый какими-то ужасными страданиями, совершенно неожиданно дал себе волю и испустил один за другим несколько душераздирающих воплей, напрягся, скорчился и принялся кататься по полу с такой силой, что его тюремщики лишний раз порадовались крепости пут.

Понаблюдав за всем этим, ответственные за допрос решили подождать, пока пленник не угомонится, а до тех пор предоставили действовать охране. Наверное, голова Януки была забита жуткими историями о жестокости израильтян. Наверное, в смятении своем он ждал, что пророчества начну сбываться и жестокость эта проявится на деле. Но охранники не доставили ему такого удовольствия. Они получили инструкции хранить угрюмо-неприступный вид, соблюдать дистанцию и не причинять Януке вреда, что они в точности и выполняли, как бы трудно им это ни давалось — в особенности капризному ребенку Одеду. С момента позорного пленения Януки темные глаза Одеда застилала ненависть. С каждым днем он бледнел и мрачнел, а на шестой день плечи его и вовсе согнулись от непосильного бремени выносить присутствие под их кровом целого и невредимого Януки.

Наконец Янука вроде бы опять погрузился в беспамятство, и тогда ответственные за допрос решили, что пора начинать: воспроизводя звуки просыпающейся утренней улицы, защелкали выключателями ламп дневного света и, хотя на самом деле не пробило и полуночи, принесли ему завтрак, громко приказав охранникам развязать Януку, «чтобы он поел по-человечески, а не как собака». Затем они заботливо сняли с его головы мешок, потому что для первого знакомства неплохо было продемонстрировать ему добрые нееврейские лица, склонившиеся над ним с отеческой заботливостью.

— Это все больше не понадобится, — негромко сказал один из них охранникам, в сердцах отшвыривая веревки и мешок. Символический жест!

Охранники удалились — Одед при этом особенно хорошо разыграл неохоту, — и Янука согласился выпить кофе в присутствии своих новых друзей. А те знали, что пить ему хочется до смерти, потому что сами же и просили доктора перед его уходом вызвать у пленника жажду, — знали, что кофе, независимо от того, что туда подмешать, должно казаться ему райским напитком. Знали они и о том, что мысли Януки сейчас путаются точно в бреду и, следовательно, сознание — во многих важнейших аспектах — беззащитно и спасует, если сыграть, например, на сострадании. После нескольких таких посещений пленника, причем некоторые из них шли с минутным интервалом, ответственные за допрос решили, что пришло время сделать решительный шаг и представиться.

Общий замысел их был весьма банален, хотя некоторые детали свидетельствовали о завидной изобретательности.

Они объяснили Януке по-английски, что являются наблюдателями от Красного Креста, подданными Швейцарии, присланными в эту тюрьму. Кому именно она принадлежит, этого они ему открыть не могли, но дали ясно понять, что, возможно, Израилю. Они предъявили свои внушительные тюремные пропуска в захватанных пластиковых футлярах; пропуска были снабжены проштемпелеванными фотографиями и усеяны изображениями красных крестов, выполненными особым, затрудняющим подделку способом, как на денежных знаках. Они объяснили, что призваны обеспечить соблюдение израильтянами Женевской конвенции относительно военнопленных, что, видит бог, задача отнюдь не простая, — а также связь Януки с внешним миром, насколько это дозволяют тюремные правила. Они настаивают, сказали они, на том, чтобы из одиночки он был переведен в арабскую камеру, однако понимают, что до «тщательного дознания», которое должно начаться со дня на день, израильтяне так или иначе вынуждены подвергнуть его изоляции. Нередко, как они объясняли, израильтяне склонны давать волю чувствам и забываться. Слово «дознание» они произносили подчеркнуто неодобрительно, как будто хотели бы называть это как-нибудь иначе. Тут, действуя точно по инструкции, Одед вернулся и занялся наведением порядка. Ответственные за допрос тут же замолчали, выжидая, когда он уйдет.

На следующий день они принесли Януке отпечатанный формуляр анкеты и помогли ему собственной рукой заполнить ее: фамилия, старина, вот здесь, адрес, дата рождения, ближайшие родственники, нет, вот здесь, занятие — здесь ведь должно значиться «студент», не так ли? — ученая степень, вероисповедание, простите, ради бога, но таковы правила. Янука все написал как надо, с должным тщанием, несмотря на то, что поначалу не желал это делать, и его первый жест доброй воли и стремление к сотрудничеству были встречены внизу членами «Комитета чтения и письма» с большим удовлетворением, несмотря даже на то, что почерк Януки под влиянием наркотиков приобрел некоторую детскость.

На прощание ответственные за допрос вручили Януке отпечатанную на английском языке брошюру, где перечислялись права узников, а также — с дружеским похлопыванием по плечу и подмигиваниями — две плитки швейцарского шоколада. Называли они его при этом по имени — Салим. Потом целый час они наблюдали за ним из соседней комнаты при помощи инфракрасных лучей — глядели, как в полной темноте он рыдал и качал головой. После этого они зажгли свет и радостно вкатились к нему со словами: «Смотрите, Салим, что мы получили для вас! Хватит, просыпайтесь, уже утро!» Это было письмо, адресованное ему и отправленное из Бейрута через Красный Крест; на конверте стоял штамп «Пропущено тюремной цензурой». Письмо было от его любимой сестры Фатьмы — той самой, что подарила ему золотой амулет на шею. Изготовил письмо Швили, составила мисс Бах, а хамелеонский талант Леона придал стилю достоверность сестринской взыскательной нежности. Моделью им послужили письма, полученные Янукой за то время, пока за ним велось наблюдение. Фатьма посылала ему свою любовь и приветы и выражала надежду, что, когда придет время, Салим будет держаться стойко. Похоже, она имела в виду грозившее ему ужасное «дознание». Она решила расстаться со своим другом и уйти со службы, писала она, с тем чтобы устроиться сестрой милосердия в Сайде, потому что не может она больше находиться вдали от родной Палестины, когда ее Янука так страдает. Она восхищается им и никогда не перестанет им восхищаться, клялся Леон. До самой смерти и после смерти Фатьма будет любить своего храброго брата, дорогого ее героя, уж Леон-то знает, что говорит. Янука взял письмо из их рук с притворным безразличием, но, оставшись один, благоговейно и молитвенно прижал письмо к щеке, а затем склонился в поклоне, как мученик, ждущий удара меча.

— Я требую бумагу, — горделиво сказал он охранникам, когда они спустя час вернулись в камеру, чтобы прибрать в ней.

С тем же успехом он мог бы и не говорить этого. Одед лишь зевнул ему в ответ.

— Я требую бумагу! Я требую представителей Красного

Креста! В соответствии с Женевской конвенцией я требую, чтобы мне дали возможность написать письмо моей сестре Фатьме!

Эти его слова также были с радостью встречены внизу, ибо они доказывали, что первое приношение «Комитета чтения и письма» Янукой принято. В Афины было немедленно отправлено специальное сообщение. Охранники исчезли — якобы для консультации — и вернулись с небольшой стопкой бумаги и конвертов со штампом Красного Креста. Вместе с нею они вручили Януке «Памятку узника», где объяснялось, что «отправляются письма, лишь написанные по-английски и не содержащие шифрованной информации». Ручки, однако, они ему не дали. Янука требовал ручку, просил, умолял и, хоть и был в состоянии заторможенности, плакал и кричал на них, но ребята-охранники громко и четко отвечали ему, что в Женевской конвенции о ручках ничего не говорится. Полчаса спустя к нему примчались двое «наблюдателей». Выразив праведное негодование, они дали ему свою собственную ручку, украшенную девизом «За гуманизм».

Так, сцена за сценой, представление разворачивалось еще несколько часов, и все это время ослабевший Янука безуспешно пытался оттолкнуть протянутую ему руку дружбы. Написанное им письмо было совершенно классическим: сумбурное трехстраничное послание, полное благих советов, жалости к себе и фанфаронства, снабдило Швили первым «чистым» образчиком почерка Януки в состоянии волнения, а Леона — замечательным пособием по изучению стиля его английской письменной речи.

«Моя дорогая сестра, через неделю жизнь моя будет поставлена на карту, и в предстоящем испытании путеводной звездой мне будет твое мужество», — писал Янука. Текст этот был передан специальным сообщением. «Сообщайте мне все, — инструктировал Курц мисс Бах. — Никаких умолчаний. Если ничего не происходит, дайте знать, что ничего не происходит». Тут же следовала еще более жесткая инструкция Леону: «Проследи, чтобы сообщения для меня она готовила каждые два часа, и не реже. А лучше — каждый час».

Это было первым письмом Януки, обращенным к Фатьме, за которым последовал еще ряд писем. Иногда письма их друг к другу сталкивались; иногда Фатьма отвечала на его вопросы почти сразу, как только они были заданы; вопросы задавала ему в свой черед и она.

Начинайте с конца, учил их Курц. В данном случае концом этим явились непрекращающиеся и на первый взгляд бессмысленные разговоры. Час за часом двое ведущих допрос с неослабным добродушием болтали с Янукой и, как он, наверное, думал, поддерживали его дух своей неизменной швейцарской искренностью, готовя его для сопротивления в тот день, когда эти израильские висельники потащат его на «дознание». Прежде всего они выспросили его мнение относительно всего, что только угодно было ему с ними обсудить, и очень понравились ему своим ненавязчивым вниманием и отзывчивостью. Политика, застенчиво признались они, никогда не была их областью, они всегда пытались поставить во главу угла не идеи, а человека. Один из них процитировал Роберта Бернса, который, по счастливой случайности, оказался любимым поэтом также и Януки. Они до того внимательно относились к его высказываниям, что иной раз казалось, будто они готовы вот-вот разделить с ним его убеждения. Они спросили Януку, как теперь, пробыв на Западе уже год или даже больше, оценивает он западную цивилизацию — и вообще, и каждой из стран в отдельности, — и взволнованно выслушали его неоригинальные суждения: эгоизм французов, жадность немцев, аморальность и изнеженность итальянцев.

«А англичане?» — невинно осведомились они. «О, англичане, эти хуже всех! — решительно отрезал он. — Англия испорчена, развращена и находится в тупике. Она проводник идей американского империализма. Англия — синоним всего самого дурного, а величайшее ее преступление в том, что в ней хозяйничают сионисты». Тут Янука пустился на все лады честить Израиль, в чем они ему не препятствовали. Они не хотели, чтобы с самого начала он хоть в какой-то степени мог заподозрить, что их особенно интересуют его передвижения по Англии. Вместо этого они принялись расспрашивать его о детстве — о родителях, о доме в Палестине, причем не без молчаливого удовлетворения было отмечено, что о своем старшем брате он ни разу не упомянул, что даже и теперь брат был совершенно вычеркнут из его жизнеописания. При всей симпатии к ним Янука все еще говорил с ними исключительно о вещах, как он думал, не имеющих отношения к делу, которому он посвятил жизнь.

С неизбывным сочувствием внимали они как рассказам Януки о зверствах сионистов, так и воспоминаниям о футбольных матчах в Сидонском лагере и о победах его в качестве вратаря. «Расскажите о вашем лучшем матче, — просили они. — О самом трудном мяче, который вы взяли. О кубке, который вы завоевали, и о том, в чьем присутствии великий Абу Аммар вручал вам его». Янука шел им навстречу и смущенно, с запинками отвечал. Внизу работали магнитофоны, и мисс Бах вставляла в них все новые кассеты, делая паузы лишь затем, чтоб послать через пианиста Самуила очередное сообщение в Иерусалим вместе с сообщением его собрату Давиду в Афины. А Леон тем временем пребывал в своем особом раю: полузакрыв глаза и позабыв обо всем, он слушал исковерканный английский Януки, погружался в стихию его темпераментной речи, усваивал эту импульсивную манеру, особый стиль с неожиданными всплесками цветистости, слог и ритм речи, привычку чуть ли не в середине фразы вдруг перескакивать на другое. В соседней комнате Швили писал, бормоча себе под нос и фыркая. Иногда, как замечал Леон, Швили прерывал работу, впадая в отчаяние. Тогда он мерил шагами комнату, посылая на голову несчастного заключенного наверху все проклятия, какие могла измыслить изобретательность тюремного ветерана.

Что же касается дневника Януки, здесь им предстояло сблефовать, причем сблефовать весьма рискованно. Поэтому они откладывали это до последнего, пока не вытянули из него максимум возможного мастерским применением всех других методов. И даже потом, когда ничего другого уже не оставалось, они затребовали на это прямую санкцию Курца, настолько опасались они сломать хрупкий мостик доверия, установившийся между ними и Янукой. Их люди обнаружили дневник на следующий же день после захвата Януки. Они — их было трое — явились к нему на квартиру в канареечного цвета комбинезонах со специальными значками фирмы, ведающей уборкой квартир. Ключ от квартиры и почти подлинная записка от хозяина дома открыли перед ними двери, отведя от них малейшие подозрения. Из фургончика такого же цвета, как их комбинезоны, они вытащили пылесосы, метлы и стремянку. После этого они закрыли дверь, задернули занавески и целых восемь часов не покладая рук трудились в квартире, пока все, что можно было отснять, не было отснято, а остальное осмотрено, перещупано, вновь положено на прежнее место и даже опять присыпано слоем пыли из специального пульверизатора. Среди их находок был и засунутый между книжным шкафом и телефонным аппаратом небольшой в обложке коричневой кожи блокнот для дневниковых записей — подношение одной из ближневосточных авиакомпаний, услугами которой, видимо, когда-то воспользовался Янука. Им было известно, что Янука вел дневник, но среди вещей, захваченных при его поимке, дневника не оказалось. Теперь же, к их радости, дневник нашелся. Некоторые записи в нем были на арабском, другие на французском или же английском. Были и записи, разобрать которые не представлялось возможным, так как язык их не принадлежал к числу известных, кое-какие записи были зашифрованы, причем весьма примитивным шифром. Большинство записей касалось предстоящих деловых встреч, но были и такие, что освещали события прошлые: «Встретился с Дж. Позвонил П.». Помимо дневника, они отыскали и другую важную вещь, за которой долго охотились: в пухлом конверте из плотной бумаги была кипа счетов, хранимых на тот день, когда Януке надлежало представить отчет в своих тратах. Следуя инструкции, команда прихватила и этот конверт.

Но как расшифровать ключевые записи дневника? Как понять их без помощи Януки?

И, следовательно, каким образом получить от него помощь?

Они подумали было увеличить дозу наркотиков, но отказались от этой идеи: побоялись, что он может и вовсе потерять контроль над собой. Использовать же насильственные меры воздействия значило бы совершенно подорвать с трудом добытое доверие. И к тому же их как профессионалов оскорбляла самая мысль о таком методе. Они предпочли строить все на прежних основаниях — на страхе, чувстве зависимости и близящейся дате ужасного «дознания», которое предпримут израильтяне. Для начала они принесли Януке записку от Фатьмы — кратчайшее и лучшее из всего написанного Леоном: «По слухам, час близок. Умоляю, заклинаю тебя — крепись!» Они зажгли ему свет, чтобы он мог прочитать записку, затем опять погасили свет и не возвращались дольше обычного. В кромешной тьме они имитировали сдавленные крики, клацанье засовов дальних камер и звук, производимый безжизненным, закованным в кандалы телом, когда его волокут по каменному коридору. Затем они сыграли на волынке траурную мелодию палестинского военного оркестра: пусть пленник думает, что он уже умер. Во всяком случае, из камеры не доносилось ни звука. Они впустили к нему охранников, и те, сорвав с него рубашку, связали ему руки за спиной и заковали ноги в кандалы. И опять оставили его. Словно на веки вечные. И слышали, как он застонал: «О нет, нет!» — и опять, и опять.

Они обрядили пианиста Самуила в белый халат, дали в руки ему стетоскоп и велели прослушать сердце у Януки, что Самуил и проделал с совершенным бесстрастием. Происходило это в темноте, но, возможно, мельтешение белого халата возле него Янука все же разглядел... После чего его опять оставили в одиночестве. С помощью инфракрасных лучей они наблюдали, как он мучился и дрожал, видели, как он, вдруг вознамерившись покончить с собой, принялся с силой биться головой о стену — единственное движение, которому не мешали кандалы. Но стена была обита толстым слоем специальной ваты, и — бейся не бейся — результата он не достиг. Испустив еще несколько душераздирающих криков, они замолчали, и все погрузилось в мертвую тишину. В темноте они выстрелили из пистолета. Звук выстрела был таким неожиданным и таким явственным, что Янука подпрыгнул на месте. И стал подвывать — тихонько, словно ему не хватало голоса, чтобы завыть в полную силу.

Тогда они решили действовать.

Вначале в камеру деловито вошли охранники. Они подняли его, с двух сторон подхватив под руки. Одеты они были легко, как будто приготовились к тяжелой физической работе. В ту минуту, когда они дотащили трясущегося Януку до двери, им преградили путь двое его швейцарских заступников. На их лицах читались озабоченность и возмущение. Между охранниками и швейцарцами произошел так долго назревавший яростный спор. Спорили они на иврите, и Янука понимал их лишь частично, но то, что швейцарцы предъявили ультиматум, — это он понял. Швейцарцы говорили, что «дознание» еще должен разрешить начальник тюрьмы. Пункт 6, параграф 9 Уложения четко указывает, что насилие может быть применено исключительно с разрешения начальника тюрьмы и при обязательном присутствии доктора. Но охранники плевать хотели на Уложение, о чем и сообщили. Оно у них уже вот где сидит и из ушей идет, сказали они и показали, как оно идет из ушей. Едва не произошла потасовка. Однако швейцарцам удалось предотвратить драку. В конце концов было решено, что они все четверо немедленно пойдут к начальнику тюрьмы для выяснений. После этого все они затопали прочь, вновь оставив Януку одного, и вскоре можно было видеть, как, скорчившись у стены, он погрузился в молитву, хотя понятия не имел, где находится восток.

В следующий свой приход швейцарцы явились одни, без охраны, лица их были очень серьезны — они принесли дневник Януки, — принесли с таким видом, словно, несмотря на малые свои размеры, он полностью менял положение Януки и всю ситуацию. В придачу к дневнику они принесли два его запасных паспорта — французский и кипрский, — найденные под половицами в его квартире, а также ливанский паспорт, который был при нем, когда его схватили.

Они объяснили ему, как обстоят дела. Объяснили подробно. Но говорили как-то по-новому — с важностью и не то чтобы угрожающе, но словно предупреждая о чем-то. По просьбе израильтян западногерманские власти произвели обыск в его квартире в центре Мюнхена, сказали они. Найдя там его дневник, эти паспорта и другие доказательства его деятельности в последние несколько месяцев, власти преисполнились решимости провести расследование «со всем тщанием». В своем заявлении на имя начальника тюрьмы швейцарцы указали, что такое расследование и незаконно, и ненужно, и предложили, чтобы делом этим занялся Красный Крест, для начала представив Януке весь материал и, разумеется, без всякого принуждения, а только добровольно получив от него (если начальник тюрьмы этого потребует, то в письменном виде) и написанное собственной его рукой объяснение всего произошедшего с ним за последние полгода, с датами, знакомствами, местами явок и указанием, с какими документами он путешествовал. Там, где воинская присяга требует от него молчания, сказали они, пусть он честно это и укажет. Там же, где молчания не требуется... что ж, они, по крайней мере, выиграют время для апелляции.

Тут они рискнули предложить Януке или Салиму, как они теперь его называли, неофициальный дружеский совет. Прежде всего будьте *точны,* взывали они к нему, раздвигая для него складной столик, после чего ему выдали одеяло и развязали руки. Не сообщайте ничего, что хотите оставить в тайне, но то, что вы решите сообщить, должно быть абсолютно достоверным. Помните, что мы должны позаботиться о нашей репутации. Помните о тех, кого приведут сюда после вас. Если не ради нас, то ради них сделайте все как надо. В последних словах содержался намек на уготованный ему самому мученический конец. Подробности как-то отступили на задний план; единственное достоверное сведение, которое он им теперь мог сообщить, был ужас, переполнявший его душу.

Да, стойкость не была ему свойственна, как они и предполагали. Хотя и тут была минута, показавшаяся достаточно долгой, когда они испугались, что он ускользнул от них. Они подумали об этом, когда он вдруг вперил в каждого по очереди твердый, незамутненный взгляд, словно, откинув покров иллюзий, ясно увидел в них своих мучителей. Но ясность с самого начала не была фундаментом их отношений, не стала она им и сейчас. Янука принял предложенную ему ручку, и в глазах его они прочли горячее желание обманываться и впредь.

На следующий день, после того как развернулись эти драматические события, в тот час, который в обычной жизни является временем послеобеденным, Курц прибыл прямиком из Афин, чтобы проверить работу Швили и одобрить или же не одобрить некоторые ловкие вкрапления в дневник, паспорта и счета, сделанные прежде, чем документам этим надлежало вернуться на их законные места.

Задачу перейти от конца к началу взял на себя сам Курц. Но прежде, удобно расположившись в нижней квартире, он вызвал к себе всех, кроме охранников, и попросил доложить ему, в форме и темпе, им наиболее предпочтительных, о результатах и достижениях. В белых нитяных перчатках, совершенно не утомленный длившимся всю ночь допросом Чарли, он осмотрел вещественные доказательства, одобрительно прослушал наиболее важные куски магнитофонных записей и с восхищением погрузился в события недавнего прошлого Януки, мелькавшие на экране настольного компьютера мисс Бах — в отпечатанном зеленым шрифтом перечне — даты, номера авиарейсов, время прибытия самолетов, отели. Потом экран очистился, и на нем начала появляться сочиненная мисс Бах легенда: пишет Чарли из «Муниципального отеля» в Цюрихе... отправляет письмо из аэропорта Шарля де Голля в 18.20... встречается с Чарли в отеле «Эксцельсиор», что возле Хитроу... звонит Чарли с вокзала в Мюнхене. Каждой записи соответствовал дополнительный материал — те или иные счета и строки дневника, в которых упоминалась эта встреча; порой попадались намеренные пропуски или неясности, потому что записи, вставленные потом, не должны были быть чересчур четкими и ясными.

Завершив это дело к вечеру, Курц снял перчатки, переоделся в форму офицера израильской армии с шевронами полковника и несколькими засаленными ленточками над левым карманом за участие в боевых операциях и, потеряв всякую внушительность облика, стал похож на типичного среднего чина военного, на склоне лет обратившегося к ремеслу тюремщика. Потом он прошел наверх, бесшумно прокрался к глазку и некоторое время пристально наблюдал за Янукой, после чего отослал Одеда с напарником вниз, распорядившись оставить его с Янукой с глазу на глаз. Говоря по-арабски скучливым и бесцветным тоном чиновника, Курц задал Януке несколько простых, ничего не значащих мелких вопросов: происхождение такого-то взрывателя, взрывчатой смеси, машины; уточнить, где именно встретился Янука с девушкой, перед тем как она подложила бомбу в Бад-Годесберге.

Осведомленность Курца обо всех мелочах, так буднично продемонстрированная, очень испугала Януку — он закричал, требуя полной секретности. Такая реакция озадачила Курца.

— Но почему я должен молчать? — запротестовал он с тупостью тюремного старожила, тупостью, характерной не только для узников, но и для тюремщиков. — Если ваш знаменитый брат не молчал, то о каких секретах теперь беспокоиться мне?

Он спросил это не так, будто выкладывал потрясающий козырь, а вполне буднично, словно логическое следствие общеизвестной истины. И в то время, как Янука, все еще вытаращившись, глядел на него, Курц сообщил ему ряд деталей, знать которые мог один лишь человек — старший брат Януки. Ничего сверхъестественного в этом не было. После нескольких недель, в течение которых они занимались просеиванием информации о жизни Януки день за днем, прослушиванием и записыванием его телефонных разговоров, перлюстрацией его корреспонденции, не говоря уже о досье, собранном о его жизни за два последних года и хранившемся в Иерусалиме, — неудивительно, что Курц и вся его команда не хуже самого Януки были осведомлены о таких мелочах, как тайники, где следует оставлять донесения, или хитроумный способ односторонней связи и получения приказов, равно как и о том пределе, дальше которого Януке, как и им самим, знать ничего не положено. От его предшественников, ведавших допросами, Курца отличало лишь полное хладнокровие, с каким он делился всей этой информацией с Янукой, и не меньшее хладнокровие по отношению к бурным вспышкам отчаяния со стороны Януки.

— Где он? — кричал Янука. — Что вы с ним сделали? Мой брат не мог вам это рассказать! Он ни за что на свете не заговорил бы! Как вы его поймали?

Дело шло быстро. Вся команда, собравшись внизу у динамика, благоговейно внимала тому, как всего через три часа после прибытия Курцу удалось сломать последнюю линию обороны Януки. «В качестве начальника тюрьмы, — объяснил он, — я занимаюсь лишь административными вопросами. Что же касается вашего брата, то он находится внизу, в лазарете, у него упадок сил — он, конечно, выживет, так, по крайней мере, все надеются, но пройдет еще не один месяц, прежде чем он встанет на ноги. Когда вы ответите на ряд вопросов, которые я вам задам, я подпишу приказ, разрешающий вам находиться с ним в одной камере и ухаживать за ним, пока он не поправится. Если же вы откажетесь отвечать, то останетесь там, где вы есть». Затем, дабы отмести всякие подозрения в двурушничестве, Курц предъявил Януке снятую «Полароидом» цветную фотографию, которая была смонтирована их группой: на фотографии Янука мог различить залитое кровью лицо брата и двух охранников, уносивших его после допроса.

Но и этого Курцу было мало. Когда Янука стал наконец отвечать, начальник тюрьмы страстно, под стать Януке, заинтересовался малейшими подробностями того, что говорил великий борец за освобождение своему ученику. И когда Курц спустился вниз, в их распоряжении находилось все, что только можно было вытянуть из Януки — то есть, считай, ничего, как поспешил отметить Курц, потому что местонахождение старшего брата им по-прежнему было неизвестно. Между прочим, команда отметила, что опять им напомнили о неколебимом принципе ветерана допросов, а именно: что физическое насилие противоречит духу и смыслу их профессии. Курц особенно жестко подчеркнул это, имея в виду главным образом Одеда. Недоговоренностей он тут не оставил. Если приходится применять насилие, а бывают случаи, когда ничего другого не остается, постарайтесь воздействовать не на тело, а на разум. Курц верил, что учиться молодежи никогда не поздно, а уроком может стать все, если глаза твои широко открыты.

Это же он говорил и Гаврону, без особого, правда, успеха.

Но даже проделав все это, Курц не захотел, а возможно, и не смог отдохнуть. К утру, когда дело Януки было исчерпано во всем, кроме окончательного решения его судьбы, Курц отправился в центр города подбодрить и утешить команду наблюдателей, весьма обескураженных исчезновением Януки. «Что с ним сталось? — восклицал старина Ленни. — Парня ожидало такое блестящее будущее, такой многообещающий во многих отношениях молодой человек!» Совершив и этот благодетельный поступок, Курц взял курс на север для невеселых переговоров с Алексисом, хотя широко известные заблуждения последнего и побудили Мишу Гаврона вывести его из игры. «Я скажу ему, что я американец!» — с широкой улыбкой пообещал неустрашимый Курц Литваку, вспомнив глупейшее распоряжение Гаврона, посланное им в Афины.

Настроение его тем не менее можно было охарактеризовать как сдержанный оптимизм. «Мы продвигаемся, — сказал он Литваку, — а Миша задевает меня лишь тогда, когда я сижу на месте».

# Глава 10

Таверна была похуже, чем на Миконосе, с черно-белым телевизором, где изображение трепетало и колыхалось, как одинокий флаг на ветру, и пожилыми сельскими жителями, слишком гордыми, чтобы проявлять любопытство по отношению к туристам, даже если туристкой была хорошенькая рыжеволосая англичанка в синем платье и с золотым браслетом. Но в той истории, которую ей рассказывал сейчас Иосиф, они были Чарли и Мишель, ужинавшие в придорожной закусочной на окраине Ноттингема; часы работы закусочной несколько удлинили благодаря деньгам Мишеля. Многострадальный автомобильчик Чарли, как всегда, был в неисправности и стоял в ее излюбленном в последние годы гараже в Кэмден-Тауне. Но у Мишеля был роскошный «Мерседес» — других машин он не признавал, — и «Мерседес» этот ждал у служебного выхода из театра, поэтому уже через десять минут путешествие по раскисшим от дождя ноттингемским улицам было окончено, и никакие вспышки гнева, серьезные возражения и сомнения Чарли не могли приостановить ход повествования, которое вел Иосиф.

— На нем шоферские перчатки, — говорил он. — Он любит такие. Ты замечаешь это, но ничего не говоришь.

«Да, с дырочками», — подумала она.

— Хорошо он водит машину?

— Нет, прирожденным водителем его не назовешь, но тебя его искусство вполне устраивает. Ты спрашиваешь его, где он живет, и он отвечает, что приехал из Лондона специально, чтобы увидеть тебя. Ты спрашиваешь его, чем он занимается, и он говорит, что он студент. Ты спрашиваешь, где он обучается, он отвечает: «В Европе», причем произносит это так, словно «Европа» — бранное слово. Ты настаиваешь на более точном ответе, мягко настаиваешь, и он отвечает, что учится семестрами и в разных городах — в зависимости от настроения и отношения к тому или иному профессору. У англичан, говорит он, нет системы. Слово «англичане» в его устах звучит враждебно, неизвестно почему, но враждебно. Какой твой следующий вопрос?

— Где он живет в настоящее время?

— Он уклоняется от ответа. Как и я. Отвечает неопределенно, что частично в Риме, а частично в Мюнхене, временами в Париже, когда чувствует к этому склонность. В Вене. Он не утверждает, что живет затворником, но дает понять, что холост — хотя эта условность тебя никогда не смущала. — С улыбкой он отнял у нее свою руку. — Ты спрашиваешь, какой город он предпочитает, но он оставляет вопрос без внимания как неуместный. На твой вопрос, какой предмет он изучает, он говорит: «Свободу». Ты спрашиваешь, где его родина, и он отвечает, что его родина сейчас находится под пятой оккупантов. Твоя реакция на такое заявление?

— Смущение.

— Тем не менее со всегдашней своей настойчивостью ты добиваешься от него ответа поточнее, и тогда он произносит: «*Палестина*». В голосе его слышится страсть. Ты моментально улавливаешь ее — *Палестина*. Как вызов, как боевой клич — *Палестина*. — Глаза Иосифа устремлены на нее, и взгляд так пристален, что она нервно улыбается и отводит глаза. — Могу напомнить тебе, Чарли, что хотя сейчас ты серьезно увлечена Аластером, но в тот день он благополучно отбыл в Арджил для рекламных съемок какой-то съестной дребедени, и к тому же до тебя дошло, что он подружился с премьершей. Верно я говорю?

— Верно, — ответила она и, к своему удивлению, почувствовала, что краснеет.

— А теперь я попрошу тебя сказать мне, что ты почувствовала, услышав слово «Палестина» в тот дождливый вечер из уст твоего поклонника в придорожной закусочной неподалеку от Ноттингема. Можно даже представить себе, что он спрашивает тебя об этом сам. Да, сам. Почему бы и нет?

«О боже, — подумала она, — долго ли мне еще мучиться?»

— Я восхищаюсь палестинцами, — ответила она.

— Зови меня Мишель, будь любезна.

— Я восхищаюсь ими, Мишель.

— Что именно вызывает в них твое восхищение?

— Их страдания. — Она подумала, что такой ответ должен показаться ему глупым. — Их стойкость.

— Ерунда. Мы, палестинцы, — это кучка дикарей-террористов, которым давным-давно пора было бы примириться с потерей своей родной земли. Мы, палестинцы, — в прошлом чистильщики сапог и уличные разносчики, трудные подростки, раздобывшие себе пулеметы, и старики, которые не желают забывать. Так кто же мы, скажи, пожалуйста? Кто мы, по-твоему? Мне интересно твое мнение. И помни, что я все еще называю тебя Иоанной.

Она набрала в легкие воздуха. Нет, недаром она посещала семинар молодых радикалов!

— Ладно. Сейчас скажу. Палестинцы, то есть вы, — это честные и миролюбивые землепашцы, племя, чьи корни уходят в глубь веков, несправедливо лишенные земли еще в сорок восьмом году в угоду сионистам, с тем чтобы основать форпост западной цивилизации в арабском мире.

— Твои слова мне нравятся. Продолжай, пожалуйста.

Удивительно, сколько в этой странной ситуации и с его подсказкой удавалось ей вспомнить! Здесь были клочки каких-то забытых брошюр и любительских лекций, разглагольствования профессиональных леваков, куски наспех прочитанных книг — все вперемешку, и все пошло в дело!

— Израиль — это порождение европейских народов, испытывающих комплекс вины по отношению к евреям... вы вынуждены расплачиваться за геноцид, в котором не были замешаны. Вы — жертвы расистской, антиарабской политики ущемления и преследования...

— И убийств, — тихо подсказал Иосиф.

— И убийств, — запнувшись, она опять поймала на себе его пристальный взгляд и как тогда, на Миконосе, неожиданно почувствовала: она не знает, что означает этот взгляд. — Во всяком случае, такие они, палестинцы, — непринужденно заключила она. — Раз уж ты меня спрашиваешь. Раз спрашиваешь, — опять повторила она, так как он по-прежнему молчал.

Она продолжала внимательно глядеть на него, ожидая, что он подскажет, кем ей стать. Его присутствие заставляло ее отказаться от всех ее убеждений — все это мусор, ее прежнее «я». Оно не нужно и ей, если ему не нужно.

— Заметь, он не бросает слов на ветер, — строго сказал Иосиф, вид у него при этом был такой, будто они с ним никогда не обменивались улыбками. — Как быстро он заставил тебя вспомнить, что ты серьезный человек. К тому же он в известных отношениях весьма заботлив. В этот вечер, к примеру, он позаботился обо всем — предусмотрел и еду, и вино, и свечи, продумал даже темы разговора. Мы можем охарактеризовать это как еврейскую предприимчивость: в полной мере обладая этой чертой, он начал борьбу за то, чтобы собственноручно полонить свою Иоанну.

— Возмутительно, — хмуро сказала она, разглядывая браслет.

— А между тем он клянется тебе, что лучшей актрисы еще не видел мир, и слова эти, как я полагаю, даже не слишком и смущают тебя. Он упорно путает тебя с Иоанной, но тебя уже не так ставит в тупик это смешение театра и реальности. Святая Иоанна, говорит он, стала его любимой героиней еще с тех пор, когда он впервые узнал о ней. Будучи женщиной, она смогла тем не менее пробудить классовое сознание французских крестьян и повести их на бой против британских угнетателей — империалистов. Она была истинной революционеркой и зажгла факел свободы для угнетенных всего мира. Она превратила рабов в героев. Вот к чему сводится его мнение о твоей героине. Божий глас, который она слышала и который звал ее, это всего лишь ее бунтующая совесть, властно требовавшая от нее воспротивиться порабощению. Божьим гласом в истинном смысле слова это называться не может, так как Мишель пришел к выводу, что бог умер. Наверное, играя роль Иоанны, ты и не догадывалась обо всех этих смысловых оттенках, не так ли?

Она все еще вертела в руках браслет.

— Да, вероятно, *кое-что* я упустила, — небрежно согласилась она и, подняв глаза, встретилась с его холодным как лед, неодобрительным взглядом. — О господи, — только и смогла произнести она.

— Чарли, я от всей души советую тебе не дразнить Мишеля своим западным остроумием. Чувство юмора у него весьма своеобразное и совершенно отказывает, если шутят по его поводу, в особенности если шутит женщина. — Он замолчал, давая ей возможность хорошенько уяснить сказанное. — Ладно. Еда здесь ужасная, но для тебя это не имеет ни малейшего значения. Он заказал бифштекс, не зная, что ты постишься. И ты жуешь бифштекс, чтобы не обидеть его. Позднее в письме ты напишешь, что бифштекс был отвратителен и в то же время прекраснее всех бифштексов в мире. Ты зачарована голосом Мишеля, полным страстного воодушевления, его прекрасным арабским лицом, освещаемым пламенем свечи. Я прав?

После минутной заминки она улыбнулась.

— Да.

— Он любит тебя, любит твой талант, он любит святую Иоанну. «Английские империалисты называли ее преступницей, — говорит он тебе. — Такова судьба всех борцов за свободу. И Джорджа Вашингтона, и Махатмы Ганди, и Робин Гуда. И тайных бойцов ИРА». Идеи, которые он развивал, не были для тебя откровением, но этот восточный пыл, эта... как бы точнее выразиться... животная естественность действовали безотказно, словно гипноз, заставляя прописные истины звучать как будто впервые, как объяснение в любви. «Для британцев, — говорил он, — всякий, кто борется против террора колониалистов, сам является террористом. Британцы — мои враги, все, кроме тебя. Британцы отдали мою страну сионистам, они завезли к нам европейских евреев и приказали им превратить Восток в Запад. *Придите и покорите восточных людей, чтоб мы могли владычествовать на Востоке, — говорили они. — Палестинцы — недочеловеки, но они будут вам покорными кули!*» Старые британские колонизаторы выдохлись и устали, поэтому они передали нас новым колонизаторам, ревностно и неумолимо стремящимся разрубить этот узел. *«Об арабах не беспокойтесь, — сказали им британцы. — Мы обещаем смотреть сквозь пальцы на все, что вы с ними творите».* Слушай! Ты меня слушаешь?

— Осси, ну когда же я тебя не слушала?

— На этот вечер Мишель стал для тебя пророком. До сей поры никто не тратил весь свой пророческий пыл на тебя одну. Убежденность, вовлеченность, преданность делу светятся в его глазах, когда он говорит. Теоретически он убеждает новообращенную, а практически желает вдохнуть живую душу в мешанину твоих неопределенных левых симпатий. О чем ты тоже упоминаешь в своем последнем письме к нему, хотя и не совсем понятно, как сочетается живая душа и подобная мешанина. Ты хочешь, чтобы он просветил тебя, и он это делает. Ты хочешь, чтобы он разъяснил тебе твою вину подданной Британской империи, он делает и это. Ты возрождаешься к новой жизни. *Как далек он от буржуазных предрассудков, которые ты еще не сумела из себя выкорчевать! От* вялых западных склонностей и симпатий! Да? — мягко спросил Иосиф, будто откликаясь на ее вопрос. Она мотнула головой, и он продолжал, переполняемый заемным пылом своего арабского двойника: — Он не обращает внимания на то, что теоретически ты уже на его стороне, он требует от тебя полнейшей поглощенности делом, которому он служит, полной отдачи. Он бросает тебе в лицо цифры статистики, как будто ты виновата в них. С 1948 года более двух миллионов арабов — христиан и мусульман — были изгнаны из своей страны и лишены всех прав. Их жилища и поселения, — он говорит тебе, сколько именно, — были срыты бульдозерами. Их земля была украдена по законам, принятым без их участия, — и он говорит тебе, сколько земли было украдено, в тысячах квадратных метров. Ты задаешь вопросы, он отвечает. А когда они бегут на чужбину, братья-арабы убивают их там и мучают, не ставя ни в грош, а израильтяне бомбят и обстреливают их лагеря за то, что они продолжают оказывать сопротивление. Ведь сопротивляться, когда у тебя отнято все, значит именоваться террористом, в то время как закабалять и бомбить беженцев, уменьшая их количество в десятки раз, значит всего лишь сообразовываться с неотложными политическими нуждами. И десять тысяч убитых арабов ничто по сравнению с одним убитым израильтянином. — Подавшись вперед, он сжал ее запястье. — Каждый западный либерал без колебаний выступит против гнета в Чили, Южной Африке, Польше, Аргентине, Камбодже, Иране, Северной Ирландии и в других горячих точках планеты, однако у кого хватит духу сказать вслух о жесточайшей в истории шутке — о том, что тридцать лет существования государства Израиль превратили палестинцев в новых еврейских изгоев планеты? Знаешь, как говорили о моей земле сионисты, прежде чем они туда вторглись? «Земля без народа для народа без земли». *Мы для них не существуем.* Мысленно сионисты давно уже осуществили геноцид, и все, что им оставалось, это осуществить его на деле. А вы, англичане, были архитекторами этого проекта. Знаешь, как возник Израиль? Соединенная мощь Европы преподнесла арабскую территорию в подарок еврейскому лобби. Не спросив никого из живущих на этой территории. Хочешь, я опишу тебе, как это было? Или уже поздно? Может, ты устала? Пора возвращаться в отель?

Отвечая ему так, как он того хотел, она не переставала удивляться необычности человека, умеющего совмещать в себе столько противоречивых индивидуальностей и не погибнуть под этим грузом.

— Слушай. Ты слушаешь?

Осси, я слушаю. Мишель, я слушаю.

— Я родился в патриархальной семье в деревне недалеко от города Эль-Халиль, который евреи называют Хевроном. — Он сделал паузу, темные глаза неотступно сверлили ее. — *Эль-Халиль,* — повторил он. — Запомни это название, оно очень важно для меня в силу ряда причин. Запомнила? Повтори!

Она повторила: Эль-Халиль.

— Эль-Халиль — центр незамутненной исламской веры. По-арабски это означает «друг господа».

Жители Эль-Халиля, или Хеврона, считаются среди палестинцев элитой. Я поделюсь с тобой шуткой, действительно весьма забавной. Существует поверье, что единственным местом, откуда евреев так и не удалось изгнать, была гора к югу от Хеврона. Таким образом, не исключено, что и в моих жилах течет еврейская кровь. Но я не стыжусь этого. Я не антисемит, а всего лишь антисионист. Ты мне веришь?

Но он не ждал ее уверений, он в них не нуждался.

— Я был младшим из четырех братьев и двух сестер. Вся семья занималась земледелием. Отец мой был *мухтаром,* избранным мудрыми старцами. Деревня наша славилась инжиром и виноградом, воинственными мужчинами и женщинами, прекрасными и кроткими, как ты. Обычно деревня славится чем-нибудь одним, наша же славилась сразу многим.

— Да уж конечно, — пробормотала она, но он был увлечен и пропустил мимо ушей эту шпильку.

— А больше всего славилась она мудрым руководством моего отца, верившего, что мусульмане должны жить в мире и согласии с христианами и евреями точно так же, как живут на небесах пророки. Я много рассказываю тебе о моем отце, моей семье и моей деревне. Сейчас и после. Мой отец восхищался евреями. Он изучал их веру, любил приглашать их в деревню и беседовать с ними. Он велел моим старшим братьям выучить иврит. Мальчиком я слушал вечерами воинственные песни о древних походах. Днем я водил на водопой дедушкиного коня и слушал рассказы странников и бродячих торговцев. Когда я описываю тебе эту райскую жизнь, то поднимаюсь до высот истинной поэзии. Я умею это делать. У меня есть этот дар. Рассказываю, как плясали *дабке* на деревенской площади, как слушали *ауд,* в то время как старики играли в триктрак, покуривая *наргиле.*

Слова эти были для нее пустым звуком, но у нее хватало ума не прерывать его.

— В действительности же, как я охотно признаю, я мало что помню из этого. В действительности я передаю тебе то, что вспоминали старшие, потому что именно этими воспоминаниями в лагерях беженцев поддерживается традиция. Для новых поколений родиной все больше становится лишь то, о чем вспоминают старики. Сионисты скажут, что у нас нет культуры и потому мы не существуем. Скажут, что мы вырождаемся, живя в грязных землянках и одеваясь в вонючие тряпки. Все это точь-в-точь повторяет то, что говорили о евреях европейские антисемиты. А на самом деле в обоих случаях речь идет о людях благородных.

Темноволосая голова кивнула, подтверждая, что обе его ипостаси согласны с этим очевидным фактом.

— Я описываю тебе нашу сельскую жизнь и хитроумную систему, поддерживавшую нашу общность. Сбор винограда, когда вся деревня дружно шла на виноградники, повинуясь приказу мухтара — моего отца. Как мои старшие братья пошли в школу, построенную англичанами во времена Мандата. Ты можешь смеяться, но отец верил в англичан. Как кофе в нашей деревенской гостинице был горячим все двадцать четыре часа в сутки, чтобы никто не сказал про нас: «Эта деревня нищая, ее жители негостеприимны к чужестранцам». Хочешь знать, что сталось с дедушкиным конем? Дед продал его, чтобы купить пулемет и стрелять в сионистов, когда они нападут на деревню. Но случилось наоборот:

сионисты застрелили деда. И поставили моего отца рядом, чтобы он все видел. Отца, который верил в них.

— Это тоже было?

— Конечно.

Она так и не поняла, кто отвечал ей: Иосиф или Мишель, и она знала, что он не хочет, чтобы она это поняла.

— Войну сорок восьмого года я всегда называю Катастрофой. Катастрофа сорок восьмого года выявила фатальную слабость нашего мирного сообщества. У нас не было организации, мы оказались не способны защитить себя от вооруженного агрессора. Наша культура зависела от маленьких замкнутых общин, наша экономика также. Как и евреям Европы перед великим истреблением их во время Второй мировой войны, нам не хватало политического единства, что и предопределило наше поражение; слишком часто наши общины воевали друг с другом — в этом проклятие арабов, как и евреев. Знаешь, что они сделали с моей деревней, эти сионисты? За то, что мы не обратились в бегство, как наши соседи?

Она знала и не знала. Это не имело значения, потому что он не обращал на нее внимания.

— Они наполняли бочки взрывчаткой и керосином и скатывали их с холма, сжигая наших женщин и детей. Я мог бы неделями рассказывать тебе о страданиях моего народа. Об отрубленных руках. Об изнасилованных и сожженных женщинах. О детях, которым выкололи глаза.

Она попыталась еще раз выяснить, верит ли во все это он сам, но он не дал ей ни малейшего ключа к разгадке, храня торжественную непроницаемость лица, — выражение, которое подходило обеим его ипостасям.

— Я шепну тебе: «Дейр-Ясин». Ты когда-нибудь слышала это название? Знаешь, что оно означает?

— Нет, Мишель, не слышала.

Он словно бы остался доволен.

— Тогда спроси меня: «Что такое Дейр-Ясин?»

Она спросила:

— Скажите, пожалуйста, что такое Дейр-Ясин?

— И я опять отвечаю тебе так, словно это случилось вчера на моих глазах. В маленькой арабской деревушке Дейр-Ясин девятого апреля 1948 года сионистский карательный отряд замучил двести пятьдесят четыре жителя — стариков, женщин и детей. В то время как молодые мужчины были в поле, они убивали беременных женщин вместе с еще не рожденными детьми. Почти все трупы они сбросили в колодец. Спустя несколько дней страну покинули около полумиллиона палестинцев. Отцовская деревня составляла исключение. «Мы остаемся, — заявил отец, — если мы отправимся на чужбину, сионисты ни за что не разрешат нам вернуться». Он даже верил, что англичане опять придут, чтобы помочь нам. Он не понимал, что империалистам требуется на Ближнем Востоке безропотный союзник.

Почувствовав на себе его взгляд, она подумала, понимает ли он, что она как бы внутренне отдаляется от него, и безразлично ли ему это. Лишь потом она догадалась, что он намеренно толкал ее в противоположный лагерь.

— Потом двадцать лет после Катастрофы отец хранил верность тому, что осталось от деревни. Одни называли его упрямцем, другие глупцом. Его товарищи, жившие вне Палестины, называли его коллаборационистом. Они ничего не знали. Не чувствовали на собственной шкуре, что такое оккупация. Кругом по соседству жителей выгоняли, избивали, арестовывали. Сионисты захватывали чужую землю, сравнивали с землей чужие жилища, а на обломках строили свои деревни, где не разрешали селиться арабам. Но отец мой был миролюбив и мудр, и до поры до времени ему удавалось ладить с сионистами.

И опять ей захотелось спросить его, правда ли это все, и опять она не успела.

— Но во время войны шестьдесят седьмого года, когда к деревне подошли танки, мы тоже перебрались на другой берег Иордана. Отец позвал нас и со слезами на глазах велел складывать пожитки. «Скоро начнутся погромы», — сказал он. Я спросил его — я, младший, несмышленыш: «Что такое погром, папа?» Он ответил: «Все, что европейцы творили с евреями, сионисты сейчас творят с нами. Они одержали великую победу и могли бы проявить великодушие. Но в их политике нет места добру». До самой смерти не забуду, как мой гордый отец переступил порог жалкой хижины, которой предстояло теперь зваться нашим домом. Он долго медлил, собираясь с силами, чтобы войти. Но он не плакал. Целыми днями сидел он на ларе с книгами и ничего не ел. Думаю, за эти несколько дней он постарел лет на двадцать. «Это моя могила, — сказал он. — Хижина станет моим надгробием». С момента переселения в Иорданию мы превратились в людей без родины, лишились документов, прав, будущего и работы. Школа, в которой я учился? Это была хибара из жести, где жужжали сотни жирных мух и гомонили голодные дети. Наукой мне была фатиха[1]. Но есть и другая наука. Как стрелять. Как бороться с сионистскими агрессорами.

Он замолчал, и на минуту ей показалось, что он улыбается ей, но лицо его было невеселым.

— «Я борюсь и, следовательно, существую», — негромко проговорил он. — Знаешь, кто это сказал, Чарли? Сионист. Миролюбец, патриот и идеалист. Используя террористические методы, он убил много англичан и много палестинцев. Но оттого, что он сионист, он считается не террористом, а героем и патриотом. Он стал премьер-министром страны, которая зовется Израиль. Знаешь, откуда он родом, этот сионистский премьер-министр-террорист? Из Польши. Объясни, пожалуйста, ты, образованная англичанка, мне, простому бездомному крестьянину, объясни, как могло случиться, что моей страной, моей Палестиной, правит поляк, поляк, который существует, потому что борется? Ты можешь втолковать мне, на основе каких принципов, какой английской справедливости, английского беспристрастия и честности этот человек правит моей страной? И почему он называет *нас* террористами?

И тут, прежде чем она успела опомниться, у нее вырвался вопрос. Она не хотела бросать этим вызов. Вопрос возник сам собой, выплыл из хаоса, в который Иосиф погрузил ее.

— А ты *сам-то* можешь?

Он не ответил ей — но не потому, что хотел избежать этого вопроса. Вопрос он принял. Ей даже показалось, что он

---

[1] Ф а т и х а — первая, основополагающая сура Корана.

ожидал его. Он засмеялся, не слишком приятным смехом, потянулся к бокалу и поднял его.

— Выпей за меня, — приказал он. — Давай сюда твой бокал. Историю делают победители. Ты что, забыла эту простую истину? Давай выпьем!

Помешкав, она подняла бокал.

— За крошечный храбрый Израиль! — сказал он. — За его поразительную жизнеспособность, подпитываемую американской помощью в семь миллионов долларов в день и всей мощью Пентагона, пляшущего под его дудку! — Не отпив, он опустил бокал. Она сделала то же самое. К ее облегчению, жест этот, казалось, на время прекращал мелодраму. — А ты, Чарли, ты слушаешь. С благоговением. Изумлением. Перед его романтической восторженностью, перед его красотой, его фанатическим энтузиазмом. Для него не существует препон. В нем нет западноевропейской сдержанности. Тебе это нравится? Или воображение отвергает раздражающую тебя чужеродную сущность?

Взяв его за руку, она водила по его ладони кончиком пальца.

— А его английский не лимитирует его во всем этом? — спросила она, чтобы выиграть время.

— Речь его пересыпана жаргонными словечками, уснащена картинными ораторскими оборотами, сомнительной статистикой и утомительными цитатами. Но тем не менее ему удается заразить тебя своей молодой страстной верой, раскрывающей перед тобой будущее.

— А что делает Чарли все это время? Просто торчит там и ошарашенно ловит каждое его слово? Я как-нибудь вмешиваюсь в разговор, поддерживаю его? Что я делаю?

— Согласно сценарию, реагируешь ты довольно странно. Вот как ты описываешь это позднее в одном из писем: «Сколько буду жить, не забуду твое лицо, освещенное пламенем свечи в тот вечер, когда мы впервые оказались вместе». Или, может быть, по-твоему, это чересчур цветисто, чересчур безвкусно?

Она выпустила его руку.

— Какие письма? Что за письма, которыми мы все время обмениваемся?

— Пока давай договоримся лишь о том, что позднее ты ему напишешь. Еще раз спрашиваю тебя: тебе это нравится? Или пошлем к черту автора пьесы и отправимся домой?

Она отпила глоток вина. Потом второй глоток.

— Нравится. Пока что нравится.

— А письмо — не слишком? Ты одобряешь это?

— Ну если нельзя объясниться в любовном письме, то как же тогда объясниться?

— Прекрасно. Ведь так и случилось, что ты написала ему, и легенда подтверждает все это. За исключением одной детали. Это не первая твоя встреча с Мишелем.

Неуклюже, вовсе не по-актерски она чуть не уронила бокал.

А им опять овладело возбуждение.

— Слушай меня, — сказал он, подавшись вперед. — Слушай цитату. Из французского философа. *«Величайшее преступление — бездействовать из страха сделать слишком мало».* Тебе она знакома, правда?

— О господи, — еле слышно выговорила Чарли и порывисто прижала к груди руки, как бы обороняясь.

— Мне продолжить? — Но он уже продолжал: — Тебе это кого-нибудь напоминает? *«Существует одна война классов — война колониалистов и колоний, поработителей и порабощенных. Наша задача — обратить оружие против тех, кто развязал войну. Против миллионеров-расистов, считающих «третий мир» своей вотчиной. Против развращенных нефтяных магнатов, продавших арабское первородство».* — Он глядел, как она схватилась за голову.

— Осси, перестань, — пробормотала она. — Это слишком. Иди домой.

— «Против империалистов, спровоцировавших эту войну и пособляющих сионистским агрессорам. Против безмозглой западной буржуазии, которая и сама рабски зависит от системы, ею увековеченной. — Он говорил почти шепотом, и поэтому голос его проникал в самую душу. — *Нас учат, что мы не должны убивать невинных женщин и детей. А я скажу, что невинных в наши дни не осталось. За каждого ребенка, умираю-*

*щего от голода в странах «третьего мира», ответит ребенок на Западе, укравший у него еду».*

— Перестань, — твердила она, закрыв лицо руками. — Довольно. Сдаюсь.

Но он продолжал свой монолог:

— *Когда мне было шесть лет, меня согнали с моей земли. Когда мне исполнилось восемь, я вступил в ашбал. — Объясните, пожалуйста, что такое ашбал».* — Помнишь, Чарли? Этот вопрос задала ты. Что я ответил тебе?

— Детская милиция, — сказала она, по-прежнему уткнувшись в ладони. — Мне сейчас будет плохо, Осси. Прямо сейчас.

— *Когда мне было десять, я лежал скорчившись в непрочном убежище, в то время как сирийцы обстреливали ракетами наш лагерь. Когда мне было пятнадцать, мои мать и сестра погибли под бомбами сионистов...* Продолжай ты, Чарли. Заверши мою биографию.

Она опять завладела его рукой: на этот раз, схватив ее обеими руками, она легонько, словно с упреком, постукивала ею по столу.

— *Если детей можно бомбить, то можно и посылать их в бой,* — напомнил он ей. — А если эти дети захватывают твою землю? Что тогда? Продолжай!

— Их следует убить, — невольно вырвалось у нее.

— А если матери, вскармливая их, учат вторгаться в наши жилища и бомбить изгнанников?

— Значит, эти матери находятся на передовой, как и отцы. Осси...

— И что нам с ними делать?

— Убивать и их. Но я не согласилась тогда с ним, и сейчас я не согласна.

Он не обратил внимания на эти протесты, он был занят иными протестами, собственными, рожденными вечной любовью.

— Слушай. Выступая с вдохновенной речью на семинаре, я сквозь прорези для глаз разглядываю твое лицо — взволнованное, увлеченное. Твои рыжие волосы. Энергичные черты революционерки. Не забавно ли, что во время первой нашей встречи на сцене находился я, а ты была в зале?

— Вовсе я не была увлечена! Я решила, что ты малость перегибаешь палку, и собиралась сказать тебе об этом.

Но он был неумолим.

— Что бы ты тогда ни решила, сейчас в ноттингемском мотеле под моим гипнотическим взглядом ты стала сомневаться и пересматривать тогдашнее свое впечатление. Хоть ты и не видела моего лица, ты признаешься, что мои слова так врезались тебе в память, что ты будешь вечно помнить их. Почему бы и нет! Брось, Чарли! Все это есть в твоем письме!

Она не хотела, чтобы ее втягивали в это. Не пришло время. Неожиданно, впервые с тех пор, как Иосиф начал рассказывать свою историю, Мишель отделился от него, став для нее живым человеком. До этого момента она чувствовала, что, воображая своего любовника, безотчетно придает ему черты Иосифа и слышит голос Иосифа, представляя себе его речи. Теперь же, как разделившаяся надвое клетка, оба героя стали существовать независимо и противостоя друг другу, а Мишель обрел к тому же и реальные очертания и пропорции. Она опять увидела неубранную аудиторию, фотографию Мао с загибающимися краями, обшарпанные школьные скамейки. Перед ней опять возникли ряды разномастных голов — от африканских до европейских — и Длинный Ал, сгорбившийся возле нее в тяжелой похмельной тоске. А на возвышении одинокая и непонятная фигура храброго посланца Палестины — он ниже, чем Иосиф, и, может быть, немного коренастее, но точно сказать трудно, потому что лицо его закрыто черным, а тело облачено в мешковатую гимнастерку цвета хаки и черно-белую куфию. Но он моложе, определенно моложе и фанатичнее. Она помнила, как по-рыбьи шлепали его губы, невыразительные за сетчатой завесой. Помнила вызывающе яркий красный платок на шее, жесты упрятанных в перчатки рук, подкреплявшие его слова. А лучше всего ей запомнился голос — не гортанный, как можно было ожидать, а ясный и спокойный, так жутко контрастировавший с людоедским содержанием его речи. Но это не был голос Иосифа. Она помнила, как прерывался этот голос, совсем не так, как у Иосифа, когда он подбирал слова, перестраивая неуклюжую фразу: *«Винтовка и Возвращение — это для нас одно целое... империалисты — это все те, кто не оказывает нам помощи в нашей революционной борьбе, потому что бездействие закрепляет несправедливость...»*

— Я сразу же полюбил тебя, — объяснял ей Иосиф все тем же тоном, как бы вспоминая, — по крайней мере, я это говорю тебе сейчас. Как только кончилась лекция, я расспросил о тебе, но не осмелился подойти к тебе в присутствии стольких людей. А еще я помнил, что не могу показать тебе свое лицо, а лицо — это один из главных моих козырей. Поэтому я решил разыскать тебя в театре. Я навел справки и выследил тебя в Ноттингеме. И вот я здесь. И люблю тебя бесконечно. Подпись — «Мишель».

Как бы извиняясь, Иосиф засуетился, изображая заботу о ней, — наполнил ее бокал, заказал кофе. Не очень сладкий, какой ты любишь. Может, хочешь освежиться? Нет, спасибо. Все в порядке. Телевизор показывал хронику — какой-то политический деятель скалился, спускаясь по самолетному трапу. До земли он добрался благополучно.

Завершив свои ухаживания, Иосиф многозначительно огляделся по сторонам, потом взглянул на Чарли; голос его был сама деловитость.

— Итак, Чарли, ты его Иоанна. Его любовь. Наваждение. Официанты разошлись, теперь мы вдвоем. Твой откровенный поклонник и ты. Уже за полночь, я говорил слишком долго, хотя и не начинал еще ни делиться тем, что у меня на сердце, ни расспрашивать тебя — мою несравненную Иоанну, которой я увлечен, как никем дотоле. Завтра воскресенье, ты свободна. Я снял номер в мотеле, я не делаю попыток уговаривать тебя, это не в моих правилах. Кроме того, я, должно быть, слишком горд и не хочу думать, что тебя следует уговаривать, ты отдашься мне как свободный человек, верный товарищ по оружию, или же этого не произойдет. Как ты отнесешься к подобной идее? Не захочется ли тебе вдруг и немедленно вернуться в свою привокзальную гостиницу?

Она внимательно посмотрела на него, затем отвела глаза. На языке вертелись десятки шутливых ответов, но она сдержалась. Закутанная непонятная фигура на семинаре опять превратилась в абстракцию. Вопрос задал не тот незнакомец, а Иосиф. И что она могла ответить, если в воображении своем уже не раз держала его в объятиях? Если коротко стриженная голова Иосифа не раз покоилась на ее плече, а сильное искореженное пулями тело прикрывало ее собственное, пока она пробуждала в нем его истинную сущность?

— В конце концов, Чарли, как ты сама нам рассказывала, ты не раз спала с мужчинами и за меньшую плату.

— О, куда как меньшую, — отвечала она, неожиданно очень заинтересовавшись пластмассовой солонкой на столике.

— На тебе дорогое украшение, которое он тебе подарил. Ты одна в хмуром, неприветливом городе. Идет дождь. Мишель очаровал тебя, польстил тебе как актрисе, разбудил в тебе радикалку. Так как же ты можешь отказать ему?

— И накормил меня, — напомнила она. — Хоть я и постилась.

— Я бы даже сказал, что он и есть тот идеал, о котором мечтает скучающая европейская девица.

— Осси, ради бога... — пробормотала она, не смея поднять на него глаза.

— Итак, мои поздравления, — сухо сказал он, жестом показав официанту, что желает расплатиться, — наконец-то ты встретила своего принца!

Слова эти прозвучали почему-то грубо. Странно, но ей показалось, что ее согласие рассердило его. Она глядела, как он платит по счету, а потом опускает счет в карман. Вслед за ним она вышла на вечернюю улицу.

«Я предназначена двоим, — думала она. — Если любишь Иосифа, бери Мишеля. Иосиф сосватал меня призраку из театра реальной жизни».

— В постели он говорит тебе, что по-настоящему его зовут Салим, но этого никто не должен знать, — мимоходом бросил Иосиф, когда они сели в машину. — Он хочет зваться Мишелем, частично из соображений конспирации, частично потому, что уже немного поддался развращающему влиянию Европы.

— Мне больше нравится «Салим».

— Но называешь ты его «Мишель».

«Как прикажете», — подумала она. Но ее покорность была обманчивой, обманчивой даже для нее самой. В глубине души она чувствовала, как в ней растет ярость. Еле заметные ростки, но они пробуждались к жизни.

Мотель напоминал одноэтажное фабричное здание. Сначала даже не было места поставить машину, но потом белый фургончик «Фольксвагена» продвинулся вперед, и они встали. Чарли заметила, что за рулем был Димитрий. Иосиф надевал свой красный пиджак, а Чарли ждала, как он велел, ждала, держа в руках орхидеи, потом прошла за ним по двору ко входу — нехотя, чуть поодаль. Иосиф нес ее сумку на ремне и свой щегольской баул. «Отдай, это мое!» В холле она увидела Рауля и Рахиль — они стояли под безобразной голой лампочкой, читая на доске объявлений расписание завтрашних экскурсий. Чарли хмуро покосилась на них. Иосиф подошел к стойке портье, и Чарли шагнула поближе, чтобы увидеть, как он будет регистрироваться, хотя он и не велел ей смотреть. Имя арабское, национальность — ливанец, адрес — Бейрут.

Рассыльный погрузил их вещи на необъятную тележку больничного типа. Иосиф взял Чарли за руку, ладонь его жгла как огнем. Она отдернула руку. Отстань! Сопровождаемые льющейся из музыкального автомата церковной мелодией, они заспешили вслед за тележкой по серому туннелю с мелькавшими по бокам окрашенными в блеклые тона дверями. Кровать в спальне была двойная, роскошная, кругом чистота, как в анатомическом театре.

— Боже! — воскликнула Чарли, с холодной враждебностью оглядывая все вокруг.

Рассыльный посмотрел на нее удивленно. Ну и пускай себе! Возле кровати стояла ваза с фруктами, рядом с ней два стакана и ведерко со льдом, а в нем бутылка водки. Ваза для орхидей. Чарли сунула туда цветы. Иосиф дал на чай рассыльному, тележка, прощально скрипнув, укатила, и они остались одни — наедине с кроватью шириною с футбольное поле, двумя выполненными углем весьма эротическими изображениями минотавров, в рамках под стеклом, и балконом, с которого открывался широкий вид на автомобильную стоянку. Вытащив из ведерка со льдом бутылку водки, Чарли плеснула себе в стакан и плюхнулась на кровать.

— Твое здоровье, старина, — сказала она.

Иосиф продолжал стоять и бесстрастно глядеть на нее.

— Твое здоровье, Чарли, — ответил он, хотя стакан в руки не взял.

— Так чем займемся? Сыграем в «Монополию»? Может быть, ради этого мы сюда и приехали? — Голос ее зазвенел. — Иными словами, интересно знать, какого черта и в каком качестве мы здесь? Просто для информации. *Кто?* Ладно? Кто мы здесь такие?

— Ты отлично знаешь, Чарли, кто мы. Мы любовники, проводящие в Греции свой медовый месяц.

— Но я считала, что мы в ноттингемском мотеле!

— Мы исполняем обе роли одновременно. Я думал, ты это поняла! Мы восстанавливаем прошлое и тут же создаем настоящее.

— Потому что очень спешим.

— Вернее, потому, что человеческим жизням грозит опасность.

Она налила себе еще водки, рука ее была совершенно твердой, точной и твердой, как всегда, когда на душе у нее скребли кошки.

— Жизням евреев, — уточнила она.

— Разве «человеческая жизнь» и «жизнь еврея» понятия разные?

— Еще бы! Бог мой! Подумать только: Киссинджер может засыпать бомбами несчастных кампучийцев, и никто палец о палец не ударит, чтобы остановить его! Израильтяне могут сколько угодно издеваться над палестинцами. Но стоит кокнуть парочку раввинов где-нибудь во Франкфурте — и готово: это тут же объявляется всемирным бедствием! Разве я не права?

Она не смотрела на него, устремив взгляд на какого-то воображаемого противника, но краем глаза видела, как он решительно направился к ней. На секунду в ней вспыхнула надежда, что право выбора сейчас будет отнято у нее. Однако, вместо того чтобы подойти, он прошел к окну и отпер балконную дверь, словно желая, чтобы ворвавшийся уличный шум поглотил звук ее голоса.

— Бедствия, конечно, и то и другое, — спокойно ответил он, выглядывая наружу. — Можешь узнать у меня, что чувствовали обитатели Кирьят-Шмонах, видя, как падают палестинские снаряды. Или попросить кибуцников рассказать тебе, как воют снаряды «катюш», по сорок штук одновременно, а они ведут детей в убежище, делая вид, что все это веселая игра. — Он замолчал и тоскливо вздохнул, словно устал от подобных размышлений и споров с самим собой. — Однако, — прибавил он уже более деловым тоном, — в следующий раз, когда обратишься к этому примеру, советую помнить, что Киссинджер тоже еврей. В политике Мишель знаток небольшой, но это то немногое, что ему известно.

Она прикусила костяшки пальцев и вдруг поняла, что плачет. Он подошел, сел рядом с ней на кровать. Она ожидала, что он обнимет ее за плечи, найдет какие-то иные, мудрые слова или же просто займется любовью, что, надо сказать, было бы ей всего приятнее, но ничего подобного не произошло. Он не мешал ей плакать, но мало-помалу ей стало казаться, что и он готов расплакаться вместе с ней. И его молчание утешало лучше всяких слов. Казалось, целую вечность они провели так, рядом, потом она вздохнула — глубоко, сдавленно, прерывисто. Но и тогда он не пошевелился, не сделал ни единого движения ни к ней, ни от нее.

— Осси, — без всякой надежды на ответ прошептала она и опять взяла его за руку. — Кто же ты, черт возьми? Что ты *чувствуешь* во всей этой жестокой неразберихе?

И, подняв голову, прислушалась к звукам чужой жизни в соседних комнатах. Жалобное хныканье бессонного младенца. Яростный спор супружеской пары. Услыхала какой-то шорох на балконе и обернулась как раз в тот момент, когда на пороге возникла Рахиль в махровом спортивном костюме, с мешочком для банных принадлежностей и термосом.

Она лежала без сна, слишком измученная, чтобы заснуть. В Ноттингеме так никогда не бывало. Рядом в номере негромко говорили по телефону, и ей казалось, что она узнает голос. Она лежала в объятиях Мишеля. В объятиях Иосифа. Она мечтала об Але. Она была в Ноттингеме со своим единственным возлюбленным, она была в Кэмдене, в своей уютной постели, в комнате, которую ее стерва-мамаша до сих пор называет «детской». Лежала, как в детстве, после того как ее сбросила лошадь, и перед глазами возникали живые картины из ее жизни, а она ощупывала свое сознание так же осторожно, как тогда ощупывала свое тело, трогала каждый кусочек — цело ли. А где-то далеко, на другой стороне кровати, лежала Рахиль и при свете ночника читала томик Томаса Гарди в мягкой обложке.

— Кто у него есть, Рахиль? — спросила она. — Кто штопает ему носки и чистит его трубки?

— Лучше спросить его самого, ты не спрашивала, милочка?

— Может быть, это ты?

— Не подхожу, правда? По-настоящему, во всяком случае.

Чарли задремывала и все же старалась разрешить загадку.

— Он был боевиком, — сказала она.

— И еще каким! — с гордостью ответила Рахиль. — Да и сейчас тоже.

— А как он стал им?

— Так получилось, понимаешь, — ответила Рахиль, по-прежнему не отрываясь от книги.

— Он был женат. Что произошло с его женой? — отважилась спросить Чарли.

— Не могу сказать, милочка, — ответила Рахиль.

— Интересно, она сама слиняла или дело в нем? — продолжала Чарли, несмотря на то, что энтузиазма эта тема явно не вызвала. — Держу пари, что в нем. Бедняга, уживаться с таким — это прямо ангелом надо быть! — Она помолчала. — А *ты* как попала в их компанию, Рахиль? — спросила она, и, к ее удивлению, Рахиль опустила книгу на живот и принялась рассказывать.

Родители ее были правоверными евреями из Померании. После войны они переселились в Маклсфилд и стали там преуспевающими текстильными фабрикантами. «Филиалы в Европе и в Иерусалиме», — рассказывала она без всякого энтузиазма. Они хотели отправить Рахиль в Оксфорд, а затем включить в их семейное дело, но она предпочла изучать Библию и еврейскую историю в Иудейском университете.

— Это вышло само собой, — объяснила она Чарли, когда та принялась расспрашивать ее о дальнейшем.

— Но как? — упорствовала Чарли. — Почему? Кто завербовал тебя и как они это делают?

Как или кто, Рахиль не ответила, зато рассказала, почему так вышло. Она знала Европу и знала, что такое антисемитизм. И она захотела показать этим надутым маленьким сабра[1], этим героям из университета, что она может воевать за Израиль не хуже любого парня.

— Ну а Роза? — наудачу спросила Чарли.

— С Розой сложнее, — отвечала Рахиль так, словно с ней самой дело обстояло куда как просто. — Роза из организации молодых сионистов Южной Африки. Она приехала в Израиль и до сих пор не знает, следует ли ей оставаться или лучше вернуться и посвятить себя борьбе с апартеидом. Вот эта неуверенность и заставляет ее действовать особенно рьяно, — заключила Рахиль и с решительностью, показывающей, что разговор окончен, погрузилась в «Мэра Кестербриджа».

«Сколько вокруг святых идеалистов, — думала Чарли. — Два дня назад я об этом и помыслить не могла». Интересно, появились ли теперь идеалы у нее самой? Решим это утром. В полудреме она прокручивала в голове забавные газетные заголовки: «Знаменитая фантазерка сталкивается с реальностью», «Жанна д'Арк сжигает на костре палестинского активиста». Ладно, Чарли, хорошо, спокойной ночи.

Номер Беккера был всего в нескольких метрах по коридору, и кроватей в нем было две — только так администрация мотеля и понимала одиночество. Он лежал на одной кровати и глядел на другую, а разделял их столик с телефоном. Через десять минут будет половина второго — назначенное время. Ночной портье получил чаевые и обещал соединить его. По привычке Иосиф был абсолютно бодр в этот час. Голова слишком ясная, чтобы ложиться в постель. Все додумать до конца и отбросить то, что не додумано. Вместе со всем остальным. Телефон зазвонил вовремя, и голос Курца приветствовал его без промедления. Откуда он говорит, Беккер сообразил не сразу. Потом он расслышал вдали музыкальный автомат и догадался, что из отеля. Германия — это он помнил. Отель в Германии вызывает отель в Дельфах. Для конспирации Курц говорил по-английски и тоном веселой беззаботности, чтобы ввести в заблуждение тех, кто случайно мог

---

[1] С а б р а — еврей, родившийся в Израиле.

их подслушать. Да, все прекрасно, уверил его Беккер, сделка заключена отличная и никаких осложнений он не предвидит.

— Ну как наша новая продукция? — спросил он.

— Контакты установились отличные! — во все горло гаркнул Курц, словно отдавая команду отряду на дальних рубежах. — Можешь когда угодно заглянуть на склад — не разочаруешься — ни в продукции, ни в чем другом.

Беккер редко подолгу говорил по телефону с Курцем, как и Курц с Беккером. Как ни странно, каждый словно спешил первым закончить разговор и поскорее избавиться от общества другого. Однако на этот раз Курц выслушал все до конца, и так же вел себя Беккер. Кладя трубку, он заметил в зеркале свое красивое лицо и брезгливо уставился на свое отражение. Лицо показалось ему огоньком на судне, потерпевшем бедствие, и на секунду у него возникло неодолимое болезненное желание погасить этот огонек. *Кто ты такой? Что ты чувствуешь?* Он приблизился к зеркалу. Я чувствую себя так, словно смотрю на погибшего друга, надеясь, что он оживет. Чувствую себя так, словно хочу обрести в ком-то старые свои надежды и не могу. Чувствую себя так, словно я актер не хуже тебя и вокруг теснятся мои маски, а сам я где-то далеко и тоскую. А на самом деле я ничего не чувствую, потому что чувствовать вредно и это подрывает воинскую дисциплину. Поэтому я ничего не чувствую, но я борюсь и, следовательно, существую.

По городку он шел нетерпеливыми большими шагами, пристально глядя перед собой, словно путь утомлял его, ибо был слишком короток. Городок ждал атаки, за двадцать с лишним лет сколько он видел таких городков! Люди ушли, и улицы пустынны, и не слышно детских голосов. Разрушьте дома. Стреляйте во все, что шевелится. Повозки и автомобили оставлены владельцами, и один бог знает, когда они вернутся вновь. Время от времени он быстро оглядывал какую-нибудь подворотню или темный закоулок, но наблюдать было ему привычно, и шага он не замедлял. Дойдя до перекрестка, он поднял голову, чтобы прочесть название улицы, но не свернул никуда, пока быстрым шагом не дошел до строительной площадки. Между высоких груд кирпича стоял пестрый микроавтобус. Бельевые веревки хорошо маскировали высокую антенну. Из автобуса раздавалась тихая музыка. Дверца открылась, и в лицо ему, как зоркий глаз, уставилось дуло пистолета, потом оно исчезло. Почтительный голос проговорил: «Шалом». Он влез в автобус и захлопнул за собой дверцу. Музыка не могла совсем заглушить стрекотание портативного телепередатчика. Возле него скорчился Давид, связист из афинской команды, рядом с ним находились двое подручных Литвака. Коротко кивнув, Беккер опустился на мягкое сиденье и погрузился в чтение толстой пачки сообщений, отложенных специально для него.

Парни с почтением глядели на него. Он понимал, что мысленно они жадно пересчитывают ленточки его боевых наград и что все его подвиги им известны лучше, чем ему самому.

— Она хорошенькая, Гади! — сказал тот, что был побойчее. Беккер не обратил на это внимания.

Время от времени он отмечал какой-нибудь абзац, подчеркивал дату. Кончив, он отдал бумаги парням и заставил их проверить, хорошо ли он все запомнил.

Уже на улице он невольно помедлил возле окошечка, слушая, как веселые голоса обсуждают его.

— Грач все ему передоверил, хочет сделать его управляющим большой текстильной фабрикой возле Хайфы, — сказал тот, что побойчее.

— Здорово, — сказал другой. — Давай демобилизуемся, а Гаврон сделает нас миллионерами.

# Глава 11

Своему запретному, но жизненно важному свиданию с достопочтенным доктором Алексисом в этот вечер Курц придал видимость деловой встречи с коллегой, имевшей к тому же оттенок старой дружбы. По предложению Курца они встретились не в Висбадене, а подальше, там, где больше и народу, и приезжих, — во Франкфурте, в большом некрасивом отеле, выстроенном для нужд участников различных конференций. В те дни в этом отеле разместились энтузиасты изготовления мягкой игрушки. Алексис предлагал встретиться у него дома, но Курц отклонил это предложение с таинственностью, которой Алексис не мог не почувствовать. Было десять часов вечера, и делегаты конференции уже разбрелись кто куда в поисках иных разновидностей мягкой игрушки. Бар был почти пуст, и на поверхностный взгляд Курц и Алексис вполне могли сойти за обычных деловых людей, обсуждающих мировые проблемы над букетиком искусственных цветов в вазе на столике. Что, в общем, было не так уж далеко от истины. В баре играл музыкальный автомат, но бармен по своему транзистору слушал Баха.

За то время, что они не виделись, озорной огонек в глазах Алексиса потух. На лице, как первые признаки болезни, залегли еле заметные тени, характеризующие неудачников, а голливудская улыбка приобрела новое и вовсе не идущее ей качество — сдержанность. Но Курцу, изготовившемуся для решительных действий, это было на руку, что он с удовлетворением тут же для себя и отметил. В свою очередь Алексис с куда меньшим удовлетворением каждое утро разглядывал в уединении своей ванной комнаты морщины возле глаз и разглаживал кожу в надежде вернуть уходящую молодость. Курц передал приветы из Иерусалима и в качестве подарка — бутылочку мутноватой жидкости с этикеткой, удостоверявшей, что это вода из самого Иордана. Он слышал, что новоиспеченная госпожа Алексис ожидает ребенка, так что, может быть, вода ей пригодится. Такая предупредительность тронула Алексиса и произвела на него впечатление, — возможно, и большее, нежели самый повод к ней.

— По-моему, вы узнали об этом раньше, чем я, — сказал Алексис, с вежливым восхищением разглядывая бутылочку. — Во всяком случае, я даже коллегам ничего не говорил.

Это было правдой. Молчание его являлось как бы последней попыткой помешать этому не вполне желанному событию.

— Скажете, когда все произойдет, и извинитесь, — предложил дальновидный Курц.

Без лишних слов, как и подобает людям, не признающим церемоний, они выпили за общее благополучие и за лучшее будущее для еще не рожденного ребенка доктора.

— Говорят, вы теперь занялись проблемами координации, — сказал Курц, хитровато поглядывая на Алексиса.

— За здоровье координаторов! — угрюмо отозвался Алексис, и оба церемонно приложились к стаканам.

Они договорились обращаться друг к другу по имени, тем не менее Курц предпочитал сохранять в разговоре вежливое «вы». В отношениях с Алексисом он не хотел терять своего положения старшего.

— Можно поинтересоваться, что же вы координируете? — спросил Курц.

— Должен сообщить вам, господин Шульман, что дружеские связи с секретными службами иностранных держав в настоящее время не числятся среди моих служебных обязанностей, — ответил Алексис, намеренно пародируя гладкую велеречивость боннских чиновников и ожидая дальнейших расспросов.

Но вместо этого Курц высказал догадку, которая на самом деле догадкой не была:

— Координатор отвечает за такие жизненно важные области, как транспорт, обучение, вербовка и финансовое обеспечение оперативных работников. И за информационную связь главного управления с филиалами.

— Вы упустили из виду отпуска, — возразил Алексис, восхищенный и одновременно несколько устрашенный информированностью Курца. — Если вам нужен отпуск, приезжайте в Висбаден, я предоставлю вам его. У нас существует чрезвычайно могущественная комиссия, занимающаяся исключительно отпусками.

Курц пообещал воспользоваться приглашением: ему и в самом деле давно пора устроить себе передышку.

Разговор о работе и передышке заставил Алексиса вспомнить о его собственных делах и рассказать об операции, в которой он принимал участие: «Знаете ли, Марти, ночи не спал, буквально три ночи кряду не ложился». Курц выслушал его внимательно и с сочувствием: ведь он умел прекрасно слушать, таких собеседников Алексису нечасто доводилось встречать теперь в Висбадене.

— Должен вам признаться, Пауль, — сказал Курц, после того как некоторое время они самым приятным образом перебрасывались малозначащими фразами, — что и я однажды удостоился чести превратиться в координатора. Шеф мой решил, что я слишком много позволяю себе, и я стал координатором. Я так заскучал на этой должности, что и месяца не прошло, как я подал рапорт генералу Гаврону, где на бумаге высказал ему, кто он есть на самом деле. «Генерал, рапортую Вам, что Марти Шульман считает Вас подонком». Он послал за мной. Вам доводилось встречаться когда-нибудь с Гавроном? Нет? Сморщенный коротышка с густой черной шевелюрой. И неугомонный — никогда не знаешь, куда его понесет. «Шульман, — загремел он, когда я вошел к нему. — Какого черта, и месяца не прошло, а ты уже разбушевался! И откуда ты так хорошо выведал все мои секреты?» Голос у него гнусавый, ну точь-в-точь идиотик, которого в детстве уронили! «Генерал, — отвечал я, — если в вашей душе осталась хоть капля самоуважения, вы разжалуете меня и вернете обратно на должность, на которой я уже не смогу безнаказанно вас оскорблять». И знаете, что он сделал? Разжаловал меня, а потом повысил в должности! И я вернулся к своим ребятам.

История эта показалась Алексису тем забавнее, что напомнила ему минувшие дни и то, как сам он прославился среди чопорных чиновников Бонна в качестве человека совершенно неуправляемого и совершенно независимого. После чего естественно было перейти к давнему громкому случаю в Бад-Годесберге, так как именно он в свое время и свел их.

— До меня дошло, что дело это наконец немного сдвинулось с места, — заметил Курц. — Следы девушки привели в парижский аэропорт Орли — это уже является некоторым достижением, хотя, кто она такая, по-прежнему неизвестно.

Эта неосторожная похвала из уст глубокоуважаемого человека, которым Алексис так восхищался, возмутила его.

— Вы называете это достижением? Да я вчера познакомился с их последним анализом. В тот день, когда взорвалась бомба, какая-то девушка вылетела из Орли в Кёльн. Это заставляет их задуматься. На ней были джинсы. Снова задумываются. Косынка. Хорошо сложена. Возможно, блондинка. Ну и что из этого? Французы даже не могут обнаружить ее регистрационную карточку. Или говорят, что не могут.

— Возможно, потому, что она и не регистрировалась на рейс в Кёльн? — предположил Курц.

— Ну а как же она прилетела в Кёльн, если не регистрировалась? — возразил Алексис с легким недоумением. — Просто эти кретины и слона среди кокосовых орехов не заметят!

За соседними столиками по-прежнему никого не было, и это обстоятельство вкупе с мелодиями Баха из транзистора и «Оклахомы» из музыкального автомата делало возможным произнесение любой ереси.

— Может быть, она взяла билет куда-нибудь еще, — терпеливо разъяснил Курц. — Предположим, в Мадрид. В Орли она зарегистрировалась, но на рейс в Мадрид.

Алексис принял такую гипотезу.

— Купила билет «Париж — Мадрид» и, прибыв в Орли, взяла посадочный на Мадрид. Она идет в зал для отъезжающих со своим посадочным, занимает место, ждет около одного из выходов, почему бы и нет? Скажем, у выхода номер восемнадцать. Кто-то подходит к ней, возможно, девушка, произносит пароль, они отправляются в дамскую комнату, меняют билеты. Все организовано превосходно. По-настоящему отличная организация. Паспорта они тоже меняют. Для девушек это не проблема. Ну, там — парики, косметика... Если вы вдумаетесь, Пауль, все хорошенькие девушки одинаковы.

Справедливость этого афоризма очень позабавила Алексиса, который и сам в последнее время, благодаря своей второй женитьбе, склонялся к столь же неутешительному выводу. Но он не стал размышлять об этом, поскольку чувствовал, что скоро узнает что-то важное, и это заставило вновь взыграть в нем полицейского.

— Ну а в Бонн-то она как попала? — закуривая, спросил Алексис.

— Прибыла туда с бельгийским паспортом. Не паспорт — конфетка, такие пачками изготавливают в Восточной Германии. В аэропорту ее встретил бородатый юнец на ворованном мопеде с фальшивым номером. Высокий, молодой, бородатый — это все, что она о нем знала и знал кто бы то ни было еще, потому что конспирация тут соблюдалась тщательно. А борода? Что ж, борода — дело наживное. К тому же он не снимал шлема. В вопросах конспирации они собаку съели. Тут с ними трудно тягаться. Да, я смело могу это сказать.

Алексис подтвердил, что он и сам это замечал.

— Роль этого парня в операции — чисто служебная, — продолжал Курц. — На нем замыкается цепь. Он встречает девушку, проверяет, нет ли за ней слежки, и, немного покружив, отвозит в безопасное место для инструктажа. Это ферма одного деятеля неподалеку от Мелема и называется она «Хаус Зоммер». Ответвление от автобана, идущее в южном направлении, подводит к бывшему сараю. Под спальней гараж, в гараже «Опель» с зигбургским номером, шофер уже ждет.

Тут, к своему удовольствию, ошеломленный Алексис тоже смог наконец вставить словечко.

— Ахман, — взволнованно прошептал он. — Издатель Ахман из Дюссельдорфа! Да что же мы, с ума сошли, что ли? Почему никому из нас и в голову это не пришло?

— Верно, Ахман, — одобрил своего ученика Курц. — «Хаус Зоммер» принадлежит доктору Ахману из Дюссельдорфа, чье почтенное семейство владеет прибыльным лесопильным делом, кое-какими журналами и хорошо налаженной сетью порнографических магазинчиков. В качестве хобби он издает календари с романтическими пейзажами. Владелицей бывшего сарая является дочь Ахмана Инге, не раз выступавшая устроительницей сомнительных сборищ, где встречались богатые и разуверившиеся во всем исследователи человеческих душ. Ко времени, интересующему нас с вами, Инге отдала этот сарай в пользование нуждающемуся другу, у которого, в свою очередь, была подружка.

— Ad infinitum[1], — заключил Алексис, восхищенно глядя на него.

— Да, чтобы добраться до конца, еще немало придется попотеть. Такие уж это люди. Так они работают и всегда так работали.

«В пещерах на берегу Иордана, — взволнованно думал Алексис, — сворачивая концы проводки в «куклу». С примитивными бомбами, какие можно изготовить у себя на огороде!»

Курц говорил, а лицо и весь облик Алексиса менялись, что не ускользнуло от внимательного взгляда Курца. Следы жизненных неурядиц, следы малодушия, так огорчавшие Алексиса, стерлись, исчезли. Он откинулся на спинку стула, сложил на груди изящные руки, на губах заиграла молодая улыбка, а рыжеватая голова подалась вперед. Согласно кивая, он внимательно слушал захватывающее повествование Курца.

— Могу я осведомиться, на чем вы строите столь интересные теории? — спросил Алексис, все же пытаясь съязвить.

Курц сделал вид, что вспоминает, хотя сведения, почерпнутые у Януки, были так свежи в его памяти, словно он и не покидал его обитой звукоизолирующей ватой камеры в Мюнхене, где Янука вопил и давился слезами, в отчаянии хватаясь за голову.

— Ну, Пауль, ведь у нас же есть и номер водительского удостоверения «Опеля», и фотокопия прокатной квитанции, а также показания одного из участников операции за его личной подписью, — признался Курц и в робкой надежде, что эти не совсем четкие обстоятельства на время сойдут за основание теории, продолжал: — Бородатый юнец, оставив девушку в бывшем сарае, исчезает, с тем чтобы никогда больше не появиться на горизонте. Девушка переодевается в аккуратное синее платье, надевает парик и чудесно преображается, с таким расчетом, чтобы понравиться словоохотливому и чересчур любвеобильному атташе по связи с профсоюзами. Потом она садится в «Опель», и уже второй молодой человек доставляет ее к нужному дому. По пути они останавливаются,

---

[1] До бесконечности (*лат.*).

чтобы наладить взрывное устройство. Вы хотите что-то спросить? Пожалуйста.

— А этот молодой человек, — с трудом сдерживая нетерпение, спросил Алексис, — он ей знаком или же совершенно неизвестен?

Недвусмысленно не пожелав далее прояснять роль Януки, Курц в ответ только улыбнулся, но его уклончивость не обидела Алексиса: увлеченный повествованием, он с восторгом встречал каждую деталь, однако не мог ожидать, что ему без конца будут швырять жирные куски.

— По завершении дела шофер меняет номер на машине и документы и доставляет девушку на фешенебельный и малолюдный прирейнский курорт на водах Бад-Нойенар, где и расстается с ней, — заключил свой рассказ Курц.

— А потом?

Теперь Курц говорил очень медленно и взвешенно, словно лишнее слово могло повредить его хитроумному замыслу, как, между прочим, и было в действительности.

— А там, предположительно, девушку приводят к ее тайному поклоннику, тому самому, который, возможно, репетировал с нею ее роль в этой истории. Например, как обращаться с бомбой, устанавливать часовой механизм, наладить проводку. Совершенно наобум высказываю предположение, что этот поклонник уже снял в каком-нибудь отеле номер, где возбужденная успехом своего совместного предприятия парочка бросается друг другу в объятия. На следующее утро, в то время как они отдыхают после любовных утех, бомба взрывается — позже, чем было намечено, но какая разница?

Алексис даже наклонился вперед в прокурорском азарте.

— А *брат,* Марти? Тот самый? Известный боевик, на чьем счету уже немало жертв-израильтян? Где в это время находился он? Думаю, что в Бад-Нойенаре, где наслаждался любовью с этой своей бомбисткой. Так?

Но чем больший энтузиазм проявлял доктор, тем безучастнее и неприступнее становилось лицо Курца.

— Где бы он ни находился, успех операции — это дело его рук: все разузнать, распределить, верно подобрать людей... — с деланным благодушием отвечал Курц. — Ведь бородатый юнец знал девушку лишь по описанию. А больше не знал ничего. Не знал даже, где намечено произвести взрыв. Девушка, в свою очередь, знала лишь номер мопеда. Что же касается шофера, то единственное, что знал он, это какой дом намечен для операции, а о бородатом понятия не имел. Однако существует мозг, все это направлявший.

Это были последние слова Курца, после чего его одолел приступ глухоты, унесший его в иные сферы. Все попытки Алексиса добиться ответа оказались безуспешными, и единственным их результатом явилась новая бутылка виски, которую он почувствовал потребность заказать. Истина состояла в том, что доброму доктору не хватало кислорода. Всю свою жизнь до этой минуты он жил как бы на низком уровне, а в последнее время опустился еще ниже. Теперь же великий Шульман вдруг увлек его на высоты, о которых он и мечтать не смел.

— Вы, должно быть, приехали в Германию, чтобы поделиться с немецкими коллегами полученной информацией? — заметил Алексис, хитро подводя Курца к нужной теме.

Но ответом ему была лишь долгая задумчивая пауза, во время которой Курц словно прощупывал Алексиса — и глазами, и мысленно. Потом он сделал свой излюбленный, так восхищавший Алексиса жест — поддернув рукав, вывернул руку, чтобы взглянуть на часы. И жест этот опять напомнил Алексису, что если собственное его время, медленно сочась, устало утекает в песок, то Курцу его никогда не хватает.

— Кёльн, будьте уверены, оценит это, — гнул свою линию Алексис. — Мой блистательный преемник — помните его, Марти? — пожнет плоды величайшей победы. Пресса превратит его в самого знаменитого и проницательного полицейского Западной Германии. Что будет справедливо, не так ли? А все благодаря вам.

Широкая улыбка Курца подтвердила это. Он отпил глоточек виски и вытер губы старым солдатским платком цвета хаки. Потом вздохнул, подперев подбородок рукой, словно желая показать, что не собирался говорить на эту тему, но уж если Алексис сам поднял вопрос, — так и быть.

— Вообще-то говоря, в Иерусалиме много размышляли

насчет этого, Пауль, — признался он, — и мы, в отличие от вас, вовсе не так уверены, что ваш преемник именно тот человек, чье продвижение нам следует поощрять. («Но что тут можно поделать?» — казалось, говорило его нахмуренное лицо.) Нам пришел в голову другой вариант, и, может быть, стоит обсудить его с вами и выяснить ваше к нему отношение. Мы подумали, не мог бы доктор Алексис оказать вам любезность и передать нашу информацию в Кёльн? В частном порядке. Неофициально, но вполне официальным путем, если вы понимаете, что я имею в виду. На свой страх и риск и действуя поумнее. Вот что нам пришло в голову. Может быть, стоит обратиться к нему, сказав: «Пауль, вы друг Израиля. Возьмите это и используйте к своей выгоде. Это наш подарок вам, а нас в это дело не впутывайте». Почему всегда в подобных случаях на первый план выдвигаются недостойные люди? — спрашивали мы себя. Может быть, для разнообразия стоит выдвинуть когда-нибудь того, кто этого достоин? Почему не иметь дела с друзьями — ведь это же наш принцип, не так ли? Не помогать их продвижению? Не вознаграждать их за верность?

Алексис сделал вид, что не понял. Он покраснел, а в его отнекиваниях зазвучала какая-то истерическая нотка:

— Но послушайте, Марти. У меня нет для этого возможностей. Я же не оперативный работник — я чиновник. Не могу же я взять телефонную трубку и — здрасте пожалуйста: «Кёльн? Алексис у телефона. Мой вам совет: немедленно направляйтесь в «Хаус Зоммер», арестуйте там дочь Ахмана и допросите как следует всех ее приятелей!» Что я, волшебник, что ли? Или алхимик, который превращает камень в золото ценной информации? Может быть, люди в Иерусалиме считают, что *координатор* и фокусник — это одно и то же? — Издевки его над самим собой становились все более язвительными и неуклюжими. — Может, мне потребовать ареста всех бородатых мотоциклистов, которых можно заподозрить в итальянском происхождении? Да меня на смех поднимут!

Он иссяк, и Курц был вынужден прийти к нему на помощь, чего Алексис и ждал, ибо вел себя сейчас, как ребенок, напустившийся на взрослых лишь затем, чтобы те поскорее обняли его.

— Никто не ждет никаких арестов, Пауль. Для них еще время не пришло. С нашей стороны, во всяком случае, никто о них не помышляет. И вообще не собирается действовать открыто. Я имею в виду Иерусалим.

— Так чего же вы ждете? — спросил Алексис неожиданно резко.

— Справедливости, — миролюбиво ответил Курц. Но упрямая улыбка и выражение жесткой целеустремленности говорили о чем-то совершенно ином. — Справедливости, немного терпения, немного мужества и массы изобретательности и творческой энергии от тех, кто играет на нашей стороне. Я хочу спросить вас кое о чем, Пауль. — Крупная голова его вдруг придвинулась к Алексису. Сильная рука легла на его плечо. — Представьте себе такое. Представьте себе, что существует какой-то неизвестный и сугубо тайный источник информации — предположим, какой-то очень высокопоставленный араб центристских, умеренных взглядов, который любит Германию, от всего сердца восхищается этой страной и располагает сведениями о подготовке террористических акций, которые он не одобряет. Вообразите себе, что этот араб некоторое время тому назад увидел по телевизору знаменитого Алексиса. Предположим, например, что произошло это, когда он смотрел передачу, сидя вечерком в своем номере в Бонне или лучше — в Дюссельдорфе. Включил от скуки телевизор — и вот, пожалуйста, на экране доктор Алексис, адвокат и, безусловно, полицейский, но при этом человек, обладающий чувством юмора, гибкий, прагматичный и гуманист до мозга костей — короче говоря, человек с большой буквы. Согласны?

— Ну пускай так, — сказал Алексис, оглушенный этим словесным потоком.

— Вы расположили к себе этого араба, Пауль, — заключил Курц. — После этого ни о ком, кроме вас, он и думать не хочет. Проникся к вам доверием с первого взгляда и не желает иметь дело ни с кем в Германии, кроме вас. Обошел все министерства, полицейские управления и сыскные агентства.

Искал вас в телефонном справочнике. И предположим, наконец позвонил вам домой или на службу. Словом, как вам самому больше нравится. Он встретился с вами здесь, в отеле. Сегодня вечером. Выпил с вами стаканчик-другой. И за стаканом виски поделился с вами некоторыми фактами. Знаменитый Алексис — на меньшее он не согласен. Понимаете ли вы, какие это дает преимущества человеку, чьей карьере несправедливо препятствовали?

Воскрешая в памяти эту сцену — занятие, которому Алексис не раз предавался и которое вызывало в нем чувства самые разнообразные: изумление, гордость, а также откровенный панический ужас, — он понял, что последующие слова Курца означали попытку в чем-то заранее оправдаться.

— Террор сейчас набирает силу, — угрюмо заявил он. — «Зашли к ним агента, Шульман!» — сипит еле видимый за огромным столом Миша Гаврон. «Слушаюсь, генерал, — говорю я. — Непременно отыщу такого. Обучу его, всячески натренирую, преодолею сопротивление оппозиции. Сделаю все, что вы приказываете. И знаете, что они предпримут в первую очередь? — так я ему говорю. — Заставят его показать себя в деле! Пристрелить охранника в банке или американского солдата. Подложить бомбу в ресторане. Или послать ее кому-нибудь в красивом чемоданчике. И взорвать его. Этого вы добиваетесь? Это вы предлагаете мне сделать, генерал? Заслать к ним агента и сложа руки смотреть, как он убивает для них наших людей?» — Курц грустно улыбнулся Алексису улыбкой человека, понимающего всю неразумность начальства. — У террористов в наши дни не встретишь случайных людей. Я Гаврону сколько раз об этом говорил. Секретарш, машинисток, шифровальщиков — словом, персонал не первого ряда, но достаточно информированный, чтобы стать агентами, — они не держат. Чтобы проникнуть к ним, надо очень постараться. «Пришла пора расколоть ряды террористов, — так я говорил. — Надо заняться подготовкой собственных террористов». Но разве он меня слушает?

Алексис не мог больше сдерживать любопытство. Он наклонился вперед, в глазах его зажегся опасливый и азартный вопросительный огонек.

— И вы сделали это, Марти? — прошептал он. — Здесь, в *Германии?*

Курц, по своему обыкновению, не ответил прямо, а его славянские глаза словно глядели куда-то поверх Алексиса, устремленные к новой задаче на его тернистом одиноком пути.

— А если я расскажу вам кое-что, Пауль? — предложил он. — Расскажу то, что произойдет дня через четыре?

Концерт Баха по транзистору у бармена окончился, и он теперь с шумом закрывал бар, намекая, что время позднее. По предложению Курца они переместились в холл на одном из этажей, где и продолжили беседу, тесно придвинувшись друг к другу, как пассажиры, сгрудившиеся на палубе во время шторма. Дважды во время их беседы Курц поглядывал на циферблат своих стареньких часов в металлическом корпусе и, поспешно извинившись, спешил к телефону; позднее Алексис из чистого любопытства поинтересовался, кому предназначались эти звонки, и обнаружил, что Курц разговаривал с отелем в Дельфах, в Греции; разговор этот, продолжавшийся двенадцать минут, был оплачен наличными; второй разговор был с каким-то непонятным абонентом в Иерусалиме. В три часа или даже позже в холле появились служащие отеля в поношенных спецовках. Они вкатили большой зеленый пылесос на колесиках, похожий на крупповскую пушку. Но, несмотря на шум, Курц и Алексис продолжали разговор. Закончили они его, когда уже рассвело, тогда они вышли из отеля и удовлетворенно пожали друг другу руки. Однако Курц постарался не благодарить только что завербованного агента слишком бурно, так как хорошо понимал, что Алексис принадлежит к тому типу людей, кого чрезмерные выражения благодарности способны лишь оттолкнуть.

Возрожденный к новой жизни, Алексис поспешил домой, где побрился, переоделся и, задержавшись достаточно, чтобы произвести впечатление на молодую жену высокой секретностью своей миссии, отправился в свое сверкавшее стеклом и никелем учреждение, причем лицо его хранило печать непонятного удовлетворения, — выражение, которое его сослуживцы уже давно не имели счастья наблюдать. Они заметили, что он много шутил и позволял себе рискованные замечания о коллегах. «Совсем как прежний Алексис», — говорили они. Он даже проявил нечто похожее на юмор, хотя чувство юмора никогда не числилось среди его достоинств. Он попросил чистой бумаги и, отпустив даже личного секретаря, сел писать длинную и намеренно туманную докладную начальству о сведениях, почерпнутых «из весьма информированного источника», «от весьма высокопоставленного лица, гражданина одной восточной державы, известного мне по моей предыдущей деятельности». Сведения эти содержали и новейшую информацию о случае в Бад-Годесберге, которой, однако, было недостаточно для чего-либо, кроме подтверждения добрых намерений источника информации и доктора как передаточной и направляющей инстанции. Он испрашивал определенных полномочий и оборудования, а также неподотчетную сумму в швейцарском банке, чтобы пользоваться ею по своему усмотрению.

Алчность не была свойственна Алексису, хотя второй брак и повлек за собой затраты, а развод оказался и вовсе сущим разорением. Но он знал, что в наше меркантильное время люди особенно ценят лишь то, за что хорошо заплачено.

А к концу докладной он приберег одно любопытное предсказание, которое Курц продиктовал ему буквально слово за словом, а для пущей верности еще заставил и перечитать написанное вслух. Предсказание было не очень точным и потому, строго говоря, бесполезным, но в случае, если бы оно исполнилось, это должно было произвести огромное впечатление. По непроверенным данным, турецкие магометане отправили из Стамбула для нужд антисионистских группировок в Западной Европе большую партию взрывчатки. Через несколько дней ожидается новый террористический акт. Местом действия называют южную Германию. Все пограничные службы и местные полицейские отряды должны быть начеку. Больше ничего разузнать не удалось.

В тот же день Алексиса вызвало к себе начальство, и в тот же вечер состоялся весьма секретный телефонный разговор между ним и его близким другом Шульманом, в котором тот, поздравив Алексиса, передал ему ряд новых распоряжений.

— Они клюнули, Марти! — возбужденно кричал Алексис по-английски. — Поприжали хвост! Они в наших руках!

— Алексис клюнул, — объявил Курц Литваку в Мюнхене, — но нельзя ослаблять вожжи. Почему Гади не поторопит девчонку? — пробормотал он, сердито поглядывая на часы.

— Потому что он не хочет больше убивать, вот почему! — воскликнул Литвак. В голосе его была неприкрытая радость. — Думаете, я не вижу этого? Или вы сами не видите?

Курц велел ему успокоиться.

# *Часть 2*

# ОПЕРАЦИЯ

# Глава 12

На вершине холма пахло тмином. Иосифу нравилось это место, он отыскал его на карте и привез сюда Чарли на машине, а затем они полезли вверх по склону, решительно прокладывая себе путь между ульями, сплетенными из ивовых прутьев, продираясь между кипарисами, по каменистым пустырям, усеянным желтыми цветами. Солнце еще не добралось до зенита. Вдаль гряда за грядой уходили бурые горы. На востоке Чарли заметила серебряную гладь Эгейского моря, которую вскоре затянуло дымкой, слив с небом. В воздухе пахло смолой и медом, звенели колокольчики коз. Свежий ветерок обжигал Чарли лицо, прибивал легкое платье к телу. Она держала Иосифа за руку, но, погруженный в свои думы, он, казалось, этого не замечал. В какой-то момент ей показалось, что она увидела Димитрия, сидевшего на ограде, у нее вырвалось восклицание, но Иосиф резко предупредил, чтобы она не окликала парня. А в другой момент она могла бы поклясться, что видела силуэт Розы наверху, на фоне неба; Чарли моргнула, а когда снова посмотрела туда, Розы уже не было.

Их день до этой минуты складывался по собственной хореографии, и она следовала намеченному Иосифом рисунку танца. Проснулась она рано — у кровати стояла Рахиль и командовала: надень, пожалуйста, другое платье, синее, с длинными рукавами. Чарли быстро приняла душ, а когда вернулась в комнату, Рахиль уже исчезла, а возле подноса с завтраком на двоих сидел Иосиф и слушал по транзистору греческую передачу новостей. Они наскоро поели, перебрасываясь короткими репликами. В холле он расплатился наличными, а счет положил себе в карман. Возле «Мерседеса», когда они снесли вниз свою поклажу, она увидела Рауля, мальчишку-хиппи, колдовавшего ярдах в шести от заднего бампера их машины над мотором тяжело нагруженного мотоцикла, и Розу, которая лежала на боку в траве и жевала булочку. «Интересно, давно ли они здесь и почему охраняют машину?» — подумала Чарли. Проехав с милю, они с Иосифом очутились у древних развалин, где он запарковал машину и провел Чарли через боковой вход: задолго до того, как прочие смертные начнут толпиться и станут в очередь, он проведет с ней еще одну экскурсию по центру Вселенной. Он показал ей храм Аполлона, дорическую стену с высеченными на ней благодарениями богам и камень, который когда-то считался «пупом земли». Иосиф показал ей сокровищницу и беговую дорожку и рассказал о многочисленных войнах за обладание Оракулом. Все — с самым серьезным видом, не так, как во время их посещения Акрополя. У Чарли было такое впечатление, будто он держит в уме перечень достопримечательностей и всякий раз, что-то показав ей, ставит галочку.

Когда они вернулись к машине, он протянул ей ключ зажигания.

— Чтоб я вела? — спросила она.

— А почему бы и нет? Я заметил, что хорошие машины — твоя слабость.

Пустынными петляющими дорогами они двинулись на север, и сначала он внимательно следил за тем, как она ведет машину, — точно она сдавала правила вождения, но это не вывело ее из равновесия, как, видимо, и она не вывела из равновесия его, ибо скоро он разложил на коленях карту и перестал обращать на Чарли внимание. Машина была просто мечта. Дорога из асфальтовой стала гравийной — при каждом крутом повороте в воздух вздымалось облако пыли и улетало вдаль, в залитый ярким солнцем дивный пейзаж. Иосиф вдруг сложил карту и сунул ее в карман на дверце машины.

— Итак, Чарли, ты готова слушать? — спросил он неожиданно резко, будто по ее милости ему пришлось долго ждать. И возобновил свой рассказ.

Они снова были в Ноттингеме и совсем потеряли голову от страсти. Они провели в мотеле две ночи и день, сказал Иосиф, что засвидетельствовано в книге регистрации постояльцев.

— Служащие мотеля, если их припрут расспросами, вспомнят влюбленную пару, отвечающую нашим приметам. Наш номер был в западном конце комплекса, и к нему примыкал собственный кусочек сада. В свое время тебя туда доставят, и ты увидишь все своими глазами.

Большую часть времени они провели в постели, продолжал он, разговаривали о политике, рассказывали друг другу о своей жизни и занимались любовью. Раза два совершали поездки за город, но взаимное влечение брало верх над любознательностью, и они быстро возвращались в мотель.

— А мы что, не могли заняться любовью в машине? — спросила она, пытаясь его расшевелить. — Я люблю неожиданные приключения.

— Могу преклониться перед твоим вкусом, но, к сожалению, Мишель застенчив и предпочитает уединенность номера любви под открытым небом.

— А что он представляет собой как любовник? — поинтересовалась она.

У Иосифа был готов ответ и на это:

— Согласно весьма достоверным источникам, он не слишком изобретателен, зато наделен безграничным пылом и весьма силен.

— Спасибо, — сухо сказала она.

В тот понедельник, продолжал он, Мишель рано утром вернулся в Лондон, а Чарли, у которой репетиция предполагалась только во второй половине дня, осталась с разбитым сердцем в мотеле. Иосиф наспех набросал картину ее страданий.

— День мрачный, как похороны. По-прежнему льет

дождь. Запомни погоду. Сначала ты так рыдаешь, что не в состоянии стоять на ногах. Ты валишься в еще теплую после него постель и выплакиваешь свое горе. Он обещал тебе на следующей неделе приехать в Йорк, но ты уверена, что никогда в жизни больше его не увидишь. Итак, что же ты делаешь? — И, не давая ей времени на ответ, продолжал: — Ты сидишь перед зеркалом у заставленного всякой ерундой туалетного столика, смотришь на следы, которые его руки оставили на твоем теле, на слезы, которые бегут по твоему лицу. Открываешь ящик и достаешь папку с почтовыми принадлежностями и шариковой ручкой, какими обычно снабжает своих постояльцев любой мотель. И пишешь ему. Рассказываешь про свое состояние. Исповедуешься в своих сокровенных мыслях. На пяти страницах. Первое из многих, многих писем, которые ты ему пошлешь. Написала бы? От отчаяния? Ты же любишь писать письма.

— Если бы я знала его адрес, написала бы.

— Он оставил тебе парижский адрес. — Иосиф вручил ей листок: табачная лавка на Монпарнасе. Для Мишеля — просьба передать. Фамилия не указана, да она и не нужна.

— В ту же ночь ты снова пишешь ему о своем горе из гостиницы «Звездная». Утром, не успев проснуться, опять пишешь. На самой разной бумаге, даже на обрывках. Пишешь на репетициях, в перерывах, в самое неподходящее время, пишешь страстно, бездумно, до конца откровенно. — Он взглянул на нее. — Ты это сделаешь? — переспросил он. — Ты действительно напишешь ему такие письма?

«Ну сколько раз можно заверять в одном и том же?» — подумала она. Но он уже пошел дальше.

Несмотря на все ее дурные предчувствия — о, радость из радостей! — Мишель приехал не только в Йорк, но и в Бристоль, и более того, — в Лондон, где они провели восхитительную ночь у Чарли в Кэмден-Тауне.

— И именно там, — со вздохом удовлетворения заключает Иосиф, словно завершая объяснение сложной математической задачи, — в твоей квартире, на твоей кровати, среди клятв в вечной любви мы с тобой решили поехать отдохнуть в Грецию...

Они долго молчали, она вела машину и думала: «Вот мы и здесь. За какой-нибудь час езды перебрались из Ноттингема в Грецию!»

— Чтобы снова быть с Мишелем после Миконоса, — иронически заметила она.

— А почему бы и нет?

— После Миконоса, где был Ал и вся бражка, сменить декорацию, встретиться с Мишелем в Афинах, уехать с ним?

— Правильно.

— Ал исключается, — заявила она наконец. — Если бы у меня был ты, я бы не взяла Ала на Миконос. Я бы дала ему от ворот поворот. Спонсоры ведь его не приглашали. Он просто приклеился. К тому же сразу с двумя я никогда не шилась.

Он тут же отбросил ее возражения.

— Мишель верности себе никогда не требовал: он сам не такой и такого ни от кого не ждет. Он — солдат, воюющий против твоего общества, человек, которого в любой момент могут арестовать. Между вашими свиданиями может пройти неделя, а может — и полгода. Ты что же, считаешь, он хочет, чтобы ты жила как монахиня? Вздыхала бы, устраивала истерики, делилась тайнами с подружками? Глупости все это. Ты бы спала с целой армией, если б он тебе велел.

Они проехали мимо часовни.

— Сбавь скорость, — приказал Иосиф и снова углубился в карту.

Вот так. Сбавь скорость. Стоп. Вылезай.

Он ускорил шаг. Они прошли мимо каких-то полуразрушенных сараев к заброшенной каменоломне на вершине холма, похожей на вулканический кратер. У входа в каменоломню стояла пустая банка из-под масла. Не говоря ни слова, Иосиф бросил в нее пригоршню мелких камушков, а Чарли смотрела и ничего не понимала. Потом он снял свой красный пиджак с металлическими пуговицами, свернул его и положил на землю. На талии у него в кожаной кобуре, пристегнутой к поясу, висел пистолет — рукоятка под правой подмышкой чуть перетягивала вниз. На левом плече висела вторая кобура, но пустая. Схватив Чарли за руку, он дернул ее вниз, и она села, скрестив ноги по-арабски, рядом с ним.

— Продолжаем. Итак, Ноттингем, и Йорк, и Бристоль, и Лондон остались позади. Сегодня — это сегодня, третий день нашего медового месяца в Греции; мы с тобой здесь, мы всю ночь предавались любви в нашей гостинице в Дельфах, рано встали, и Мишель просветил тебя, прочитав еще одну лекцию о колыбели твоей цивилизации. Ты вела машину, и я лишний раз убедился в том, о чем ты не раз говорила мне, а ты говорила, что любишь водить машину и для женщины водишь хорошо. И вот я привез тебя сюда, на вершину холма, но зачем, ты не знаешь. Я, как ты заметила, ушел в себя. Я о чем-то мрачно думаю — возможно, принимаю ответственное решение. Твои попытки узнать, о чем я думаю, меня только раздражают. Что происходит? — недоумеваешь ты. Наш роман развивается? Или ты вызвала чем-то мое раздражение? Я сажаю тебя здесь, рядом с собой, и вдруг вытаскиваю пистолет.

Она, будто зачарованная, смотрела, как он ловким движением вынул пистолет из кобуры, и тот стал словно продолжением его руки.

— Оказывая тебе великую и особую честь, я намерен познакомить тебя с историей этого пистолета и впервые, — он заговорил медленнее, подчеркивая каждое слово, — упомяну о моем брате, само существование которого — военная тайна, известная лишь немногим из самых преданных людей. Я делаю это потому, что люблю тебя, и потому... — Он умолк.

«И потому, что Мишель любит говорить про тайны», — подумала она, но промолчала, не желая ни за что на свете портить ему спектакль.

— ...потому, что сегодня хочу обратить тебя в нашу веру, завербовать в нашу подпольную организацию. Как часто — в своих многочисленных письмах и в минуты любви — ты умоляла дать тебе возможность доказать свою верность на деле! Сегодня мы делаем первый шаг на этом пути.

Она снова увидела, как легко, похоже, безо всяких усилий он превращается в араба. И она, словно завороженная, стала слушать его по-арабски витиеватую речь.

— На протяжении всей моей кочевой жизни, — а я вынужден был кочевать, став жертвой сионистских узурпаторов, — мой великий старший брат был для меня путеводной звездой. И за рекой Иордан, в нашем первом лагере, где я учился в школе, которая помещалась в сбитой из жести и полной блох лачуге. И в Сирии, куда мы бежали от иорданских солдат, преследовавших нас на танках. И в Ливане, где сионисты обстреливали нас с моря и бомбили с воздуха, а шииты помогали им. Среди всех выпавших на мою долю бедствий я всегда помнил о моем брате, великом герое, и больше всего на свете жаждал следовать его подвигам, о которых мне шепотом рассказывала моя любимая сестра Фатьма.

Теперь Иосиф уже не спрашивал, слушает ли она его.

— Я редко его вижу, а если вижу, то в большой тайне. Иногда в Дамаске. Иногда в Аммане. Он зовет: приезжай! И я провожу ночь возле него, впивая его слова, загипнотизированный благородством его души, ясностью мысли вождя, его доблестью. Однажды он вызвал меня в Бейрут. Он как раз вернулся с очень опасного задания, о котором мне известно только, что оно завершилось полной победой над фашистами. И предлагает мне пойти с ним послушать одного крупного политического деятеля из Ливии, человека поразительных ораторских способностей и умения убеждать. Такого красноречия я никогда в жизни не слыхал. Я и по сей день помню его речь. Всем угнетенным народам нашей планеты следовало бы послушать этого великого ливийца. — Пистолет лежал на его ладони. Иосиф протягивал его Чарли, хотел, чтобы она попросила — дай подержать. — С сильно бьющимся сердцем мы вышли на рассвете из тайного убежища, где была лекция, и стали пробираться назад по Бейруту. Рука об руку, как обычно ходят арабы. У меня на глазах были слезы. Брат вдруг остановился и обнял меня — мы так и застыли на тротуаре. Я и сейчас чувствую касание его щеки. Он вынимает из кармана этот пистолет и вкладывает мне в руку. Вот так. — И, схватив Чарли за руку, Иосиф вложил в нее пистолет, но руки не выпустил и направил дуло на стену каменоломни. — «Подарок, — сказал он. — Чтобы мстить. Чтоб помочь освобождению нашего народа. Подарок бойца бойцу. С этим пистолетом я дал клятву на могиле нашего отца». Я просто дара слова лишился.

Прохладные пальцы Иосифа продолжали держать ее руку, и Чарли почувствовала, как задрожала ее рука, точно существовала сама по себе.

— Чарли, этот пистолет для меня священен. Я говорю тебе это, потому что люблю брата, люблю отца и люблю тебя. Через минуту я буду учить тебя стрелять, но сначала я хочу, чтобы ты поцеловала это оружие.

Она посмотрела на Иосифа, потом на пистолет. Его возбужденное лицо приказывало: «Ну же!» Обняв ее другой рукой за плечи, он заставил ее подняться.

— Мы любим друг друга, ты не забыла? Мы товарищи, мы служим революции. Наш дух и наше тело едины. Я истинный араб и люблю громкие слова и картинные жесты. Поцелуй пистолет.

— Не могу, Осси.

Она назвала его Осси, то есть Иосифом, и Иосиф ответил ей:

— Ты что, считаешь это английским чаепитием, Чарли? Думаешь, если Мишель — красивый мальчишка, значит, он играет в игрушки? Да откуда ему научиться играть, когда пистолет — это то, что делает его мужчиной!

Не сводя глаз с пистолета, она отрицательно покачала головой. Но ее сопротивление не вызвало у него злости.

— Послушай, Чарли, вчера вечером в постели ты спросила меня: «Мишель, а где идет война?» И помнишь, что я сделал? Я положил тебе руку на сердце и сказал: «Мы ведем *джихад*, и война идет здесь». Я твой учитель. Ты никогда еще не была до такой степени готова выполнить миссию. Знаешь, что такое *джихад*?

Она мотнула головой.

— *Джихад* — это то, чего ты искала, пока не встретила меня. *Джихад* — это священная война. Свой первый выстрел ты совершишь в нашем *джихаде*. Поцелуй пистолет.

Не сразу, но она прикоснулась губами к вороненой стали дула.

— Вот так, — сказал он и тотчас отступил от нее. — Отныне это оружие принадлежит нам обоим. Оно — наша честь, наше знамя. Ты в это веришь?

Да, Осси, верю. Да, Мишель, верю. Но только никогда

больше не заставляй меня это делать. Она невольно провела запястьем по губам, словно они были в крови. Она ненавидела себя, ненавидела его, ей казалось, что она немного свихнулась.

— «Вальтер-ППК», — дошли до ее слуха слова Иосифа. — Не тяжелый. Запомни: любое ручное оружие должно отвечать трем требованиям — чтобы его легко было спрятать, нетрудно носить и легко стрелять. Это говорит тебе Мишель. Собственно, он лишь повторяет то, что говорил ему брат.

Став у Чарли за спиной, Иосиф развернул ее так, чтобы она оказалась перед целью. Потом обхватил ее кисть пальцами и, не давая согнуть руку, направил дуло пистолета между ее широко расставленных ног.

— Левая рука висит свободно. Вот так. — Он приподнял и отпустил ее левую руку. — Глаза открыты. Медленно поднимаешь пистолет, пока он не окажется на одном уровне с целью. Руку с пистолетом держишь прямо. Вот так. Когда я скомандую «огонь», выстрелишь дважды. А пока опусти руку, жди.

Она покорно опустила руку с пистолетом, дулом в землю. Он скомандовал «огонь», она вскинула руку, как он велел, нажала на курок, но ничего не произошло.

— Еще раз, — сказал он и снял защелку с предохранителя.

Она проделала все так же, как и в первый раз, и пистолет дернулся у нее в руке, будто в него самого попала пуля. Она выстрелила вторично, и сердце ее забилось от возбуждения, схожего с тем, какое она чувствовала, когда впервые преодолела на лошади барьер или плавала нагишом в море. Она опустила пистолет; Иосиф снова отдал приказ, она гораздо быстрее вскинула руку и выстрелила дважды, быстро, один выстрел за другим. Потом стала стрелять уже без команды и стреляла, пока не израсходовала всех патронов, а тогда застыла, опустив пистолет, чувствуя, как бьется сердце, и вдыхая запахи тмина и пороха.

— Ну как? — спросила она, повернувшись к нему.

— Посмотри сама.

Она подбежала к банке из-под масла. И уставилась на нее неверящими глазами, потому что в банке не было ни единого отверстия.

— Почему так получилось? — возмутилась она.

— Прежде всего тебе не следовало держать пистолет одной рукой. Для женщины весом в сто десять фунтов, да еще с тонюсенькими запястьями, это непосильная тяжесть.

— Тогда почему же ты не сказал мне, чтобы я держала пистолет двумя руками?

— Потому что, если тебя учит Мишель, ты должна стрелять, как он. А он держит пистолет одной рукой. Так стреляет и его брат. Ты что, хочешь, чтобы на тебе стояло клеймо «Сделано в Израиле»?

— Но почему же он не знает, как надо стрелять? — рассердилась она и схватила его за руку. — Почему он этого не знает? Почему никто не научил его?

— Я же сказал тебе: его учил брат.

— Тогда почему брат не научил его как надо?

Она требовала ответа. Она была унижена и готова устроить сцену, — почувствовав это, он капитулировал.

— Он говорит: «Господь повелел, чтобы Халиль стрелял одной рукой».

— Почему?

Иосиф пожал плечами, оставив ее вопрос без ответа. Они вернулись к машине.

— Брата зовут Халиль?

— Да.

— Значит, Халиль, — сказала она.

— Халиль, — подтвердил он. — Запомни. Как и то, в какой момент его имя было названо. Потому что Мишель любит тебя. Потому что он любит своего брата. Потому что ты поцеловала пистолет его брата и тем самым породнилась с ним.

Они стали спускаться с холма — машину вел Иосиф. Она ничего не понимала. Грохот собственных выстрелов все еще звучал в ее ушах. Она чувствовала на губах вкус стали, и когда он указал ей на Олимп, она увидела лишь черно-белые тучи, похожие на атомное облако. Озабоченный не меньше ее, но преследуя свою цель, Иосиф продолжал свой рассказ, нагромождая детали.

Она старалась не спать — ради него, но это оказалось выше ее сил. Тогда она положила голову ему на плечо и на какое-то время забылась.

Отель в Салониках был допотопной громадой в стиле короля Эдуарда. Их номер с альковом для детей, ванной в двадцать квадратных футов и обшарпанной мебелью двадцатых годов — совсем как у нее дома — находился на самом верхнем этаже. Чарли включила свет, но Иосиф велел его выключить. Им принесли заказанную еду, однако они к ней не притронулись. Он стоял у окна эркера и смотрел на лужайку перед отелем и залитую лунным светом набережную за ней. Чарли сидела на кровати. С улицы время от времени доносилась греческая музыка.

— Итак, Чарли...

— Итак, Чарли, — тихо повторила она в ожидании продолжения, которое неминуемо должно было последовать.

— Ты дала клятву принять участие в моей борьбе. Но в какой борьбе? Как она ведется? Где? Я уже объяснил тебе, во имя чего мы боремся, объяснил тактику; я сказал: мы верим и потому действуем. Я сказал, что террор — это театр и что порой надо потянуть мир за уши, чтобы он услышал голос справедливости.

Чарли беспокойно заерзала.

— Несколько раз в своих письмах, в наших долгих беседах я обещал дать тебе возможность принять участие в наших действиях. Но я не спешил. Я медлил. До сегодняшнего дня. Быть может, я тебе не доверяю. А может быть, полюбил тебя так, что не хочу выдвигать на передовую. Истинной причины ты не знаешь, а потому иной раз обижаешься на меня. О чем свидетельствуют твои письма.

Письма, вспомнила она, опять эти письма.

— Каким же образом ты на практике становишься одним из моих маленьких бойцов? Это нам и предстоит обсудить сегодня. Здесь. На той самой постели, на которой ты сидишь. В последнюю ночь нашего медового месяца в Греции. Возможно, это вообще наша последняя ночь, потому что ты никогда не знаешь, суждено ли тебе снова увидеть меня.

Он повернулся к ней — не спеша. Такое было впечатление, что он взнуздал свое тело так же, как и голос.

— Ты часто плачешь, — продолжал он. — По-моему, ты и сегодня плачешь. Обнимая меня. Обещая всегда быть моей. Так? Ты плачешь, а я говорю: «Пора!» Завтра тебе будет дан шанс проявить себя. Завтра утром ты выполнишь клятву, которую дала, поцеловав пистолет великого Халиля. Я приказываю тебе, я прошу тебя, — неторопливо, чуть ли не величественно он вернулся к окну, — пересечь на «Мерседесе» югославскую границу, взять курс на север и ехать в Австрию. Там у тебя примут машину. Поедешь одна. Сумеешь? Отвечай!

Казалось, она не испытывала ничего — старалась держаться, как он, не выказывая никаких чувств. Ни страха, ни чувства опасности, ни удивления — она выключилась, словно захлопнула дверь. «Вот ты и в деле, Чарли, — думала она. — Должна вести машину. Ты уезжаешь». Она смотрела на него, стиснув зубы, как смотрела на людей, которым лгала.

— Ну... что же ты ему ответишь? — чуть насмешливо спросил он. И повторил: — Поедешь одна. Расстояние, знаешь ли, немалое. Восемьсот миль по Югославии — это не так просто для первого задания. Что ты на это скажешь?

— А что меня там ждет? — спросила она.

Умышленно или нет, но он решил сделать вид, будто не понял ее.

— Деньги. За дебют в театре жизни. Все, что обещал тебе Марти. — Она не могла прочесть его мысли, как, возможно, не мог прочесть их и он сам. Он говорил резко, с оттенком осуждения.

— Я спрашиваю: какой груз ждет меня в «Мерседесе»?

Прошло целых три минуты, прежде чем он снова заговорил — теперь уже назидательным тоном:

— Какое имеет значение, что в машине? Может, военное донесение. Документы. Ты что, считаешь, что с первого же дня должна быть посвящена во все тайны нашей великой борьбы? — Пауза, но Чарли молчала. — Поведешь ты машину или нет? Это сейчас главное.

Она хотела слышать не ответ Мишеля. А ответ его, Иосифа.

— А почему он сам не поведет машину?

— Чарли, ты же новобранец, ты не имеешь права задавать вопросы. Естественно, если ты боишься... — Кто он сейчас? Она чувствовала, что маска спадает, но не знала которая. — Если вдруг ты начнешь подозревать — в рамках легенды, — что этот человек... несмотря на все его восхищение тобой, все заверения в вечной любви и его обаяние... пытается использовать тебя в личных целях... — Ей снова показалось, что он теряет почву под ногами. Хочется ли ей так думать или же можно предположить, что некое чувство незаметно вползло в него в полутьме, — чувство, которое он предпочел бы не впускать в себя? — Я хочу только сказать, что на этой стадии, — голос его снова окреп, — если пелена почему-то спадет с твоих глаз или тебе изменит мужество, ты, естественно, должна сказать «нет».

— Я задала тебе вопрос. Почему ты сам не хочешь вести машину — ты, Мишель?

Он быстро отвернулся к окну, чтобы, как почудилось Чарли, многое в себе подавить, прежде чем ответить.

— Мишель говорит тебе только это, — начал он с вынужденной терпеливостью. — Что бы ни было в машине... — А из окна ему виден был «Мерседес», стоявший на площади под охраной «Фольксвагена». — ...Это крайне необходимо для нашей великой борьбы, но в то же время очень опасно. Если водителя задержат в любой точке этого восьмисотмильного пути, везет ли он подрывную литературу или какой-либо другой материал, например какие-то обращения, — улики будут изобличающими. И ничто — ни нажим по дипломатическим каналам, ни первоклассные адвокаты — не спасет его от весьма тяжких последствий. Так что, если тебя заботит собственная шкура, ты должна это учесть. — И добавил голосом, совсем не похожим на голос Мишеля: — У тебя ведь своя жизнь, Чарли. Ты — это не мы.

Именно это отсутствие твердости в его тоне — пусть еле заметное — придало ей решимости, которой она до сих пор при нем не чувствовала.

— Я спросила, почему он сам не поведет машину. И все еще жду ответа.

— Чарли! — Он снова вошел в роль, быть может, даже чуть пережимая. — Я палестинский активист. Я известен как борец за наше правое дело. Я разъезжаю с чужим паспортом, что может быть в любую минуту обнаружено. А ты — англичанка, привлекательная, остроумная, обаятельная, на тебя нет досье в полиции, — естественно, ты вне опасности. Теперь-то уж тебе все ясно!

— Ты же только что сказал, что это опасно.

— Чепуха. Мишель уверяет тебя, что никакой опасности нет. Для него, пожалуй, есть. Для тебя — никакой. «Сделай это ради меня, — говорю я. — Сделай, и тебе будет чем гордиться. Сделай это во имя нашей любви и ради революции. Сделай ради всего того, в чем мы поклялись друг другу. Сделай ради моего великого брата. Разве клятва для тебя ничего не значит? Неужели ты по-западному лицемерила, когда называла себя революционеркой?» — Он снова помолчал. — Сделай это, иначе твоя жизнь станет еще более пустой, чем в ту пору, когда я подцепил тебя на пляже.

— Ты хочешь сказать — в театре, — поправила она его.

Он почти не обращал на нее внимания. Он продолжал стоять к ней спиной, по-прежнему глядя на «Мерседес». Он был снова Иосифом, Иосифом, проглатывавшим гласные, старательно строившим фразы и посвятившим себя миссии, которая спасет жизнь невинным людям.

— Словом, здесь твой Рубикон. Знаешь, что это значит? Перейти Рубикон? Ладно, отправляйся домой, возьми немного денег, забудь про революцию, про Палестину, про Мишеля.

— Или?

— Садись за руль. Сделай свой первый вклад в правое дело. Одна. Восемьсот миль. Что ты решаешь?

— А где будешь ты?

Его спокойствия было не поколебать — он снова укрылся за маской Мишеля.

— Мысленно с тобой, но помочь тебе я не смогу. Никто не сможет тебе помочь. Ты должна действовать одна, совершить преступный акт в интересах тех, кого мир называет «бандой террористов». — И продолжал, уже став Иосифом: — Тебя будут сопровождать наши ребята, но в случае беды они ничего не смогут сделать, только сообщат об этом Марти и мне. Югославия не такой уж большой друг Израиля.

Чарли не сдавалась. Инстинкт выживания подсказывал ей это. Она увидела, что он снова повернулся и смотрит на нее, и она встретила его взгляд, зная, что он видит ее лицо, а она его — нет. «С кем ты сражаешься? — думала она. — С собой или со мной? Почему в обоих лагерях ты враг?»

— Мы еще не довели до конца нашу сцену, — напомнила

она. — Я спрашиваю тебя — вас обоих, — что в машине? Ты, или он, или вы оба, а еще и кто-то вместе с вами хотите, чтобы я вела машину... Мне нужно знать, что в ней. Сейчас.

Она считала, что ей придется дожидаться ответа. Будет одно трехминутное предупреждение после того, как он мысленно прокрутит варианты и его принтер выдаст ответ. Но она ошиблась.

— Взрывчатка, — самым безразличным тоном произнес он. — Двести фунтов взрывчатки, брусками по полфунта. Отличное новое изобретение, каждый брусок хорошо упакован, взрывчатка жаро- и морозоустойчива и весьма эффективна при любой температуре.

— Искренне рада, что все хорошо упаковано, — съязвила Чарли, борясь с подступившей к горлу тошнотой. — И где же запрятаны эти брусочки?

— Под обшивкой, в бамперах, в сиденьях. Поскольку это «Мерседес» старого образца, в машине есть пустоты под дверцами и в раме.

— Для чего она — эта взрывчатка?

— Для нашей борьбы.

— Но зачем было тащиться ради этого добра в Грецию? Что, нельзя достать это в Европе?

— Мой брат следует определенным правилам секретности, и я обязан неукоснительно их соблюдать. Круг людей, которым он доверяет, чрезвычайно узок, и расширять его он не собирается. По сути, он не доверяет никому — ни арабам, ни европейцам. Когда действуешь в одиночку, никто, кроме тебя самого, и не предаст.

— И в чем же в данном случае будет заключаться наша борьба? — все тем же беспечным тоном осведомилась Чарли.

— Истребление евреев, где бы они ни находились, — без запинки ответил он. — Они изгнали нас из Палестины, и мы должны мстить, привлекая тем самым внимание всего мира к нашему бедственному положению. А кроме того, мы пробуждаем таким путем классовое сознание пролетариата, — добавил он уже менее уверенно.

— Что ж, в этом, пожалуй, есть резон.

— Спасибо.

— И вы с Марти подумали, что будет очень мило, если я в

качестве одолжения доставлю все это им в Австрию? — Слегка вздохнув, она встала и подошла к окну. — Обними меня, пожалуйста, Осси. Я не распутная девка. Просто мне почему-то стало вдруг очень одиноко.

Его рука обвилась вокруг ее плеч, и она вздрогнула. Прислонившись к нему, она повернулась, обхватила его руками, прижала к себе и обрадовалась, почувствовав, что и он смягчается, отвечает ей. Мысль ее отчаянно работала — так глаз пытается охватить неожиданно открывшуюся широкую панораму. Но яснее всего она вдруг увидела простиравшийся перед нею конечный отрезок пути, а вдоль дороги — безликих бойцов той армии, к которой она вот-вот присоединится. «Чего он хочет — послать меня с заданием, — думала она, — или попытаться удержать? Наверное, он и сам не знает. Он словно бы пробуждается и одновременно убаюкивает себя». Его руки, по-прежнему крепко обнимавшие ее, придали ей мужества. До сих пор — под влиянием его упорного целомудрия — она считала, что ее тело, жаждущее ласки, не для него. Сейчас же по непонятной причине это чувство отвращения к себе исчезло.

— Продолжай же уговаривать меня, — шепнула она, прижимая его к себе. — Выполняй свой долг.

— Разве тебе мало того, что Мишель отправляет тебя на задание и одновременно не хочет, чтобы ты ехала?

Она промолчала.

— Неужели мне надо напоминать тебе о тех обещаниях, которые мы дали друг другу, — что мы готовы убивать, потому что готовы умереть?

— Не думаю, чтобы слова могли теперь сыграть какую-то роль. Я этими словами, по-моему, уже сыта по горло. — Она уткнулась лицом ему в грудь. — Ты же обещал быть рядом со мной, — напомнила она ему и сразу почувствовала, как руки его обмякли.

— Я буду ждать тебя в Австрии, — жестко сказал он тоном, который мог лишь возмутить ее, а не убедить. — Мишель обещает тебе. И я тоже.

Она отстранилась от него, взяла его лицо в руки — как на Акрополе — и при свете с улицы внимательно в него вгляделась. У нее было такое чувство, что он замкнулся в себе, словно захлопнул дверь, и теперь ни войти, ни выйти. Застывшая и одновременно возбужденная, она подошла к кровати и снова на нее села. Взгляд ее упал на браслет, и она принялась задумчиво крутить его на руке.

— А как *ты* хочешь, чтобы я поступила? — спросила она. — Ты, Иосиф? Следует ли Чарли остаться и выполнить задание или лучше ей смотаться, прихватив денежки? Какой твой сценарий?

— Тебе решать. Насколько это опасно, ты знаешь.

— Ты тоже знаешь. Еще лучше, чем я. Ты знал об этом с самого начала.

— Ты слышала все доводы — от Марти и от меня.

Расстегнув браслет, она сняла его с руки.

— Доводы, что мы спасем жизнь невинным людям? При условии, конечно, что я доставлю взрывчатку по назначению. Правда, есть такие наивные, которые считают, что можно спасти больше людей, не доставляя взрывчатки. Но они, по-видимому, не правы, насколько я понимаю?

— В конечном счете, если все произойдет, как задумано, они окажутся не правы.

Он снова повернулся к ней спиной и, казалось, возобновил изучение того, что происходит за окном.

— Если со мной говорит Мишель, — продолжала она рассуждать, — тогда все просто. — Она надела браслет на другую руку. — Я потеряла от тебя голову, поцеловала пистолет и с нетерпением жду, когда окажусь на баррикадах. Если в это не верить, тогда все твои старания за последние дни оказались напрасными. Но на самом деле не оказались. Все это ты мне внушил и завоевал меня на свою сторону. Препирательства окончены. Я еду.

Она увидела, как он чуть кивнул в знак согласия.

— Кстати, что бы изменилось, если бы со мной говорил Иосиф? Скажи я «нет», больше я тебя никогда бы не увидела. И вернулась бы со своим золотым браслетом в какую-нибудь дыру.

Она с удивлением заметила, что он потерял к ней интерес. Плечи его приподнялись, и он глубоко вздохнул; голова его была повернута к окну, взгляд устремлен на горизонт. Он снова заговорил, и сначала ей показалось, что он опять уходит от главного. Но, слушая его, она поняла, что он пытается объяснить, почему ни у него, ни у нее в действительности нет выбора.

— По-моему, Мишелю этот город должен был бы понравиться. До немецкой оккупации шестьдесят тысяч евреев более или менее счастливо жили на этой горе. Почтовые служащие, коммерсанты, банкиры. Они перебрались сюда из Испании, через Балканы. А когда немцы ушли отсюда, ни одного еврея здесь уже не было. Те, кто выжил, уехали в Израиль.

Она легла на кровать. А Иосиф продолжал стоять у окна, глядя, как блекнет свет фонарей на улице. Придет ли он к ней, думала Чарли, хоть и знала, что не придет. Она услышала, как заскрипел под его тяжестью диван. Тело его лежало параллельно ее телу, но целая страна — Югославия — разделяла их. Чарли никогда еще никого так не хотела. Страх перед неведомым завтра разжигал желание.

— Осси, у тебя есть братья или сестры? — спросила она.

— Один брат.

— А чем он занимается?

— Его убили на войне в шестьдесят седьмом году.

— На войне, после которой Мишель очутился за Иорданом, — сказала она. Впрочем, она не ожидала получить от него правдивый ответ, хотя и получила. — А ты тоже участвовал в той войне?

— Можно сказать, да.

— А в предыдущей? Я не помню, когда она была.

— В пятьдесят шестом.

— Участвовал?

— Да.

— А в следующей? В семьдесят третьем?

— Возможно.

— А за что ты сражался?

Молчание.

— В пятьдесят шестом мечтал стать героем, в шестьдесят седьмом — за мир. А в семьдесят третьем, — казалось, ему труднее было припомнить, — за Израиль, — сказал он.

— А сейчас? За что ты сражаешься сейчас?

«Все и так ясно, — подумала она. — Чтобы меньше было

смертей. Потому они и ко мне обратились. Чтобы в деревнях могли танцевать дабке и слушать рассказы о путешествиях».

— Осси?

— Да, Чарли.

— Откуда у тебя такие глубокие шрамы?

Темнота от его молчания становилась наэлектризованной и словно искрилась.

— Я бы назвал это метами ожогов: я горел в танке. И пулевые ранения, когда вылезал.

— Сколько тебе было тогда лет?

— Двадцать. Двадцать один.

«Когда мне исполнилось восемь, я вступил в ашбал, — вспомнила она. — В пятнадцать...»

— А кто был твой отец? — спросила она, желая продлить этот миг.

— Первопроходец. Один из первых переселенцев.

— Откуда?

— Из Польши.

— Когда же он переселился?

— В двадцатые годы.

— А чем он занимался?

— Был строителем. Работал руками. Превращал песчаные дюны в город, который назвали Тель-Авивом. Считал себя социалистом. Не очень верил в бога. Не пил. Никогда ничего не имел, кроме грошовых вещей.

— И ты хочешь быть таким же? — спросила она.

И подумала: «Не ответит. Сделает вид, что заснул. Не приставай».

— Я выбрал более высокое призвание, — сухо отозвался он.

«Или оно выбрало тебя, — подумала Чарли, — ибо рожденный пленником выбирать не волен». И с этой мыслью она очень быстро уснула.


А Гади Беккер, закаленный в сражениях боец, тихо лежал без сна, глядя во тьму и прислушиваясь к неровному дыханию завербованной им молодой женщины. Зачем он все это ей наговорил? Зачем рассказал о себе, посылая на первое задание? Порой он сам себе больше не доверял. Он напрягал мускулы — и обнаруживал, что путы дисциплины уже не стягивают его, как прежде. Он намечал линию поведения — и, оглянувшись, обнаруживал, что шел не по прямой, а петляя. «О чем же я все-таки мечтаю, — думал он, — о борьбе или о мире?» Он уже слишком стар и для того и для другого. Слишком стар, чтобы продолжать, и слишком стар, чтобы остановиться. Слишком стар, чтобы жертвовать собой, но и удержаться уже не может. Слишком стар, чтобы не знать запаха смерти, когда идешь на убийство.

Он снова прислушался к дыханию Чарли, ставшему более ровным. И, вытянув в темноте, совсем как Курц, руку с часами, взглянул на светящийся циферблат. Затем так тихо, что если бы даже она не спала, то вряд ли услышала бы, надел свой красный пиджак и выскользнул из номера.

Ночной портье был человек дошлый, поэтому, едва завидев хорошо одетого господина, сразу учуял возможность подзаработать.

— У вас есть телеграфные бланки? — властным тоном спросил Беккер.

Ночной портье нырнул под стойку.

Беккер начал писать. Большими буквами, тщательно выводя их черными чернилами. Он помнил адрес наизусть: контора адвоката в Женеве — адрес прислал из Мюнхена Курц, перепроверив у Януки, можно ли им по-прежнему пользоваться. Текст, который начинался словами: «Убедительно прошу сообщить вашему клиенту...» — и касался наступления срока платежа по векселям согласно договоренности, он тоже помнил наизусть. Получилось сорок пять слов; перечитав их, Иосиф поставил подпись — так, как терпеливо учил его Швили. И отдал бланк портье вместе с пятьюстами драхмами чаевых.

— Отправьте телеграмму дважды, понятно? Тот же текст — дважды. Сначала передайте по телефону, а утром — из почтового отделения. Не перепоручайте никому, сделайте это сами. Квитанцию потом пришлете мне в номер.

Портье сделает все в точности, как велел господин. Он был наслышан про чаевые, которые дают арабы, мечтал получать такие. Сегодня наконец и ему перепало. Он с радостью оказал бы господину и кучу других услуг, но господин, увы, остался глух к его намекам. С грустью смотрел портье, как добыча ускользает у него из рук: господин вышел на улицу и направился в сторону набережной. Фургон связи стоял на стоянке для автомашин. Великому Гади Беккеру пора было отправить донесение и убедиться в том, что можно начинать большую операцию.

# Глава 13

Монастырь стоял в двух километрах от границы, в лощине меж высоких валунов, среди которых росла желтая осока. Место было печальное: запущенные постройки с осевшими крышами, двор, окруженный полуразрушенными кельями, на каменных стенах которых нарисованы девчонки с обручами. Какой-то постхристианин открыл было здесь дискотеку, а потом, как и монахи, бежал. На заасфальтированной площадке, предназначавшейся для танцев, стоял, подобно боевому коню, которого готовят к битве, красный «Мерседес», подле него — чемпионка, которая его поведет, а у ее локтя — Иосиф, распорядитель-администратор.

— Сюда, Чарли, привез тебя Мишель, чтобы заменить номера на машине и проститься с тобой; здесь он вручил тебе фальшивые документы и ключи. Роза, протри еще раз эту дверцу, пожалуйста. Рахиль, что за бумажка валяется на полу?

Перед ней снова был придирчиво требовательный Иосиф. У дальней стены стоял фургон связи, его антенна тихо покачивалась от дуновений жаркого ветерка.

Таблички с мюнхенскими номерами были уже привинчены. Вместо знака дипломатического корпуса появилась пропыленная буква «Г», обозначавшая, что машина зарегистрирована в Германии. Ненужные мелочи были убраны. На их место Беккер, тщательно все продумав, стал раскладывать сувениры со смыслом: в карман на дверце был засунут затасканный путеводитель по Акрополю; в пепельницу брошены зернышки от винограда, на пол — апельсиновые корки, бумажки от греческого мороженого, обрывки оберток с шоколада. Затем — два использованных входных билета для осмотра развалин в Дельфах, карта дорог Греции, выпущенная «Эссо», с прочерченной красным дорогой из Дельф в Салоники, с пометками на полях, сделанными рукою Мишеля по-арабски, рядом с тем местом в горах, где Чарли стреляла и промазала. Расческа с застрявшими в зубьях черными волосками, протертая остро пахнущим немецким лосьоном для волос, который употреблял Мишель. Пара кожаных шоферских перчаток, слегка сбрызнутых одеколоном Мишеля. Футляр для очков от Фрея из Мюнхена, в котором лежали очки, случайно разбившиеся, когда их владелец остановился недалеко от границы, чтобы взять в машину Рахиль.

Покончив с этим, Иосиф тщательно осмотрел и саму Чарли от туфель до головы и обратно, задержав взгляд на браслете и наконец — нехотя, как ей показалось, — переведя его на маленький плетеный столик, на котором лежало новое содержимое ее сумочки.

— А теперь положи все это, пожалуйста, в сумку, — сказал он и стал наблюдать, как она принялась раскладывать по-своему платок, тюбики губной помады, водительские права, мелкую монету, бумажник, сувениры, ключи и прочую ерунду, старательно подобранную, чтобы при осмотре все говорило в пользу ее легенды.

— А как насчет писем? — спросила она. И, следуя манере Иосифа, помолчала. — Все эти его страстные письма — я, конечно же, стала бы возить их с собой, верно?

— Мишель этого не позволил бы. У тебя строжайшие инструкции держать письма в надежном месте на твоей квартире и, уж во всяком случае, не пересекать с ними границы. Впрочем... — Он достал из бокового кармана куртки маленькую книжечку-дневник в целлофане. У книжечки была матерчатая обложка и в корешок вставлен карандашик. — Поскольку сама ты дневник не ведешь, мы решили вести его за тебя, — пояснил он.

Чарли покорно взяла книжечку и вынула ее из целлофана. Достала карандашик. На нем виднелись следы зубов, а она до сих пор жевала карандаши. Она перелистала с полдюжины страничек. Швили сделал немного записей, но все — в ее стиле. В ноттингемский период — ничего: Мишель вошел ведь в ее жизнь без предупреждения. В Йорке уже появляется большое «М» со знаком вопроса, обведенное кружком. В конце того же дня — большая мечтательная загогулина: витая в облаках, она чертила такие. Указана марка машины, которой она пользовалась: «На «Фиате» — в собор Св. Евстафия, 9 ч. утра». Упомянуто про мать: «Осталась неделя до маминого дня рождения. Купить подарок». И про Аластера: «А на о-в Уайт — реклама «Келлога»?» Она вспомнила, что он туда не поехал: компания «Келлог» нашла кого-то получше — более трезвую «звезду». Ее месячные были отмечены волнистыми линиями, а раза два было шутливо указано: «Не играю». Дальше шла поездка в Грецию — там большими задумчивыми буквами было начертано слово МИКОНОС, а рядом — время вылета и прилета чартера. А добравшись до дня своего приезда в Афины, Чарли увидела целый разворот в начертанных шариковой ручкой синих и красных птицах — точно татуировка у матроса. Она швырнула дневник в сумку и с треском защелкнула замок. Нет, это уж слишком. В ее жизнь вторглись чужие люди и словно вываляли в грязи. Ей хотелось, чтобы появился кто-то новый, кого можно было бы удивлять, кто-то, кто не стал бы навязывать ей чувства и подделывать ее почерк, так что она уже и сама не в состоянии понять, где ее рука, а где — нет. Возможно, это знает Иосиф. Возможно, это он вчитывался в наспех нацарапанные слова. Она надеялась, что это он. А он тем временем затянутой в перчатку рукой держал для нее дверцу машины. Она быстро села за руль.

— Просмотри еще раз все документы, — приказал он.

— В этом нет необходимости, — сказала она, глядя прямо перед собой.

— Номер машины?

Она назвала.

— Дата регистрации?

Она все правильно сказала — одну ложь, другую, третью. Машина принадлежит модному мюнхенскому врачу, ее нынешнему любовнику, — следует имя. Она застрахована и зарегистрирована на его имя — смотри фальшивые документы.

— А почему он не с тобой, этот живчик-доктор? Это Мишель спрашивает, ты поняла?

Она поняла.

— Ему пришлось сегодня утром срочно вылететь из Салоник по вызову. Я согласилась отвезти его в аэропорт. Он приезжал в Афины читать лекцию. Мы ездили вместе.

— А при каких обстоятельствах и где ты встретилась с ним?

— В Англии. Он — приятель моих родителей: лечит их от запоев. Мои родители — фантастические богачи.

— На крайний случай у тебя в сумочке лежит тысяча долларов, которые дал тебе Мишель для этой поездки. Эти люди потратили на тебя какое-то время, ты доставила им определенные неудобства — они вполне могут рассчитывать на небольшое вознаграждение. А как зовут его жену?

— Ренате, и я ненавижу ее — она сука.

— У них есть дети?

— Кристоф и Доротея. Я могла бы стать им прекрасной матерью, если б Ренате отступилась от них. А сейчас я уже хочу двигать. У тебя есть еще вопросы?

— Да.

«Хоть сказал бы, что любишь меня, — мысленно подсказывала она ему. — Хоть сказал бы, что чувствуешь некоторую вину за то, что отправляешь меня через пол-Европы в машине, набитой первоклассной взрывчаткой».

— Не будь слишком в себе уверена, — посоветовал он таким бесстрастным тоном, как если бы говорил о ее водительских правах. — Не всякий пограничник дурак или сексуальный маньяк.

Она дала себе слово — никаких прощаний, и, по-видимому, Иосиф тоже так решил.

— В путь, Чарли, — сказала она. И включила зажигание.

Иосиф не взмахнул рукой и не улыбнулся. Возможно, он тоже сказал: «В путь, Чарли», но если и сказал, то она этого не расслышала. Она выехала на шоссе, монастырь и его временные обитатели исчезли из зеркальца заднего вида. На большой скорости она проехала километра два и увидела старую стрелку с надписью: ЮГОСЛАВИЯ. Она поехала медленнее, влившись в общий поток. Шоссе расширилось, превратилось в автопарк. Вереницей стояли экскурсионные автобусы, а в другой веренице — машины с флажками всех наций, выгоревшими на солнце. Я — английский флаг, а я — германский, я — израильский, я — арабский. Чарли стала за открытой спортивной машиной. Двое мальчишек сидели впереди, двое девушек — сзади. «Интересно, — подумала она, — они из стана Иосифа? Или Мишеля? Или агенты какой-то из полиций?» Вот до чего она дошла, как стала смотреть на мир: все на кого-то работают. Чиновник в серой форме нетерпеливо замахал ей. У нее все было уже наготове. Фальшивые документы, фальшивые объяснения. Но они не понадобились. Ее пропустили.


Иосиф с вершины горы над монастырем смотрел в бинокль, затем опустил его и сошел вниз к ожидавшему его фургону.

— Пакет опущен в почтовый ящик, — сухо сказал он Давиду, и тот послушно отстучал текст на машинке. Он отстучал бы для Беккера что угодно, пошел бы на любой риск, кого угодно убил бы. Беккер был для него живой легендой, человеком, которому он все время стремился подражать.

— Марти шлет поздравления, — почтительно произнес малый.

Но великий Беккер, казалось, не слышал его.

Она ехала бесконечно долго. У нее ломило руки — так крепко она вцепилась в руль; ломило шею — так прямо она сидела, уперев ноги в педали. Ее мутило оттого, что ничего не происходит. И еще от избытка страха. Потом замутило еще больше, когда зачихал мотор, и она подумала: «Ур-ра, мы сломались». «Если забарахлит машина, бросай ее, — сказал ей Иосиф, — оставь где-нибудь на боковой дороге, выкинь все бумаги, голосуй, доберись до поезда. Главное, уезжай как можно дальше от машины». Но сейчас, уже вступив в игру, Чарли не считала это возможным: ведь это же все равно как не явиться на спектакль. Она оглохла от музыки, выключила радио, но в ушах по-прежнему стоял звон, теперь уже от грохота грузовиков. Она попала в сауну, она замерзает, она поет. Не приближается к цели, а лишь движется. И оживленно рассказывает своему покойному отцу и своей стерве-мамаше: «Ну так вот, я познакомилась с этим совершенно очаровательным арабом, мама, потрясающе образованным и ужасно богатым и интеллигентным, и мы трахались с ним от зари до темна и от темна до зари...»

Она вела машину, выбросив все мысли из головы, намеренно ограничив свои размышления. Она заставила себя не погружаться в них, держаться на поверхности, на уровне окружающего мира. «Смотри-ка, вот деревня, а вот озеро, — думала она, не разрешая себе углубиться в царивший в душе хаос. — Я свободна, ничем не связана, и все чудесно». На обед она поела хлеба с фруктами, которые купила в киоске при гараже. И еще — мороженого: ей вдруг страстно, как бывает с беременными, захотелось мороженого. Желтое водянистое югославское мороженое с грудастой девицей на обертке. В какой-то момент она заметила на обочине голосующего парнишку, и у нее возникло безудержное желание остановиться — вопреки наставлениям Иосифа — и подвезти его. Она вдруг почувствовала такое страшное одиночество, что готова была на что угодно, лишь бы иметь этого парнишку рядом — обвенчаться с ним в одной из часовенок, разбросанных по лысым горам, а потом лишить его невинности в желтой траве у дороги. Но ни разу за весь этот бесконечный, многомильный путь она не подумала о том, что везет двести фунтов первосортной взрывчатки в виде полуфунтовых брусочков, запрятанных под обшивкой крыши, в бамперах, в сиденьях. Или что у этой машины старого образца множество всяких отделений и решеток. Или что это добротная, новая, тщательно проверенная взрывчатка, не реагирующая ни на жару, ни на холод, способная выдержать любую температуру.

«Держись, девочка, — упорно твердила она себе, иногда даже вслух. — Смотри, какой солнечный день, и ты — бога-

тая шлюха, едущая в «Мерседесе» своего любовника». Она
читала монологи из «Как вам это понравится» и отрывки из
своей самой первой роли. Она читала реплики из «Святой
Иоанны». Но об Иосифе не думала: она никогда в жизни не
знала ни одного израильтянина, никогда не тосковала по
нему, никогда не меняла ради него мест пребывания или
своей веры и не работала на него, делая вид, будто работает
на его врагов, никогда не восхищалась и не страшилась тайной войны, которую он непрерывно вел сам с собой.

В шесть часов вечера она увидела яркую вывеску, которой
никто не предупреждал ее остерегаться, и хотя предпочла бы
ехать всю ночь, сказала себе: «Да ладно уж, вот тут, похоже,
совсем неплохо, попробуем остановиться». Только и всего.
Она произнесла это громко, трубным гласом, словно обращаясь к своей стерве-мамаше. Проехала с милю среди холмов и
обнаружила гостиницу, построенную на руинах, с плаватель-
ным бассейном и полем для гольфа — в точности как описал
ее Тот-кого-на-самом-деле-нет. А войдя в холл, на кого она
наткнулась, как не на своих старых знакомых по Миконо-
су — Димитрия и Розу.

— Ой, смотри-ка, милый, это же Чарли, надо же, какая
встреча, давайте поужинаем вместе!

Они поели мяса на вертеле у бассейна, потом поплавали;
когда же бассейн закрыли, а Чарли все не хотелось спать, они
сели играть с ней в ее номере в скрэббл — точно надзиратели
со смертником накануне казни. Потом она несколько часов
продремала, а в шесть утра уже снова была в пути и к середине дня добралась до конца очереди, стоявшей у австрийской
границы; тут ей показалось чрезвычайно важным как можно
лучше выглядеть.

На ней была блузка без рукавов из вещей, купленных Мишелем; она расчесала волосы, и отражение в трех зеркальцах
понравилось ей самой. Большинство машин пограничники
пропускали взмахом руки, но она не могла на это рассчитывать — вторично так не бывает. Пассажиров других машин
просили показать документы, а несколько машин стояли в
стороне для тщательного досмотра. «Их выбрали наугад, —
подумала она, — или пограничники были заранее предуп-
реждены, или же они действуют, следуя им одним ведомым

приметам?» Двое пограничников в форме медленно шли вдоль машин, останавливаясь возле каждой. Один был в зеленой форме, другой — в голубой, и тот, что в голубой, надел фуражку чуть набекрень, что делало его похожим на этакого воздушного аса. Они взглянули на Чарли и стали медленно обходить машину. Она услышала, как один из них пнул заднюю шину, и чуть не крикнула: «Осторожнее, ей же больно», но промолчала — Иосиф, о котором она старалась не думать, говорил ведь ей, чтобы она к ним не выходила, держалась отчужденно, сначала думала, а вслух произносила лишь половину. Человек в зеленой форме спросил ее о чем-то по-немецки, и она ответила по-английски: «Простите?» Она протянула ему свой британский паспорт, профессия — актриса. Он взял паспорт, посмотрел на Чарли, потом на фотографию и протянул паспорт своему коллеге. Парни были красивые, совсем молоденькие, как она только сейчас заметила. Светловолосые, остроглазые, с несмываемым горным загаром. «Товар у меня первосортный, — хотелось ей сказать им в порыве самоуничтожения. — Меня зовут Чарли — ну-ка, сколько я стою?»

Они в четыре глаза внимательно смотрели на нее и по очереди задавали вопросы — ты спрашиваешь, а теперь я. Нет, сказала Чарли, ну, только сотню греческих сигарет и бутылку узо. Нет, сказала она, никаких подарков, честное слово. И отвела взгляд, подавив желание пофлиртовать. Ну, сущую ерунду для мамы, не представляющую никакой ценности. Скажем, долларов на десять. Разные канцелярские мелочи — пусть думают что хотят. Ребята открыли дверцу машины и попросили Чарли показать бутылку узо, но она подозревала, что, налюбовавшись вырезом ее блузки, они теперь хотели посмотреть на ее ноги и сделать общий вывод. Узо лежало в корзинке, которая стояла возле Чарли на полу. Перегнувшись через сиденье для пассажира, она достала бутылку, и в этот момент юбка ее распахнулась — на девяносто процентов случайно, — тем не менее левая нога обнажилась до самого бедра. Чарли приподняла бутылку, показывая им, и в тот же миг почувствовала прикосновение чего-то мокрого и холодного к голой ноге. «Господи, они же проткнули мне ногу!» Она вскрикнула, прижала руку к этому месту и с удивлением обнаружила на ляжке чернильный кружок от печати, фиксировавший ее прибытие в Австрийскую республику. Она была так зла, что чуть не накинулась на них; она была так признательна, что чуть не расхохоталась. Не предупреди ее Иосиф, она тут же расцеловала бы обоих за их невероятно милую, наивную широту. Пропустили — значит, черт подери, она хороша. Чарли посмотрела в зеркальце заднего вида и еще долго видела, как милые существа махали ей на прощание, забыв про все прибывавшие машины.

Никогда в жизни она еще так не любила представителей власти.

Шимон Литвак приступил к своему долгому наблюдению рано утром, за восемь часов до того, как пришло сообщение, что Чарли благополучно пересекла границу, и через две ночи и один день после того, как Иосиф от имени Мишеля послал две одинаковые телеграммы женевскому адвокату для передачи его клиенту. Время подходило к середине дня, и Литвак уже трижды менял своих наблюдателей, но никто из них не томился, все были бдительны, и ему приходилось не понукать их, а уговаривать хорошенько отдыхать между дежурствами.

Со своего поста у окна номера люкс в старом отеле Литвак смотрел на прелестную рыночную площадь, главную особенность которой составляли две традиционные гостиницы с выставленными на улицу столиками, небольшая площадка для машин и вполне сносный старый вокзал с куполом луковицей над кабинетом начальника. Ближайшая к нему гостиница называлась «Черный лебедь» и славилась своим аккордеонистом, бледным, мечтательным юношей, игравшим уж слишком хорошо и потому нервничавшим и заметно мрачневшим, когда мимо проносились машины, что случалось довольно часто. Вторая гостиница называлась «Плотничий рубанок», и над входом в нее висела золотая эмблема в виде орудий плотничьего ремесла. Гостиница «Плотничий рубанок» была заведением достаточно высокого класса, столики были накрыты белыми скатертями, и постоялец мог заказать себе блюдо из форели, которая плавала в стоявшем на дворе резервуаре. Прохожих в этот час дня было мало, тяжелая пыльная жара вгоняла в сон. Перед «Черным лебедем» две девушки пили чай и, хохоча, писали вместе какое-то письмо — их обязанностью было фиксировать номера машин, появлявшихся на площади или уезжавших с нее. А перед «Плотничьим рубанком» читал молитвенник, потягивая вино, молодой священник: в южной Австрии никому не придет в голову попросить священника убраться восвояси. Подлинное имя священника было Уди, сокращенное от Иегуди, левши, убившего царя Моавитского. Подобно тому, чье имя он носил, священник был вооружен до зубов и тоже был левшой, а сидел он там на случай, если возникнет потасовка. Его подстраховывала пара пожилых англичан, казалось, спавших после хорошего обеда в своем «ровере» на стоянке. Однако под ногами у них лежало огнестрельное оружие и целая коллекция холодного оружия под рукой. Их приемник был настроен на волну фургона связи, находившегося в двухстах метрах от них по дороге в Зальцбург.

В общем и целом в распоряжении Литвака была команда из девяти мужчин и четырех девушек. Он бы предпочел иметь человек шестнадцать, но не жаловался. Он любил быть хорошо подготовленным и в ответственные минуты всегда хорошо себя чувствовал. «Такой уж я уродился», — думал он; эта мысль всегда посещала его перед началом операции. Он был спокоен, тело и мозг его пребывали в глубоком сне, команда лежала на палубе: кто мечтал о мальчиках, кто — о девочках, кто — о летних походах по Галилее. Однако достаточно прошелестеть ветерку — и каждый будет на своем посту еще до того, как ветер надует паруса.

Сейчас Литвак буркнул для проверки в свой микрофончик условное словцо и услышал ответ. Переговаривались они по-немецки, чтобы меньше привлекать внимание. Прикрытием служила то компания «Такси по радио» в Граце, то вертолетная спасательная служба в Инсбруке. Они то и дело меняли частоты и пользовались самыми разными, сбивающими с толку позывными.

В четыре часа дня Чарли не спеша въехала на своем «Мерседесе» на площадь, и один из сидевших в «ровере» с нахальной уверенностью протрубил три победные ноты в свой микрофон. Чарли нелегко было найти место для парковки, но Литвак запретил ей помогать. Пусть действует сама — нечего подстилать коврик, чтоб не упала. Наконец место освободилось, она поставила машину, вышла из нее, потянулась, помассировала спину, достала из багажника свою сумку и гитару. «Молодчина, — подумал Литвак, наблюдая за ней в бинокль. — Естественно держится. А теперь запри машину». Она так и поступила, последним заперев багажник. «Теперь положи ключ в выхлопную трубу». Она и это сделала, причем очень ловко, когда нагибалась, чтобы взять свои пожитки; затем, не глядя ни направо, ни налево, устало направилась к вокзалу. Литвак снова стал ждать. «Козленок привязан, — вспомнил он любимое изречение Курца. — Теперь нам нужен лев». Он произнес что-то в свой микрофон, и ему подтвердили получение приказа. Он представил себе Курца — сидит сейчас в мюнхенской квартире, пригнувшись к маленькому телетайпу, отстукивающему сведения, которые поступают из фургона связи. Представил себе, как Курц машинально проводит тупыми пальцами по губам, нервно стирая свою извечную улыбочку; вытягивает толстую руку и близоруко смотрит на часы. «Наконец-то стало темнеть, — подумал Литвак, глядя, как густеют ранние сумерки. — Все эти месяцы мы так ждали темноты».

Прошел час. Благообразный священник Уди расплатился по скромному счету и не спеша направился в боковую улочку, чтобы отдохнуть на конспиративной квартире и сменить облик. Две девушки дописали наконец свое письмо и попросили принести марку. Получив ее, они отбыли — для той же цели. Литвак с удовлетворением проследил, как их место заняла новая смена: побитый фургончик прачечной; двое парней, голосовавших на дороге и вздумавших хоть поздно, но все же пообедать; рабочий-итальянец, присевший выпить кофе и почитать миланские газеты. На площадь выехала полицейская машина и медленно сделала три круга почета, но ни водитель, ни его напарник не проявили ни малейшего интереса к красному «Мерседесу», у которого в выхлопной трубе был спрятан ключ зажигания. В семь сорок наблюдатели заволновались: к дверце водителя решительно проследовала толстуха, вставила ключ в замок и в ужасе, что ее могут заподозрить в угоне машины, умчалась прочь в красном «Ауди». В восемь вечера по площади промчался мощный мотоцикл и — прежде чем кто-либо успел заметить его номер — с ревом исчез. Длинноволосый пассажир на нем вполне мог быть женщиной, а вообще оба ездока выглядели юнцами, решившими прокатиться.

— Контакт? — спросил Литвак в свой микрофон.

Мнения разделились. «Слишком бесшабашные», — сказал один голос. «Слишком быстро мчались, — сказал другой. — Стали бы они рисковать — ведь их могла остановить полиция». Литвак придерживался иной точки зрения. Он был уверен, что это первая разведка, но ничего такого не сказал, боясь повлиять на суждение коллег. Снова началось ожидание. «Лев принюхался, — подумал Литвак. — Вот только вернется ли?»

Десять часов вечера. Рестораны начали пустеть. На городок опускалась глубокая деревенская тишина. Но к красному «Мерседесу» никто не подходил, и мотоцикл не возвращался.

Если вам когда-либо приходилось наблюдать за пустой машиной, вы знаете, что это глупейшее занятие на свете, а Литваку частенько приходилось это делать. Со временем — просто оттого, что смотришь в одну точку, — начинаешь думать: какая глупая штука — машина без человека, ибо только он и придает ей смысл. И какой глупец человек, придумавший машины. А через два часа машина уже представляется таким хламом — хуже некуда. Начинаешь мечтать о лошадях и о пеших прогулках. О том, чтобы вырваться из жизни на свалке металлолома и вернуться к жизни плотской, людской. О своем кибуце и апельсиновых рощах. О том, что настанет день, когда весь мир наконец поймет, чем грозит ему пролитая еврейская кровь.

И тогда хочется взорвать все машины твоих врагов во всем мире и сделать Израиль навсегда свободным.

Или вспоминаешь, что сегодня суббота и в законе сказано: лучше спасать душу, работая, чем соблюдать субботу, но не спасти души.

Или что ты должен жениться на правоверной уродине, к которой тебя вовсе не тянет, поселиться с ней в Херцлии, в доме, купленном с помощью закладной, и, безропотно народив детей, попасть в капкан.

Или начинаешь размышлять об еврейском боге и о параллелях в Библии с твоей нынешней ситуацией.

Но что бы ты на сей счет ни думал и что бы ни делал, если ты столь же натренирован, как Литвак, да к тому же еще командуешь целой группой и принадлежишь к числу тех, для кого акции против мучителей евреев подобны наркотику, — ты ни на секунду не отведешь глаз от этой машины.


Мотоцикл вернулся.

Он стоял на привокзальной площади, судя по светящемуся циферблату часов Шимона Литвака, целых пять с половиной бесконечно долгих минут. Со своего места у окна темного гостиничного номера, всего в каких-нибудь двадцати метрах по прямой от мотоцикла, Литвак наблюдал за этим мотоциклом с венским номером. Машина была первоклассная — японской марки, с подогнанными по заказу ручками. Мотоцикл вкатил на площадь с выключенным мотором; за рулем сидел водитель, непонятно какого пола, в коже, со шлемом на голове, а в качестве пассажира — широкоплечий малый, которого Литвак тотчас окрестил Длинноволосым, в джинсах и туфлях на резиновой подошве, с лихо завязанным сзади шарфом. Машина остановилась недалеко от «Мерседеса», но не настолько близко, чтобы увидеть тут умысел. Литвак поступил бы точно так же.

— Товар поступил, — тихо произнес он в микрофон и тотчас получил четыре утвердительных сигнала в ответ. Литвак был настолько уверен в своей правоте, что, если бы молодая пара испугалась и удрала, он без раздумья отдал бы соответствующий приказ, хоть это и означало бы конец операции. Арон поднялся бы в своем прачечном фургончике и расстрелял бы их тут же, на площади, а Литвак спустился бы и для верности всадил бы несколько зарядов в останки. Но ребята не бежали, что было много, много лучше. Они продолжали сидеть на своем мотоцикле, возясь с ремнями и застежками шлемов, — казалось, они провели так не один час, хотя на самом деле прошло всего две минуты. Они разнюхивали, проверяя выезды с площади, оглядывая запаркованные машины, а также верхние окна домов, вроде того, у которого сидел Литвак, хотя его группа уже давным-давно удостоверилась в надежности укрытия.

Проведя оценку ситуации, Длинноволосый не спеша сошел на землю и с невинным видом прогулочным шагом пошел мимо «Мерседеса», склонив набок голову; на самом же деле наверняка проверял, торчит ли из выхлопной трубы ключ зажигания. Но хватать ключ не стал, что Литвак, как профессионал, сразу оценил. Пройдя мимо машины, парень направился к вокзальной уборной, откуда почти тотчас вышел в надежде застигнуть врасплох того, кто по недомыслию последовал бы за ним. Но никто не последовал. Девушки не могли туда пойти, а ребята были слишком осторожны. Длинноволосый вторично прошел мимо машины, и Литвак упорно пытался внушить ему: «Нагнись, завладей ключом», так как ему необходим был этот жест. Но Длинноволосый не желал слушаться. Вместо этого он снова подошел к мотоциклу и своему спутнику, остававшемуся в седле, очевидно, на случай, если придется быстро удирать. Длинноволосый сказал что-то своему спутнику, затем стянул с головы шлем и беспечно повернулся лицом к свету.

— Луиджи, — произнес Литвак в микрофон, называя кодовое имя.

Это доставило ему редкостное удовлетворение. «Так это, значит, ты, — рассудил Литвак. — Россино, проповедник мирного урегулирования». Литвак отлично его знал. Он знал фамилии и адреса его подружек и приятелей, знал, что его весьма правые родители живут в Риме и что в Миланской музыкальной академии у него есть наставник-левак. Знал Литвак и весьма популярный неаполитанский журнал, в котором Россино по-прежнему печатал свои статьи, призывая не применять насилия, ибо это единственный приемлемый путь. Литвак знал, что в Иерусалиме уже давно с подозрением относятся к Россино, знал всю историю неоднократных тщетных попыток добыть доказательства того, что эти подозрения оправданы. Литвак знал, чем от него пахнет, и знал номер его ботинок: он начал подозревать, что Россино сыграл не последнюю роль в той акции в Бад-Годесберге, да и во многих других местах, и весьма четко представлял себе — как и они все, — что надо делать с этим парнем. Но не сейчас. И еще не скоро. Лишь тогда, когда вся кривая дорожка будет пройдена.

«Чарли расплатилась за поездку, — ликуя, подумал он. — Одно это опознание оплачивает весь ее долгий путь сюда». Она — хорошая гойка, редкий, по мнению Литвака, экземпляр.

Теперь наконец сошел с мотоцикла и тот, что сидел у руля. Он сошел на землю, потянулся и отстегнул ремешок шлема, а Россино сел на его место за руль.

Разница была лишь в том, что за рулем до него сидела девчонка.

Тоненькая блондинка с точеными, насколько мог разглядеть в свои линзы Литвак, чертами лица, казавшаяся эфирным созданием при всем своем умении мастерски водить мотоцикл. В этот критический момент Литвак решительно выбросил из головы мысль о том, не летала ли она с парижского аэродрома Орли в Мадрид и не занималась ли доставкой чемоданов с пластинками шведским подружкам. Дело в том, что, ступи он на эту дорожку, — и ненависть, копившаяся в его людях, могла взять верх над дисциплинированностью; большинство из них не раз расстреливали своих противников, а в подобных случаях — без малейших укоров совести. Поэтому Литвак ни слова не произнес в микрофон: пусть сами делают выводы — вот и все.

Теперь девчонка пошла в уборную. Достав из сетки за сиденьем небольшую сумку и протянув Россино свой шлем, она с непокрытой головой пошла через площадь и, войдя в вокзал — в противоположность своему спутнику, — задержалась надолго. Литвак снова ожидал, что теперь уж она нагнется за ключом зажигания, но она этого не сделала. Как и Россино, она шла, не останавливаясь, легкой грациозной походкой. Девчонка была безусловно очень хорошенькая — неудивительно, что злополучный атташе по связи с профсоюзами пал ее жертвой. Литвак перевел бинокль на Россино. Тот слегка приподнялся в седле, склонив голову набок, словно к чему-то прислушиваясь. «Все ясно», — подумал Литвак; напрягая слух, он услышал отдаленный грохот — с минуты на минуту прибудет поезд из Клагенфурта. Поезд прибыл и, вздрогнув своим длинным телом, остановился. Из него вышли первые сонные пассажиры. Два-три такси продвинулись вперед и снова остановились. Две-три частные машины отъехали. Появилась группа усталых экскурсантов — целый вагон, у всех на чемоданах одинаковые бирки.

«Ну хватит ждать, — взмолился Литвак. — Хватай машину и уезжай вместе с остальными. Подтверди же наконец, что ты приехал сюда не просто так, а со смыслом».

И тем не менее он не ожидал того, что произошло. У стоянки такси остановилась пожилая пара, а за ними — скромно одетая молодая женщина, похожая на няню или компаньонку. На ней был коричневый двубортный костюм и строгая коричневая шляпка с опущенными полями. Литвак приметил ее, как приметил и многих других на вокзале — натренированным острым глазом, ставшим еще острее от напряжения. Хорошенькая девушка с небольшим чемоданчиком. Пожилая пара помахала рукой, подзывая такси, и девушка стояла за ними, пока оно не подъехало. Пожилая пара залезла в машину; девушка помогала им, подавая всякие мелочи, — явно их дочь. Литвак перевел взгляд на «Мерседес», затем на мотоцикл. Если он и подумал о девушке в коричневом, то лишь в связи с тем, что она, вероятно, села в такси и уехала со своими родителями. Естественно. И только переведя взгляд на группу усталых туристов, направлявшихся по тротуару к двум поджидавшим их автобусам, он вдруг понял — и чуть не подпрыгнул от радости, — что это же девчонка, наша девчонка, девчонка с мотоцикла: просто она быстро переоделась в уборной и надула его. А теперь она шла вместе с туристами через площадь. С неослабевающей радостью Литвак увидел, как она открыла дверцу машины своим ключом, швырнула на сиденье чемоданчик, скромно уселась за руль, словно собиралась ехать в церковь, и отбыла, сверкнув ключом зажигания, все еще торчавшим из выхлопной трубы. Это привело Литвака в восторг. До чего просто! До чего разумно! Двойные телеграммы, двойные ключи: наш лидер все дублирует.

Литвак отдал короткий приказ — всего одно слово — и увидел, как незаметно посыпались с площади преследователи: две девушки на своем «Порше»; Уди на своем большом «Опеле» с еврофлагом, наклеенным на заднее стекло; затем соратник Уди на гораздо менее роскошном, чем у Россино, мотоцикле. А Литвак стоял у окна и наблюдал за тем, как медленно пустеет площадь, словно кончился спектакль. Машины отбыли, автобусы отбыли, прохожие отбыли, огни у вокзала погасли, и до слуха Литвака донесся грохот запираемой на ночь железной решетки. Только в двух гостиницах еще была жизнь.

Наконец в наушниках протрещало условное словцо, которого он ждал. «Оссиан» — значит, машина едет на север.

— А куда едет Луиджи? — спросил он.

— В направлении Вены.

— Подождите-ка, — сказал Литвак и снял наушники, чтобы ничто не мешало думать.

Следовало немедленно принять решение, а он на это был большой мастак. Устроить слежку за Россино и одновременно за девчонкой невозможно. Не хватало людей. В теории следовало бы ехать за взрывчаткой и, значит, за девчонкой, однако.Литвак колебался, так как Россино умел исчезать и был куда более крупной добычей, да и «Мерседес» легче выследить, к тому же можно почти не сомневаться, куда едет машина. Литвак еще помедлил. В наушниках затрещало, но он не обратил на это внимания, продолжая прокручивать в мозгу последовательность дальнейших поступков. Ему была поистине невыносима сама мысль, что можно упустить Россино. Но Россино — важная ячейка во вражеской сети, а, как неоднократно повторял Курц, если сеть будет прорвана, как же попадет в нее Чарли? Россино должен вернуться в Вену, считая, что все в порядке, ничто не поставлено под удар: ведь он — важнейшее звено и к тому же важнейший свидетель. А девчонка — девчонка просто функционер, шофер, она всего лишь подкладывает бомбы, рядовой солдат великого движения. Кроме того, у Курца были большие планы относительно ее будущего, а вот с будущим Россино можно подождать.

Литвак снова надел наушники.

— Следуйте за машиной. Оставьте в покое Луиджи. — Приняв решение, Литвак позволил себе удовлетворенно улыбнуться. Он в точности знал, как они едут. Сначала мотоцикл, затем блондинка в красном «Мерседесе», за ней — «Опель». А следом за «Опелем» на значительном расстоянии две девушки в резервном «Порше», готовые по приказу поменяться местами с любым из преследователей. Литвак мысленно перебрал все посты, мимо которых «Мерседес» будет проезжать к границе Германии. И представил себе, какую небылицу сочинил Алексис, чтобы обеспечить машине беспрепятственный проезд.

— Скорость? — спросил Литвак, взглянув на часы.

Уди сообщил, что скорость средняя. Девчонка не хочет иметь никаких неприятностей с законом. Явно нервничает из-за своего груза.

«Еще бы, — подумал Литвак, снимая наушники. — Будь я на ее месте, да я бы сдох со страху от такого груза».

Он сошел вниз с чемоданчиком в руке. Он уже расплатился по счету, но если попросят, еще раз заплатит; сейчас он любил весь мир. Его машина стояла в гостиничном гараже. Литвак сел в нее и с выработанным многолетним опытом спокойствием отправился вслед за машинами сопровождения. Сколько знает девчонка? И сколько времени потребуется, чтобы это выведать? «Не спеши, — подумал он, — сначала привяжи козленка». Мысль его вернулась к Курцу, и он почувствовал пронзительное удовольствие, представив себе, как тот своим гулким бездонным басом начнет осыпать его похвалами на немыслимом иврите. Литваку было очень приятно думать, что он принесет Курцу такую жирную овцу на заклание.

В Зальцбурге было еще далеко до лета. С гор тянуло свежим весенним ветерком, и от реки Зальцах пахло морем. Как они туда добрались, Чарли понятия не имела: она почти всю дорогу проспала. Из Граца они полетели в Вену, но ей показалось, что полет длился пять секунд — должно быть, она спала в самолете. В Вене Иосифа ждала наемная машина — роскошный «БМВ». Чарли снова заснула, а при въезде в Зальцбург открыла глаза, и ей на миг показалось, что машина объята пламенем — на самом же деле это заходящее солнце играло на красном лаке.

— А зачем, собственно, мы приехали в Зальцбург? — спросила она Иосифа.

— Потому что это один из любимых городов Мишеля, — ответил он. — И еще потому, что это по дороге.

— По дороге куда? — спросила она и снова наткнулась на замкнутость и молчание.

В их отеле был застекленный внутренний дворик со старинными золочеными балюстрадами и зелеными растениями в мраморных кадках. Их номер люкс выходил на бурую быструю реку и на видневшиеся за ней купола, которых было тут куда больше, чем, наверно, в раю. За куполами высился замок, к которому была проведена по склону канатная дорога.

— Мне необходимо расслабиться, — сказала Чарли.

Чарли залезла в ванну и заснула — Иосифу пришлось колотить в дверь, чтобы ее разбудить. Она оделась, и снова он знал, что именно ей показать и что может доставить ей наибольшее удовольствие.

— Это наша последняя ночь вместе, да? — спросила она, и на этот раз он не стал прикрываться Мишелем.

— Да, это наша последняя ночь, Чарли; завтра тебе предстоит сделать один визит, и потом ты вернешься в Лондон.

Уцепившись обеими руками за его локоть, она бродила с ним по узким улочкам и площадям, переходившим одна в другую, словно анфилада парадных комнат. Они постояли у дома, где родился Моцарт, и туристы показались Чарли публикой, пришедшей на утренник, веселой и беззаботной.

— Я хорошо справилась, верно, Осси? Я действительно хорошо справилась? Ну скажи же.

— Ты справилась отлично, — сказал он, но почему-то эта похвала показалась ей менее значительной, чем его молчание.

Игрушечные церкви были невообразимо красивы, ничего

подобного она и представить себе не могла — эти алтари в золоченых завитушках, сладострастные ангелы и такие надгробия, словно мертвецы все еще мечтали о наслаждении. «И знакомит меня с моим христианским наследием еврей, рядящийся в мусульманина», — подумала она. Но когда она принялась расспрашивать Иосифа, пытаясь выяснить детали, он поспешил купить глянцевитый путеводитель и положил чек себе в бумажник.

— Боюсь, у Мишеля еще не было времени заняться периодом барокко, — по обыкновению сухо заметил он, и она снова почувствовала в нем какое-то непонятное сопротивление.

— Пойдем назад? — спросил он.

Она отрицательно помотала головой. Пусть этот миг дольше длится. Темнота сгущалась, толпы с улиц исчезли, из-за каких-то совсем не подходящих дверей вдруг донесся хор мальчиков. Иосиф и Чарли под оглашенный перезвон старинных колоколов, упрямо состязавшихся друг с другом, посидели у реки. Затем пошли дальше, и она вдруг почувствовала такую слабость, что попросила его обнять ее, не то она упадет.

— Пожрать, — приказала она, когда они входили в лифт. — С шампанским. И с музыкой.

Однако пока он звонил и заказывал еду, она крепко заснула, и ничто на этом свете, даже Иосиф, не способно было ее разбудить.


Она лежала, как тогда на Миконосе, на песке, уткнувшись лицом в согнутую левую руку. Беккер сел в кресло и стал на нее смотреть. Сквозь занавеси пробивался бледный свет зари. Пахло свежей листвой и пиленым лесом. Ночью прошел дождь, он хлынул так внезапно, с таким грохотом, точно экспресс промчался по долине. Из окна Беккер видел, как шатало город под затяжными вспышками молний и как плясал на сверкающих куполах дождь. Но Чарли продолжала лежать неподвижно, он даже приложил ухо к ее рту, чтобы убедиться, что она дышит.

Он взглянул на часы. «Соображай. Шевелись, — подумал

он. — Действуй, чтобы убить сомнение». В эркере стоял столик с нетронутой едой, в ведерке со льдом плавала неоткупоренная бутылка шампанского. Иосиф, беря поочередно вилки, вытащил из панциря омара мясо, размазал его по тарелкам, затем принялся за салат, раздавил несколько ягод клубники, добавив таким образом еще одну легенду к тем многим, что они уже разыграли, — роскошный банкет в Зальцбурге, которым Чарли и Мишель отметили успешное выполнение ее первого задания для революции. Прихватив с собой бутылку шампанского, Иосиф прошел в ванную и закрыл дверь, чтобы звук вытаскиваемой пробки не разбудил Чарли. Он вылил почти все шампанское в раковину и открыл кран; затем выбросил омары, клубнику и салат в унитаз и несколько раз спустил воду, так как они не исчезали. Остатки шампанского он вылил в свой бокал и, сделав на бокале Чарли несколько отметин помадой из ее сумочки, плеснул туда шампанского. Затем снова подошел к окну, возле которого провел большую часть ночи, и, сев в кресло, вперил взгляд в синие, мокрые от дождя горы. «Я точно скалолаз, уставший лазать по горам», — подумал он.

Он побрился, надел свой красный пиджак с металлическими пуговицами. Затем подошел к постели, протянул было руку, чтобы разбудить Чарли, и опустил. Его словно сковала усталость — лень было сделать лишнее движение. Он снова сел в кресло, закрыл глаза, постарался раскрыть их — и, вздрогнув, проснулся с ощущением, будто на нем походная форма, прилипшая к телу, отяжелевшая от росы, и в воздухе пахнет мокрым песком, который скоро высушит, взойдя, солнце.

«Чарли? — Он снова протянул руку, на этот раз с намерением дотронуться до ее щеки, но рука попала на плечо. — Чарли, это же победа! Марти говорит, что ты — звезда, ты подарила ему целый состав новых исполнителей. Он звонил ночью Гади, но ты спала. Он говорит, что ты лучше Гарбо. Вместе мы горы сдвинем. Проснись же, Чарли. Пора браться за дело, Чарли!»

Но вслух он лишь еще раз окликнул ее, затем спустился

вниз, расплатился и получил свой последний счет. Из отеля он вышел через черный ход, возле которого стоял нанятый им «БМВ»; заря была такая же, как вечер, — свежая и еще не летняя.

— Помаши мне на прощание, а потом сделай вид, будто пошла прогуляться, — сказал он перед уходом Чарли. — Димитрий отвезет тебя в Мюнхен.

# Глава 14

Она молча вошла в лифт. Пахло дезинфекцией, и серый пластик был весь исчерчен надписями. Она мобилизовала всю свою жесткость — выставила ее напоказ, как это делала на демонстрациях, диспутах и прочих подобных действиях. Она была взволнована и чувствовала, что дело неизбежно близится к концу. Димитрий нажал на звонок — Курц сам открыл дверь. Позади него стоял Иосиф, и за Иосифом висела медная пластина, на которой был выбит святой Христофор с младенцем на руках.

— Чарли, все было просто великолепно, и ты была великолепна, — сказал Курц тихо, со всей сердечностью, и крепко прижал ее к груди — Чарли, невероятно!

— Где он? — спросила она, глядя мимо Иосифа на закрытую дверь.

Димитрий не вошел вместе с ней. Он доставил ее и снова спустился на лифте. Курц, продолжая говорить так, будто они находились в церкви, решил ответить на ее вопрос в общем плане.

— Он в полном порядке, Чарли, — заверил он ее, выпуская из объятий — Немного устал от поездки, что естественно, но в остальном все в порядке. Темные очки, Иосиф, — добавил он. — Дай ей темные очки. У тебя есть темные очки, милочка? И вот тебе платок, чтобы прикрыть твои прекрасные волосы. Можешь оставить его себе.

Платок был из зеленого шелка, довольно красивый. Курц держал его наготове в кармане. Мужчины стояли в тесноте передней и ждали, пока она приладит перед зеркалом платок на манер сестры милосердия.

— Просто на всякий случай, — пояснил Курц. — В нашем деле лучше переосторожничать. Верно, Иосиф?

Чарли достала из сумочки недавно купленную пудреницу и подправила лицо.

— В эмоциональном плане это может оказаться непросто для тебя, Чарли, — предупредил ее Курц.

Она убрала пудреницу и достала помаду.

— Если тебе станет тошно, вспомни, что он убил немало невинных людей, — наставлял ее Курц. — Все мы выглядим как люди, и этот малый не составляет исключения. Красивый, способный, с большим запасом нерастраченных сил — и все зазря. На такое никогда не бывает приятно смотреть. Когда мы будем там, я хочу, чтобы ты молчала. Запомни. Говорить буду я. — Он открыл дверь. — Ты увидишь, он очень смирный. Нам пришлось сделать его смирным, чтобы привезти сюда, и мы вынуждены держать его в таком состоянии, пока он у нас. А в остальном — он в полном порядке. Никаких проблем. Только не обращайся к нему.

Запущенная двухэтажная квартира на разных уровнях, машинально отметила про себя Чарли, окинув взглядом изящную витую лестницу и простую, как в соборе, галерею с чугунной, ручной работы, балюстрадой. Камин в английском стиле с муляжем в виде угля из крашеного холста. Лампы для фотосъемки и внушительные фотоаппараты на треножниках. Большой стереомагнитофон на ножках, изящно изогнутая софа с сиденьем из пенопласта, твердым, как сталь. Чарли села на софу, и Иосиф сел рядом с ней. «Только еще не хватает за руки взяться», — подумала она. Курц снял трубку серого телефона и нажал на кнопку, соединяющую с городом. Он сказал что-то на иврите, глядя вверх, на галерею. Затем положил на место трубку и ободряюще улыбнулся Чарли. Она чувствовала запах мужского пота, пыли, кофе и ливерной колбасы. И миллиона потушенных сигарет. Был тут и еще какой-то запах, но она не могла его определить: слишком много в ее уме роилось вероятностей — от запаха упряжи ее пони в детстве до запаха пота ее первого возлюбленного.

Бег мыслей в ее мозгу замедлился, и она стала засыпать. «Я больна, — подумала она. — Я жду результатов обследований. Доктор, доктор, скажите мне правду». Она заметила пачку журналов, как в приемной врача, — хорошо, если б у нее на коленях лежал сейчас журнал, как текст на репетиции. Теперь Иосиф тоже поднял глаза на галерею. Чарли последовала его примеру, но не сразу: ей хотелось создать впечатление, что она выступает в такой роли не впервые, что ей все уже известно, как покупательнице на показе мод. Дверь на галерее открылась, и из нее, точно пьяный актер, попятился враскачку бородатый парень — даже со спины видно было, какой он злющий.

С минуту больше ничего не появлялось, затем у самого пола показался красный тюк, а за ним — гладко выбритый парень, не столько злющий, сколько исполненный сознания правоты того дела, которое он творил.

Наконец Чарли поняла. Перед ней было не двое, а трое парней, но средний, в красном пиджаке с металлическими пуговицами, безвольно висел между двумя другими, — это был тот стройный араб, ее любовник, марионетка, рухнувшая на сцене театра жизни.

«Да, — думала Чарли, укрывшись за темными очками, — все идеально рассчитано. Да... вполне приемлемое сходство, если учесть разницу в возрасте и, несомненно, большую зрелость Иосифа». Порою в мечтах она наделяла своего любовника чертами Иосифа. В другой раз возникала иная фигура, созданная из ее далеко не четких воспоминаний о маскированном палестинце на семинаре, и сейчас ее поразило, насколько она была близка к реальности. «Тебе не кажется, что рот чуточку слишком растянут? — спросила она себя. — Не слишком ли он чувственный? И не чересчур ли раздуты ноздри? Не чересчур ли перетянута талия?» Ей хотелось вскочить и поддержать его, но ведь на сцене так можно сделать, только если это указано в ремарке. Да к тому же ей никогда не освободиться от Иосифа.

И тем не менее она чуть не потеряла на секунду контроль над собой. В течение этой секунды она почувствовала себя в той роли, какую заставлял ее играть Иосиф: она была спасительницей и освободительницей Мишеля, его святой Иоанной, его рабыней, его звездой. Она выворачивалась наизнанку ради него, она ужинала с ним в паршивом мотеле при свечах, она делила с ним постель, и вступила в ряды бойцов его революции, и носила его браслет, и пила с ним водку, и доводила его до исступления, и позволяла ему доводить до исступления ее. Она сидела за рулем его «Мерседеса», она целовала его пистолет и провезла первоклассную взрывчатку для его преследуемых освободительных армий. Она праздновала с ним победу в зальцбургском отеле у реки. Она танцевала с ним ночью в Акрополе и наслаждалась этим миром, который он оживлял для нее; и ее наполнило безумное чувство вины оттого, что она — пусть на миг — могла почувствовать любовь к кому-то другому.

А он был красив, очень красив, как и предсказывал Иосиф. Даже красивее. В нем было то, что, вопреки всему, не могло не притягивать Чарли и таких, как она: это был король, и он это сознавал. Он был худой, но идеально сложенный, с хорошо развитыми плечами и очень узкими бедрами. У него был лоб боксера и лицо младенца Пана, увенчанное шапкой гладких черных волос. Сколько тут ни старались укротить его, в нем чувствовалась богатая, страстная натура, а в черных как уголь глазах горел бунтарский огонь.

Он был самый обычный крестьянский парень, свалившийся с оливкового дерева, заучивший несколько умных фраз и заглядывающийся на красивые игрушки, красивых женщин и красивые машины. А кроме того, пылающий чисто крестьянским возмущением против тех, кто согнал его с земли. Иди ко мне в постельку, мальчик, дай маме немножко научить тебя жизни.

Двое парней поддерживали его под руки, и его туфли от Гуччи то и дело пропускали ступеньки, что явно смущало его, ибо легкая улыбка пробежала по его губам и он стыдливо посмотрел на свои непослушные ноги.

Его вели к ней, а она не была уверена, что выдержит. Она повернулась к Иосифу, чтобы сказать ему об этом, и увидела, что он смотрит на нее в упор; он даже что-то произнес, но в этот миг стереомагнитофон включился на всю мощь, и милый Марти в своей вязаной кофте пригнулся и начал крутить ручки, чтобы уменьшить звук.

Голос был мягкий, с сильным акцентом — таким она и помнила его по семинару. Говорил он лозунгами, с вызовом и пылом.

«Нас колонизировали! Мы выступаем от имени тех, кто родился на этой земле, против пришлых, поселенцев!.. Мы выступаем от имени безгласных, мы наполняем словами немые рты и заставляем раскрыться уши!.. Мы, долготерпеливые животные, потеряли наконец терпение!.. Мы живем по закону, который пишется каждый день под огнем!.. Всему миру, кроме нас, есть что терять!.. И мы будем сражаться против всякого, кто объявит себя хозяином нашей земли!»

Парни посадили его на софу, в противоположный от Чарли угол. Он с трудом держал равновесие. Тяжело наклонившись вперед, он уперся локтями в колени, чтобы не упасть. Руки его лежали одна на другой, словно скованные цепью, на самом же деле соединенные тоненькой золотой цепочкой, которую надели на него, чтобы довершить туалет. Бородатый парень стоял, насупясь, позади него, а бритый сидел, как верный страж, с ним рядом. Голос Мишеля неудержимо продолжал звучать с пленки, и Чарли увидела, как медленно зашевелились его губы, пытаясь произнести слова. Но голос произносил их слишком быстро, он был слишком звонким для его сегодняшнего обладателя. Постепенно Мишель перестал и пытаться следовать за ним, лишь глупо, словно бы извиняясь, улыбался, напомнив Чарли отца после инсульта.

«Насилие — не преступление... если оно осуществляется против силы, используемой государством... и рассматриваемой террористом как преступление». Шелест переворачиваемой страницы. Теперь голос звучит озадаченно, как бы против воли. «Я люблю тебя... ты — моя свобода... Теперь ты стала одной из нас... Мы сплели наши тела, смешали нашу кровь... ты — моя... мой солдат... Пожалуйста, скажите, зачем мне это надо говорить?.. Мы вместе поднесем спичку к запалу». Озадаченное молчание. «Пожалуйста, сэр. Скажите, пожалуйста, что это? Я же вас спрашиваю».

— Покажите ей его руки, — велел Курц, выключая магнитофон.

Бритый парень взял одну из рук Мишеля и быстро раскрыл ладонь, предлагая ее Чарли для осмотра, словно товар.

— Пока он жил в лагерях, руки у него были натруженные от работы, — пояснил Курц, пересекая комнату и подходя к ним. — А теперь он великий интеллектуал. Куча денег, куча девчонок, отличная еда, полно свободного времени. Я прав, малыш? — Подойдя сзади к софе, он взял голову Мишеля в свои толстые руки и повернул к себе лицом. — Ты большой интеллектуал, верно? — В голосе Курца не было ни жестокости, ни издевки. Он словно бы говорил со своим заблудшим сыном, и лицо у него было доброе, печальное. — За тебя работают твои девчонки, верно, малыш? Собственно, одну девчонку он просто использовал как бомбу, — добавил Курц. — Посадил ее с красивым чемоданчиком на самолет, и самолет разлетелся на куски. Думаю, она так и не узнала, что была тому виной. Нехорошо это, верно, малыш? Очень нехорошо по отношению к даме.

Чарли вдруг узнала запах, который до сих пор никак не могла определить: это был запах лосьона после бритья, который Иосиф неизменно оставлял в каждой ванной, где они ни разу не были вместе. Сейчас, должно быть, специально обрызгали Мишеля этим лосьоном.

— Ты что же, не хочешь и поговорить с этой дамой? — спросил Курц. — Не хочешь приветствовать ее на нашей вилле? Меня начинает удивлять, почему ты не хочешь больше с нами сотрудничать! — Упорство Курца привело к тому, что глаза Мишеля ожили, и он слегка выпрямился, повинуясь настояниям. — Будешь вежлив с этой дамой? Поздороваешься с ней? Скажешь «здравствуйте»? Скажешь ей «здравствуйте», малыш?

— Здравствуйте, — сказал Мишель голосом, лишь отдаленно напоминавшим тот, что звучал на пленке.

— Не отвечай, — тихо предупредил ее Иосиф.

— Здравствуйте, мадам, — напирал Курц, но без злости.

— Мадам, — повторил Мишель.

— Дайте ему что-нибудь написать, — приказал Курц, — и пусть отваливает.

Мишеля посадили за стол, положили перед ним перо и лист бумаги, но он почти ничего не смог написать. А Курцу это было неважно.

— Смотри, — говорил он, — как он держит перо. Смотри, как его пальцы естественно выводят арабские буквы. Вдруг ты проснулась бы среди ночи и увидела, что он что-то пишет. Вот так бы он выглядел.

А Чарли тем временем взывала к Иосифу, правда, мысленно: «Вызволи меня отсюда. Я умираю». Она услышала, как застучали по ступенькам ноги Мишеля, когда его поволокли назад — туда, где уже никто его не услышит, но Курц не дал ей передышки, как не давал передышки себе.

— Чарли, нам надо еще кое-что проделать. Думается, следует покончить с этим сейчас, хоть это и потребует некоторых усилий. Есть вещи, которые должны быть сделаны.

В гостиной наступила тишина, совсем как если бы это была обычная квартира. Вцепившись Иосифу в локоть, Чарли поднялась вслед за Курцем наверх. Сама не зная почему, она слегка волочила ноги — совсем как Мишель.

Деревянные перила были все еще липкими от пота. На ступеньках были наклеены полоски чего-то вроде наждачной бумаги, но когда Чарли ступала на них, хруста не было. Она старательно запоминала эти детали, потому что порой только детали дают тебе ощущение реальности. Дверь в уборную была открыта, но, взглянув в ту сторону еще раз, Чарли поняла, что двери нет, а есть лишь проем, и что с бачка не свешивается спусковая цепочка, и Чарли подумала, что если тут целый день таскают узника туда-сюда, даже одуревшего от наркотиков, надо все-таки, чтобы дом был в порядке. Она все еще размышляла над этим существенным обстоятельством, как вдруг поняла, что вошла в комнату, обитую специальной ватой, где стояла лишь кровать у дальней стены. На кровати лежал Мишель; на нем не было ничего, кроме золотого медальона; руками он прикрывал низ живота без единой складочки. Мышцы на его плечах были налитые, округлые, мышцы на груди — плоские, широкие и под ними — тени, словно очерченные тушью. По приказу Курца парни поставили Мишеля на ноги и заставили разнять руки. Обрезанный, до чего же он был скульптурно хорош. Бородатый парень, неодобрительно насупясь, молча указал на белое, словно капля молока, родимое пятно на левом боку, размытые очертания ножевой раны на правом плече и еще на милый ручеек черных волос, струившийся вниз от пупка. Все так же молча парни повернули Мишеля спиной — их взорам предстала поистине анатомическая карта, а Чарли вспомнила Люси, которой нравились такие спины — сплошные мускулы. Ни следов пуль, ничего, что портило бы красоту этой спины.

Ему снова велели встать, но тут Иосиф, видимо, решил — хватит, хорошенького понемножку, и быстро повел Чарли вниз, одной рукой поддерживая за талию, а другой так крепко обхватив запястье, что ей стало больно. Из прихожей она прошла в уборную и долго стояла там — ее рвало, а потом думала лишь о том, как побыстрее отсюда выбраться. Уйти из этой квартиры, уйти от них, уйти от своих мыслей, даже сбросить кожу.

Она бежала. Этот день был посвящен спорту. Бежала быстро — как только могла: бетонные зубья окружающих домов, подпрыгивая, проносились в другом направлении. Сады на крышах, казалось ей, соединялись друг с другом выложенными кирпичом дорожками; игрушечные указатели возвещали о местах, названия которых она не могла прочесть; над головой проносились синие и желтые пластмассовые трубы. Она бежала — вверх, потом вниз, с интересом, словно заядлый садовод, отмечая разные растения по пути: изящные герани и какие-то приземистые цветущие кусты, и валяющиеся окурки сигарет, и проплешины сырой земли — точно могилы без крестов. Иосиф бежал с ней рядом, и она кричала ему: «Уходи, убирайся!» Пожилая пара, сидевшая на скамейке, грустно улыбалась, глядя на размолвку влюбленных. Чарли пробежала вдоль всей длины двух платформ, впереди был забор и обрыв и внизу площадка для машин, но Чарли не совершила самоубийства, так как уже решила про себя, что это не для нее; к тому же она хотела жить с Иосифом, а не умирать с Мишелем. Она остановилась на краю обрыва, она почти не задыхалась. Пробежка пошла ей на пользу: надо почаще бегать. Она попросила у Иосифа сигарету, но сигарет у него не было. Он потянул ее к скамье; она опустилась на нее и тут же встала — так легче самоутверждаться. Она по опыту знала, что объяснения не получаются на ходу, поэтому она стояла как вкопанная.

— Советую тебе попридержать сочувствие для невиновных, — спокойно сказал Иосиф, не дожидаясь, когда она выплеснет на него поток брани.

— Но он же не был ни в чем виноват, пока ты все это не придумал!

Приняв его молчание за смущение, а смущение сочтя слабостью, она помолчала, сделала вид, будто засмотрелась на чудовищный силуэт города.

— «Это *необходимо,* — язвительно произнесла она, — я не был бы здесь, если б это не было *необходимо».* Цитата. «Ни один здравомыслящий судья на свете не осудит нас за то, что мы просим тебя сделать». Еще одна цитата. По-моему, это ты говорил. Хочешь взять эти слова назад?

— Да нет, пожалуй, нет.

— Значит, *пожалуй, нет.* Не лучше ли знать точно, а? Потому что, если кто-то в чем-то *сомневается,* я бы предпочла, чтоб это была я.

Она продолжала стоять, лишь перенеся внимание на то, что находилось прямо перед ней, где-то в недрах возвышавшегося напротив здания, которое она изучала сейчас с сосредоточенностью потенциального покупателя. А Иосиф сидел, и потому вся сцена выглядела фальшивой. Они должны были бы стоять лицом к лицу. Или он должен был стоять позади нее и глядеть на ту же далекую меловую мету.

— Не возражаешь, если мы подобьем бабки? — спросила она.

— Будь любезна.

— Он убивал евреев.

— Он убивал евреев и убивал ни в чем не повинных людей, которые не были евреями и не занимали никакой позиции в конфликте, а просто оказались поблизости.

— Хотелось бы мне написать книгу о том, в чем виноваты неповинные люди, которые оказались поблизости. И начну я с бомбежек Ливана, а затем расширю место действия.

Сидел ли Иосиф или стоял, но он отреагировал быстрее и резче, чем она предполагала:

— Эта книга уже написана, Чарли, и называется она «Полное истребление».

Из большого и указательного пальцев она сделала «глазок» и, прищурясь, посмотрела на далекий балкон.

— С другой стороны, насколько я понимаю, ты и сам убивал арабов.

— Конечно.

— Много ты их убил?

— Немало.

— Но, конечно, только в порядке самообороны. Израильтяне убивают только в порядке самообороны. — Молчание. — «Я убил немало арабов», подпись: «Иосиф». — По-прежнему никакого отклика. — Вот это, очевидно, и будет гвоздем книги. Израильтянин, убивший немало арабов.

Клетчатая юбка на ней была из тех, что подарил ей Мишель. В юбке с обеих сторон были карманы, которые Чарли лишь недавно обнаружила. Сейчас она сунула руки в карманы и резко крутанулась, так что юбка взвихрилась вокруг нее.

— Вы все-таки мерзавцы, верно? — небрежно произнесла она. — Настоящие мерзавцы. Вы так не считаете? — Она продолжала смотреть на юбку, а та взлетала и опадала. — И ты — самый большой мерзавец из них всех, верно? Потому что ты играешь двойную роль. Сейчас твое сердце исходит кровью, а через минуту ты уже выступаешь как безжалостный боец. На самом же деле, если уж на то пошло, ты всего лишь кровожадный маленький еврейчик, который только и думает, как бы заграбастать побольше земель.

Теперь он не только встал — он ударил ее. Дважды. Предварительно сняв с нее темные очки. Ударил крепко — такой пощечины ей еще никто не закатывал — по одной и той же щеке. Первый удар был такой сильный, что она даже вызывающе выдвинула вперед подбородок. «Теперь мы квиты», — подумала она, вспомнив дом в Афинах. Второй удар был словно выплеск лавы из того же кратера; отвесив ей пощечину, Иосиф толкнул ее на скамейку — пусть выплачется, но гордость не позволила ей пролить ни слезинки. «Он ударил меня, возмутившись за себя или за меня?» — недоумевала она. И отчаянно надеялась, что за себя, из-за того, что в двенадцатом часу их сумасшедшего брака она все-таки пробила его броню. Но достаточно было одного взгляда на его замкнутое лицо и спокойные, невозмутимые глаза, и Чарли поняла, что потерпевший — она, а не Иосиф. Он протянул ей платок, но она вяло отстранила его.

— Забудем, — пробормотала она.

Она просунула руку ему под локоть, и он медленно повел ее по асфальтовой дорожке назад. Те же старички улыбнулись при виде их. «Дети, — заметили они друг другу, — такими были и мы когда-то. Ссорились до смертоубийства, а через минуту уже лежали в постели, и все было хорошо, как никогда».

Нижняя квартира была такая же, как верхняя, за тем небольшим исключением, что тут не было галереи и не было пленника, и порой, читая или прислушиваясь к звукам, Чарли убеждала себя, что никогда и не была там, наверху, в этой комнате ужасов, запечатленной на темном чердаке ее сознания. Потом сверху донесся стук опускаемого на пол ящика, в который ребята складывали свое фотографическое оборудование, готовясь к отъезду, и Чарли вынуждена была признать, что квартира наверху действительно существует, как и та, где она находится, причем там все более подлинное: здесь-то сфабрикованные письма, а там Мишель во плоти и крови.

Они сели втроем в кружок, и Курц начал со своей обычной преамбулы. Только на этот раз он говорил жестче и прямолинейнее, чем всегда, — возможно, потому, что Чарли стала теперь уже проверенным солдатом, ветераном «с целой корзиной интереснейших разведданных, которые уже можно записать на ее счет», как он выразился. Письма лежали в чемоданчике на столе, и прежде чем открыть его, Курц снова напомнил Чарли о «легенде» — это слово они с Иосифом часто употребляли. Согласно легенде, она была не только страстно влюблена в Мишеля, но и страстно любила переписываться, это было для нее единственной отдушиной во время его долгих отсутствий. Курц говорил ей это, а сам натягивал дешевые нитяные перчатки. Следовательно, письма были не чем-то второстепенным в их отношениях. «Они были для тебя, милочка, единственным средством самовыражения». Они свидетельствовали — часто с обезоруживающей откровенностью — о ее все возрастающей любви к Мишелю, а также о ее политическом прозрении и готовности «действовать в любой точке земного шара», что подразумевало наличие «связи» между освободительными движениями во всем мире. Собранные вместе, письма составляли дневник «женщины с обостренным эмоциональным и сексуальным восприятием», перешедшей от смутного протеста к активной деятельности с вытекающим отсюда приятием насилия.

— А поскольку мы не могли при данных обстоятельствах быть уверенными в том, что ты выступишь в полном блеске своего литературного стиля, — сказал в заключение Курц, открывая чемоданчик, — мы решили написать письма за тебя.

Естественно, подумала она. Она взглянула на Иосифа — тот сидел выпрямившись, с невиннейшим видом, целомудренно зажав в коленях сложенные вместе руки, как если бы никогда в жизни никого и не бил.

Письма лежали в двух бумажных пакетах, один побольше, другой поменьше. Взяв пакет поменьше, Курц неловко вскрыл его руками в перчатках и разложил содержимое на столе. Чарли сразу узнала почерк Мишеля — черные старательно выведенные буквы. Курц вскрыл второй пакет, и Чарли, точно во сне, увидела письма, написанные ее рукой.

— Письма Мишеля к тебе — это фотокопии, милочка, — говорил в это время Курц, — оригиналы ждут тебя в Англии.

А твои письма — это все оригиналы, так как они находились у Мишеля, верно, милочка?

— Естественно, — сказала она на этот раз вслух и инстинктивно покосилась на Иосифа, но на сей раз не столько на него, сколько на его руки, которые он намеренно крепко стиснул, как бы желая показать, что они не имеют к письмам никакого касательства.

Чарли прочла сначала письма Мишеля — она считала, что обязана проявить внимание к творению Иосифа. Писем была дюжина, и среди них были всякие — от откровенно сексуальных и пылких до коротких, отрывистых. «Пожалуйста, будь добра, нумеруй свои письма. Лучше не пиши, если не будешь нумеровать. Я не буду получать удовольствие от твоих писем, если не буду знать, что получил их все. Так что это для моего личного спокойствия». Восторженные похвалы по поводу ее игры перемежались нудными призывами браться только за «роли социально значимые, способные пробуждать сознание». В то же время ей «не следует участвовать в публичных акциях, которые ясно раскрывали бы ее политическую ориентацию». Она не должна больше посещать форумы радикалов, ходить на демонстрации или митинги. Она должна вести себя «как буржуйка» и делать вид, что приемлет капиталистические нормы жизни. Пусть думают, что она «отказалась от революционных идей», тогда как на самом деле она должна «непременно продолжать чтение радикальных книг». Тут было много алогичного, много ошибок в синтаксисе и правописании. Были намеки на «наше скорое воссоединение», по всей вероятности, в Афинах, раза два исподволь упоминалось про белый виноград, водку и был совет «хорошенько отоспаться перед нашей будущей встречей».

По мере того как Чарли знакомилась с письмами, у нее начал складываться новый облик Мишеля, более близкий к облику узника наверху.

— Он же совсем младенец, — пробормотала она и осуждающе посмотрела на Иосифа. — Ты слишком его приподнял. А он еще маленький.

Не услышав ничего в ответ, она принялась читать свои

письма к Мишелю, робко беря их одно за другим, словно они сейчас раскроют ей великую тайну.

— Школьные тексты, — произнесла она вслух с глуповатой ухмылкой, нервно пролистав письма, а реакция ее объяснялась тем, что благодаря архивам бедняги Неда Квили старый грузин не только смог воспроизвести весьма своеобразную привычку Чарли писать на оборотной стороне меню, на счетах, на фирменной бумаге отелей, театров и пансионов, попадавшихся на ее пути, но и сумел — к ее возрастающему изумлению — воссоздать все варианты ее почерка — от детских каракулей, какими были нацарапаны первые грустные письма, до скорописи страстно влюбленной женщины, или строк, наспех набросанных ночью до смерти усталой актрисой, ютящейся в дыре и жаждущей пусть самой маленькой передышки, или четкой каллиграфии псевдообразованной революционерки, не пожалевшей времени переписать длиннющий пассаж из Троцкого и забывшей в слове «странно» поставить два «н».

Благодаря Леону не менее точно была передана и ее манера письма: Чарли краснела при виде своих диких гипербол, своих неуклюжих потуг к философствованию, своей неуемной ярости по адресу правительства тори. В противоположность Мишелю, о любви она писала откровенно и красочно; о своих родителях — оскорбительно; о своем детстве — с мстительной злостью. Она увидела Чарли романтичную, Чарли раскаивающуюся и Чарли-суку. Она увидела в себе то, что Иосиф называл арабскими чертами, — увидела Чарли, влюбленную в свою риторику, считающую правдой не то, какая она на самом деле, а то, какой ей хотелось бы себя видеть. Дочитав письма до конца, она сложила обе пачки вместе и, подперев голову руками, заново перечитала их, уже как корреспонденцию: каждое его письмо в ответ на свои пять писем, свои ответы на его вопросы, его уклончивость в ответах на ее вопросы.

— Спасибо, Осси, — наконец произнесла она, не поднимая головы. — Большущее тебе, черт побери, спасибо. Одолжи мне на минутку наш симпатичный пистолетик — я выскочу на улицу и застрелюсь.

Курц расхохотался, но никому, кроме него, не было весело.

— Послушай, Чарли, не думаю, чтобы ты была справедлива к нашему другу Иосифу. Это же готовила целая группа. Тут работала не одна голова.

У Курца была последняя к ней просьба: конверты, милочка. Они у него тут, с собой, смотри: марки не погашены, и письма в них не вложены — Мишель ведь еще не вскрывал их и писем не вынимал. Чарли не окажет им услугу? Это нужно главным образом для отпечатков пальцев, сказал он: твои, милочка, должны быть первыми, потом отпечатки пальцев того, кто сортирует письма на почте, и, наконец, отпечатки Мишеля. Ну и потом нужно, чтобы она своей слюной провела по заклейке: это должна быть ее группа крови, потому как может ведь найтись умник, который вздумает проверить, а среди них, не забудь, есть очень умные люди, как это доказала нам хотя бы твоя вчерашняя очень, очень тонкая работа.

Она запомнила, как долго, по-отечески, обнимал ее Курц — в тот момент это казалось неизбежным и необходимым, словно она прощалась с отцом. А вот прощание с Иосифом — последнее в ряду многих других — не сохранилось в ее памяти: ни как они прощались, ни где. О том, как ее наставляли, — да, помнила; о том, как они тайно возвращались в Зальцбург, — да, помнила. Помнила и то, как прилетела в Лондон, — такой одинокой она не чувствовала себя еще никогда, — а также грустную атмосферу Англии, которую она ощутила еще на летном поле, и тотчас вспомнила, что именно толкнуло ее к радикалам: пагубное бездействие властей, безысходное отчаяние неудачников. Служащие аэропорта намеренно не спешили выгружать багаж: бастовали шоферы автопогрузчиков; в женской уборной пахло тюрьмой. Чарли пошла по «зеленому коридору», и скучающий таможенник по обыкновению остановил ее и задал несколько вопросов. Разница была лишь в том, что на этот раз она не знала, хочет ли он просто поболтать или же у него есть причина остановить ее.

«Домой возвращаешься — все равно что приезжаешь за границу, — подумала Чарли, вставая в хвост безнадежно длинной очереди на автобус. — А, взорвать бы все к черту и начать сначала».

# Глава 15

Мотель назывался «Романтика» и стоял на холме среди сосен, рядом с шоссе. Он был построен год тому назад для людей, обожавших средневековье, — тут были и цементные остроконечные аркады, и пластмассовые мушкеты, и подцвеченное неоновое освещение. Курц занимал последнее в ряду шале, со свинцовыми жалюзи на окне, выходящем на запад. Было два часа ночи — время суток, с которым Курц был в больших ладах. Он уже принял душ и побрился, приготовил себе кофе, потом выпил бутылочку кока-колы из обитого тиком холодильника; все остальное время он провел как сейчас, — сидя в одной рубашке, без света, у маленького письменного стола; у его локтя лежал бинокль, и Курц смотрел в окно, за которым между деревьями мелькали фары машин, направлявшихся в Мюнхен. Поток транспорта в этот час был невелик — в среднем пять машин в минуту, к тому же под дождем они почему-то шли пачками.

День был длинный, и такой же длинной была ночь, если принимать в расчет ночи, а Курц придерживался того мнения, что ночью голова плохо работает. Пять часов сна для кого угодно достаточно, а для Курца этого было даже много. И все равно день, начавшийся лишь после того, как уехала Чарли, длился без конца. Надо было очистить помещение в Олимпийской деревне, и Курц лично наблюдал за этой операцией, так как знал: ребята вовсю будут стараться, видя, какое значение он придает каждой мелочи. Надо было подложить письма в квартиру Януки — Курц и за этим проследил.

С наблюдательного поста через улицу он видел, как туда вошли те, кто вел слежку, и, когда они вернулись, похвалил их и заверил, что их долгое героическое бдение будет вознаграждено.

— Что будет с этим парнем? — задиристо спросил Ленни. — Мы же делаем ему теперь большое будущее, Марти. Не забывай об этом.

— У этого парня действительно есть будущее, Ленни, — словно дельфийский оракул произнес Курц, — но только не среди нас.

Позади него на краю двуспальной кровати сидел Шимон Литвак. Он стянул с себя мокрый дождевик и швырнул на пол. Вид у него был злой, как у человека, обманувшегося в своих ожиданиях. Беккер сидел в стороне от обоих, на изящном будуарном стуле, в собственном кружке света, почти так же, как он сидел в доме в Афинах. Так же отчужденно и в то же время в общей атмосфере напряженности перед сражением.

— Девчонка ничего не знает, — возмущенно заявил Литвак, обращаясь к неподвижной спине Курца. — Настоящий придурок. — Голос его слегка повысился, задрожал. — Голландка по фамилии Ларсен, Янука вроде подцепил ее во Франкфурте, где она жила в коммуне, но она не уверена, потому что у нее было столько мужчин — разве всех запомнишь. Янука брал ее с собой в несколько поездок, научил стрелять из пистолета — правда, стреляет она никудышно, — а потом одолжил своему великому братцу для отдыха и развлечения. Вот это она помнит. Даже с девчонками Халиль спит всякий раз в другом месте, никогда в одном и том же. Она считает, что это лихо — совсем как суинг. Между делом эта Ларсен водила машины, подложила за своих дружков парочку бомб, выкрала для них несколько паспортов. Из дружеских чувств. Потому что она анархистка. И потому что придурок.

— Милая девушка, — задумчиво произнес Курц, обращаясь не столько к Литваку, сколько к своему отражению в окне.

— Она призналась, что участвовала в операции в Бад-Годесберге, и наполовину призналась в цюрихской акции. Будь у нас побольше времени, она бы в цюрихской целиком призналась. А вот в Антверпене — нет.

— А в Лейдене? — спросил Курц. Теперь и у него перехватило горло, и Беккеру показалось, что оба мужчины страдают одним и тем же недугом — хрипотой.

— В Лейдене — категорически нет, — ответил Литвак. — Нет, нет и снова нет. Она ездила в это время отдыхать с родителями. На Зильт. Где это Зильт?

— У берегов северной Германии, — сказал Беккер, при этом Литвак так на него поглядел, точно тот нанес ему оскорбление.

— Из нее надо все тянуть клещами, — пожаловался Литвак, обращаясь снова к Курцу. — Она заговорила около полудня, а в середине дня уже отказалась от всего, что сказала. «Нет, я никогда этого не говорила. Вы врете!» Мы отыскиваем нужное место на пленке, проигрываем, она все равно говорит — это подделка и начинает плеваться. Упрямая голландка и дурища.

— Понятно, — сказал Курц.

Но Литваку было мало понимания.

— Ударишь ее — она только больше злится и упрямится. Перестаешь бить — снова набирает силы и становится еще упрямее, начинает нас обзывать.

Курц развернулся, так что теперь смотрел прямо на Беккера.

— Торгуется, — продолжал Литвак все тем же пронзительным, жалобным голосом. — Раз мы евреи, значит, надо торговаться. «Я вам вот это скажу, а вы оставите мне жизнь. Да? Я вам это скажу, а вы меня отпустите. Да?» — Он вдруг резко повернулся к Беккеру. — Так как же поступил бы герой? — спросил он. — Может, мне надо ее обаять? Чтоб она в меня влюбилась?

Курц смотрел на свои часы и куда-то дальше.

— Все, что она знает, — это теперь уже история, — заметил Курц. — Важно лишь то, что мы с ней сделаем. И когда. — Но произнес он это тоном человека, которому и предстояло принять окончательное решение. — Как у нас обстоит дело с легендой, Гади? — спросил он Беккера.

— Все в норме, — сказал Беккер. — Россино пару дней попользовался девчонкой в Вене, отвез на юг, посадил там в машину. Все так. На машине она приехала в Мюнхен, встретилась с Янукой. Этого не было, но знают об этом только они двое.

— Они встретились в Оттобрунне, — поспешил продолжить Литвак. — Это поселок к юго-востоку от Мюнхена. Там они куда-то отправились и занялись любовью. Не все ли равно куда? Не все мелочи надо ведь восстанавливать. Может, они этим занимались в машине. Ей это дело нравится, она когда угодно готова — так она сказала. Но лучше всего — с боевиками, как она выразилась. Может, они где-нибудь снимали комнатенку, и владелец молчит об этом в тряпочку — напуган. Подобные пробелы нормальны. Противная сторона будет их ожидать.

— А сегодня? — спросил Курц, обращаясь уже к Литваку и бросая взгляд в окно. — Сейчас?

Литвак не любил, когда его допрашивали с пристрастием.

— А сейчас они в машине направляются в город. Заняться любовью. А заодно спрятать оставшуюся взрывчатку. Но кто об этом знает? И почему мы должны все объяснять?

— Так где же она все-таки сейчас? — спросил Курц, складывая в голове все эти сведения и в то же время не прерывая хода рассуждений. — На самом-то деле?

— В фургоне, — сказал Литвак.

— А где фургон?

— Рядом с «Мерседесом». На придорожной стоянке для автомобилей. По вашему слову мы перебросим ее.

— А Янука?

— Тоже в фургоне. Это их последняя ночь вместе. Мы их обоих усыпили, как договаривались.

Курц снова взял бинокль, подержал, не донеся до глаз, и положил обратно на стол. Затем сцепил руки и насупясь уставился на них.

— Подскажите-ка мне другое решение, — сказал он, наклоном головы показывая, что обращается к Беккеру. — Мы самолетом отправляем ее восвояси, держим в пустыне Негев, взаперти. А что дальше? «Что с ней случилось?» — будут спрашивать они. Как только она исчезнет, они будут думать о самом худшем. Подумают, что она сбежала. Что Алексис сцапал ее. Что ее сцапали сионисты. В любом случае их операция под угрозой. И тогда они, несомненно, скажут: «Распускаем команду, все по домам». — И подытожил: — Необходимо дать им доказательство, что девчонка была лишь в руках Януки да господа бога. Необходимо, чтобы они знали, что она, как и Янука, мертва. Ты не согласен со мной, Гади? Или, судя по твоему лицу, я могу заключить, что ты придумал что-то получше?

Курц ждал, а Литвак, уперев взгляд в Беккера, всем своим видом выражал враждебность и осуждение. Возможно, он считал, что Беккер хочет остаться невиновным, тогда как вина должна быть поделена поровну.

— Нет, — сказал Беккер после бесконечно долгого молчания. Но лицо его, как заметил Курц, затвердело, показывая, что решение принято.

И тут Литвак набросился на него.

— Нет? — повторил он голосом, срывавшимся от напряжения. — Нет — что? Нет — нашей операции? Что значит «нет»?

— Нет — значит, у нас нет альтернативы, — снова помолчав, ответил Беккер. — Если мы пощадим голландку, Чарли у них не пройдет. Живая мисс Ларсен не менее опасна, чем Янука. Если мы намерены продолжать игру, надо принимать решение.

— *Если*, — с презрением, словно эхо, повторил Литвак.

Курц вмешался, восстанавливая порядок.

— Она не может дать нам никаких полезных имен? — спросил он Литвака, казалось, в надежде получить положительный ответ. — Ничего такого, в чем она могла бы быть нам полезна? Что послужило бы основанием не расправляться с ней?

Литвак передернул плечами.

— Она знает большую немку по имени Эдда, которая живет на севере. Они встречались только однажды. Кроме Эдды, есть еще девчонка, чей голос из Парижа записан по телефону. За этой девчонкой стоит Халиль, но Халиль не раздает визитных карточек. Она придурок, — повторил он. — Она принимает столько наркотиков, что дуреешь, стоя рядом с ней.

— Значит, она бесперспективна, — сказал Курц.

— Абсолютно бесперспективна, — согласился Литвак с невеселой усмешкой.

Он уже застегивал свой темный дождевик. Но при этом не сделал ни шага к двери. Стоял и ждал приказа.

— Сколько ей лет? — задал Курц последний вопрос.

— На будущей неделе исполнится двадцать один год. Это основание, чтобы ее пощадить?

Курц медленно, не слишком уютно себя чувствуя, поднялся и повернулся лицом к Литваку, стоявшему на другом конце тесной комнаты с ее резной, как и положено в охотничьем домике, мебелью и чугунными лампами.

— Опроси каждого из ребят поочередно, Шимон, — приказал он. — Есть ли среди них такой или такая, кто не согласен? Никаких объяснений не требуется, никого из тех, кто против, мы не пометим. Свободное голосование, в открытую.

— Я их уже спрашивал, — сказал Литвак.

— Спроси еще раз. — Курц поднес к глазам левое запястье и посмотрел на часы. — Ровно через час позвони мне. Не раньше. Ничего не делай, пока не поговоришь со мной.

Курц имел в виду: когда движение на улицах будет минимальным. Когда будут приняты все необходимые меры.

Литвак ушел. Беккер остался.

А Курц первым делом позвонил своей жене Элли, попросив телефонистку прислать счет ему домой — он был щепетилен насчет трат.

— Сиди, сиди, пожалуйста, Гади, — сказал он, увидев, что Беккер поднялся: Курц гордился тем, что живет очень открыто.

И теперь Беккер в течение десяти минут слушал про то, как Элли ходит на занятия по Библии или как справляется с покупками без машины, которая не на ходу. Гади не надо было спрашивать, почему Курц выбрал именно этот момент для обсуждения с женой повседневных проблем. В свое время он поступал точно так же. Курцу хотелось соприкоснуться с родиной, перед тем как совершить убийство. Он хотел услышать живой голос Израиля.

— Элли чувствует себя преотлично, — восторженным тоном поведал он Беккеру, повесив трубку. — Она передала тебе привет и говорит: пусть Гади поскорее возвращается домой. Она дня два назад наткнулась на Франки. Франки тоже отлично себя чувствует. Немного скучает без тебя, а в остальном все отлично.

Затем Курц позвонил Алексису, и Беккеру, если бы он так хорошо не знал Курца, могло бы сначала показаться, что это такая же милая болтовня двух добрых друзей. Курц выслушал семейные новости своего агента, спросил про будущего малыша — и мать, и дитя вполне здоровы. Но как только со вступлением было покончено, Курц напрямик, решительно приступил к делу: во время своих последних бесед с Алексисом он заметил явное снижение его преданности.

— Пауль, похоже, некий несчастный случай, о котором мы недавно беседовали, вот-вот произойдет, и ни вы, ни я не можем его предотвратить, так что возьмите перо и бумагу, — весело объявил он. Затем, сменив тон, отрывисто проинструктировал своего собеседника по-немецки: — В первые сутки после того, как вы официально узнаете о случившемся, ограничьте расследование студенческими общежитиями Франкфурта и Мюнхена. Дайте понять, что подозреваете группу левых активистов, у которой есть связи с парижской ячейкой. Зафиксировали? — Он помолчал, давая Алексису время записать. — На второй день после полудня отправьтесь в Мюнхен на центральный почтамт и получите на свое имя письмо до востребования, — продолжал Курц, выслушав необходимые заверения, что все будет сделано. — Там будут сведения о личности голландской девицы и некоторые данные об ее участии в предшествующих событиях.

Теперь Курц отдавал приказы уже со скоростью диктанта: первые две недели никаких обысков в центре Мюнхена; результаты всех обследований судебно-медицинской экспертизы должны поступать только к Алексису и рассылаться по списку только с разрешения Курца; публичные сопоставления с другими происшествиями должны делаться лишь с его же одобрения. Почувствовав, что агент бунтует, Курц слегка отвел от уха трубку, чтобы и Беккер мог слышать.

— Но, Марти, послушайте... друг мой... я, собственно, должен вас кое о чем спросить.

— Спрашивайте.

— О чем мы толкуем? Несчастный случай — это же не пикник, Марти. Мы же цивилизованная демократия, вы понимаете, что я хочу сказать?

Если Курц и понимал, то воздержался от комментариев.

— Послушайте. Я должен вас кое о чем попросить, Марти, я прошу, я настаиваю. Никакого ущерба, никаких жертв. Это условие. Мы же с вами друзья. Вы меня понимаете?

Курц понимал, и это показал его краткий ответ:

— Никакого ущерба германской собственности, Пауль, нанесено, безусловно, не будет. Разве что так, пустяки. Но никакого настоящего ущерба.

— А жизни людей? Ради всего святого, Марти, мы же не дикари здесь! — воскликнул Алексис, и в голосе его вновь послышалась тревога.

— Невинная кровь пролита не будет, Пауль, — с величайшим спокойствием произнес Курц. — Даю вам слово. Ни один германский гражданин не получит и царапины.

— Я могу быть в этом уверен?

— А что вам еще остается? — сказал Курц и повесил трубку, не оставив своего номера.

В обычных обстоятельствах Курц никогда бы не стал так свободно говорить по телефону, но, поскольку подслушивание устанавливал Алексис, он считал, что может идти на риск.

Литвак позвонил десятью минутами позже.

— Давай, — сказал Курц, — зеленый свет, действуй.

Они стали ждать: Курц — у окна, Беккер — снова усевшись в кресло и глядя мимо Курца на беспокойное ночное небо. Схватив шнур центральной фрамуги, Курц дернул, открыл ее возможно шире, и в комнату ворвался грохот транспорта на автостраде.

— К чему рисковать без нужды? — буркнул он, словно поймал сам себя на небрежении предосторожностью.

Беккер начал считать по солдатским нормам скорости. Столько-то нужно времени, чтобы посадить обоих в машину. Столько-то для последней проверки. Столько-то, чтобы выехать. Столько-то, чтобы влиться в поток машин. Столько-то, чтобы поразмыслить о цене человеческой жизни, даже жизни тех, кто позорит род человеческий. И тех, кто его не позорит.

Грохот, как всегда, был оглушающий. Громче, чем в Бад-Годесберге, громче, чем в Хиросиме, громче, чем в любом бою, в котором Беккер участвовал. Из своего кресла, глядя мимо Курца, он увидел, как над землей взметнулся оранжевый шар пламени и исчез, погасив поздние звезды и первые проблески рассвета. Вслед за ним покатилась волна жирного черного дыма. Беккер увидел, как в воздух взлетели обломки, а вслед за ними что-то черное: колесо, кусок асфальта, человеческие останки — кто знает что? Он увидел, как занавеска ласково коснулась голой руки Курца, почувствовал дыхание горячего, словно из фена, воздуха. Он услышал треск сталкивающихся тяжелых предметов, похожий на треск кузнечиков, и возникшие, перекрывая этот треск, крики возмущения, лай собак, шлепанье домашних туфель в крытых переходах между домиками мотеля, куда выскочили испуганные люди, дурацкие фразы, какие произносят актеры в фильмах о кораблекрушении: «Мама! Где мама? Я потеряла мои драгоценности». Он услышал истерический голос какой-то женщины, кричавшей, что это пришли русские, и равно испуганный голос, убеждавший ее, что это просто взорвался бак с горючим. Кто-то сказал: «Это у военных. Какое безобразие — надо же по ночам перевозить свое добро!» У кровати находился радиоприемник. Курц продолжал стоять у окна, а Беккер включил приемник и настроил на местную программу для тех, кто страдает бессонницей: а вдруг передадут специальное сообщение. Под вой сирены по шоссе промчалась полицейская машина, на крыше ее сверкали синие огни. Потом ничего, потом пожарная машина и вслед за ней «Скорая помощь». Музыка по радио прекратилась, и передали первое сообщение. Непонятный взрыв к западу от Мюнхена, причина неизвестна, пока никаких подробностей. Движение по шоссе перекрыто в обоих направлениях, машинам предлагается делать объезд.

Беккер выключил радио и включил свет. Курц закрыл окно и задернул занавески, потом сел на кровать и, не развязывая шнурков, стал снимать ботинки.

— Я — ох! — перекинулся на днях словцом с людьми из нашего посольства в Бонне, Гади, — сказал он, словно вдруг что-то вспомнив. — Просил навести справки об этих поляках, с которыми ты работаешь в Берлине. Проверить их финансы.

Беккер молчал.

— Похоже, сведения не очень приятные. Пожалуй, придется нам добывать тебе еще денег или новых поляков.

Так и не получив ответа, Курц медленно поднял голову и увидел, что Беккер стоит у двери и смотрит на него. Что-то в позе этого человека заставило Курца вспылить.

— Вы хотите что-то мне сказать, мистер Беккер? Желаете поморализировать, чтобы облегчить душу?

Беккер, видимо, ничего не собирался ему говорить. Он вышел и тихо прикрыл за собой дверь.

Курцу оставалось сделать последний звонок — Гаврону домой, по прямому проводу. Он потянулся к телефону, помедлил и убрал руку. «Пусть Миша Грач подождет», — подумал он, чувствуя, как в нем снова разгорается злость. Тем не менее он позвонил. Начал мягко, спокойно, здраво. Как всегда. Говорил по-английски.

— Натан, это говорит Гарри, — сказал он, пользуясь кодовыми именами, разработанными для этой недели. — Привет. Как жена? Прекрасно, и от меня ей тоже. Натан, две известные нам козочки только что сильно простудились. Об этом, безусловно, приятно будет услышать тем, кто время от времени наседает на нас.

Слушая осторожный, ничего не прояснявший ответ Гаврона, Курц почувствовал, что его начинает трясти. Однако он продолжал твердо контролировать свой голос.

— Натан, сейчас для вас наступает, по-моему, великая минута. Благодаря мне вам удастся избежать определенного давления и дать возможность делу созреть. Обещания были даны, и они сдержаны, а теперь требуется немного доверия, чуточку терпения. — Из всех знакомых мужчин и женщин только Гаврон провоцировал Курца на высказывания, о которых он потом сожалел. Пока он, однако, держал себя в руках. — Партию в шахматы никогда не выиграть до завтрака, Натан, так не бывает. Мне нужен воздух, вы меня слышите? Воздух... и немного свободы... собственный участок. — Злость перелилась через край. — Так уймите этих сумасшедших, ладно? Пойдите на рынок и купите мне для разнообразия кого-нибудь в помощь!

Связь прервалась. Был ли в том повинен взрыв или Миша Гаврон, Курц так и не узнал, ибо не стал звонить снова.

# Часть 3

# ДОБЫЧА

# Глава 16

**В** течение трех бесконечно долгих недель, пока Лондон из лета сползал в осень, Чарли жила в каком-то нереальном мире — то не веря тому, что знала, то горя нетерпением, то взволнованно готовясь к предстоящему, то впадая в ужас.

«Рано или поздно они явятся за тобой, — твердил ей Иосиф. — Должны». И стал соответственно готовить ее к этому.

Но почему они должны за ней явиться? Она не понимала, и он ей этого не говорил, как бы ограждая себя от ее расспросов молчанием. Неужели Марти сумеет склонить Мишеля работать на них, как склонил ее, Чарли? Бывали дни, когда она представляла себе, как Мишель войдет в разработанную для него легенду и явится к ней, пылкий любовник. А Иосиф исподволь подогревал ее шизофрению, делая отсутствующего все более ей желанным. «Мишель, дорогой мой, единственный, приди же ко мне!» Люби Иосифа, но мечтай о Мишеле. Сначала Чарли едва осмеливалась смотреть на себя в зеркало — настолько она была уверена, что лицо выдает ее тайну. Все мускулы ее лица были напряжены оттого, что она скрывала, все интонации и движения были рассчитаны, и это на многие мили отдаляло ее от остального человечества. «Я играю моноспектакль двадцать четыре часа в сутки — сначала для всего мира, потом для себя».

Постепенно, по мере того, как шло время, страх перед разоблачением стал уступать у Чарли место дружелюбному презрению к окружавшим ее наивным людям, которые не видят, что творится у них под носом. «Они еще там, откуда я уже ушла. Они такие же, какой была я, пока не перешла в зазеркалье».

А в отношении Иосифа она придерживалась тактики, отточенной за время поездки через Югославию. Он был человеком близким, с которым она соотносила каждое свое действие и решение; он был любовником, с которым она шутила и для которого подмазывалась. Он был ее якорем, ее лучшим другом — всем самым лучшим вообще. Он был духом, который появлялся в самых неожиданных местах, непонятно каким образом узнавая об ее передвижениях, — то на автобусной остановке, то в библиотеке, то в прачечной самообслуживания, сидя под неоновыми лампами среди безвкусно одетых кумушек и глядя, как крутятся в автомате его рубашки. Но она никогда не впускала его в свою жизнь. Он всегда был за ее пределами — вне времени и касания, если не считать их неожиданных встреч, которыми она только и жила. Если не считать его двойника — Мишеля.

Для репетиций «Как вам это понравится» труппа сняла старый армейский манеж близ вокзала Виктории, и Чарли ходила туда каждое утро, а каждый вечер вымывала из волос затхлый запах пива.

Она согласилась пообедать с Квили в ресторане «У Бьянки» и нашла его каким-то странным. Он словно бы пытался ее о чем-то предупредить, но когда она напрямик спросила, в чем дело, он закрыл рот на замок, сказав, что политика — личное дело каждого, ради этого он сражался на войне в отряде «зеленых мундиров». Но он жутко напился. Чарли помогла ему подписать счет и вышла на многолюдную улицу — у нее было такое чувство, будто она бежит за своей тенью, которая ускользает от нее, мелькая среди подпрыгивающих голов. «Я очутилась вне жизни. И мне никогда не найти пути назад». Только она это подумала, как почувствовала: кто-то коснулся ее локтя, и увидела Иосифа, тотчас нырнувшего в магазин «Маркс энд Спенсер». Неожиданные появления Иосифа всегда очень сильно действовали на нее. Эти встречи заставляли ее вечно быть настороже и, если уж по-честному, разжигали в ней желание. День без Иосифа был для нее пустым днем, а стоило его увидеть, и она всем сердцем и всем своим существом, точно шестнадцатилетняя девчонка, устремлялась к нему.

Она читала респектабельные воскресные газеты, изучала последние сенсационные открытия про Сэквилл-Уэст[1] — или ее зовут Ситуэлл? — и поражалась пустому эгоизму английского правящего класса. Она смотрела на Лондон, который успела забыть, и всюду находила подтверждение правильности избранного пути — того, что она, радикалка, стала на путь насилия. Общество, в ее представлении, было мертвым деревом, она обязана выкорчевать его и посадить что-то лучшее. Об этом говорили безнадежно тупые лица покупателей, которые, шаркая, точно кандальные рабы, передвигались по освещенным неоном супермаркетам; об этом же говорили и жалкие старики, и полисмены с ненавидящими глазами. Как и чернокожие парни, что торчат на улице, провожая взглядом проносящиеся мимо «Роллс-Ройсы», и сверкающие окна банков, этих столпов многовекового поклонения, с их сонмом педантов-управляющих. И строительные компании, заманивающие легковерных в свои западни: приобретайте недвижимость; и заведения, торгующие спиртным, и заведения, принимающие ставки. Чарли не требовалось больших усилий, чтобы весь Лондон показался ей свалкой несостоявшихся надежд и разочарованных душ. Благодаря Мишелю она сумела мысленно перекинуть мостик между капиталистической эксплуатацией в странах «третьего мира» и тем, что творилось здесь, у ее собственного порога, в Кэмден-Тауне.

Она жила такой яркой жизнью — судьба даже послала ей в виде символа бездомного скитальца. Однажды в воскресенье утром она отправилась прогуляться по дорожке вдоль ка-

---

[1] Сэквилл-Уэст Виктория (1892—1962) — английская романистка, поэтесса и критик, автор романов, биографий и стихов, близкий друг Вирджинии Вулф.

нала Регента — на самом-то деле она шла на одну из немногих заранее запланированных встреч с Иосифом — и вдруг услышала густые, басовитые звуки негритянской спиричуэл. Канал расширился, и Чарли увидела в гавани, где стояли заброшенные склады, старика-негра, словно сошедшего со страниц «Хижины дяди Тома», — он сидел на пришвартованном пароме и играл на виолончели, а вокруг, как зачарованные, стояли детишки. Это была сцена из фильмов Феллини; это был китч; это был мираж; это было видение, рожденное ее подсознанием.

Так или иначе, в течение нескольких дней Чарли то и дело мысленно возвращалась к этой картине, соизмеряя с нею все, что видела. Это было для нее чем-то настолько личным, что она не говорила об этом даже Иосифу, боясь, что он над нею посмеется или — что будет еще хуже — даст всему рациональное объяснение.

За это время она несколько раз переспала с Алом, потому что не хотела с ним скандалить, а также потому, что после долгих отлучек Иосифа ее тело требовало мужской ласки, да, кроме того, и Мишель велел ей так себя вести. Она не разрешала Алу приходить к ней, так как он снова был без квартиры и она боялась, что он может остаться у нее, как было раньше, пока она не выкинула его одежду и бритву на улицу. К тому же ее квартира хранила новые тайны, которыми никто и ничто на божьем свете не заставит ее поделиться с Алом: в ее постели спал Мишель, его пистолет лежал под подушкой, и ни Ал, ни кто-либо другой не вынудит ее осквернить эту святыню. Однако вела она себя с Алом осторожно: Иосиф предупредил ее, что его контракт с кино не подписан, а она по старым временам знала, как ужасно может вести себя Ал, когда затронута его гордость.

Их воссоединение произошло в его излюбленном кабачке, где «великий философ» вещал что-то двум своим последовательницам. Идя через зал, чтобы присоединиться к нему, Чарли думала: «Сейчас он почувствует запах Мишеля — этим запахом пропитана моя одежда, моя кожа, моя улыбка». Но Ал так старался показать свое безразличие, что не почувствовал ничего. При виде Чарли он ногой отодвинул для нее стул, она, садясь, подумала: «Бог ты мой, всего месяц назад этот лилипут был моим главным советчиком по всем проблемам, которыми жив мир». Когда кабачок закрылся и они пошли на квартиру к приятелю Ала и расположились в пустовавшей у его комнате, Чарли с изумлением обнаружила, что думает, будто это Мишель владеет ею, и лицо Мишеля нависает над ней, и оливковое тело Мишеля лежит с ней рядом в полутьме, и Мишель, ее мальчик-убийца, доводит ее до исступления. Но за Мишелем маячила другая фигура — Иосиф, который наконец принадлежал ей: его жаркая, давно сдерживаемая страсть все-таки прорвалась наружу, его израненное тело и израненный мозг принадлежали теперь ей.

За исключением воскресенья, Чарли время от времени читала капиталистические газеты, слушала рассчитанные на обывателя сообщения по радио, но нигде не было ни слова о рыжей англичанке, разыскиваемой в связи с провозом взрывчатки в Австрию. Этого просто не было. А были две девчонки, плод моей фантазии. Вообще же положение дел в широком мире — кроме того, что имело к ней отношение, — перестало интересовать Чарли. Она читала про бомбу, подложенную палестинцами в Ахене, и про ответные меры израильтян, совершивших налет на лагерь в Ливане, где было убито много гражданских лиц. Она читала о возрастающей в Израиле ярости и пришла в ужас от интервью, данного одним израильским генералом, который пообещал решить палестинскую проблему, «вырвав ее с корнем». Но, пройдя галопом курс конспирации, Чарли уже не верила официальным версиям событий и никогда не поверит. Единственным событием, за которым она следила, были сообщения о гигантской самке-панде в лондонском зоопарке, которая не подпускает к себе самца, причем феминистки утверждали, что виноват самец. А кроме того, зоопарк был одним из мест свиданий с Иосифом. Они встречались там на скамейке — иногда чтобы лишь подержаться за руки, как влюбленные, и разойтись.

«Скоро, — говорил он. — Скоро».

Плывя таким образом по течению, играя все время перед невидимой публикой, тщательно следя за каждым своим словом и жестом, Чарли обнаружила, что ей будет легче, имея твердый распорядок жизни. По субботам она обычно отправлялась в Пекэм, в клуб к своим детишкам, и в огромном сводчатом зале, где можно было бы играть Брехта, вдыхала жизнь в детский драмкружок, что ей очень нравилось. Они собирались приготовить рок-пантомиму — нечто совершенно анархическое — к Рождеству.

По пятницам она иногда заходила в кабачок Ала, а по средам покупала две кварты темного пива и отправлялась к мисс Даббер, бывшей танцовщице кордебалета и проститутке, что жила за углом. Мисс Даббер страдала от артрита и рахита, и от червей-древоточцев, и от прочих серьезных напастей и кляла свое тело с таким же пылом, с каким в свое время кляла скупердяев-любовников. Чарли в ответ услаждала мисс Даббер лихо сочиненными сказками про скандалы в мире эстрады и театра, и они так хохотали, что соседи включали телевизор, чтобы заглушить их хохот.

Только с этими двумя людьми Чарли и водила компанию, хотя положение актрисы открывало перед ней двери с полудюжины семей, где она могла бы при желании бывать.

Она поболтала по телефону с Люси — они условились встретиться, но определенного числа не назначали. Она разыскала Роберта в Баттерси, но компания, с которой она делила время на Миконосе, казалась ей сейчас школьными друзьями десятилетней давности: общих интересов у них уже не было. Она поела тушеного мяса под острым соусом с Уилли и Поли, но они собирались расставаться и думали только об этом. Попытала она счастья и с другими друзьями из своей прошлой жизни, но столь же безуспешно, после чего обрекла себя на жизнь старой девы. Она поливала молоденькие деревца на своей улице, когда устанавливалась сухая погода, и наполняла стальные кормушки на подоконнике свежими орешками для воробьев: это было одним из знаков для Иосифа, как и лозунг, призывавший к всемирному разоружению, прилепленный к стеклу ее машины, или кожаная бирка с медной буквой «Ч», болтавшаяся на ремне ее сумки. Иосиф называл это сигналами, указывавшими на то, что с ней все в порядке, и многократно обучал ее, как ими пользоваться. Если хоть одного из них не будет, значит, она зовет на помощь; в ее сумке лежал новешенький белый шелковый шарф, который должен служить не сигналом капитуляции, а означать: «Они явились», если они вообще когда-нибудь явятся. Она исправно заполняла карманный еженедельник, закончила вышивку картины, которую купила перед отпуском: там была изображена Лотта из Веймара, горюющая на могиле Вертера. «Снова я ударилась в классику». Она писала бесконечные письма своему исчезнувшему любовнику, но постепенно все реже опускала их в ящик.

*Мишель, дорогой мой, ох, Мишель, сжалься и приди ко мне.*

Она держалась вдали от посиделок и не заглядывала в сомнительные книжные лавки в Ислингтоне, где раньше, случалось, уныло просиживала за кофе, и держалась уж совсем далеко от сердитых молодых людей с улицы Святого Панкратия, чьи брошюры, вдохновленные кокаином, она раздавала, потому что никто другой не хотел этим заниматься. Она забрала наконец из ремонта свой старенький «Фиат», который разбил Ал, и в день своего рождения отправилась на нем в Рикмансуэрт навестить свою стерву-мамашу и отвезти ей скатерть, купленную на Миконосе. Как правило, она не любила ездить к матери: ее там ждал воскресный обед с тремя сортами овощей и ревеневым пирогом, после чего мамаша подробно рассказывала о бедах, какие постигли ее со времени их последней встречи. Но на этот раз, к своему изумлению, Чарли обнаружила, что ей хорошо с матерью. Она провела там ночь и на другое утро, надев темный платок — ни в коем случае не белый, — поехала с матерью в церковь, стараясь не думать о том, когда в последний раз надевала его. Опустившись на колени, она вдруг почувствовала, что в ней еще сохранилась вера, и она пылко покаялась богу в своей многоликости. Зазвучал орган, и она зарыдала, что заставило ее призадуматься, способна ли она вообще владеть собой.

«А все потому, что я не хочу возвращаться в свою квартиру», — подумала она.

Обескураживало Чарли то, что ее квартира была изменена в соответствии с новым обликом, в который она старательно вживалась: произошла смена декораций, масштаб которой ей еще предстояло постичь. Изо всей ее новой жизни эти изменения, сделанные тайком за время ее отсутствия, больше всего смущали Чарли. До сих пор она считала свое жилище самым надежным местом на свете, этаким Недом Квили домостроения. Оно досталось ей по наследству от безработного актера, который занялся кражами со взломом и отбыл вместе со своим приятелем в Испанию. Квартира находилась на северной стороне Кэмден-Тауна над принадлежавшим индейцам кафе, которое оживало к двум часам ночи и жизнь не затихала в нем до семи утра, когда там подавали горячий завтрак. На лестницу, ведущую к Чарли, можно было попасть, лишь пройдя по узкому коридору между уборной и кухней, а затем — через двор. Благодаря такому устройству хозяин, повар и толстомордый приятель повара, не говоря уже о том, кто в этот момент находился в уборной, имели полную возможность внимательно вас оглядеть. На верху лестницы была вторая входная дверь, и, только открыв ее, вы попадали в святилище, состоявшее из мансарды с лучшей в мире кроватью, кухоньки и ванной.

И вот Чарли вдруг потеряла свое утешение, свое надежное укрытие. Они украли его. У нее было такое ощущение, точно она сдала кому-то квартиру на время своего отсутствия и этот человек в благодарность произвел кучу ненужных изменений. Но как же они сумели незаметно проникнуть сюда? Когда Чарли спросила в кафе, никто ни о чем понятия не имел. Взять, к примеру, ее письменный столик: в глубь ящика были засунуты письма Мишеля — оригиналы, фотокопии которых она видела в Мюнхене. А за отошедшей плиткой в ванной, где раньше она хранила травку, появился ее «боевой фонд» — три сотни старыми пятифунтовыми бумажками. Она переложила было их под половицу, затем вернула в ванную, затем — снова под половицу. Появились и памятные вещицы — меты ее романа, с первого дня в Ноттингеме и далее: спички из мотеля; дешевенькая шариковая ручка, которой она писала первые письма в Париж; лепестки самых первых рыжих орхидей, засушенные меж страниц ее поваренной книги; первое платье, которое он ей купил, — было это в Йорке, они еще вместе ходили в магазин; уродливые серьги, которые он подарил ей в Лондоне и которые она способна была носить лишь в угоду ему. Все это она более или менее ожидала увидеть: Иосиф, по сути дела, ведь предупредил ее.

Встревожило ее то, что она стала сживаться с этими мелочами: со стоявшими на книжной полке затасканными рекламными брошюрами о Палестине, зашифрованно надписанными ей Мишелем; с пропалестинским плакатом на стене, с которого на вас смотрело раздутое, как у лягушки, лицо премьер-министра Израиля, а под ним — силуэты арабских беженцев; с несколькими цветными картами рядом с плакатом, на которых была отмечена территория, захваченная израильтянами после 1967 года, а над Тиром и Сидоном был начертан рукою Чарли вопросительный знак, что объяснялось ее чтением газет, излагавших притязания Бен-Гуриона на эти города; со стопками антиизраильских пропагандистских брошюр на английском языке, отпечатанных на дешевой бумаге.

«Типично в моем стиле, — думала она, не спеша перебирая свою коллекцию. — Если уж меня заарканили, я иду и покупаю всю лавку. Только на этот раз покупала не я. Это они все купили».

Но такие рассуждения ничуть ей не помогли, да со временем она и забыла об этом различии.

*Мишель, ради всего святого, они сцапали тебя?*

Вскоре после возвращения в Лондон Чарли — согласно инструкции — отправилась на почту в Майда-Вейл, предъявила удостоверение личности и получила одно-единственное письмо с почтовым штемпелем Стамбула, пришедшее явно после того, как она уехала из Лондона на Миконос. «Моя дорогая! Теперь уже недолго осталось до Афин. Люблю». Подпись: «М». Несколько слов, наскоро нацарапанных для поддержки. Это послание, однако, глубоко взволновало Чарли. Сонм похороненных было образов обступил ее. Ноги Мишеля в туфлях от Гуччи, волочащиеся по лестнице. Стройное красивое тело, которое тащили под мышки его тюремщики. Смуглое лицо, совсем юное — такого и в армию-то еще рано призывать. И голос — такой сочный, такой невинный. Золотой медальон легонько подпрыгивает на голой, оливкового цвета груди. Иосиф, я люблю тебя.

После этого Чарли каждый день ходила на почту, иногда по два раза в день; она стала как бы частью пейзажа, но уходила она всегда с пустыми руками, все более и более расстроенная. То была умело, мастерски поставленная сценка, которую она тщательно отрепетировала и которую Иосиф, ее тайный наставник, многократно наблюдал, покупая марки у соседнего окошка.

За это время Чарли, в надежде получить от Мишеля хоть какой-то отклик, отправила ему в Париж три письма, в которых просила его писать, говорила о своей любви и заранее прощала за молчание. Это были первые письма, которые она сама составила и написала. Как ни странно, ей стало легче, когда она их отправила: они как бы придавали достоверность предшествующим письмам и тем чувствам, которые изображала Чарли. Написав очередное письмо, она бросала его в определенный почтовый ящик — наверняка кто-то следил за ней, — но она уже приучила себя не озираться и не думать об этом. Как-то раз она заметила Рахиль в окне Уимпи-бара, одета она была безвкусно и выглядела типичной англичанкой. А в другой раз Рауль с Димитрием промчались мимо нее на мотоцикле. Последнее письмо Чарли отправила Мишелю срочным в том же почтовом отделении, где тщетно справлялась о корреспонденции на свое имя; уже заклеив конверт, она наскоро нацарапала на обратной стороне: «Дорогой мой, пожалуйста, пожалуйста, пожалуйста, напиши», а Иосиф стоял позади нее и терпеливо ждал.

Постепенно ее жизнь за эти недели стала представляться Чарли в виде книги, набранной крупным и мелким шрифтом. Крупный шрифт — это мир, в котором она жила. Мелкий шрифт — мир, куда она ускользала, когда мир крупного шрифта не следил за ней. Ни один роман с напрочь женатым мужчиной не был окружен для нее такой тайной.

* * *

На пятый день они отправились в Ноттингем. Иосиф принял особые меры предосторожности. В субботу вечером он посадил Чарли в «ровер» у дальней станции метро и привез назад в воскресенье днем. Он купил ей светлый парик, действительно хороший, смену одежды, в том числе меховое манто, лежавшее в чемодане. Он заказал поздний ужин, и все было ужасно (ничуть не лучше того, что они должны были изображать: посреди ужина Чарли призналась, что по-глупому дико боится, как бы официанты не узнали ее, несмотря на парик и меховое манто, и не осведомились, куда она девала своего преданного поклонника).

Затем они прошли в свой номер, где целомудренно стояли две кровати, которые по легенде им надлежало сдвинуть. На секунду Чарли подумала, что тут-то все и произойдет. Когда она вышла из ванной, Иосиф лежал на кровати и смотрел на нее; она легла рядом и положила голову ему на грудь, затем подняла голову и принялась его целовать — это были легкие поцелуи в любимые места: в виски, щеки и наконец в губы. Его рука отстранила ее, потом коснулась ее лица, и он, в свою очередь, поцеловал ее, держа ее щеку в ладони. Потом очень мягко оттолкнул ее и сел. И снова поцеловал — на прощание.

— Прислушайся, — сказал он, беря пиджак.

Он улыбался. Своей прекрасной, доброй улыбкой, самой своей лучшей. Она прислушалась и услышала стук ноттингемского дождя по окну — такого же, какой продержал их в постели две ночи и один долгий день.

На другое утро они с чувством ностальгии совершили небольшие экскурсии по округе, воспроизводя ее маршрут с Мишелем, пока желание не заставило их вернуться в мотель... чтобы в памяти остались живые картины, с самым серьезным видом сказал ей Иосиф, и чтобы она увереннее чувствовала себя, так как сама все видела. Подобные уроки перемежались другими. Обучением беззвучной сигнализации, как он это называл, и методу тайнописи на внутренней стороне пачек из-под сигарет «Мальборо»; но почему-то Чарли не воспринимала все это всерьез.

Несколько раз они встречались в театральной костюмерной за Стрэндом — происходило это обычно после репетиций.

— Вы пришли мерить костюм, да, милочка? — спрашивала монументальная блондинка лет шестидесяти в просторном платье всякий раз, как Чарли появлялась в дверях. — Тогда сюда, милочка. — И провожала ее в заднюю комнату, где уже сидел Иосиф, дожидаясь ее, как клиент — проститутку.

«Осень идет тебе», — думала Чарли, снова отметив, что в волосах его появился иней, а на скулах впалых щек — румянец будто от холода.

Больше всего ей не давало покоя то, что не могла она пробить его броню.

— Где ты остановился? Как мне связываться с тобой?..

— Через Кэйти, — отвечал он. — Ты знаешь, какие сигналы указывают, что все в порядке, ну а потом у тебя есть Кэйти.

Кэйти была ее пуповиной и одновременно как бы секретаршей, сидевшей в приемной Иосифа и охранявшей его покой. Каждый вечер, между шестью и восемью, Чарли заходила в телефонную будку, всякий раз в другую, и звонила Кэйти в Вест-Энд, а та расспрашивала, как сложился у нее день: как прошли репетиции, какие новости от Ала и компании, как там Квили и обсуждали ли они будущие роли, делала ли она пробы для кино и не нужно ли ей чего-нибудь? Они частенько говорили по полчаса, а то и больше. Сначала Чарли смотрела на Кэйти, как на помеху в ее отношениях с Иосифом, но постепенно стала с нетерпением ждать беседы с ней, так как Кэйти оказалась гораздо остроумнее ее и по-житейски намного мудрее. Чарли представляла ее себе такой доброй, спокойной женщиной, по всей вероятности, канадкой — вроде тех невозмутимых врачих, к которым она ходила в Тэвистокской клинике, когда ее выгнали из школы и ей казалось, что она вот-вот спятит. Чарли проявила тут прозорливость, ибо хотя мисс Бах была американкой, а не канадкой, происходила она из семьи потомственных врачей.

Дом в Хэмпстеде, который Курц снял для наблюдателей, был очень большой; он стоял в тихой глубинке, облюбованной школой автомобилистов Финчли. Хозяева, по совету их доброго друга Марти из Иерусалима, убрались в Марлоу, однако в доме осталась атмосфера элегантного приюта для интеллектуалов. В гостиной висели картины Нольде, а в зимнем саду — фотография Томаса Манна с автографом; была тут и клетка с птичкой, которая пела, когда ее заводили, и библиотека со скрипучими кожаными креслами, и музыкальная комната с бехштейновским роялем. В подвале стоял стол для пинг-понга, а за домом простирался заросший сад с запущенным серым теннисным кортом, так что ребята, которые им пользовались, несмотря на выбоины, придумали новую игру — нечто среднее между теннисом и гольфом. У ворот находилась маленькая сторожка — тут и повесили табличку: «Группа изучения иврита и истории человечества. Вход разрешен только студентам и персоналу», что в Хэмпстеде ни у кого не могло вызвать удивления.

Их было четырнадцать, включая Литвака, но они распределились на четырех этажах с такой кошачьей осторожностью и аккуратностью, что казалось, в доме вообще никого не было. Поведение их никогда не составляло проблемы, а в этом доме в Хэмпстеде они вели себя еще лучше. Им нравилась темная мебель и нравилось думать, будто каждый предмет тут знает больше их. Им нравилось работать весь день, а часто и далеко за полночь, а потом возвращаться в этот храм изысканной еврейской жизни и жить в нем, чувствуя свое наследие. Когда Литвак играл Брамса — а играл он очень хорошо, — даже Рахиль, помешанная на поп-музыке, забывала о своем предубеждении и спускалась послушать его, и ей тут же напоминали, как она ни за что не желала возвращаться в Англию и упорно отказывалась ехать по британскому паспорту.

Такая великолепная атмосфера царила в группе, когда они засели в этом доме ждать своего часа, — ждать, когда прозвонит будильник. Они избегали — хотя никто им этого не запрещал — появляться в местных кабачках и ресторанах, равно как и избегали ненужных контактов с местными жителями. С другой стороны, они заботились о том, чтобы к ним приходила почта, покупали молоко и газеты и делали все, что требовалось, чтобы наблюдательный глаз не мог заметить никаких упущений. Они много ездили на велосипеде и немало позабавились, обнаружив, что весьма почтенные, а порой и сомнительные евреи бывали здесь до них, и все потехи ради посетили дом Фридриха Энгельса или могилу Карла Маркса на Хайгетском кладбище. Конюшней для их транспорта служил кокетливый розовый гараж, в окне которого виднелся старый серебристый «Роллс-Ройс» с табличкой «Не продается» на ветровом стекле, — владельца звали Берни. Берни был большой ворчун со смуглым лицом; он вечно бросал недокуренные сигареты, носил синий костюм и такую же, как у Швили, синюю шляпу, которую он не снимал, даже когда печатал на машинке. У него были и пикапы, и легковые машины, и мотоциклы, и целый набор номерных знаков, а в тот день, когда они прибыли, он вывесил большую табличку с надписью: «ОБСЛУЖИВАНИЕ ТОЛЬКО ПО КОНТРАКТУ. ПРОСЬБА НЕ ЗАЕЗЖАТЬ». «Приехала компашка чертовых зазнаек, — рассказывал он потом своим приятелям, таким же дельцам. — Сказались киногруппой. Сняли весь мой чертов гараж со всеми потрохами, заплатили не новенькой, а чертовски хорошо походившей деньгой, — так разве ж тут, черт побери, устоишь?»

Все это было в известной мере правдой, но такова была легенда, о которой они условились с ним. Однако Берни знал многое. В свое время он сам пару штучек отмочил.

Все это время группа Литвака почти ежедневно получала из посольства в Лондоне информацию — словно вести о далекой битве. Россино опять заезжал на квартиру Януки в Мюнхене, на сей раз с какой-то блондинкой, которая, судя по описанию, очевидно, была Эддой. Такой-то побывал у такого-то в Париже, или Бейруте, или Дамаске, или Марселе. После опознания Россино новые ниточки пролегли в десяток разных направлений. Раза три в неделю Литвак проводил инструктаж и дискуссию. Когда были фотографии, он показывал их с помощью проектора, сопровождая каждую кратким перечнем известных вымышленных имен, особенностей поведения, личных пристрастий и профессиональных навыков. Время от времени он для проверки устраивал между своими слушателями состязания с занятными призами победителям.

Порою — правда, не часто — великий Гади Беккер заглядывал к ним, чтобы услышать последнее слово о том, как идут дела, садился в глубине комнаты отдельно ото всех и тотчас уходил, как только инструктаж кончался. О том, что он делал, когда не был с ними, они не знали ничего, да и не рассчитывали узнать: он занимался агентурой, был особью другой породы; это был Беккер, невоспетый герой стольких тайных заданий, сколько они и лет-то еще не прожили. Они дружески называли его «Steppenwolf»[1] и рассказывали друг другу впечатляющую полуправду о его подвигах.

Сигнал прозвучал на восемнадцатый день. Телекс из Женевы привел их всех в состояние боевой готовности, в подтверждение пришла еще телеграмма из Парижа. И через час две трети команды уже мчались под проливным дождем на запад.

# Глава 17

Труппа называлась «Еретики», и первое их выступление было в Эксетере перед прихожанами, только что вышедшими из собора, — женщины в лиловых тонах полутраура, старики-священники, готовые в любой момент всплакнуть. Когда не было утренников, актеры, зевая, бродили по городу, а вечером, после спектакля, пили с пылкими поклонниками искусств вино, заедая сыром, ибо по соглашению жили у местных обитателей.

Из Эксетера труппа отправилась в Плимут и выступала на военно-морской базе перед молодыми офицерами, мучительно решавшими сложную проблему, следует ли временно счесть актеров джентльменами и пригласить к мессе.

Но и в Эксетере, и в Плимуте жизнь текла бурно и проказливо по сравнению с сырым, серокаменным шахтерским городком в глубине полуострова Корнуолл, где по узким улочкам полз с моря туман и низкорослые деревья горбились от морских ветров. Актеров расселили в полудюжине пансио-

---

[1] Степной волк (*идиш*).

нов, и Чарли посчастливилось попасть на островок под шиферной крышей, окруженный кустами гортензий; лежа в кровати, она слышала грохот поездов, мчавшихся в Лондон, и чувствовала себя как человек, потерпевший кораблекрушение и вдруг увидевший на горизонте далекий корабль.

Театр их находился в спортивном комплексе, и на его скрипучей сцене в нос ударял запах хлорки, а из-за стенки доносились из бассейна глухие удары мячей — там играли в сквош. Публика состояла из простолюдинов, которые смотрят на тебя сонными завистливыми глазами, давая понять, что справились бы куда лучше, доведись им так низко пасть. Гримерной служила женская раздевалка — сюда-то Чарли и принесли орхидеи, когда она пришла гримироваться за десять минут до поднятия занавеса.

Она увидела цветы сначала в зеркале над умывальником — они вплыли в дверь, завернутые во влажную белую бумагу. Она видела, как букет приостановился и неуверенно направился к ней. А она продолжала гримироваться, как если бы никогда в жизни не видела орхидей. Букет несла пятидесятилетняя корнуоллская весталка по имени Вэл, с черными косами и унылой улыбкой, — он лежал у нее на руке, словно завернутый в бумагу младенец.

— Ты, значит, и есть прекрасная Розалинда, — робко произнесла она.

Воцарилось враждебное молчание — весь женский состав спектакля наслаждался нескладностью Вэл. Перед выходом на сцену актеры особенно нервничают и любят тишину.

— Да, я и есть Розалинда, — подтвердила Чарли, отнюдь не помогая Вэл выйти из неловкого положения. — В чем дело? — И продолжала подводить глаза, всем своим видом показывая, что ее нимало не интересует ответ.

Вэл церемонно положила орхидеи в умывальник и поспешно вышла, а Чарли на глазах у всех взяла прикрепленный к нему конверт. «Мисс Розалинде». Почерк не англичанина, синяя шариковая ручка вместо черных чернил. Внутри — визитная карточка, отпечатанная на европейский манер на глянцевитой бумаге. Фамилия была выбита остроконечными бесцветными буквами, чуть вкось. «АНТОН МЕСТЕР-

БАЙН, ЖЕНЕВА». И ниже одно слово — *«судья»*. И ни единой строчки, никаких «Иоанне, духу свободы».

Чарли переключила внимание на свою другую бровь, очень тщательно подвела ее, точно ничего на свете не было важнее.

— От кого это, Чэс? — спросила Деревенская Пастушка, сидевшая у соседнего умывальника. Она только что окончила колледж и по умственному развитию едва достигла пятнадцати лет.

Чарли, насупясь, критически рассматривала в зеркале дело рук своих.

— Стоило, наверное, сумасшедшую кучу денег, да, Чэс? — заметила Пастушка.

— «Да, Чэс?» — передразнила ее Чарли.

Это от него!

Весть от него!

Тогда почему же он не здесь? И почему ни слова не написал?

*«Не доверяй никому,* — предупреждал ее Мишель. — *Особенно не доверяй тем, кто будет утверждать, что знает меня».*

«Это ловушка. Это они, свиньи. Они узнали про мою поездку через Югославию. Они обкручивают меня, чтоб поймать в ловушку моего любимого. Мишель! Мишель! Любимый, жизнь моя, скажи мне, что делать!»

Она услышала свое имя: «Розалинда... Где, черт подери, Чарли? Чарли, да откликнись же, бога ради!»

И группа купальщиков с полотенцами на шее вдруг увидела в коридоре, как из женской раздевалки появилась рыжеволосая дама в заношенном платье елизаветинских времен.


Каким-то чудом она довела до конца спектакль. Возможно, даже и неплохо сыграла. Во время антракта режиссер, этакая обезьяна, которого они звали Братец Майкрофт, странно так посмотрел на нее и попросил «поубавить пыла», что она покорно согласилась сделать. Хотя вообще-то едва ли его слышала: слишком она была занята разглядыванием полупустого зала в надежде увидеть красный пиджак.

Тщетно.

Другие лица она видела — например, Рахиль, Димитрия, — но не узнала их. «Его тут нет, — в отчаянии думала она. — Это трюк. Это полиция».

В раздевалке она быстро переоделась, накинула на голову белый платок и проволынилась, пока сторож не выставил ее. А потом постояла в фойе, словно белоголовый призрак, среди расходившихся спортсменов, прижимая к груди орхидеи. Какая-то старушка спросила, не сама ли она их вырастила. И какой-то школьник попросил у нее автограф. Пастушка дернула ее за рукав.

— Чэс... У нас ведь сейчас вечеринка... Вэл всюду ищет тебя!

Двери спортивного зала с шумом захлопнулись за ней, она вышла в ночь. Порыв ветра чуть не уложил ее на асфальт, спотыкаясь, она добралась до своей машины, отперла ее, положила орхидеи на сиденье для пассажира и с трудом закрыла за собой дверцу. Мотор включился не сразу, а когда наконец включился, то заработал, как лошадь, стремящаяся поскорее попасть в стойло. Помчавшись по переулку, выходящему на главную улицу, Чарли увидела в зеркальце фары машины, отъехавшей следом за ней и сопровождавшей ее до самого пансиона.

Она остановила машину и услышала, как ветер рвет кусты гортензий. Спрятав орхидеи под пальто, Чарли запахнулась в него и побежала к входной двери. На крыльцо вели четыре ступени — она просчитала их дважды: пока бегом поднималась вверх и пока стояла у стойки портье, переводя дыхание и слыша, как кто-то легко и целенаправленно шагает по ним. Никого из обитателей не было ни в гостиной, ни в холле. Единственным живым существом был Хамфри, диккенсовский мальчик-толстяк, выполнявший обязанности ночного портье.

— Не шестой номер, Хамфри, — весело заметила она, видя, что он ищет ее ключ. — Шестнадцатый. Да ну же, милый. В верхнем ряду. Там, кстати, лежит любовное письмо, лучше уж отдай его мне, пока не отдал кому-то другому.

Она взяла у него сложенный лист бумаги в надежде, что это послание от Мишеля, но лицо ее вытянулось от разочарования, когда она увидела, что это всего лишь от сестры со словами: «Счастливого выступления сегодня» — таким образом Иосиф давал ей знать: «Мы с тобой», но это было как шепот, который она едва расслышала.

За ее спиной дверь в холл отворилась и закрылась. Мужские шаги приближались по ковру. Она быстро оглянулась — а вдруг это Мишель. Но это был не он, и лицо ее снова разочарованно вытянулось. Это был кто-то из совсем другого мира, кто-то совсем ей ненужный. Стройный, опасно спокойный парень с темными ласковыми глазами. В длинном коричневом габардиновом плаще с кокеткой как у военных, расширявшей его гражданские плечи. И в коричневом галстуке под цвет глаз, которые были под цвет плаща. И в коричневых ботинках с тупыми носами и двойной прошивкой. «Уж никак не судья, — решила Чарли, — скорее из тех, кому в суде бывает отказано». Сорокалетний мальчик в габардине, рано лишенный права на справедливость и суд.

— Мисс Чарли? — Маленький пухлый рот на бледном поле лица. — Я привез вам привет от нашего общего знакомого Мишеля, мисс Чарли.

Лицо у Чарли напряглось, как у человека, которому предстоит серьезное испытание.

— Какого Мишеля? — спросила она и увидела, что у него не шевельнулся даже мускул, отчего и она сама застыла, как застывают модели, когда их пишут, и статуи, и полисмены на посту.

— Мишеля из Ноттингема, мисс Чарли. — Швейцарский акцент стал более заметен, голос звучал осуждающе. Голос вкрадчивый, словно занятие правосудием требует секретности. — Мишель просил послать вам золотистые орхидеи и поужинать с вами вместо него. Он настоятельно просил вас принять приглашение. Прошу вас. Я добрый друг Мишеля. Поехали.

«Ты? — подумала она. — Друг? Да Мишель ради спасения жизни не завел бы такого друга». Но она выразила лишь гневным взглядом все, что думала по этому поводу.

— Я, кроме того, защищаю правовые интересы Мишеля,

мисс Чарли. Мишель имеет право на защиту закона. Поехали же, прошу вас. Сейчас.

Жест потребовал существенного усилия, но она и хотела, чтобы это было заметно. Орхидеи были ужасно тяжелые, да и ее отделяло немалое расстояние от этого человека, но она все-таки собралась с силами и с духом и положила ему на руки букет. И нашла верный, нагловатый тон.

— Весь ваш спектакль не по адресу, — сказала она. — Никакого Мишеля из Ноттингема я не знаю, да и вообще не знаю никаких Мишелей. И нигде мы с ним не встречались. Это, конечно, неплохо придумано, но я устала. От всех вас.

Повернувшись к стойке, чтобы взять ключ, она увидела, что портье спрашивает у нее о чем-то очень важном. Его блестящее от пота лицо подрагивало, и он держал над большой конторской книгой карандаш.

— Я *спросил,* — возмущенно повторил он, растягивая, как это свойственно северянам, слова, — в какое *время* вы желаете утром пить чай, мисс?

— В девять часов, дорогуша, и ни секундой раньше. — Она устало направилась к лестнице.

— И газету, мисс? — спросил Хамфри.

Она повернулась и уставилась на него тяжелым взглядом.

— Господи! — вырвалось у нее.

Хамфри вдруг чрезвычайно оживился. Он, видимо, считал, что только так можно пробудить ее к жизни.

— Утреннюю газету! Для чтения! Какую вы предпочитаете?

— «Таймс», дорогуша, — сказала она.

Хамфри снова погрузился в ублаготворенную апатию.

— «Телеграф», — громко произнес он, записывая. — «Таймс» только по предварительному заказу.

Но к этому времени Чарли уже поднималась по широкой лестнице к темной площадке наверху.

— Мисс Чарли!

«Только назови меня так еще раз, — подумала она, — и я спущусь и хорошенько двину тебя по твоей гладкой швейцарской роже». Она поднялась еще на две ступеньки, но тут он снова заговорил. Она не ожидала такой настойчивости.

— Мишелю будет очень приятно, когда он узнает, что Розалинда выступала сегодня в его браслете! И, по-моему, он до сих пор у нее на руке! Или это, может быть, подарок какого-то другого джентльмена?

Она сначала повернула голову, потом всем телом повернулась к нему. Он переложил орхидеи на левую руку. Правая висела вдоль тела, словно рукав был пустой.

— Я ведь сказала — уходите. Убирайтесь. *Пожалуйста* — ясно?

Но произнесла она это неуверенно, что выдавал ее нетвердый голос.

— Мишель велел заказать вам свежего омара и «Бутарис». Бутылку белого охлажденного вина, — сказал он. — У меня есть и другие поручения от Мишеля. Он очень рассердится, если я скажу ему, что вы отказались принять его угощение, даже будет оскорблен.

Это было уж слишком. Явился темный ангел и потребовал душу, которую она так бездумно заложила. Лжет ли этот человек, из полиции ли он или просто обычный шантажист, — она последует за ним хоть в самый центр преисподней, лишь бы он привел ее к Мишелю. Повернувшись на каблуках, Чарли медленно спустилась в холл и подошла к портье.

— Хамфри! — Она швырнула ключ на стойку, выхватила из его руки карандаш и написала на лежавшем перед ним блокноте имя КЭЙТИ. — Это американка. Понял? Моя подруга. Если она позвонит, скажи, что я уехала с шестью любовниками. Скажи, может быть, я подъеду к ней завтра пообедать. Понял? — переспросила она.

Вырвав листок из блокнота, она сунула его парню в кармашек и чмокнула в щеку, а Местербайн стоял и смотрел, будто обиженный любовник, претендующий на ночь с ней. На крыльце он вытащил аккуратненький швейцарский электрический фонарик. При его свете она увидела на ветровом стекле его машины желтую наклейку компании «Хертц». Он открыл для нее дверцу со стороны пассажира и сказал: «Прошу», но она прошла мимо, к своему «Фиату», залезла в машину, включила мотор и стала ждать. Сев за руль, как она заметила, он надел черный берет, надвинув его, словно купальную шапочку, на самые брови, так что уши торчали торчком.

Они поехали друг за другом — медленно из-за наползавшего то и дело тумана. А может быть, Местербайн всегда так ездил: у него была агрессивно застывшая посадка человека, привыкшего осторожно ездить. Они взобрались на холм и поехали на север по вересковой пустоши. Туман поредел, появились телеграфные столбы — словно выстроились в ряд на фоне ночного неба иголки со вдетыми нитками. Ущербная, как в Греции, луна ненадолго проглянула сквозь облака и снова исчезла. У перекрестка Местербайн притормозил, чтобы свериться с картой. Наконец он показал, что надо свернуть налево — сначала с помощью задних подфарников, а затем помахав в окошко левой рукой. «Да, Антон, я усекла». Чарли поехала следом за ним вниз по холму и дальше через деревню; она опустила стекло, и машину наполнил соленый запах моря. Порыв свежего воздуха вырвал у нее вскрик. Она проехала следом за Местербайном под потрепанным полотнищем, на котором значилось: «Шале обитателей Восточных и Полуночных стран», затем — по узкой новой дороге через дюны, к заброшенным оловянным копям, расположенным на краю земли под вывеской «Посетите Корнуолл». Справа и слева стояли дощатые домики, без света. Местербайн остановился, Чарли — позади него, не выключая мотора. «Ручной тормоз что-то скрипит, — мелькнула мысль. — Надо будет снова отвезти машину к Юстасу». Местербайн вылез из своей машины, Чарли тоже вылезла и заперла «Фиат». Ветра тут не чувствовалось. Чайки летали низко и кричали, словно потеряли что-то очень ценное на земле. Держа фонарик в руке, Местербайн взял Чарли под локоть и повел.

— Я сама дойду, — сказала она.

Он толкнул калитку, и та со скрипом отворилась. Пучок света предшествовал им. Короткая асфальтовая дорожка, синяя дверь. У Местербайна был наготове ключ. Он открыл дверь, вошел первым и отступил, пропуская Чарли, — агент по продаже недвижимости, показывающий дом потенциальному клиенту. Крыльца не было и звонка тоже. Чарли последовала за Местербайном, он закрыл за ней дверь — она оказалась в гостиной. Пахло мокрым бельем, и на потолке Чарли увидела черные пятна плесени. Высокая блондинка в голубом вельветовом костюме совала монету в газовый счетчик. При виде их она быстро обернулась, просияв улыбкой, и, отбросив прядь длинных золотистых волос, вскочила на ноги.

— Антон! Как *же* это мило! Ты привез мне Чарли! Я рада вас видеть, Чарли. И буду еще больше рада, если вы покажете мне, как работает этот немыслимый механизм. — Схватив Чарли за плечи, она возбужденно расцеловала ее в обе щеки. — Я хочу сказать, Чарли, слушайте, вы сегодня играли абсолютно фантастически в этой шекспировской вещи, да? Верно, Антон? Действительно великолепно. Меня зовут *Хельга*, о'кей? — Она так это произнесла, словно хотела сказать: «Имена для меня — это игра». — Значит, *Хельга*. Так? Вы — Чарли, а я — Хельга.

Глаза у нее были серые и прозрачные, как и у Местербайна. И уж слишком наивные. Воинствующая простота смотрела из них на сложный наш мир. «Правда не может быть скованной, — вспомнила Чарли одно из писем Мишеля. — Раз я чувствую, значит, действую».

Местербайн ответил из угла комнаты на вопрос Хельги. Он сказал, надевая на плечики свой габардиновый плащ:

— О, она, естественно, произвела *очень* сильное впечатление.

Хельга продолжала держать Чарли за плечи, ее сильные пальцы с острыми ногтями слегка царапали шею Чарли.

— Скажите, Чарли, очень трудно выучить столько слов? — спросила она, сияющими глазами смотря в лицо Чарли.

— Для меня это не проблема, — сказала она и высвободилась из рук Хельги.

— Значит, вы легко запоминаете? — И, схватив Чарли за руку, она сунула ей в ладонь пятидесятипенсовик. — Пойдите сюда. Покажите мне. Покажите, как работает это фантастическое изобретение англичан — *камин*.

Чарли склонилась над счетчиком, дернула рукоятку, вложила монету, повернула рукоятку обратно, и монета провалилась. Жалобно взвыв, вспыхнуло пламя.

— Невероятно! Ох, Чарли! Вот видите, какая я. Ничего в технике не понимаю, — поспешила пояснить Хельга, словно это была важная черта ее натуры, которую новой знакомой необходимо знать. — Я абсолютно лишена чувства собственности, а если тебе ничто не принадлежит, откуда же знать, как работает тот или иной механизм? Антон, переведи, пожалуйста. Мой девиз — «Sein nicht haben»[1]. — Это было произнесено безапелляционным тоном автократа из детской. Но она же достаточно хорошо говорила по-английски и без помощи Местербайна. — А вы читали Эриха Фромма, Чарли?

— Она хочет сказать «существовать, но не обладать», — мрачно заметил Местербайн, глядя на обеих женщин. — В этом суть морали фрейлейн Хельги. Она верит в исконное Добро, а также в примат Природы над Наукой. Мы оба в это верим, — добавил он, словно желая встать между двумя женщинами.

— Так вы читали Эриха Фромма? — повторила Хельга, снова отбрасывая назад свои светлые волосы и уже думая о чем-то совсем другом. — Я положительно влюблена в него. — Она пригнулась к огню, протянула к нему руки. — Я не просто восхищаюсь этим философом, я его люблю. Это тоже для меня типично. — В ее манерах были изящество и радость молодости. Из-за своего роста она носила туфли без каблука.

— А где Мишель? — спросила Чарли.

— Фрейлейн Хельга не знает, где сейчас находится Мишель, — резко заявил Местербайн. — Она ведь не юрист, она приехала, просто чтобы прокатиться, а также справедливости ради. Она понятия не имеет о деятельности Мишеля или его местопребывании. Садитесь, пожалуйста.

Чарли продолжала стоять. А Местербайн сел на стул и сложил на коленях чистенькие белые ручки. Он снял плащ и оказался в новеньком коричневом костюме. Такой ему могла подарить ко дню рождения мать.

— Вы сказали, у вас есть от него вести, — сказала Чарли. В голосе ее появилась дрожь, и губы не слушались.

Хельга повернулась к ней. В задумчивости она прижала большой палец к своим крепким резцам.

---

[1] Быть, но не иметь (нем.).

— Скажите, пожалуйста, когда вы его видели в последний раз? — спросил Местербайн.

Чарли теперь уже не знала, на кого из них смотреть.

— В Зальцбурге, — сказала она.

— Зальцбург — это, по-моему, не дата, — возразила Хельга.

— Пять недель назад. Шесть. Но где же он?

— А когда вы в последний раз имели от него вести? — спросил Местербайн.

— Да скажите же мне, где он? Что с ним? — Она повернулась к Хельге. — Где он?

— Никто к вам не приходил? — спросил Местербайн. — Никакие его друзья? Полиция?

— Возможно, у вас не такая уж хорошая память, Чарли, как вы утверждаете, — заметила Хельга.

— Скажите нам, пожалуйста, мисс Чарли, с кем вы были в контакте? — сказал Местербайн. — Немедленно. Это крайне необходимо. Мы приехали сюда по неотложным делам.

— Собственно, ей нетрудно и солгать — такой актрисе, — произнесла Хельга, и ее большие глаза испытующе уставились на Чарли. — Как, собственно, можно верить женщине, которая привыкла к комедиантству?

— Нам следует быть очень осторожными, — согласился с ней Местербайн, как бы делая для себя пометку на будущее.

От этой сценки попахивало садизмом: они играли на боли, которую Чарли еще предстояло испытать. Она посмотрела в упор на Хельгу, потом на Местербайна. Слова вырвались сами собой. Она уже не в состоянии была их удержать.

— Он мертв, да? — прошептала она.

Хельга, казалось, не слышала. Она была полностью поглощена наблюдением за Чарли.

— Да, Мишель мертв, — мрачно заявил Местербайн. — Мне, естественно, очень жаль. Фрейлейн Хельге — тоже. Мы оба крайне сожалеем. Судя по письмам, которые вы писали ему, вам тоже, видимо, будет жаль его.

— Но, возможно, письма — это тоже комедиантство, Антон, — подсказала Хельга.

Такое однажды с ней уже было — в школе. Три сотни девчонок, выстроенных в гимнастическом зале, директриса посредине, и все ждут, когда провинившаяся покается. Чарли вместе с лучшими из учениц обежала глазами зал, выискивая провинившуюся, — это *она?* Наверняка *она*... не покраснела, а стояла такая серьезная и невинная, она ничегошеньки — это же правда, и потом было доказано, — ничегошеньки не украла.

Однако ноги у Чарли вдруг подкосились, и она упала ничком, чувствуя верхнюю половину своего тела и не чувствуя нижней. Вот так же получилось с ней и сейчас — это не было заранее отрепетировано: с ней такое ведь уже было, и она это поняла еще до того, как до нее дошел смысл сказанного и прежде, чем Хельга успела протянуть руку, чтобы ее поддержать. Она рухнула на пол с такой силой, что даже лампа покачнулась. Хельга быстро опустилась подле нее на колени, пробормотала что-то по-немецки и чисто по-женски успокоительным жестом положила руку ей на плечо — мягко, ненавязойливо. Местербайн нагнулся, разглядывая Чарли, но не притронулся к ней. Его главным образом интересовало, как она плачет.

А она повернула голову набок и подложила под щеку сжатый кулак, так что слезы текли вбок по щекам, а не скатывались вниз. Понаблюдав за нею, Местербайн постепенно вроде бы успокоился. Он вяло кивнул, как бы в знак одобрения, и на всякий случай постоял рядом с Хельгой, пока она помогала Чарли добраться до дивана, где Чарли распласталась, уткнувшись лицом в жесткие подушки, продолжая плакать так, как плачут только сраженные горем люди и дети. Смятение, ярость, чувство вины, укоры совести, ужас владели ею — она поочередно включала каждое состояние, как в глубоко прочувствованной роли. «Я знала; я не знала; я не позволяла себе об этом думать. Ах вы, обманщики, фашистские убийцы-обманщики, мерзавцы, убившие моего дорогого, любимого в этом театре жизни».

Должно быть, она что-то сказала вслух. Собственно, она знала, что сказала. Даже в горе она тщательно подбирала фразы, произнося их сдавленным голосом:

— Ах вы, свиньи, фашистские мерзавцы, о господи, Мишель!

Она помолчала, затем услышала голос Местербайна, просившего ее продолжить тираду, но она лишь мотала головой из стороны в сторону. Она задыхалась и давилась, слова застревали в горле, не желали слетать с губ. Слезы, горе, рыдания — все это было для нее не проблема: она прекрасно владела техникой страдания и возмущения. Ей уже не надо было вспоминать о своем покойном отце, чью смерть ускорил позор ее исключения из школы, не надо было вспоминать о своем трагическом детстве в дебрях жизни взрослых людей, а именно к этим воспоминаниям она обычно прибегала. Ей достаточно было вспомнить полудикого юношу-араба, возродившего в ней способность любить, давшего ее жизни цель, которой ей всегда недоставало, и теперь мертвого — и слезы сами начинали течь из ее глаз.

— Она явно намекает, что это дело рук сионистов, — сказал Местербайн Хельге по-английски. — Почему она так говорит, когда это был несчастный случай? Полиция же заверила нас, что это был несчастный случай. Почему она опровергает полицию? Опровергать утверждения полиции очень опасно.

Но Хельга либо это уже слышала, либо не обратила на его слова внимания. Она поставила на электрическую плитку кофейник. Опустившись у изголовья дивана на колени, она задумчиво поглаживала своей сильной рукой рыжие волосы Чарли, убирая их с лица, терпеливо ждала, когда та перестанет плакать и что-то объяснит.

Кофейник неожиданно забурлил, Хельга поднялась и стала разливать кофе. Чарли села на диване, обеими руками держа кружку, и слезы продолжали течь по ее щекам. Хельга обняла Чарли за плечи, а Местербайн сидел напротив и смотрел на двух женщин из глубокой тени своего темного мира.

— Произошел взрыв, — сказал он. — На шоссе Зальцбург — Мюнхен. Полиция утверждает, что его машина была набита взрывчаткой. Сотнями фунтов взрывчатки. Но почему? Почему вдруг произошел взрыв — на гладком шоссе?

— Твои письма в целости, — шепнула Хельга, отбросив со лба Чарли прядь волос и любовно заведя их за ухо.

— Машина была «Мерседес», — продолжал Местербайн. —

У нее был мюнхенский номер, но полиция заявила, что он фальшивый. Как и документы. Все фальшивое. Но с какой стати моему клиенту ехать в машине с фальшивыми документами да еще полной взрывчатки? Он же был студент. Он не занимался бомбами. Тут что-то нечисто. Я так думаю.

— Ты знаешь эту машину, Чарли? — прошептала ей в ухо Хельга и еще крепче прижала к себе с намерением выудить ответ.

Чарли же мысленно видела лишь, как двести фунтов взрывчатки, запрятанных под обшивку, под сиденья, под бамперы, разносят в клочья ее возлюбленного, — этот ад, разодравший на части тело, которое она так любила. А в ушах ее звучал голос другого, безымянного наставника: *«Не верь им, лги им, все отрицай; не соглашайся, отказывайся отвечать».*

— Она что-то произнесла, — недовольным тоном заметил Местербайн.

— Она произнесла «Мишель», — сказала Хельга, вытирая новый поток слез внушительной величины платком, который она вытащила из сумки.

— Погибла также какая-то девушка, — сказал Местербайн. — Говорят, она была с ним в машине.

— Голландка, — тихо произнесла Хельга так близко от лица Чарли, что та почувствовала на ухе ее дыхание. — Настоящая красотка. Блондинка.

— Судя по всему, они погибли вместе, — продолжал Местербайн, повышая голос.

— Так что ты была у него не единственной, Чарли, — доверительным тоном произнесла Хельга. — Не тебе одной, знаешь ли, принадлежал наш маленький палестинец.

Впервые с тех пор, как они сообщили ей о том, что произошло, Чарли произнесла нечто членораздельное.

— Я никогда этого от него не требовала, — прошептала она.

— Полиция говорит, что голландка — террористка, — возмутился Местербайн.

— Они говорят, что и Мишель был террористом, — сказала Хельга.

— Они говорят, что голландка уже несколько раз подкладывала бомбы по просьбе Мишеля, — сказал Местербайн. — Говорят, что Мишель и эта девушка планировали новую акцию и что в машине найдена карта Мюнхена, на которой рукою Мишеля обведен Израильский торговый центр. На Изаре, — добавил он. — На верхнем этаже дома — не такая это простая цель. Он не говорил вам, мисс Чарли, об этой акции?

Мелко подрагивая, Чарли отхлебнула кофе, что, видимо, обрадовало Хельгу не меньше, чем если б она ответила.

— Ну вот! Наконец-то она оживает. Хочешь еще кофе, Чарли? Подогреть еще? А хочешь поесть? У нас тут есть сыр, яйца, колбаса — все, что угодно.

Чарли отрицательно покачала головой и позволила Хельге отвести себя в уборную, где она пробыла долго, ополаскивая лицо холодной водой и выплевывая блевотину, а между позывами рвоты жалея, что плохо знает немецкий и не может уследить за нараставшим стаккато разговором, который вели те двое за тонкими, как бумага, дверями.

Когда она вернулась, Местербайн стоял в своем габардиновом плаще у двери на улицу.

— Мисс Чарли, напоминаю вам, что фрейлейн Хельга пользуется всеми правами, гарантируемыми законом, — сказал он и вышел из двери.

\* \* \*

Наконец они остались одни. Две девушки.

— Да *прекрати* же, Чарли. Прекрати, о'кей? Мы ведь не старухи. Ты любила его — нам это понятно, но он мертв. — Голос Хельги стал на удивление жестким. — Он мертв, но мы же не индивидуалисты, которых интересуют лишь наши частные дела, мы борцы и труженики. Перестань реветь. — Схватив Чарли за локоть, Хельга заставила ее подняться и медленно повела в другой конец комнаты. — Слушай меня. Мишель — мученик, да, но мертвые не могут сражаться, и мучеников много. Один солдат погиб. Революция продолжается. Так?

— Так, — прошептала Чарли.

Они подошли к дивану. Взяв с него свою большую сумку, Хельга достала оттуда плоскую бутылку виски, на которой Чарли заметила наклейку беспошлинного магазина. Хельга отвинтила колпачок и протянула бутылку Чарли.

— В память о Мишеле! — объявила она. — Пьем за него. За Мишеля. Скажи это.

Чарли сделала глоточек и скривилась. Хельга отобрала у нее бутылку.

— А теперь, Чарли, сядь, пожалуйста, я хочу, чтобы ты села. Немедленно.

Чарли апатично опустилась на диван. Хельга снова стояла над ней.

— Слушай меня и отвечай, о'кей? Я приехала сюда не для развлечений, ясно? И не для дискуссий. Я люблю дискуссии, но не сейчас. Скажи: «Да».

— Да, — устало произнесла Чарли.

— Мишеля тянуло к тебе. Это установленный факт. Он, собственно, был даже влюблен. У него в квартире на письменном столе лежит незаконченное письмо к тебе, полное поистине фантастических слов о любви и сексе. И все обращено к тебе. Там есть и политика.

Медленно, словно до нее только сейчас все дошло, опухшее, искаженное лицо Чарли просветлело.

— Где оно? — спросила она. — Отдайте его мне!

— Оно сейчас изучается. При проведении операции все должно быть взвешено, объективно изучено.

Чарли попыталась подняться.

— Оно мое! Отдайте его мне!

— Оно — собственность революции. Возможно, ты его потом получишь. Там увидим. — И Хельга не очень нежно толкнула ее назад, на диван. — Эта машина. «Мерседес», который стал грудой пепла. Это ты приехала на нем в Германию? Пригнала для Мишеля? Он дал тебе такое поручение? Отвечай же.

— Из Австрии, — пробормотала она.

— А туда откуда ты приехала?

— Через Югославию.

— Чарли, по-моему, ты поразительно неточна — откуда?

— Из Салоник.

— И Мишель, конечно, сопровождал тебя. Он, по-моему, обычно так поступал.

— Нет.

— Что — нет? Ты ехала одна? В такую даль? Это же нелепо! Он никогда в жизни не доверил бы тебе такую ответственную миссию. Я не верю ни единому твоему слову. Все это — вранье.

— Не все ли равно? — сказала Чарли, снова впадая в апатию.

Хельге было не все равно. Она уже закипала.

— Конечно, тебе все равно! Если ты шпионка, тебе и будет все равно! Мне уже ясно, что случилось. Нет необходимости задавать еще вопросы — это будет чистой формальностью. Мишель завербовал тебя, ты стала его тайной любовью, а ты, как только смогла, пошла в полицию и все рассказала, чтобы уберечь себя и получить кучу денег. Ты полицейская шпионка. Я сообщу об этом кое-кому, людям достаточно умелым, которые знают тебя и позаботятся о твоей дальнейшей судьбе даже через двадцать лет. Прикончат — и все.

— Великолепно, — сказала Чарли. — Замечательно. — Она ткнула сигаретой в пепельницу. — Так и поступи, Хельга. Ведь это как раз то, что мне нужно. Пришли их ко мне, хорошо? В гостиницу, шестнадцатый номер.

Хельга подошла к окну и отдернула занавеску с таким видом, будто собиралась позвать Местербайна. Взглянув через ее плечо, Чарли увидела маленькую арендованную машину Местербайна с включенным светом и очертания самого Местербайна в берете, неподвижно сидевшего за рулем.

Хельга постучала по стеклу.

— Антон! Антон, иди сюда немедленно: у нас тут стопроцентная шпионка! — Но произнесла она это слишком тихо — так, чтобы он не мог ее расслышать. — Почему Мишель ничего не говорил нам о тебе? — спросила она, задергивая занавеску и поворачиваясь к Чарли. — Почему он не поделился с нами? Ты столько месяцев была его темной лошадкой. Это же нелепо!

— Он любил меня.

— *Чепуха!* Он использовал тебя. Ты, конечно, все еще хранишь его письма?

— Он велел мне уничтожить их.

— Но ты не уничтожила. Конечно, не уничтожила. Разве ты могла? Такая сентиментальная идиотка, как ты, — это же видно из твоих писем к нему. Ты жила за его счет: он тратил на тебя деньги, покупал тебе одежду, драгоценности, платил за отели, а ты предала его полиции. Конечно, предала!

У Хельги под рукой оказалась сумка Чарли, она взяла ее и под влиянием импульса высыпала содержимое на обеденный стол. Но вложенные туда доказательства — дневник, шариковая ручка из Ноттингема, спички из афинского ресторана «Диоген» — не дошли до сознания Хельги в ее нынешнем состоянии: она искала то, что свидетельствовало бы о предательстве Чарли, а не о ее преданности.

— Ну, а этот приемник?

Это был маленький японский приемничек Чарли с будильником, который она заводила, чтобы не опоздать на репетиции.

— Это что? Это же шпионская штучка. Откуда он у тебя? И зачем такой женщине, как ты, носить в сумке радиоприемник?

Предоставив Хельге самой разбираться в своих заботах, Чарли отвернулась от нее и невидящими глазами уставилась в огонь. Хельга покрутила ручки приемника, поймала какую-то музыку. Быстро выключила его и раздраженно отложила в сторону.

— В последнем письме, которое Мишель так и не отослал тебе, говорится, что ты целовала пистолет. Что это значит?

— А то и значит, что целовала. — И Чарли добавила: — Пистолет его брата.

— Его брата? — произнесла Хельга неожиданно зазвеневшим голосом. — Какого брата?

— У него был старший брат. Он был кумиром Мишеля. Великий борец за свободу. Брат подарил ему пистолет, и Мишель велел мне поцеловать его — это был как бы обет.

Хельга с недоверием смотрела на нее.

— Мишель так тебе и сказал?

— Нет, я, наверно, прочитала об этом в газетах, да?

— Когда он тебе это сказал?

— В Греции, на вершине горы.

— Что еще он говорил об этом своем брате — быстро! — Хельга чуть ли не кричала на нее.

— Мишель боготворил его. Я же тебе говорила.

— Давай факты. Только факты. Что еще он говорил тебе про своего брата?

Но тайный голос подсказывал Чарли, что она уже зашла слишком далеко.

— Это военная тайна, — сказала она и взяла новую сигарету.

— Он тебе говорил, где этот его брат? Что он делает? Чарли, я приказываю тебе все мне рассказать! — Хельга шагнула к ней. — Полиция, разведка, возможно, даже сионисты — все ищут тебя. А у нас прекрасные отношения кое с кем в германской полиции. Они уже знают, что машину вела по Югославии не голландка. У них есть описание этой девушки. Словом, достаточно сведений, чтобы предать тебя суду. При желании мы сможем тебе помочь. Но лишь после того, как ты скажешь все, что говорил тебе Мишель про своего брата. — Она пригнулась к Чарли, так что ее большие светлые глаза находились на расстоянии ладони от глаз Чарли. — Он не имел права говорить с тобой о нем. Ты не допущена к такой информации. Так что давай выкладывай.

Чарли подумала и отказалась удовлетворить просьбу Хельги.

— Нет, — сказала она.

Она хотела было продолжить: «Я дала слово, поэтому... я тебе не доверяю.. отвяжись...» Но, услышав собственное короткое «нет», решила поставить на этом точку — так оно лучше.

*«Твоя обязанность — добиться, чтобы они стали нуждаться в тебе, — наставлял ее Иосиф. — Представь себе, что перед тобой ухажеры. Не давай все сразу — так они только больше будут тебя ценить».*

Сверхъестественным усилием воли Хельга взяла себя в руки. Хватит играть в бирюльки. Появилась ледяная отстраненность — Чарли сразу это почувствовала, так как сама владела этой методой.

— Так. Значит, ты добралась на машине до Австрии. А потом?

— Я оставила ее там, где он велел; мы с ним встретились и отправились в Зальцбург.

— На чем?

— На самолете, потом на машине.

— И? Что было в Зальцбурге?

— Мы пошли в отель.

— Пожалуйста, название отеля!

— Не помню. Не обратила внимания.

— Тогда опиши его.

— Большой, старый, недалеко от реки. И очень красивый, — добавила она.

— А потом вы поехали в Мюнхен — да?

— Нет.

— Что же ты делала?

— Села на дневной самолет и отправилась в Лондон.

— А какая машина была у Мишеля?

— Наемная.

— Какой марки?

Чарли сделала вид, что не помнит.

— А почему ты не поехала с ним в Мюнхен?

— Он не хотел, чтобы мы вместе пересекали границу. Он сказал, что у него есть одно дело, которое он должен выполнить.

— Он *сказал* тебе это? Что у него есть дело, которое он должен выполнить? Глупости! Какое дело? Неудивительно, что ты сумела выдать его!

— Он сказал: ему велено взять «Мерседес» и доставить куда-то брату.

На сей раз Хельга не выказала ни удивления, ни даже возмущения вопиющей неосторожностью Мишеля. Она была человеком дела и верила только делам. Подойдя к двери, она распахнула ее и повелительно махнула Местербайну. Затем повернулась и, уперев руки в бедра, уставилась на Чарли своими большими светлыми, страшновато пустыми глазами.

— Ты прямо точно Рим, Чарли, — заметила она. — Все дороги ведут к тебе. Это худо. Ты — тайная любовь Мишеля, ты едешь на его машине, ты проводишь с ним последнюю его ночь на земле. Ты знала, что было в машине, когда ты ее вела?

— Взрывчатка.

— Глупости. Что за взрывчатка?

— Пластиковые бомбы общим весом в двести фунтов.

— Это тебе сказала полиция. Все это вранье. Полиция вечно врет.

— Мне сказал об этом Мишель.

Хельга раздраженно, наигранно расхохоталась.

— Ох, Чарли! Вот теперь я не верю ни единому твоему слову. Ты совсем завралась. — Позади нее бесшумно возник Местербайн. — Антон, все ясно. Наша маленькая вдова — стопроцентная лгунья, я в этом убеждена. Помогать мы ей не станем. Уезжаем немедленно.

Местербайн сверлил Чарли взглядом, Хельга сверлила Чарли взглядом. А та сидела, обмякшая, точно брошенная марионетка, снова ко всему безразличная, кроме своего горя.

Хельга села рядом с ней и обвила рукой ее плечи.

— Как звали брата? — спросила она. — Да ну же. — Она легонько поцеловала Чарли в щеку. — Может, мы еще и останемся друзьями. Надо же соблюдать осторожность, немножко блефовать. Это естественно. Ладно, для начала скажи мне, как на самом деле звали Мишеля?

— Салим, но я поклялась никогда его так не называть.

— А как звали брата?

— Халиль, — пробормотала она. И снова зарыдала. — Мишель боготворил его, — сказала она.

— А его псевдоним?

Чарли не поняла — а, не все ли равно.

— Это военная тайна, — сказала она.

* * *

Она решила ехать, пока не свалится, — снова ехать, как через Югославию. «Выйду из игры, отправлюсь в Ноттингем, в мотель и убью себя там в постели».

Она снова мчалась одна со скоростью почти восемьдесят миль, пока чуть не съехала с дороги.

Орхидеи Мишеля лежали на сиденье рядом с ней: прощаясь, она потребовала, чтобы ей их отдали.

— Но, Чарли, нельзя же быть настолько смешной, — возразила Хельга. — Ты слишком сентиментальна.

«А пошла ты, Хельга, они мои».

Она ехала по голой горной равнине, розоватой, бурой и серой. В зеркальце заднего вида вставало солнце.

Она лежала на кровати в мотеле и, глядя, как дневной свет расползается по потолку, слушала воркование голубей на карнизе. *«Опаснее всего будет, когда ты спустишься с горы»*, — предупреждал ее Иосиф. Она услышала в коридоре крадущиеся шаги. Это они. Но которые? И все тот же вопрос. «Красный? Нет, господин офицер, я никогда не ездила в красном «Мерседесе», так что уходите из моей спальни». По ее голому животу ползла капля холодного пота. Чарли мысленно проследила за ее путем: от пупка к ребрам, затем — на простыню. Скрипнула половица, кто-то, отдуваясь, подошел к двери, а теперь смотрит в замочную скважину. Из-под двери выполз краешек белой бумаги. Задержался. Выполз побольше. Это толстяк Хамфри принес ей «Дейли телеграф».

Она приняла ванну, оделась. И поехала медленно, выбирая менее заметные дороги; по пути остановилась у двух-трех лавочек, как учил ее Иосиф. Одета она была кое-как, волосы лохматые. Никто, глядя на ее неаккуратный вид и словно сонные движения, не усомнился бы, что эта женщина в глубоком горе. На дороге стало сумеречно: над ней сомкнулись больные вязы, старая корнуоллская церквушка торчала среди них. Чарли снова остановила машину и толкнула железную калитку. Могилы были очень старые. На некоторых сохранились надписи. Чарли нашла могилу, находившуюся в стороне от других. Самоубийца? Или убийца? Ошиблась: революционер. Опустившись на колени, Чарли благоговейно положила орхидеи там, где, по ее мнению, должна находиться голова. «Неожиданно вздумала помолиться», — решила она, входя в церковь, где стоял ледяной спертый воздух. В сходных обстоятельствах именно так и поступила бы Чарли в театре жизни.

Она ехала неведомо куда около часа, вдруг останавливаясь безо всякой причины, — разве что подойдет к загородке и уставится на простирающееся за ней поле. Или подойдет к другой загородке и уставится в никуда. Только после полудня Чарли уверилась, что мотоциклист перестал следовать за ней.

Но и тогда она еще немного попетляла и посидела еще в двух церквах, прежде чем выехать на шоссе, ведущее в Фалмут.

Гостиница в устье Хелфорда была крыта голландской черепицей, в ней был и бассейн, сауна и поле для гольфа, а постояльцы выглядели хозяевами. Иосиф записался здесь как немецкий издатель и в доказательство привез с собой пачку нечитабельных книг. Он щедро одарил телефонисток, пояснив, что его представители разбросаны по всему миру и могут звонить ему в любое время дня и ночи. Официанты знали, что это хороший клиент, который часто засиживается допоздна. Так он жил последние две недели — под разными именами и в разных обличьях, преследуя Чарли по полуострову в своем одиноком «сафари». Как и Чарли, он лежал в разных постелях, уставясь в потолок. Он беседовал с Курцем по телефону и был ежечасно информирован об операциях, проводимых Литваком. Он мало разговаривал с Чарли, подкармливая ее крохами своего внимания и обучая тайнописи и секретам связи. Он был в такой же мере ее пленником, как и она — его.

Сейчас он открыл ей дверь номера, и она вошла, рассеянно нахмурясь, не понимая, что же она должна чувствовать. Убийца. Бандит. Мошенник. Но у нее не было желания разыгрывать обязательные сцены — она их уже все сыграла, она перегорела как плакальщица. Он встретил ее стоя, и она ожидала, что он подойдет и поцелует ее, но он стоял, не двигаясь. Она никогда еще не видела его таким серьезным, таким сдержанным. Черные тени тревоги окружали его глаза. На нем была белая рубашка с закатанными по локоть рукавами — хлопчатобумажная, не шелковая. Чарли смотрела на эту рубашку и наконец разобралась в своих ощущениях. Никаких запонок. Никакого медальона на шее. Никаких туфель от Гуччи.

— Значит, ты теперь стал самим собой, — сказала она.

Он ее не понял.

— Можешь забыть про красный пиджак с металлическими пуговицами, да? Ты — это ты и никто другой. Ты убил своего двойника. Теперь не за кого прятаться.

Расстегнув сумку, она протянула ему маленький радиоприемник. Он взял со стола тот, который был у нее раньше, и положил ей в сумку.

— Ну да, конечно, — сказал он со смешком, застегивая сумку. — Теперь, я бы сказал, между нами уже нет промежуточного звена.

— Как я сыграла? — спросила Чарли. И села. — Я считаю, что лучше меня была только Сара Бернар.

— Ты была лучше. По мнению Марти, не было ничего лучше с тех пор, как Моисей сошел с горы. А может быть, и до того, как он на нее взошел. Если хочешь, теперь можешь с честью поставить на этом точку. Они тебе уже достаточно обязаны. Более чем достаточно.

«*Они,* — подумала она. — Никогда *мы*».

— А Иосиф как считает?

— Это крупная рыба, Чарли. Крупная рыбешка из их центра. Не кто-нибудь.

— И я их провела?

Он подошел и сел рядом. Быть близко, но не касаться.

— Поскольку ты все еще жива, следует сделать вывод, что на сегодняшний день ты их провела.

— Приступим, — сказала она.

На столе лежал наготове отличный маленький диктофон. Перегнувшись через Иосифа, Чарли включила его. И безо всяких предисловий они приступили к записи информации, словно давно женатая пара, какой они, по сути, и были. Дело в том, что, хотя в фургоне Литвака с помощью хитроумного маленького приемника в сумке Чарли слышали каждое слово из происшедшего прошлой ночью разговора, золото ее собственных впечатлений еще предстояло добыть и промыть.

# Глава 18

Шустрый молодой человек, явившийся в израильское посольство в Лондоне, был в длинном кожаном пальто и старомодных очках; он сказал, что его зовут Медоуз. Машина была зеленый «ровер», безукоризненно чистая. Курц сел впереди, чтобы составить компанию Медоузу. Литвак кипел на заднем сиденье. Курц держался почтительно и чуть приниженно, как и подобает колониальному чиновнику с вышестоящим.

— Только что прилетели, сэр? — как бы между прочим спросил Медоуз.

— Как обычно — накануне, — сказал Курц, хотя сам сидел в Лондоне уже целую неделю.

— Жаль, что вы не дали нам знать, сэр. Начальник мог бы облегчить вам дело в аэропорту.

— Ну, не так уж много нам надо было предъявлять таможне, мистер Медоуз! — заметил Курц, и оба рассмеялись: вот какие хорошие были у них отношения.

Литвак тоже рассмеялся на своем заднем сиденье, но как-то неубедительно.

Они быстро домчались до Эйлсбери и понеслись по прелестным дорогам. Впереди возникли ворота со столбами из песчаника, увенчанными каменными петухами. Сине-красный указатель гласил: «ТЛСУ № 3», белый шлагбаум преграждал путь. Медоуз, предоставив Курца и Литвака самим себе, прошел в сторожку.

Через некоторое время Медоуз вернулся, шлагбаум подняли, и они на удивление долго петляли по парку военизированной Англии. Вместо мирно щиплющих траву коров на каждом шагу встречались часовые в синей форме и резиновых сапогах.

Дом, некогда пышный особняк, был изуродован синей краской, какой красят военные корабли, а красные цветы в ящиках на окнах были все аккуратно сдвинуты влево. У входа гостей поджидал второй молодой человек и быстро повел их вверх по надраенной до блеска сосновой лестнице.

— Меня зовут Лоусон, — на ходу, словно они уже опаздывали, пояснил он и решительно постучал костяшками пальцев в двойную дверь.

Голос изнутри рявкнул:

— Входите!

— Господин Рафаэль, сэр, — объявил Лоусон. — Из Иерусалима. Немного задержались из-за движения, сэр.

Заместитель начальника Пиктон продолжал сидеть, не проявляя учтивости. Он взял перо и, насупясь, поставил свою подпись под письмом. Поднял взгляд и устремил на Курца желтые глаза. Затем, склонив голову набок и чуть вперед, словно хотел боднуть, медленно поднялся на ноги.

— Приветствую вас, господин Рафаэль, — сказал он. И скупо улыбнулся, словно улыбка была не по сезону.

Это был крупный мужчина, ариец, со светлыми, волнистыми волосами, разделенными прямым, словно проведенным бритвой, пробором. Широкоплечий, с толстым жестким лицом, тонкими поджатыми губами и наглым взглядом. Как все высшие полицейские чины, говорил он неграмотно, а держался как хорошо воспитанный джентльмен, причем в мгновение ока мог изменить и то, и другое, если бы ему, черт подери, так вздумалось. Из-под его левого обшлага торчал носовой платок в горошек, а золотые короны на галстуке указывали на то, что он занимается спортом в куда лучшем обществе, чем вы. Он по собственной воле вступил в борьбу с терроризмом — «на треть солдат, на треть полисмен, на треть злодей», как любил говорить про себя этот человек, принадлежавший к легендарному поколению людей своей профессии. Он охотился на коммунистов в Малайе, на мау-мау — в Кении, на евреев — в Палестине, на арабов — в Адене и на ирландцев — всюду и везде. Он устраивал взрывы вместе со скаутами в Омане и едва не прикончил на Кипре Гриваса, но тот сумел уйти, и Пиктон под хмельком говорил об этом с сожалением, но чтобы кто-то другой жалел его — пусть только посмеет! Он был вторым человеком во многих организациях — редко первым из-за темных сторон своей натуры.

— Миша Гаврон — в форме? — осведомился он и, остановив свой выбор на одной из кнопок телефона, так на нее нажал, что казалось, она больше никогда не выскочит.

— Миша в полном порядке, шеф! — поспешил ответить Курц и, в свою очередь, осведомился у Пиктона о его начальстве, но Пиктона ничуть не интересовало, что скажет Курц — в особенности о его шефе.

На его столе на видном месте стояла начищенная серебряная сигаретница с выгравированными на крышке подписями соратников. Пиктон открыл ее и протянул Курцу — хотя бы для того, чтобы тот восхитился ее блеском. Курц сказал, что не курит. Пиктон поставил сигаретницу на место — пусть и дальше служит украшением. Раздался стук в дверь, и вошли двое: один — в сером костюме, второй — в твиде. В сером был сорокалетний валлиец легчайшего веса с отметинами на нижней челюсти. Пиктон представил его:

— Мой главный инспектор.

— К сожалению, сэр, ни разу не был в Иерусалиме, — объявил главный инспектор, приподнимаясь на носках и одновременно одергивая пиджак, словно хотел вырасти на дюйм или на два.

В твиде был капитан Малкольм, в нем чувствовался класс, который так стремился обрести Пиктон и который одновременно так ненавидел. Малкольм был по-своему агрессивен, хотя говорил мягко и вежливо.

— Великая честь, сэр, — с большой искренностью сообщил он Курцу и протянул руку, которую Курц отнюдь не собирался пожимать.

Когда же настала очередь представлять Литвака, капитан Малкольм никак, казалось, не мог разобрать его фамилию.

— Повторите еще раз, старина! — попросил он.

— Левин, — повторил Литвак, отнюдь не тихо. — Я имею счастье работать с господином Рафаэлем.

Для совещания был приготовлен большой стол. Ни картин, ни фотографии жены в рамке, ни даже цветной фотографии королевы. Окна в частом переплете выходили на пустой двор. Удивлял лишь запах мазута — словно мимо только что прошла подводная лодка.

— Что ж, давайте выкладывайте, господин... — Пауза, право, была уж слишком долгой. — ...Рафаэль, так? — сказал Пиктон. — Рафаэль — это ведь был такой художник? — Пиктон перевернул несколько страниц. — Но толком никогда ничего не знаешь, верно?

Долготерпение Курца было поистине неземным. Даже Литвак, который видел его в сотне разных обличий, ни за что не поверил бы, если бы ему сказали, что Курц сумеет так взнуздать своих демонов. Буйной энергии как не бывало, ее сменила угодливая улыбочка низшего по чину. Даже тон у него — во всяком случае вначале — был почтительный, извиняющийся.

— «Местербайн», — прочел вслух главный инспектор. — Мы так это произносим?

Капитан Малкольм, желая показать свое знание языков, поймал вопрос на лету.

— Правильно, Местербайн, Джек...

— Биографические данные — в левом кармашке папки, джентльмены, — решил помочь Курц. — Отец — швейцарец консервативного толка, имеет прекрасную виллу на берегу озера; насколько известно, занимается лишь деланием денег. Мать — свободомыслящая дама леворадикального толка, по полгода проводит в Париже, имеет там салон, очень популярна среди арабов...

— Вам ничего это не говорит, Малкольм? — прервал его Пиктон.

— Что-то такое припоминается, сэр.

— Антон, их сын, достаточно видный адвокат, — продолжал Курц. — Изучал политэкономию в Париже, философию — в Берлине. Год учился в университете Беркли на факультете права и политики. Семестр — в Риме, четыре года — в Цюрихе, окончил magna cum laude[1].

— Интеллектуал, — заметил Пиктон. Словно хотел сказать «прокаженный».

Курц кивнул в знак согласия.

— Политически господин Местербайн, скажем так, склоняется к взглядам матери, в плане же финансовом следует отцу.

Пиктон громко хохотнул, показывая, что начисто лишен юмора. Курц помолчал: пусть думает, что ему это тоже кажется смешным.

— Лежащая перед вами фотография сделана в Париже, но юридической практикой господин Местербайн занимается в Женеве: у него там юридическая контора в центре города, где

---

[1] С похвальной грамотой (*лат.*).

он принимает студентов-радикалов, выходцев из «третьего мира» и иностранных рабочих. Его клиентами является также целый ряд прогрессивных организаций, не располагающих деньгами. — Курц перевернул страницу, приглашая остальных последовать его примеру. Очки в толстой оправе съехали у него на кончик носа, отчего он стал похож на замшелого банковского клерка.

— Взяли его на заметку, Джек? — спросил Пиктон главного инспектора.

— Без малейших сомнений, сэр.

— А кто эта блондинка, что пьет с ним, сэр? — спросил капитан Малкольм.

Но у Курца был намечен свой маршрут, и, сколько бы ни старался Малкольм, ему Курца с пути не сбить.

— В ноябре прошлого года, — продолжал Курц, — господин Местербайн присутствовал на конференции, устроенной организацией «Юристы за справедливость» в Восточном Берлине, где довольно много времени было уделено выступлению палестинской делегации. Однако это, возможно, пристрастная точка зрения, — добавил он с легкой усмешкой, но никто даже не улыбнулся. — В апреле господин Местербайн впервые, насколько нам известно, был приглашен посетить Бейрут. Там он засвидетельствовал свое почтение паре наиболее воинствующих организаций.

— Добывал себе клиентов, так? — осведомился Пиктон.

Произнося это, Пиктон сжал и разжал правый кулак. Разработав таким образом затекшую руку, он что-то нацарапал в своем блокноте. Затем оторвал листок и передал его обходительному Малкольму, тот улыбнулся присутствующим и тихо вышел из комнаты.

— По пути из Бейрута, — продолжал Курц, — господин Местербайн остановился в Стамбуле, где беседовал с некими турками, активистами подпольных организаций, борющихся — среди прочего — за искоренение сионизма.

— Честолюбивые планы у этих ребяток, — заметил Пиктон.

На сей раз, поскольку шутка исходила от Пиктона, все громко рассмеялись — кроме Литвака.

Малкольм вернулся в кабинет, с поразительной быстротой выполнив поручение.

— Боюсь, немного радости, — бархатистым голосом пробормотал он и, передав листок Пиктону, улыбнулся Литваку и сел на прежнее место.

— Вы, конечно, сообщили об этом швейцарцам? — спросил Пиктон, отодвигая в сторону врученную Малкольмом бумагу.

— Нет, шеф, мы еще не информировали швейцарцев, — признался Курц тоном, указывавшим на то, что тут есть проблема. — Ряд клиентов господина Местербайна постоянно или временно живет в Федеративной Республике Германии, что ставит нас в довольно сложное положение.

— Что-то я вас не понимаю, — стоял на своем Пиктон. — Я считал, что вы с гуннами давным-давно помирились и расцеловались.

Улыбка Курца могла быть наклеенной, но его ответ был образцом дипломатии:

— Это так, тем не менее в Иерусалиме считают — учитывая уязвимость наших источников и сложность политических симпатий немцев в настоящее время, — что мы не можем информировать наших швейцарских друзей, не проинформировав их немецких коллег. Поступи мы так, мы бы взвалили на швейцарцев бремя молчания при общении с Висбаденом.

Пиктон тоже умел молчать.

— Вы, наверное, слыхали, что на самое горячее место снова посадили эту дешевку Алексиса? — через некоторое время вдруг произнес Пиктон. Он явно начинал считаться с Курцем, признавая в нем если не личность, то, по крайней мере, человека своей породы.

Курц сказал, что, естественно, слышал об этом. И, не позволяя сбить себя с намеченного курса, решительно перешел к следующему документу.

— Стойте-ка, — спокойно остановил его Пиктон. Он впился взглядом в документ № 2. — Этот красавец мне знаком. Это тот гений, который получил по заслугам на Мюнхенском шоссе месяц назад. И прихватил с собой свою голландскую булочку, так?

— Совершенно верно, шеф, — поспешил подтвердить Курц и, сбросив с себя на время маску подчиненного, добавил: — По нашим сведениям, и машину, и взрывчатку в данном случае поставили господину Местербайну его стамбульские друзья, переправив на север через Югославию в Австрию.

Взяв листок бумаги, который вернул ему Малкольм, Пиктон поднес его к лицу и принялся водить листом перед глазами, словно был близорук.

— Меня тут информируют, что в нашем ящике чудес внизу нет ни одного Местербайна, — с наигранной небрежностью произнес он. — Ни среди добропорядочных граждан, ни в черных списках.

Курца это скорее обрадовало, чем наоборот.

— Это отнюдь не указывает на нерадивость сотрудников вашего отлично устроенного архива. Я бы сказал, всего несколько дней тому назад в Иерусалиме тоже смотрели на господина Местербайна как на человека вполне безобидного. Да и на его сообщников тоже.

— Включая блондинку? — спросил капитан Малкольм, возвращаясь к спутнице Местербайна.

Но Курц лишь улыбнулся и слегка поправил очки, как бы призывая аудиторию обратить внимание на следующую фотографию. Она была одной из многих, сделанных группой наблюдения в Мюнхене, и на ней Янука был запечатлен вечером у входа в свою квартиру. Снимок был смазанный, как часто бывает при замедленной съемке с помощью инфракрасных лучей, но все же достаточно четкий для опознания. Януку сопровождала высокая блондинка. Она стояла чуть позади, пока он возился с замком, — это была та же девушка, что обратила на себя внимание капитана Малкольма на предшествующей фотографии.

— А теперь мы где? — спросил Пиктон. — Больше уже не в Париже. Дома не те.

— В Мюнхене, — сказал Курц и назвал адрес.

— А *когда?* — спросил Пиктон так резко, что казалось, он на секунду принял Курца за своего подчиненного.

Но Курц снова сделал вид, что не слышал вопроса.

— Зовут даму Астрид Бергер, — сказал он, и снова желтые глаза Пиктона уставились на него с подозрением.

— Еще одна чертова интеллектуалка, — заметил Пиктон. — Отыщи-ка ее, Малкольм.

Малкольм снова выскользнул из комнаты, а Курц ловко вернул себе инициативу в разговоре:

— Если вы будете так любезны сопоставить даты, шеф, то обнаружите, что фрейлейн Бергер была последний раз в Бейруте в апреле этого года, следовательно, в то же время, что и господин Местербайн. Была она и в Стамбуле, когда господин Местербайн останавливался там. Они прилетели разными самолетами, но остановились в одном отеле. Да, Майк. Прошу вас.

Литвак предъявил фотокопии регистрационных карточек, заполненных на господина Антона Местербайна и госпожу Астрид Бергер, 18 апреля, отель «Хилтон», Стамбул. И плохо воспроизведенный счет, оплаченный Местербайном. Пока Пиктон и главный инспектор рассматривали документы, дверь кабинета снова открылась и закрылась.

— На Астрид Бергер тоже ничего нет, сэр. Можете себе такое представить! — сообщил Малкольм с наигрустнейшей улыбкой.

— Продолжайте, господин Рафаэль, — задумчиво произнес Пиктон.

Следующая фотография, предъявленная Курцем, — третья шулерская карта, как впоследствии непочтительно назвал это Литвак, — была так лихо сфабрикована, что этого не заметили даже лучшие специалисты воздушной разведки Тель-Авива, когда им предложили просмотреть пачку снимков. На фотографии Чарли и Беккер направлялись к «Мерседесу», стоявшему перед отелем в Дельфах утром, в день их отъезда из Греции. Беккер нес на плече сумку Чарли, а в руке — свой черный баул. Чарли — в греческом одеянии — несла гитару. Беккер был в красном пиджаке, шелковой рубашке и туфлях от Гуччи. Он протягивал затянутую в перчатку руку к дверце «Мерседеса» со стороны водителя. И у него была голова Мишеля.

— Эта фотография, шеф, по счастливому стечению обстоятельств была сделана за две недели до этой истории со взрывом под Мюнхеном, когда, как вы совершенно верно заметили, двое террористов имели несчастье погибнуть от собственного взрыва. Рыжая девица на переднем плане — британская подданная. Ее спутник звал ее Иоанной. Она звала его Мишелем, хотя у него в паспорте другое имя.

Атмосфера в комнате изменилась, словно вдруг упала температура. Главный инспектор с усмешкой посмотрел на Малкольма, Малкольм вроде бы улыбнулся в ответ, но постепенно стало ясно, что улыбка Малкольма не имела ничего общего с весельем. А в центре сцены находилась неподвижная туша Пиктона, который, казалось, не желал воспринимать никакой информации, кроме лежавшей перед ним фотографии. Ибо Курц, упомянув про британскую подданную, вторгся как бы ненароком в святая святых Пиктона, а это уже было опасно.

Прочистив горло, серая мышь — главный инспектор со свойственным валлийцам благодушием решил вмешаться:

— Что ж, сэр, даже если она действительно англичанка, что мне представляется весьма гипотетическим, здесь, в нашей стране, нет такого закона, который запрещал бы спать с палестинцем, верно? Мы не можем объявить по стране охоту за дамочкой на одном *этом* основании! Бог ты мой, да если б мы...

— У него еще кое-что есть, — заметил Пиктон, вновь обращая взгляд на Курца. — *Куда* более существенное.

Тон же, каким это было произнесено, подразумевал: «У них всегда кое-что припрятано в рукаве».

Неизменно любезным и добродушным тоном Курц предложил собравшимся внимательно посмотреть на «Мерседес» в правом углу фотографии. Судя по всем этим деталям — и многим другим, невидимым глазу, — сказал он, этот «Мерседес» в точности соответствует тому, что случайно взорвался неподалеку от Мюнхена: передняя часть его почти вся чудом уцелела.

У Малкольма вдруг родилась приемлемая версия.

— Но, сэр, в таком случае эта девушка — та, которую считают англичанкой, — не голландская ли это девица? Одна рыжая, другая блондинка — это же ровным счетом ничего не значит. А по-*английски* они обе говорят.

— Помолчите, — приказал Пиктон и закурил сигарету, не предложив никому последовать его примеру. — Пусть продолжает, — сказал он. И заглотнул дым, так его и не выпустив.

Голос Курца зазвучал весомее, и сам он стал выглядеть как-то весомее. Он положил крепко сжатые кулаки по обе стороны досье.

— К нам также поступила информация из другого источника, — с нажимом объявил Курц, — что этот «Мерседес» вела из Греции через Югославию молодая женщина с британским паспортом. Любовник не сопровождал ее, а вылетел в Зальцбург на самолете Австрийской авиакомпании. Эта же компания зарезервировала ему в Зальцбурге престижный номер люкс в отеле «Остеррайхишер Хоф», где, мы выяснили, эта пара была записана как мсье и мадам Ласерр, хотя дама говорит только по-английски и ни слова по-французски. Дама эта запомнилась своим необычным видом — рыжая, без обручального кольца, с гитарой, что немало всех позабавило; запомнилась она также и тем, что, уехав из отеля рано утром вместе с мужем, через некоторое время вернулась, чтобы воспользоваться туалетом. Старший носильщик припоминает, что вызывал для мадам Ласерр такси для поездки в Зальцбургский аэропорт; он помнит, что заказывал машину на два часа дня — перед тем, как уйти с дежурства. Он еще предложил мадам Ласерр позвонить в авиакомпанию для подтверждения и выяснить, не задерживается ли вылет самолета, но она отказалась от его услуг, по всей вероятности, потому, что путешествовала под другим именем. Из Зальцбурга в это время вылетало три самолета, один из них — самолет Австрийской авиакомпании, летевший в Лондон. Сотрудница Австрийской авиакомпании отчетливо помнит рыжеволосую англичанку, которая предъявила неиспользованный чартерный билет из Салоник в Лондон; она просила переписать билет, но это было невозможно. Так что ей пришлось купить новый билет в один конец за полную стоимость; она заплатила за него американскими долларами — преимущественно двадцатидолларовыми бумажками.

— Не будьте таким чертовски скрытным, — буркнул Пиктон. — Как ее фамилия? — И он резко ткнул сигаретой в пепельницу.

В ответ на его вопрос Литвак раздал фотокопии списка пассажиров. Он был бледен и как будто нездоров. Обойдя стол, он налил себе из графина воды, хотя за все утро едва ли произнес слово.

— К нашему огорчению, никакой Иоанны или Джоан среди них не было, — признался Курц, когда перед каждым уже лежал список пассажиров. — Ближе всего подходит имя Чармиан. Ее фамилия у вас перед глазами. Сотрудница Австрийской авиакомпании подтвердила соответствие одной из пассажирок нашему описанию — по списку номер тридцать восемь. Сотрудница даже помнит, что при пассажирке была гитара.

Последний экспонат Курца тоже появился из чемоданчика Литвака.

— Парижский аэропорт Шарля де Голля, тридцать шесть часов тому назад, — коротко объявил Курц. — Бергер и Местербайн перед отлетом из Парижа в Эксетер через Гэтвик.

— Жаль, у вас нет снимков их прилета в Эксетер, — не без ехидства заметил Пиктон.

— Вы же прекрасно знаете, шеф, что мы не могли их сделать, — уважительным тоном сказал Курц.

— В самом деле? — сказал Пиктон. — Ах да.

— Между нашими начальниками существует ведь деловое соглашение, сэр. Никакой ловли рыбы в водах друг друга без предварительного письменного согласия.

Валлиец снова прибег к дипломатии.

— Она ведь родом из Эксетера, так, сэр? — спросил он Курца. — Девонширская девчонка? Трудно представить себе, чтобы деревенская девушка занялась террором, обычно так не бывает, верно?

Но у берегов Англии поток информации Курца, казалось, замер. Они услышали звук шагов на большой лестнице и поскрипывание замшевых ботинок Малкольма. Однако валлиец не оставлял своих попыток.

— Должен признаться, я что-то никогда не связывал рыжих с Девоном, — посетовал он. — Ну и уж, честно говоря, тем более *Чармиан*. Бесс, Роза — пожалуй. Но не Чармиан, не в Девоншире. На севере, пожалуй, да, — можно найти *Чармиан*. Скорее всего, в Лондоне.

Малкольм осторожно вошел в кабинет, неслышно переставляя ноги. Он нес гору папок — плоды общения Чарли с воинствующими леваками. Самые нижние были изрядно потрепаны за давностью лет. Из них торчали газетные вырезки и размноженные на ротаторе брошюры.

— Ну, скажу я вам, сэр, — заметил Малкольм и облегченно вздохнул, опуская свою ношу на стол, — если даже это *не* та девица, ею все равно следует заняться!..

— Обедать! — объявил Пиктон и, выстрелив пулеметной очередью приказаний в адрес своих двух подчиненных, повел гостей в просторную столовую, где пахло капустой и полиролем.

В парке, если не считать неизменных часовых, было так же пусто, как на школьной спортивной площадке в первый день каникул, и Пиктон, словно страдающий причудами землевладелец, шагал по дорожкам, раздраженно посматривая на ограду, тыкая палкой во все, что ему не нравилось. Курц этаким веселым маленьким воробышком подпрыгивал рядом с ним. Издали их можно было принять за пленника и тюремщика, хотя трудно сказать, кто кем был. За ними тащился Шимон Литвак с двумя чемоданчиками, а за Литваком — миссис О'Флаэрти, знаменитая эльзасская сука Пиктона.

— Это очень благородно с вашей стороны — приехать в такую даль, просто чтобы сообщить нам о девчонке, — несколько вызывающе начал разговор Пиктон. — Мой шеф напишет несколько слов старине Мише — сущий черт.

— Мише это, безусловно, будет приятно, — сказал Курц, не пытаясь выяснить, кого Пиктон имел в виду под чертом.

— И все-таки это смешно. Чтоб вы, ребята, сообщали нам

о наших собственных террористах. В мое время дело обстояло как раз наоборот.

Курц попытался его успокоить, сославшись на колесо истории, но Пиктон не понимал поэтических образов.

— Конечно, это ваша операция, — сказал Пиктон. — Ваши источники — вам и кукарекать. Мой шеф непреклонен в таких вопросах. А наше дело — сидеть и ждать, что нам, черт бы их подрал, прикажут, — добавил он и искоса взглянул на собеседника.

Курц сказал, что нынче без сотрудничества — ни шагу, и на секунду возникло впечатление, что Пиктон сейчас взорвется. Его желтые глаза широко раскрылись, подбородок уперся в шею и застрял там. Но он — наверное, чтобы успокоиться — лишь стал закуривать, повернувшись спиной к ветру и прикрыв пламя крупной рукой ловца.

— А пока что я вас удивлю: ваша информация подтвердилась, — произнес Пиктон со всей иронией, на какую был способен, и затушил спичку. — Бергер и Местербайн вылетели из Парижа в Эксетер с обратным билетом, по прибытии в Эксетерский аэропорт наняли машину и проделали четыреста с лишним миль. Местербайн расплачивается кредитной карточкой «Америкэн экспресс», выписанной на его имя. Не знаю, где они провели ночь, но вы, конечно, в должное время поставите нас об этом в известность.

Курц хранил целомудренное молчание.

— Что же до нашей героини, — продолжал Пиктон с той же деланной игривостью, — вы наверняка не меньше удивитесь, узнав, что она сейчас выступает в одной пьесе на полуострове Корнуолл, в глубинке. Она там в труппе, играющей классику, называется труппа «Еретики», что мне нравится, но вам, конечно, и это неизвестно, верно? В гостинице, где она остановилась, сказали, что мужчина, отвечающий описанию Местербайна, заехал за ней после спектакля, и назад она вернулась только утром. Похоже, наша юная леди — большая любительница поскакать из кроватки в кроватку. — Он многозначительно умолк, но Курц никак на это не реагировал. — Кстати, должен вас информировать, что мой шеф — офицер и джентльмен и он готов оказать вам любую помощь.

Он очень вам признателен, мой шеф. Признателен и тронут. Он питает слабость к евреям, и он считает, что вы поступили красиво, побеспокоившись и наведя нас на след девицы. — Он со злостью посмотрел на Курца. — Мой шеф, видите ли, человек молодой. Он большой поклонник вашей прекрасной новорожденной страны, если не считать отдельных неприятных случаев, и не склонен прислушиваться ко всяким безобразным подозрениям, которые могут возникнуть у меня.

Они остановились перед большим зеленым сараем, и Пиктон постучал палкой по железной двери. Юноша в спортивных туфлях и синем тренировочном костюме впустил их в пустой спортивный зал.

— Суббота, — сказал Пиктон, видимо, чтобы объяснить пустоту, и ринулся в обход помещения, проверяя состояние раздевалок и проводя толстым пальцем по шведской стенке — а вдруг там пыль.

— Я слышал, вы опять бомбили эти лагеря палестинцев, — осуждающим тоном добавил он. — Это идея Миши, верно? Миша никогда не любил пользоваться рапирой, если есть мушкет.

Курц пустился было в пояснения, что, откровенно говоря, он никогда не понимал, как принимаются решения в высших сферах израильского общества, но у Пиктона не было времени слушать столь пространный ответ.

— Ну Мише это с рук не сойдет. Передайте ему это от меня. Эти палестинцы будут преследовать вас до скончания века.

На сей раз Курц лишь улыбнулся и пожал плечами — в мире-де бывают всякие чудеса.

— Миша Гаврон — он из иргунов[1]? — спросил Пиктон из чистого любопытства.

— Хагана[2], — поправил его Курц.

— А вы из каких будете? — спросил Пиктон.

---

[1] И р г у н ы — члены правой израильской военизированной националистической организации Иргун цвай леуми.

[2] Х а г а н а — организация, созданная в эпоху Британского мандата для защиты еврейских поселений в Палестине. После возникновения Израиля стала ядром израильской армии.

Курц изобразил скорбную униженность.

— К счастью или к несчастью, шеф, мы, Рафаэли, прибыли в Израиль слишком поздно и уже не могли создать сложности для англичан, — сказал он.

— Не пудрите мне мозги, — сказал Пиктон. — *Я-то знаю*, откуда Миша Гаврон набирает своих дружков. Ведь это благодаря мне он получил свое место.

— Он мне говорил об этом, шеф, — сказал Курц со своей нестираемой улыбочкой.

— Ну хорошо, так что же вам от нас нужно? — спросил Пиктон тоном человека, вынужденного идти на компромисс. — И не говорите, что вы приехали сюда, только чтобы привезти мне привет от моего старого приятеля Миши Грача, потому что я все равно вам не поверю. Вообще сомневаюсь, чтобы я вам поверил. Вашему брату трудновато в чем-либо меня убедить.

Курц улыбнулся и покачал головой, показывая, что оценил английское остроумие Пиктона.

— Видите ли, сэр, Миша Грач полагает, что обычный арест в данном случае исключен. Естественно, из-за уязвимости наших источников, — пояснил Курц тоном человека, лишь передающего поручение. — И даже если Миша согласился бы на арест, он неминуемо задался бы вопросом: а какие обвинения можно предъявить дамочке и в каком суде? Кто докажет, что взрывчатка была в машине, когда она ее вела? Все это очень шатко.

— Очень, — согласился Пиктон.

— А кроме того, согласно Мише, встает вопрос о том, чего стоит девица. Чего она стоит для нас — и для вас — в том виде, как сейчас. В своем, назовем это так, состоянии невинности. Что она знает? Что она может выдать? Возьмите случай с мисс Ларсен... Она тоже водила машины и выполняла поручения для своего палестинского дружка. Кстати, того же самого. Мисс Ларсен даже подкладывала по его просьбам бомбы. Дважды. А может быть, трижды. На бумаге мисс Ларсен была девицей весьма причастной к преступным действиям. — Курц помотал головой. — Но с точки зрения разведки, шеф, это была пустая скорлупа. — И, невзирая на присутствие грозного Пиктона, Курц широко развел руки, показывая, насколько пустой была скорлупа. — Просто девчонка, которой нравилось принадлежать к какой-то группе, нравились их сборища, нравилось быть среди мальчишек и подвергаться опасности, нравилось чувствовать себя при деле. А говорить — ей не говорили ничего. Ни адресов, ни фамилий, ни планов она не знала.

— Как вы это узнали? — осуждающе спросил Пиктон.

— Мы провели с ней небольшую беседу.

— И через пять минут, по-видимому, взорвали, — заметил Пиктон, не спуская своих желтых глаз с Курца.

Но улыбка ни на секунду не сходила у Курца с лица.

— Если бы это было так просто, шеф, — со вздохом произнес он.

— Я спрашивал, что же вам от нас нужно, господин Рафаэль?

— Мы бы хотели, чтобы девица проявила себя в действии.

— Я так и думал.

— Мы бы хотели, чтобы вы немножко подпалили ей пятки, но не арестовывали. Мы бы хотели, чтоб она заметалась, как испуганный заяц, — испугалась бы настолько, что была бы вынуждена вступить в дальнейший контакт со своими людьми или они с ней. Мы бы хотели все это время вести ее. Чтобы она, так сказать, послужила для нас невольным агентом. Мы, естественно, будем делиться с вами плодами ее деятельности, а когда операция закончится, можете забирать и девчонку, и славу.

— Но она ведь уже вступала в контакт, — возразил Пиктон. — Они приезжали к ней в Корнуолл и привезли ей целый букет цветов, так?

— По нашим предположениям, шеф, эта встреча была своего рода разведкой. Если сейчас на этом поставить точку, боюсь, эта встреча ничего нам не даст.

— Откуда, черт подери, вы *это-то* знаете? — В голосе Пиктона послышались изумление и гнев. — Так я скажу вам откуда. Подслушивали у замочной скважины! Да за кого вы меня принимаете, мистер Рафаэль? За обезьяну, слезшую с дерева? Эта девчонка — ваша, господин Рафаэль, я знаю, что это так! Знаю я вас, израильтян, знаю этого ядовитого карлика Мишу и начинаю узнавать вас! — Голос его поднялся до угрожающего визга. Он убыстрил шаг, стараясь взять себя в руки. Затем остановился и подождал, пока Курц нагонит его. — У меня в голове сложился сейчас премилый сценарий, господин Рафаэль, и мне хотелось бы рассказать его вам. Можно?

— Это будет большая для меня честь, — любезно сказал Курц.

— Благодарю вас. Обычно такое проделывают с мертвяком. Находят симпатичненький труп, одевают его как надо и подбрасывают в таком месте, где противник непременно на него наткнется. «Эге, — говорит противник, — это еще что такое? Покойник с чемоданчиком? А ну-ка заглянем внутрь». Заглядывают и обнаруживают маленькую записочку. «Эге, — говорят они, — да ведь это, видно, курьер! Прочтем-ка записочку». И — прямиком в ловушку. Все срабатывает. А мы получаем медали. В свое время мы называли это «дезинформацией» с целью провести противника, и притом достаточно мягко. — Сарказм Пиктона был столь же грозен, как и его гнев. — Но для вас с Мишей это слишком просто. Будучи сверхобразованными фанатиками, вы пошли дальше. «Никаких мертвяков, о нет, — это не для нас! Мы используем *живое* мясо. Арабское мясо. Голландское». Так вы и поступили. И взорвали это мясо в пресимпатичном «Мерседесе». Их «Мерседесе». Чего я не знаю — и, конечно, никогда не узнаю, потому что вы с Мишей и на смертном одре будете все отрицать, верно ведь? — это куда вы подбросили свою дезинформацию. А вы ее подбросили, и наживка проглочена. Иначе зачем бы им привозить девчонке такие красивые цветы, верно?

Горестно покачав головой в знак восхищения фантазией Пиктона, Курц повернулся было и пошел от него прочь, но Пиктон со свойственной полицейским мгновенной реакцией легонько ухватил его за локоть и задержал.

— Передайте это своему Кровавому Мяснику Гаврону. Если я прав и ваша братия завербовала нашу соотечественницу без нашего согласия, я лично приеду в вашу проклятую страну и отрежу у Миши все, что у него есть. Ясно? — Внезапно лицо Пиктона, словно помимо воли, расплылось в поистине нежной улыбке: он что-то вспомнил. — Как это старый черт любил говорить? — спросил он. — Что-то насчет тигров, верно? Вы-то уж знаете.

Курц и сам употреблял это выражение. И часто. И со своей пиратской усмешкой он сказал:

— Если хочешь поймать льва, сначала хорошо привяжи козленка.

Момент родства душ двух противников прошел, и лицо у Пиктона снова стало каменное.

— Ну а если вернуться на официальные позиции, мистер Рафаэль, то ваша служба не только заслужила комплименты моего шефа, но и прибавила себе очков, — резко бросил он. Повернулся на каблуках и решительно зашагал к дому, предоставив Курцу и миссис О'Флаэрти трусить за ним. — И еще скажите Мише следующее, — добавил Пиктон, наставив на Курца палку и как бы утверждая свое главенство представителя колониальной державы: — Пусть он будет так любезен и перестанет пользоваться нашими паспортами. Другие же обходятся без них, пусть обходится и Грач, черт бы его подрал.

На обратном пути в Лондон Курц посадил Литвака на переднее сиденье: пусть учится вести себя как англичанин. У Медоуза прорезался голос, и он жаждал обсуждать проблему Западного берега. «Ну как ее разрешишь, сэр, когда с арабами, конечно же, надо поступить по справедливости?» Курц отключился от их бесполезных разглагольствований и предался воспоминаниям, которым до сих пор не давал ходу.

В Иерусалиме есть виселица, где никого уже не вешают. Курц прекрасно ее знал: она стоит рядом с бывшим русским кварталом, с левой стороны, если ехать вниз по еще не оконченной дороге и остановиться перед старыми воротами, ведущими к бывшей центральной иерусалимской тюрьме. На указателе написано: «К МУЗЕЮ», но также и «К ЗАЛУ ГЕРОЕВ»; у входа там вечно можно увидеть морщинистого старика, который, сорвав с головы черную плоскую шляпу, с поклонами приглашает тебя зайти. За вход платят пятнадцать шекелей, но цена возрастает. Тут англичане, когда это была мандатная территория, вешали евреев на кожаной петле. Собственно, евреев они повесили лишь горстку, арабов же — несметное множество, но среди повешенных оказались и двое друзей Курца, друзей той поры, когда они с Мишей Гавроном находились в рядах Хаганы. Его дважды сажали в тюрьму и четырежды допрашивали, и неприятности, которые у Курца бывают с зубами, дантист до сих пор приписывает тому, что его избивал милый молодой офицер безопасности, которого уже нет в живых и которого манерами — но не внешностью — напомнил ему Пиктон.

«Тем не менее славный малый этот Пиктон», — подумал Курц и внутренне усмехнулся.

# Глава 19

Снова Лондон, и снова ожидание. В течение двух мокрых осенних недель — с тех пор как Хельга сообщила Чарли страшную весть — придуманная Чарли жила в атмосфере угрызений совести и мести, в аду и в одиночестве горела в нем. «Теперь будешь обходиться без няньки, — с натянутой улыбкой сказал ей Иосиф. — Ходить по телефонным будкам тебе уже нельзя». Их встречи в этот промежуток времени были редкими и деловыми: обычно, заранее условившись, он в определенном месте сажал ее к себе в машину. Иногда он ездил с ней в дальние рестораны, на окраину Лондона, один раз они гуляли по пляжам в Бернеме, один раз ходили в зоопарк. Но где бы они ни были, он говорил об ее моральном состоянии и наставлял, как вести себя в различных, неожиданно возникших обстоятельствах, не раскрывая до конца, что это могут быть за обстоятельства.

— Что они теперь предпримут? — спрашивала она.

— Они тебя проверяют. Ведут за тобой наблюдение, думают, как с тобой быть.

Порою Чарли пугалась возникавших у нее — не по сценарию — всплесков враждебности к Иосифу, но, как хороший доктор, он спешил заверить ее, что это вполне нормально.

— Я же для тебя олицетворение врага, бог ты мой! Я убил Мишеля и, подвернись мне случай, убил бы тебя. Ты должна смотреть на меня с большой опаской, а то как же?

«Спасибо за отпущение грехов», — подумала она, удивляясь в душе бесконечному множеству оттенков их шизофренических отношений: ведь понять — это значит простить.

Наконец наступил день, когда Гади объявил, что они временно должны прекратить всякие встречи, если только не возникнет крайней необходимости. Казалось, он знал: что-то должно произойти, но не говорил ей, что именно, из опасения, что она может отреагировать несообразно роли. Или не отреагировать вообще. Он сказал ей, что ежедневно, всегда будет поблизости, поблизости, но не рядом. И, доведя таким образом — возможно, преднамеренно — ее чувство незащищенности почти до предела, он отослал ее назад, в ту одинокую жизнь, которую придумал для нее, только на сей раз в этой ее жизни главной темой была смерть любимого.

Ее квартирка, которую она когда-то так любила, а сейчас намеренно забросила, превратилась в святилище, загроможденное вещами, напоминавшими о Мишеле, — нечто вроде тихой грязной часовни.

Она редко выходила во внешний мир, но однажды вечером, как бы стремясь доказать самой себе, что готова вместо Мишеля нести в битву его знамя, если только сумеет найти поле сражения, она отправилась на собрание, которое проводили товарищи в комнате над кабачком на улице Святого Панкратия. Она сидела среди «самых отпетых» — большинство из них уже накурились до того, что ничего не соображали еще до прихода туда. Но она вытерпела до конца и перепугала их и себя отчаянно пьяным выступлением против сионизма, что вызвало истерические жалобы со стороны представителей радикально настроенных евреев-леваков и немало позабавило другую половину ее «я».

А то она устраивала спектакль и принималась донимать Квили по поводу ролей для себя: «Что случилось с кинопробой? Черт побери, Нед, мне нужна работа!» Но, по правде говоря, ее стремление выступать на театральной сцене убывало. Она уже посвятила себя — пока это будет длиться и невзирая на возраставший риск — театру жизни.

Затем появились тревожные сигналы — так начинает скрипеть судно в преддверии наступающей бури.

Первым сигналом был звонок от бедняги Квили много раньше обычного времени — якобы в ответ на ее звонок накануне. Но Чарли понимала, что это Марджори заставила его позвонить ей, как только он явился в свою контору, а то ведь забудет, или ему не захочется, или он доведет себя до кипения. Нет, у него ничего для нее нет, но он хочет отменить их сегодняшнюю встречу, сказал Квили. Никаких проблем, сказала она, стараясь за вежливостью скрыть разочарование, так как они собирались за обедом отметить окончание ее турне и поговорить о будущем. Она действительно с нетерпением ждала этой встречи, считая, что вполне может разрешить себе такое невинное развлечение.

— Все в порядке, — продолжала она, ожидая, что он извинится.

А он вместо этого ударился в противоположное: взял и глупо нагрубил ей.

— Я просто думаю, что сейчас неподходящее для этого время, — выспренно объявил он.

— А что происходит, Нед? Сейчас же не пост. Что на тебя нашло?

Наигранно беспечный тон, каким она это произнесла, чтобы облегчить ему дело, вызвал с его стороны лишь еще большую напыщенность.

— Чарли, я, право, не понимаю, *что* ты натворила, — изрек он словно с высоты алтаря. — Я сам был молод и вовсе не был таким узколобым, как ты, возможно, думаешь, но если хотя бы половина из того, что мне известно, правда, я не могу не считать, что нам с тобою лучше... так будет лучше для *обеих* сторон... — Но, будучи ее любимцем Недом, он не мог заставить себя нанести ей последний удар и потому сказал: — ...отложить нашу встречу до тех пор, пока ты не возьмешься за ум. — Тут, по сценарию Марджори, он должен был повесить трубку, что после нескольких фальшивых реверансов и не без помощи со стороны Чарли он и сделал.

Она тотчас перезвонила, и на звонок ответила миссис Эллис, а этого Чарли и хотела.

— В чем дело, Фиб? Почему я вдруг получила от ворот поворот?

— Ох, Чарли, *что* ты натворила? — еле слышно произнесла миссис Эллис, опасаясь, что телефон прослушивается. — Полиция все утро торчала у нас — целых три полисмена, они расспрашивали про тебя, и нам всем запретили об этом рассказывать.

— Ну и черт с ними, — мужественно объявила Чарли.

«Обычная проверка, которую они проводят раз в сезон», — сказала она себе. Так называемое «дознание втихую», которое проводит бригада в подкованных сапогах, чтобы пополнить к Рождеству ее досье. Они периодически ее проверяют с тех пор, как она стала посещать семинар. Только на сей раз это почему-то не было похоже на обычную проверку. Чтобы целое утро и три полисмена... Такое бывает только в отношении особо важных птиц.

Следующей была парикмахерша.

Чарли договорилась, что придет в парикмахерскую к одиннадцати, она никогда не пропускала назначенной встречи. Хозяйку-итальянку, добрейшую душу, звали Биби. Увидев Чарли, она насупилась и сказала, что сегодня сама займется ею.

— Опять у вас роман с женатым? — пронзительным голосом произнесла она, втирая шампунь в волосы Чарли. — Плохо вы, знаете ли, выглядите. Опять набедокурили: увели чужого мужа. Чем вы занимаетесь, Чарли?

Приходили трое, в ответ на вопрос Чарли сказала Биби. Вчера.

Сказались налоговыми инспекторами, попросили показать журнал, где Биби записывает клиенток, и ее счета.

Но интересовала их только Чарли.

— «Вот тут сказано — Чарли. Это кто? — спросили они меня. — Вы хорошо ее знаете, Биби?» — «Конечно, — сказала я им, — Чарли, славная девушка, постоянная клиентка». — «Значит, постоянная, да? Рассказывает вам про своих дружков? Кто они у нее? С кем она сейчас спит?» И потом все про ваш отпуск, с кем вы ездили, куда поехали после Греции. Я-то им ничего не сказала. Биби — человек верный. — Но когда Чарли уже расплатилась, Биби впервые повела себя по-сволочному. — Не приходите к нам какое-то время, хорошо? Я не люблю неприятностей. Не люблю полицию.

Я тоже, Биб. Поверь, я тоже. А уж этих трех красавчиков — меньше всего. *«Чем быстрее власти узнают о тебе, тем быстрее мы вынудим противника действовать»*, — обещал ей Иосиф. Но он ведь не говорил, что будет вот так.

Затем, меньше чем через два часа, появился красавчик.

Вполне возможно, это было совпадение, но, оглянувшись с задней площадки отходящего автобуса, она увидела мужчину, быстро вскочившего в такси ярдах в пятидесяти позади. И мысленно прокручивая потом эту сценку в уме, она вспомнила, что флажок у такси был опущен еще до того, как мужчина остановил его.

*«Держись логики легенды,* — снова и снова повторял ей Иосиф. — *Распустишь нюни — провалишь операцию. Держись легенды, а когда все будет позади, мы поправим нанесенный ущерб».*

На грани паники она подумала было заскочить к портнихе и немедленно вызвать Иосифа. Но верность ему удержала ее. Она любила его бесстыдно и безнадежно. В мире, где она теперь жила и где он поставил все с ног на голову, он оставался для нее единственным, что не менялось — ни в легенде, ни в реальной жизни.

Тогда она решила пойти в кино, и там красавчик попытался подцепить ее, и она едва не пошла с ним.

Он был высокий, плутоватый, в новом длинном кожаном пальто и в золотых «бабушкиных» очках с маленькими круглыми стеклами, и когда во время антракта он стал пробираться по ряду к ней, она почему-то по глупости решила, что знает его, но только не может вспомнить ни его имени, ни кто он. И потому она улыбнулась ему в ответ.

— Привет, как поживаем? — воскликнул он, садясь с ней рядом. — Чармиан, да? Господи, до чего же вы были хороши в «Альфа-Бета» в прошлом году! Ну просто поразительны! Кушайте кукурузу.

Все вдруг разъехалось: игривая улыбка никак не сочеталась с квадратной челюстью, «бабушкины» модные очки не сочетались с крысиными глазками, сладкая кукуруза не сочеталась с до блеска начищенными туфлями, а сухое кожаное пальто не сочеталось с погодой.

Когда она кинулась за помощью в фойе, там все слиняли, точно снег летом, — все, кроме чернокожей девчонки, сидевшей за кассой и сделавшей вид, будто она так занята подсчетом денег, что и глаз не может поднять.

Возвращение домой потребовало от Чарли куда большего мужества, чем то, каким она обладала, — большего, чем имел право требовать от нее Иосиф, — и она всю дорогу молилась: вот бы сломать ногу, или чтоб ее переехал автобус, или чтоб она вдруг упала в обморок. Было семь часов вечера, и индейское кафе пустовало. Шеф, по обыкновению, широко улыбнулся ей, а его мордастый дружок, как всегда, взмахом руки указал ей дорогу, точно без него она не найдет. Войдя к себе в квартиру, она не стала зажигать свет и задергивать занавески, а опустилась на кровать и увидела в зеркале двух мужчин на противоположном тротуаре — они стояли рядом, но не разговаривали друг с другом и ни разу не взглянули в сторону ее дома. Письма Мишеля по-прежнему лежали у нее под половицей — как и ее паспорт, и то, что осталось от денег на борьбу. *«Твой паспорт стал теперь опасным документом,* — предупредил ее Иосиф, поучая, как надо вести себя в ее новом положении, после смерти Мишеля. — *Мишель не должен был разрешать тебе им пользоваться во время поездки. Паспорт надо хранить вместе с остальными твоими тайнами».*

«Синди», — подумала Чарли.

Синди была девчонка с Вест-Индских островов, работавшая вечерами внизу. Ее любовник, тоже туземец с островов, сидел в тюрьме за нанесение увечий, и Чарли, чтобы девчонка не скучала, бесплатно обучала ее иногда игре на гитаре.

«Синди, — написала она ей. — Дарю тебе это ко дню рождения, хоть и не знаю, когда он у тебя. Забирай гитару и упражняйся на ней дома до упаду. У тебя есть способности, так что не бросай. Забирай и папку с нотами, только я, как идиотка, оставила у мамы ключ от замка. В следующий раз, как поеду к ней, — привезу. Во всяком случае ноты пока что тебе еще не нужны. Целую. *Чэс*».

Папка для нот у нее была отцовская, времен короля Эдуарда, вся прошитая, с крепкими замками. Чарли положила туда письма Мишеля, деньги, паспорт и кучу нот и спустилась вниз с папкой и гитарой.

— Это для Синди, — сказала она хозяину.

Хозяин захихикал и положил папку и гитару в дамскую уборную — туда, где хранились стаканчики для питья.

Чарли поднялась к себе, включила свет, задернула занавески и раскрасилась по-боевому, так как в этот вечер ей надлежало быть в Пекэме, и никакие шпики на свете и даже все ее мертвые любовники не остановят ее: она должна репетировать пантомиму. К себе она вернулась вскоре после одиннадцати; путь был свободен: на тротуаре никто не топтался, и Синди забрала нотную папку вместе с гитарой. Чарли позвонила Алу: ей вдруг отчаянно захотелось иметь рядом мужчину. К телефону никто не подошел. Мерзавец опять с кем-то трахается. Она попыталась позвонить парочке старых дружков, но безуспешно. Звук у телефона был какой-то странный, но это вполне могло быть и от шума в ушах. Прежде чем лечь, она в последний раз выглянула в окно: два ее ангела-хранителя снова были на тротуаре.

На другой день у нее не было репетиций, и она собиралась съездить навестить мать, но потом почувствовала, что у нее не лежит к этому душа; она позвонила и отменила встречу — это-то, по всей вероятности, и заставило полицию действовать, потому что когда вечером она подъехала к своему кафе, у тротуара стоял полицейский фургон, а в открытых дверях маячил сержант в форме и рядом, смущенно оскалясь, стоял повар.

«Началось, — спокойно подумала она. — Пора бы уж. Наконец-то они ожили».

У сержанта были злющие глаза и короткая стрижка — он был из тех, кто ненавидит весь мир, а особенно индейцев и хорошеньких женщин. Возможно, эта ненависть и ослепила его, не позволив в решающий момент драмы понять, кто такая Чарли.

— Кафе временно закрыто, — рявкнул он. — Поищите себе другое.

У несчастья своя реакция.

— Кто-нибудь умер? — со страхом спросила Чарли.

— Если и умер, то мне об этом не сказали. Просто есть подозрение, что тут бродит один ворюга. Наши офицеры ведут расследование. А теперь давай двигай.

Возможно, он слишком долго находился на дежурстве и от усталости голова у него не работала. А возможно, не знал, как быстро смекалистая девчонка может сообразить и прошмыгнуть мимо. Так или иначе Чарли в мгновение ока очутилась в кафе и, с треском захлопнув за собою дверь, помчалась дальше. В кафе было пусто, и машины были отключены. Дверь в ее квартирку была закрыта, но она услышала за ней мужские голоса. Внизу сержант орал и молотил кулаками в дверь. Чарли услышала: «Эй, *ты!* Прекрати! Выходи же!» Но крики доносились приглушенно. Она подумала: «ключ» — и открыла сумочку. Увидев белую косынку, накинула ее на голову и мгновенно преобразилась. Затем нажала на звонок — два быстрых уверенных звонка. Затем приоткрыла крышку почтового ящика в двери.

— Чэс? Ты дома? Это я, Сэнди.

Голоса замерли, она услышала шаги и шепот: «Гарри, быстро!» Дверь распахнулась, и она увидела перед собой седовласого разъяренного человека в сером костюме. В комнате за его спиной повсюду валялись ее реликвии — память о Мишеле; кровать была поставлена на попа, все плакаты сорваны, ковер свернут, и половицы подняты. Чарли увидела фотоаппарат на треножнике, нацеленный вниз, и второго мужчину, смотревшего в видоискатель, а под аппаратом — несколько писем ее матери. Она увидела стамески, плоскогубцы и парня в старомодных очках, заговаривавшего с ней в кино и стоявшего сейчас на коленях среди вороха ее новых дорогих вещей; Чарли сразу поняла, что это не обыск, — они просто вломились к ней без разрешения.

— Я ищу свою сестру Чармиан, — сказала она. — А вы, черт подери, кто такие?

— Ее тут нет, — ответил седовласый, и Чарли уловила в его голосе легкий валлийский акцент. Не отводя от нее взгляда, он рявкнул: — Сержант Мэллис! Сержант Мэллис, уберите отсюда эту дамочку и запишите ее данные!

Дверь перед ней захлопнулась. Она слышала, как внизу продолжал орать злополучный сержант. Тихонько спустившись по лестнице, — но только до площадки, — она протиснулась между наваленными там коробками к двери во двор. Дверь была закрыта на засов, но не заперта. Во дворе была конюшня, а из конюшни можно было попасть на улицу, где жила мисс Даббер. Проходя мимо ее окна, Чарли постучала по стеклу и весело помахала в знак приветствия. Как она сообразила это сделать, Чарли сама не знала. Она шла не останавливаясь, но позади не слышно было ни поспешных шагов, ни разъяренных окриков, ни одна машина с визгом не затормозила рядом с ней. Так она дошла до главной улицы и по пути натянула на руку кожаную перчатку, как велел сделать Иосиф, если и когда ее вспугнут. Она увидела свободное такси и остановила его. «Ну что ж, — подумала она, — теперь мы хоть все вместе». Только гораздо, гораздо позже в своей многоликой жизни она поймет, что они намеренно отпустили ее.

Иосиф запретил ей пользоваться «Фиатом», и она нехотя вынуждена была признать, что он прав. Так она продвигалась от одной стадии к другой не спеша. И уговорами убеждала себя спускаться все ниже. После такси садимся на автобус, сказала она себе, потом немножко пешком, потом — на метро.

«Я в бегах. Они гонятся за мной. Господи, Хельга, что же мне делать?»

«*По этому номеру, Чарли, позвонишь только в случае крайней необходимости. Если позвонишь попусту, мы очень рассердимся, ты меня слышишь?*»

«Да, Хельга, я тебя слышу».

Она зашла в кабачок и выпила немного водки — той, что любил Мишель, стараясь при этом вспомнить, какой еще совет давала ей Хельга, пока Местербайн сидел с мрачным видом в машине. «*Удостоверься, что за тобой не следят. Не пользуйся телефонами друзей или родственников. Не пользуйся телефоном через дорогу или на той же улице, где живешь.*

*Ни в коем случае, ты меня слышишь? Это чрезвычайно опасно. Эти свиньи способны в одну секунду засечь телефон, уж ты мне поверь. И никогда не пользуйся дважды одним и тем же телефоном. Ты меня слышишь, Чарли?*»

«Я отлично слышу тебя, Хельга».

Чарли вышла на улицу и увидела мужчину, стоявшего у неосвещенной витрины, и другого, поспешно отошедшего от него и направившегося к машине с антенной. Вот теперь ею овладел ужас — ей стало так страшно, что захотелось броситься на тротуар лицом вниз и завыть, и во всем признаться, и просить нормальный мир взять ее обратно. Люди, шагавшие впереди, так же пугали ее, как и те, что шагали сзади; призрачные края тротуара вели куда-то, где все исчезает и она сама перестанет существовать. «Хельга, — взмолилась она, — ох, Хельга, вызволи меня из этого». Она села в автобус, шедший не в том направлении, выждала немного, пересела на другой и снова пошла пешком, но не поехала на метро, так как одна мысль очутиться под землей пугала ее. Уступив слабости, она снова села в такси и стала смотреть в заднее окно. Никто за ней не ехал. Улица была пуста. К черту ходьбу пешком, к черту метро и автобусы.

— Пекэм, — сказала она шоферу и с шиком подъехала к самому входу.

Зал, где они репетировали, находился за церковью — этакое

подобие сарая рядом со спортивной площадкой, которую мальчишки давно разбили вдрызг. Идти туда надо было по аллее, обсаженной тисами. Света в помещении не было, тем не менее Чарли нажала на звонок — из-за Лофти, бывшего боксера. Лофти работал там ночным сторожем, но с тех пор как репетиции прервались, он приходил самое большее раза три в неделю, и сейчас на звонок Чарли — к ее облегчению — не послышалось в ответ его шагов. Она отперла дверь и вошла — воздух был такой же холодный, как в той корнуолл- ской церкви, куда она зашла после того, как положила венок на могилу неизвестного революционера. Она закрыла за собой дверь и чиркнула спичкой — пламя осветило зеленые кафельные плиты и высокий деревянный потолок виктори- анского дома. Для бодрости духа Чарли весело окликнула: «Лофти!» Спичка сразу погасла, но Чарли успела обнаружить дверную цепочку, накинула ее и только уж потом зажгла вто- рую спичку. Звук ее голоса, позвавшего Лофти, ее шаги, ляз- ганье цепочки еще долго-долго отдавались в кромешной тьме.

У нее мелькнула мысль о летучих мышах и прочих отвра- тительных вещах, например морских водорослях на лице. Лестница с железными перилами вела наверх, на деревянную галерею, прозванную общей комнатой; со времени посеще- ния двухэтажной квартиры в Мюнхене это напоминало Чарли о Мишеле. Держась за перила, она поднялась наверх и постояла на галерее, всматриваясь в сумеречный зал и при- слушиваясь, давая глазам привыкнуть к темноте. Она разгля- дела сцену, вздувшийся пузырями задник, потом стропила и крышу. Взгляд ее выдернул из темноты серебристый круг их единственного юпитера, сооруженного парнем с Багам по имени Гаме из передней фары, которую он подобрал на авто- мобильной свалке. На галерее был старый диван и рядом с ним столик, крытый светлым пластиком, на который падал отсвет из окна. На столике стоял черный телефон для слу- жебного пользования и лежала тетрадь, где полагалось реги- стрировать частные разговоры, которые съедали выручку за билеты шести первых рядов в месяц.

Чарли села на диван, дожидаясь, пока ее перестанет мутить и пульс немного успокоится. Затем взяла аппарат и опустила на пол рядом со столиком. Ей надо было набрать пятнадцать цифр, и в первый раз телефон лишь завыл ей в ухо. Во второй раз она набрала не тот номер, и какая-то сумасшедшая итальянка заорала на нее; в третий раз у нее соскользнул палец. Однако на четвертый раз после набора наступила задумчивая тишина, а за ней — характерный для Европы звонок. И много позже — пронзительный голос Хельги, ответившей по-немецки.

— Это Иоанна, — сказала Чарли. — Ты меня помнишь? Снова задумчивая тишина.

— Ты где, Иоанна?

— Какое твое дело?

— У тебя проблема, Иоанна?

— В общем, нет. Я только хотела поблагодарить тебя за то, что ты привела этих свиней к моему порогу.

И тут, к довершению ее торжества, Чарли овладела прежняя безудержная ярость, и она выплеснула поток ругательств, чего с ней не случалось с той давней поры, которую ей заказано было вспоминать, — с той поры, когда Иосиф поехал с ней смотреть ее любовника, прежде чем приготовить из него наживку.


Хельга молча выслушала ее.

— Ты где? — спросила она, когда Чарли умолкла. Произнесла она это нехотя, словно вопреки правилам.

— Не будем об этом, — сказала Чарли.

— Можно тебе куда-нибудь позвонить? Скажи мне, где ты будешь в ближайшие двое суток.

— Нет.

— Будь добра, позвони мне снова через час.

— Я не смогу.

Долгое молчание.

— А где письма?

— В безопасном месте.

Снова молчание.

— Возьми бумагу и карандаш.

— Они мне не нужны.

— Все равно возьми. Ты сейчас не в том состоянии, чтобы точно все запомнить. Готова?

Не адрес и не телефон. А название улицы, время и как туда добраться.

— Сделай все в точности, как я тебе сказала. Если не сможешь, если у тебя возникнут новые проблемы, позвони по номеру на карточке Антона и скажи, что хочешь поговорить с Петрой. Возьми с собой письма. Ты меня слышишь? С Петрой — и возьми с собой письма. Если ты не возьмешь писем, мы на тебя очень рассердимся.

Опустив трубку на рычаг, Чарли услышала внизу, в зале, тихие аплодисменты. Она подошла к краю галереи, заглянула вниз и, к своей бесконечной радости, увидела Иосифа, который сидел один в середине первого ряда. Она повернулась и ринулась к нему вниз по лестнице. Он стоял у последней ступеньки и ждал, протянув ей руки. Он боялся, как бы она не оступилась в темноте. Он поцеловал ее, поцеловал снова и снова, потом повел назад, на галерею, крепко держа за талию, не отпуская даже там, где лестница была совсем узкая; в другой руке он нес корзинку.

Он купил копченой лососины и бутылку вина. И, не разворачивая, выложил все на стол. Он знал, где под умывальником стоят тарелки и как включить электрокамин. Он принес термос с кофе и пару стареньких одеял из логовища Лофти. Поставив на стол термос рядом с тарелками, он пошел проверить большие викторианские двери и запер их изнутри на засов. И она поняла — по очертаниям его спины в полумраке и свободе жестов, — что он делал это не по сценарию: он запирал двери, чтобы отгородиться от всего мира, кроме своего собственного. Он сел рядом с ней на диван и накинул на нее одеяло потому, что в зале стоял холод и она дрожала, не могла унять дрожь. Разговор по телефону с Хельгой до смерти перепугал ее, как и глаза палача-полицейского в ее квартире, как и все эти дни ожидания и подозрений, а подозревать — это много, много хуже, чем ничего не знать.

И ей вдруг стало ясно то, что она знала всегда: невзирая на все свои умолчания и перекрашивания, Иосиф, по сути, человек добрый, готовый сочувствовать каждому; и в борьбе, и в мирной жизни это человек небезразличный, ненавидящий причинять боль. Она погладила его по лицу, и ей приятно было, что он не брит: сегодня ей бы не хотелось думать, что все заранее подстроено, хотя это и была не первая их ночь вместе — и еще не пятидесятая: они ведь давние, ненасытные любовники, перебывавшие в доброй половине мотелей Англии, позади у них и Греция, и Зальцбург, и, бог знает, сколько еще жизней, ибо ей внезапно стало ясно, что пьеса, которую они до сих пор разыгрывали, была лишь прелюдией к этой ночи в реальной жизни.

Он отстранил ее руку, привлек ее к себе и поцеловал в губы — она ответила целомудренным поцелуем, предоставляя ему разжечь страсть, о которой они так часто говорили. Ей нравились его запястья, его руки, такие умные. Еще прежде, чем он овладел ею, она уже поняла, что он был лучшим из всех ее любовников, ни с кем не сравнимый, далекая звезда, за которой она следовала по всей этой гиблой стране. Даже будь она слепой, она уразумела бы это по его касаниям; если б умирала, — по его грустной улыбке человека, победившего страх и неверие, ибо все это он уже познал; уразумела бы по его инстинктивному умению понимать ее и расширять ее познания.

Она проснулась и увидела, что он сидит, уже одетый, рядом и дожидается ее пробуждения. Все было убрано.

— Я не хочу слышать ни звука, — сказала она. — Никаких придуманных историй, никаких извинений, никакого вранья. Если это входило в твои служебные обязанности, лучше промолчи. Сколько сейчас времени?

— Полночь.

— Тогда иди ко мне.

— Марти хочет поговорить с тобой, — сказал он.

Но что-то в его голосе и в том, как он это произнес, дало ей понять, что не Марти придумал вызвать ее, а он сам.

Это была квартира Иосифа.

Чарли сразу это поняла, как только вошла: продолговатая аккуратная комната для одного жильца где-то в Блумсбери, на первом этаже, с кружевными занавесками на окнах. На одной стене висели карты Лондона; вдоль другой шла полка с двумя телефонами. У третьей стены стояла раскладная кровать, на которой явно никто не спал, а у четвертой — сосновый письменный стол со старой лампой на нем. Рядом с телефонами булькал кофейник, а в камине горел огонь. Когда Чарли вошла, Марти не встал ей навстречу, но повернул к ней голову и улыбнулся необычно доброй улыбкой — возможно, правда, ей так показалось, потому что весь свет представлялся ей сейчас добрым. Он протянул к ней руки, и она, пригнувшись, позволила ему по-отечески себя обнять: дочка вернулась из дальних странствий. Она села напротив него, а Иосиф по-арабски устроился на полу — так он сидел тогда, на холме, когда заставил ее сесть рядом и стал говорить про пистолет.

— Хочешь послушать себя? — предложил Курц, указывая на стоявший рядом магнитофончик. Она отрицательно покачала головой. — Чарли, ты была потрясающа. Ты прошла не третьим номером, не вторым, а самым первым.

— Он тебе льстит, — предупредил Иосиф, но сказано это было серьезно.

В комнату без стука вошла маленькая женщина в коричневом платье и спросила, кто пьет чай с сахаром, кто — без сахара.

— Чарли, ты вольна выйти из игры, — сказал Курц, когда женщина ушла. — Иосиф настаивает, чтобы я напомнил тебе об этом четко и ясно. Если ты уйдешь от нас сейчас, то уйдешь с почестями. Верно я говорю, Иосиф? Со множеством денег и множеством почестей. Получишь все, что мы тебе обещали, и даже больше.

— Я это ей уже сказал, — заметил Иосиф.

Курц шире улыбнулся, прикрывая раздражение, и Чарли не преминула это заметить.

— Конечно, ты ей это сказал, Иосиф, а теперь говорю ей я. Разве ты не хотел, чтобы я это сказал? Чарли, ты приподняла для нас крышку с целой банки червей, которых мы искали уже давно. Ты и понятия не имеешь, сколько накидала нам имен, мест встреч и контактов, а за ними последуют другие. С твоей помощью или без твоей. Пока еще ты не замазана, а если где и есть замазка, дай нам два-три месяца, и мы ее счистим. Устрой себе карантин, передохни, возьми с собой какого-нибудь приятеля...

— Видишь ли, Чарли, — продолжал Марти, — в этой истории есть то, что на поверхности, и то, что под поверхностью. До сих пор ты находилась на первом этаже и, однако же, сумела показать нам, что происходит внизу. Но отныне... в общем, все может пойти несколько иначе. Так мы это понимаем. Возможно, мы ошибаемся, но, судя по некоторым признакам, мы понимаем правильно.

— Он хочет сказать, — вставил Иосиф, — что до сих пор ты была на дружественной территории. Мы могли быть рядом, мы могли, если понадобится, вытащить тебя из игры. Но теперь этому приходит конец. Ты становишься одной из них. Будешь делить их жизнь. Станешь думать, как они. Поступать, как они. Могут пройти недели, месяцы вне контакта с нами.

— Не столько вне контакта, сколько, пожалуй, вне досягаемости, но, в общем, это так, — согласился Марти. — Однако можешь не сомневаться, мы будем поблизости.

— А каков финал? — спросила Чарли.

Марти, казалось, на секунду смешался.

— О каком финале речь, милочка, — финале, который оправдывает все это? Что-то я не очень тебя понимаю.

— Какую цель я должна перед собой ставить? Когда вы удовлетворитесь?

— Чарли, мы и сейчас вполне удовлетворены, — великодушно заметил Марти, и Чарли поняла, что он уклоняется от прямого ответа.

— Цель — человек, — резко произнес Иосиф, и Марти круто повернулся к нему, так что Чарли не могла видеть его лица. Но она видела лицо Иосифа и его взгляд, в котором был смелый вызов, — такого взгляда она у него еще не видела.

— Цель, Чарли, — человек, — наконец признал Марти, снова поворачиваясь к ней. — Если ты согласна идти с нами дальше, ты должна это знать.

— Халиль, — сказала она.

— Правильно — Халиль, — подтвердил Марти. — Халиль

возглавляет всю их деятельность в Европе. Мы должны получить этого человека.

— Он опасен, — сказал Иосиф. — Если Мишель был плохим профессионалом, то этот — профессионал хороший.

Возможно, желая показать, кто здесь главный, Курц запел ту же песню.

— Халиль никому не доверяет, у него нет постоянной девушки. Он никогда две ночи подряд не спит в одной постели. Ни с кем не общается. Все свои потребности, по сути дела, удовлетворяет сам. Ловкий разведчик, — завершил Курц, снисходительно улыбнувшись Чарли. Но когда он раскуривал сигару, Чарли поняла — по тому, как дрожала спичка в его руке, — что он весь кипит.

Почему она не заколебалась?

Необычайное спокойствие снизошло на нее, такая ясность в мыслях, какой она прежде не знала. Значит, Иосиф спал с ней не для того, чтобы проститься, а чтобы удержать. Он пережил за нее все страхи и сомнения, которыми должна была бы мучиться она. Но она знала также, что в этом микрокосме существования, который они создали для нее, повернуть назад — значит повернуть навсегда; знала она и то, что любовь, если нет развития отношений, не может возродиться, — она потонет в колодце обыденностей, где погибли все ее увлечения до Иосифа. Его стремление остановить ее не побудило Чарли свернуть с пути, напротив, оно лишь укрепило ее решимость. Они же партнеры. Они же любовники. Их объединяет общность судьбы, общая цель.

Чарли спросила Курца, как она опозна́ет дичь. Он похож на Мишеля? Марти отрицательно покачал головой и рассмеялся.

— Увы, милочка, он никогда не позировал нашим фотографам!

Иосиф намеренно не смотрел на него, а смотрел в грязное, закопченное окно; Курц быстро встал и из старого черного портфеля, стоявшего рядом с его креслом, извлек нечто похожее на толстую запаску к шариковой ручке, из которой торчали, как усы у рака, две тоненькие красные проволочки.

— Это называется детонатор, милочка, — пояснил он, постукивая толстыми пальцами по запаске. — На этом конце — затычка, и из затычки, как видишь, торчат проволочки. Совсем маленькие проволочки, столько нужно Халилю. А остаток он упаковывает вот таким образом. — И, вынув из портфеля кусачки, Курц обрезал каждую из проволочек так, чтобы осталось дюймов пятнадцать. Затем умело и ловко скрутил из проволочек куколку и перепоясал. После чего вручил ее Чарли. — Вот эта куколка, как мы говорим, — подпись Халиля. Рано или поздно у каждого человека появляется своя подпись. Вот это — его.

И он взял у Чарли куколку.

Чарли могла ехать: у Иосифа уже был готов для нее адрес. Маленькая женщина в коричневом проводила ее до двери. Она вышла на улицу, там ее ждало такси. Занималась заря, и воробьи начинали чирикать.

# Глава 20

Чарли вышла из дома раньше, чем велела Хельга, — частично потому, что была из тех, кто вечно волнуется, а частично потому, что заранее скептически относилась к плану в целом. «А что, если автомат будет сломан? — возразила она Хельге. — Это же Англия, Хельга, а не сверхоперативная Германия... А что, если он будет занят, когда ты позвонишь?» Но Хельга решительно отмела все эти доводы: делай, как тебе велели, остальное предоставь мне. И вот Чарли двинулась в путь: она села на Глостер-роуд на двухэтажный автобус, но не на первую машину после семи тридцати, а на ту, что пришла в двадцать минут восьмого. На станции метро «Тоттэнхем-Корт-роуд» ей повезло: поезд подошел как раз, когда она выходила на платформу южного направления, и потом ей пришлось долго ждать на пересадке, на станции «Набережная», следующего поезда. Было воскресное утро, и если не считать людей, страдающих бессонницей или истово верующих, она была единственной, кто бодрствовал во всем Лондоне. В Сити царила полнейшая пустота, и, найдя нужную улицу, Чарли сразу увидела метрах в ста впереди, как и говорила Хельга, телефонную будку, ярко светившуюся точно маяк. В будке никого не было.

«Дойди до конца улицы и поверни назад», — сказала ей Хельга. И Чарли, покорно пройдясь по улице, установила, что телефон не разбит; правда, к этому времени она уже решила, что крайне нелепо торчать на таком заметном месте в ожидании звонка от международных террористов. Она повернулась и пошла назад и тут к своей досаде заметила, как в будку зашел какой-то мужчина. Она взглянула на часы — до назначенного времени было еще двенадцать минут, а потому, не слишком волнуясь, она остановилась в нескольких шагах от будки и стала ждать.

Прошло семь минут, а мужчина в будке все распинался по-итальянски — это мог быть и страстный монолог неразделенной любви, и речь о положении дел на Миланской бирже. Чарли стала нервничать — она облизнула губы, посмотрела вниз и вверх по улице, но кругом не было ни души, не стояло таинственных черных машин или мужчин в подъездах, не было и красного «Мерседеса». Никого и ничего, кроме захудалого фургончика во вмятинах; дверца со стороны водителя была в нем открыта. И однако же Чарли чувствовала себя будто голой. Настало восемь часов, о чем оповестил перезвон поразительного множества разных колоколов и часов. Хельга сказала — в пять минут девятого. Мужчина перестал говорить, но Чарли услышала, как он зазвенел монетами в кармане, затем постучал по стеклу, как бы привлекая ее внимание. Она обернулась и увидела, что он держит пятидесятипенсовую монету и просительно смотрит на нее.

— Вы не дадите мне сначала позвонить? — спросила она. — Я спешу.

Но он не говорил по-английски.

«А, черт с ним, — подумала она. — Придется Хельге звонить еще раз. Я ведь ее предупреждала...» Сбросив с плеча ремень сумки, Чарли открыла ее и среди мешанины вещей принялась отыскивать десяти- и пятипенсовики, пока не набрала пятьдесят. «Господи, да у меня же пальцы все потные». Она протянула итальянцу руку с монетами, зажатыми в кулак, — она так ее повернула, чтобы монеты упали на его благодарно протянутую ладонь, и тут увидела торчащий из-под полы его летной куртки пистолет — он был нацелен прямо ей в живот, под ребра. В другой руке мужчина продолжал держать телефонную трубку, и Чарли подумала, что, видно, там, на другом конце, кто-то слушает, потому что, хоть он и обращался к Чарли, трубку держал у самого рта.

— Вот что, Чарли: ты шагаешь сейчас со мной к машине, — сказал он на хорошем английском языке. — Идешь справа от меня, немного впереди, руки держишь сзади, чтоб я их видел. Сцепив за спиной, поняла? Если ты только попытаешься удрать, или подашь кому-нибудь знак, или крикнешь, я выстрелю тебе в левый бок — вот сюда — и убью. Если явится полиция, если начнут стрелять, если меня заподозрят, я поступлю с тобой точно так же. Пристрелю.

И для большей убедительности он ткнул себя в живот. Добавил в трубку что-то по-итальянски и повесил ее на рычаг. Затем вышел на тротуар и, очутившись совсем рядом с Чарли, широко улыбнулся ей. Судя по обтянутому кожей лицу, он был настоящим итальянцем. И голос у него был густой и мелодичный, как у итальянца. Чарли так и слышала, как этот голос эхом отдается на древней рыночной площади, как парень перебрасывается шуточками с женщинами на балконах.

— Пошли же, — сказал он. Одну руку он продолжал держать в кармане куртки. — Не спеши, о'кей? Шагай легко и свободно.

Минуту тому назад Чарли отчаянно хотелось помочиться, но на ходу это прошло, зато заломило шею, а в правом ухе зазвенело, точно комар в темноте.

— Как только сядешь на место пассажира, руки положи на приборную доску перед собой, — наставлял он ее, шагая следом. — У девчонки, которая сидит сзади, тоже есть пистолет, и она *очень* быстро может тебя прикончить. Куда быстрее, чем я.

Чарли открыла дверцу со стороны пассажира, села и, как

воспитанная девочка за столом, положила пальцы на приборную доску.

— Расслабься, Чарли, — весело произнес за ее спиной голос Хельги. — Опусти, дорогая моя, плечи, а то ты выглядишь как старуха! — Чарли не шелохнулась. — А теперь улыбнись. Ура! Улыбайся же. Все сегодня рады. А кто не радуется, того надо пристрелить.

— Можешь начать с меня, — сказала Чарли.

Итальянец сел на место шофера и включил радио на полную катушку.

— Выключи, — приказала Хельга. Она сидела, прислонясь к задней дверце, подняв колени и держа обеими руками пистолет; вид у нее был такой, что она не промахнется и в консервную банку с расстояния в пятнадцать шагов.

Итальянец, пожав плечами, выключил радио и в установившейся тишине снова обратился к Чарли.

— О'кей, пристегни ремень, потом сцепи руки и положи их на колени, — сказал он. — Подожди, я сам тебя пристегну.

Он взял ее сумку, швырнул назад Хельге, затем дернул за ремень и пристегнул его, по пути проведя рукой по ее груди. Лет тридцать с небольшим. Красив, как кинозвезда. Избалованный Гарибальди с красным платком на шее для понта. Предельно неспешным движением, точно у него было сколько угодно времени, он выудил из кармана большие солнечные очки и надел их на Чарли. Сначала ей показалось, что она ослепла от страха: она ничего не видела. Потом решила, что это «хамелеоны». Но стекла не светлели. Тогда она поняла, что это специально: она ничего и не должна видеть.

— Если ты их снимешь, она пристрелит тебя в затылок, — предупредил итальянец, включая мотор.

— О, *безусловно,* пристрелит, — весело объявила старушка Хельга.

Они двинулись в путь — сначала попрыгали по брусчатке, потом покатили по гладкой дороге. Чарли прислушивалась, не едет ли кто за ними, но на улицах урчал и потрескивал лишь их мотор. Она попыталась понять, в каком направлении они едут, но она уже потеряла всякое представление об этом. Неожиданно они остановились. Итальянец помог ей вылезти из машины, в руку ей вложили палку — наверно, белую, подумала она. С помощью своих новых друзей она сделала шесть шагов и затем еще четыре — по крыльцу, к чьей-то двери. *«Они хорошие профессионалы,* — предупреждал ее Иосиф. — *Это не ученики. Ты прямо со школьной скамьи попадешь в театр на Вест-Энде».* Теперь она сидела как бы на кожаном седле без спинки. Руки ей велели сложить и держать на коленях. Сумку не вернули, и она услышала, как вытряхнули содержимое на стеклянный стол, как зазвенели ее ключи и монеты. Вот с глухим стуком упала пачка писем Мишеля, которые она утром забрала с собой, следуя приказу Хельги. В воздухе пахло лосьоном, более сладким, чем у Мишеля, и усыпляющим. Они находились в помещении уже несколько минут, а никто не произнес ни слова.

— Я требую товарища Местербайна, — неожиданно объявила Чарли. — Я требую защиты закона.

Хельга от души расхохоталась.

— Ох, Чарли! Полный идиотизм. Нет, она потрясающа. Верно?..

Чарли услышала шаги и на самом краешке своего поля зрения увидела на рыжем ковре словно выставленную для обозрения черную, хорошо начищенную, дорогую мужскую туфлю. Она услышала, как кто-то дышит и прищелкивает языком.

Тьма вызвала у нее головокружение. «Я сейчас свалюсь. Хорошо, что я сижу». Мужчина стоял у стеклянного столика и обследовал содержимое ее сумки, как это делала Хельга в Корнуолле. На мгновение зазвучала музыка — это он покрутил приемничек с часами, — и раздался стук, когда он опустил его на столик. *«На этот раз — никаких штучек,* — сказал ей Иосиф. — *Будь сама собой, никаких подмен».* Вот теперь человек принялся листать ее дневник, время от времени похмыкивая. «Виделась с М... встречалась с М... люблю М... АФИНЫ!!!» Он ни о чем ее не спросил. Она услышала, как он, слегка застонав, опустился на диван, услышала, как поелозили его брюки по жесткому ситцу. Плотный мужчина, пользующийся дорогим лосьоном, носящий сшитые вручную туфли и курящий гаванские сигары, с наслаждением опустился на пошленький диванчик. Тьма завораживала. Чарли, сцепив пальцы, по-прежнему держала руки на коленях, но это были не ее, а чьи-то чужие руки. Она услышала, как щелкнула резинка. Письма.

— Скажешь нам правду, и мы тебя не убьем, — произнес мягкий мужской голос.

Мишель! Почти Мишель! Будто он ожил! Его акцент, музыкальная плавность речи, низкий бархатистый голос, идущий из глубины гортани...

— Расскажи нам все, что ты им рассказывала, что для них уже сделала, сколько они тебе заплатили, — ничего тебе не будет. Мы понимаем. Мы отпустим тебя.

— Не мотай головой! — прикрикнула на нее сзади Хельга.

— Мы не думаем, что ты предала его, предательства ради, ясно? Ты была напугана, слишком глубоко увязла и теперь вынуждена плясать под их дудку. О'кей, это понятно. Мы же не звери. Мы вывезем тебя отсюда, высадим на краю города, ты все расскажешь им про то, что было здесь. Мы не возражаем. При условии, что ты выложишь нам все начистоту. — Он вздохнул, словно вдруг ощутив всю тяжесть жизни. — Может, ты чем-то обязана какому-то славному полисмену, а? И решила оказать ему услугу. Нам такие вещи понятны. Мы преданы своему делу, но мы не психопаты. Так оно и было, да?

— Ты хоть понимаешь, Чарли, что он говорит? — не вытерпела Хельга. — Отвечай, или тебе плохо будет!

Чарли решила не отвечать.

— Когда ты к ним впервые пошла? Скажи же. После Ноттингема? После Йорка? Неважно. Ты к ним пошла. Согласны. Ты испугалась, ты побежала в полицию. «Этот сумасшедший араб пытается завербовать меня, хочет, чтоб я стала террористкой. Я сделаю все, что вы скажете, только спасите меня». Так было дело? Послушай, можешь снова к ним идти — это для нас не проблема. Расскажешь им, какая ты героиня. Мы дадим тебе кое-какую информацию, чтобы ты могла передать им. Мы же неплохие люди. Разумные. О'кей, приступим к делу. Не будем больше валять дурака. Ты славная женщина, но все это выше твоего понимания. Начнем же.

А ей было так покойно. И все безразлично — из-за полной изоляции и слепоты. Хельга сказала что-то по-немецки, и, хотя Чарли не поняла ни слова, она почувствовала в тоне недоумение и решимость. Полный мужчина ей ответил —

голос его тоже звучал озадаченно, но не враждебно. Вполне возможно, а возможно, и нет, — казалось, говорил он.

— Где ты провела ночь после того, как позвонила Хельге? — спросил наконец он.

— С любовником.

— А прошлую ночь?

— С любовником.

— Другим?

— Да, причем оба были полисмены.

Чарли была уверена, что, не будь на ней очков, Хельга ударила бы ее. Она подскочила к ней и охрипшим от злости голосом рявкнула:

— Не нахальничай, не ври, отвечай на вопросы сразу, без иронии.

И снова посыпались вопросы; Чарли устало отвечала, заставляя вытягивать из себя ответы — по фразам, потому что в конце-то концов не их это дело, черт подери. В каком номере она жила в Ноттингеме? В каком отеле в Салониках? Они плавали в море? В какое время приехали, когда ели, какие напитки заказывали в номер? Постепенно, слушая себя, а потом их, Чарли поняла, что, по крайней мере, на данный момент одержала победу — хоть они и не разрешили ей снять темные очки, пока не отвезли достаточно далеко от дома.

# Глава 21

Шел дождь, когда они приземлялись в Бейруте, и Чарли поняла, что дождь идет теплый: жаркий воздух проник в кабину самолета, когда они еще кружили над городом, и у Чарли зачесалась голова от краски, которой Хельга заставила ее выкраситься. Приземлились они отлично, дверь самолета открылась, и Чарли впервые вдохнула запахи Ближнего Востока с таким чувством, словно вернулась на родину. Было семь часов вечера, но могло быть и три часа утра, ибо Чарли мгновенно поняла, что спать тут вообще не ложатся. Гул в аэровокзале напомнил ей атмосферу скачек перед заездами; вокруг полно было вооруженных людей в различной форме — казалось, каждый готов был начать свою особую войну. Прижав к груди сумку на длинном ремне, Чарли встала в очередь к окошечку иммиграционной службы и, к своему удивлению, обнаружила, что улыбается. Ее восточногерманский паспорт, ее измененная внешность — все, что пять часов тому назад, в Лондонском аэропорту, было для нее вопросом жизни или смерти, здесь, в этой атмосфере, дышащей опасностью и возбуждением, казалось вполне обычным.

«Встань в левую очередь и, когда подашь свой паспорт, попроси вызвать господина Мерседеса», — наставляла ее Хельга на автостоянке в аэропорту Хитроу.

«А как быть, если он затарабанит по-немецки?»

Уж ей-то такой вопрос не следовало задавать.

«Если заблудишься, бери такси, поезжай в отель «Коммодор», сядь в холле и жди. Это приказ. Запомни: Мерседес — как марка машины».

«А что потом?»

«Чарли, ты стала что-то уж слишком упряма и слишком глупа. Прекрати это, пожалуйста».

«Иначе ты меня пристрелишь», — заметила Чарли.

— Мисс Пальме! Ваш паспорт. *Паспорт*. Да, пожалуйста!

В ее немецком паспорте стояло — «Пальме».

— Пожалуйста, — повторил маленький веселый араб и потянул ее за рукав.

Его куртка была расстегнута, и видно было, что за пояс заткнут большой серебристый пистолет-автомат. Между нею и чиновником иммиграционной службы стояло человек двадцать, а Хельга не говорила ей, что так будет.

— Я господин Данни. Пожалуйста. Мисс Пальме. Пойдемте.

Она дала ему паспорт, и он нырнул с ним в толпу, расставив руки и раздвигая ее для Чарли. Привет, Хельга! Привет, Мерседес! Внезапно Данни исчез и через минуту вновь по-

явился, держа с гордым видом белый посадочный талон в
одной руке, а другой вцепившись в высокого мужчину в черном
кожаном пальто, шагавшего с весьма официальным видом.

Высокий мужчина окинул Чарли внимательным взглядом, затем изучил ее паспорт и передал его Данни. Наконец
он так же внимательно изучил белый посадочный талон и
сунул его в свой нагрудный карман.

— Willkommen[1], — сказал он и дернул головой, показывая, что надо спешить.

Машина была старая, синий «Пежо», пропахший сига-
ретным дымом; она стояла возле стойки, где пили кофе.
Данни открыл заднюю дверцу и рукой смахнул пыль с поду-
шек. Не успела Чарли сесть в машину, как с другой стороны в
нее сел паренек. Данни включил мотор, и на пассажирское
сиденье рядом с ним тотчас залез другой парень. Было слишком темно, и Чарли не могла разглядеть их лиц, но ясно видела их автоматы. Ребята были до того молоденькие — Чарли
даже не верилось, что у них настоящее оружие. Парень, сидевший рядом, предложил ей сигарету и очень огорчился,
когда она отказалась.

— Вы говорите по-испански? — очень любезно спросил он.
Чарли на этом языке не говорила.

— Тогда извините мой английский.

— Но вы отлично говорите по-английски.

— Это неправда, — возразил он с укором, словно лишний
раз убеждаясь в лицемерии Запада, и умолк.

Позади прогремело два-три выстрела, но никто на это не
реагировал. Они подъехали к баррикаде из мешков с песком.
Данни остановил машину. Часовой в форме внимательно ог-
лядел Чарли, затем указал автоматом, что они могут ехать
дальше.

— Он тоже сириец? — спросила она.

— Ливанец, — сказал Данни и вздохнул.

Тем не менее Чарли чувствовала, как напряжен Данни.
Она чувствовала, что все они напряжены — и глаза, и мозг
работают быстро, четко. Это была не улица, а наполовину

---

[1] Добро пожаловать! (*нем.*)

поле сражения, наполовину строительная площадка — Чарли обнаружила это при свете мелькавших мимо фонарей, тех, что горели. Остовы обугленных деревьев говорили, что раньше это был тенистый проспект, а теперь бугенвиллеи уже поползли по руинам. У тротуаров стояли обгорелые остовы машин, усеянные, словно перцем, пулевыми дырами. Они проехали мимо освещенных лачуг, в которых разместились безвкусные лавочки, и мимо высоких силуэтов разбомбленных домов, превратившихся в горы развалин. Они проехали мимо дома, до того изрешеченного снарядами, что он казался огромной теркой, висящей на фоне светлого неба. Луна, проглядывая поочередно сквозь дыры, сопутствовала им. И вдруг среди всего этого возникал новый дом — наполовину достроенный, наполовину освещенный, наполовину заселенный, причудливое сооружение из красных поперечин и темного стекла.

— Прага — я там был два года. Гавана, Куба — три. Ты была Куба?

Сидевший рядом с ней парень немного оживился.

— Я на Кубе не была, — призналась Чарли.

— Я теперь официально переводчик — испанский, арабский.

— Фантастика, — сказала Чарли. — Поздравляю.

— Переводить для вас, мисс Пальме?

— С утра и до вечера, — сказала Чарли, и все рассмеялись. Западная женщина все-таки восстановила свое достоинство.

Данни притормозил машину и опустил со своей стороны стекло. Прямо перед ними, посреди дороги, горел костер; вокруг сидели мужчины и молодые ребята в белых куфиях и боевой форме цвета хаки. Чарли вспомнила Мишеля — как он в своей деревне слушал рассказы путешественников, и подумала, что эти ребята устроили здесь, на улице, свою деревню. Данни притушил фары, и от костра поднялся красивый старик, потер спину и, шаркая, направился к ним с автоматом в руке; пригнувшись к окошку машины, он расцеловался с Данни. Их разговор перескакивал во времени — вперед, назад. Чарли вслушивалась в каждое слово — ей казалось, что

хоть что-то должна же она понять. Но, взглянув поверх плеча
старика, она увидела нечто страшноватое: за ним молча полу-
кругом стояли четверо его спутников, нацелив на машину
автоматы; всем им было меньше пятнадцати.

— Наши люди, — сказал Чарли ее сосед уважительным
тоном, когда они снова двинулись в путь. — Палестинские
бойцы. Здесь наша часть города.

«И Мишеля — тоже», — не без гордости подумала она.

*«Ты полюбишь их»,* — говорил ей Иосиф.
Чарли провела четыре ночи и четыре дня с ребятами и
полюбила их — всех вместе и каждого в отдельности. Они
стали первой из ее семей. Они перевозили ее с места на место, точно сокровище, — всегда в темноте, всегда очень бережно. Она явилась так неожиданно, пояснили они с обез-
оруживающим сожалением: нашему Капитану необходимо
немножко подготовиться. Звали они ее «мисс Пальме» и, возможно, действительно думали, что это ее настоящее имя.
Первой ее спальней была комната наверху старого, повреж-
денного бомбой дома, в котором не было ни души, кроме по-
пугая, оставшегося от бывших хозяев. Ребята спали на лестничной площадке, по одному, а двое других курили, пили
сладкий чай из маленьких стаканчиков и вели беседу у костра
за карточной игрой.

Ночи казались бесконечными, и, однако, ни одна минута
не была похожа на другую. Сами звуки словно воевали между
собой — сначала на безопасном расстоянии, потом приближались, перегруппировывались, а затем в страшном гомоне
сражались друг с другом: здесь воздух разрывала музыка, там
взвизгивали шины, выли сирены, а потом наступала глубокая, как в лесу, тишина. Самую скромную роль в этом орке-
стре играли выстрелы: застрекочут тут, забарабанят там, иной
раз тихо просвистит снаряд. Однажды Чарли услышала взрыв
смеха, но вообще человеческие голоса звучали редко. А однажды, рано утром, раздался настойчивый стук в дверь, и
Данни с двумя мальчишками проскользнул на цыпочках к
окну Чарли. Последовав за ними, она увидела машину, стоявшую на улице ярдах в ста от них. Из машины валил дым;

она вдруг подскочила в воздух и перевернулась на бок, точно человек, спящий в постели. Волна горячего воздуха отбросила Чарли в глубь комнаты. Что-то упало с полки. Звук падения отозвался у нее в голове глухим стуком.

— Мирная жизнь, — произнес, подмигнув, самый красивый из мальчишек, и они все вышли из ее комнаты, блестя глазами и перешептываясь.

Неизменным было здесь лишь наступление утра, когда раздавался треск в приемнике и вслед за ним голос муэдзина призывал верующих к молитве.

Вторую ночь Чарли провела на верхнем этаже сверкающего стеклами многоквартирного дома. Перед ее окном высился черный фасад нового международного банка. За ним — пустынный пляж с заброшенными кабинками, словно на курорте в межсезонье. Одинокий купальщик выглядел здесь так же дико, как если бы кто-то вздумал плавать в пруду Серпентайн в Рождество. Однако наиболее дико выглядели здесь занавеси. Вечером, когда парни задернули их, Чарли не заметила ничего особенного. Когда же наступила заря, Чарли увидела змеистый след дырочек от пуль на стекле. Это было в тот день, когда она приготовила ребятам омлет на завтрак, а потом учила их игре в джинрамми на спички.

Третью ночь она спала над подобием военного штаба. Окна были зарешечены, на лестнице — следы от снарядов. На плакатах дети размахивали автоматами или букетами цветов. На каждой площадке стояли, прислонясь к стене, черноглазые вооруженные люди, а вся бесшабашная атмосфера напоминала лагерь Иностранного легиона.

— Наш Капитан скоро примет тебя, — время от времени мягко заверял ее Данни. — Он готовится к встрече. Это великий человек.

Она уже стала понимать, что когда араб улыбается, значит, предстоит отсрочка. Желая чем-то занять ее мысли, Данни стал рассказывать про своего отца. Проведя двадцать лет в лагерях, старик, видимо, слегка тронулся от отчаяния. И вот как-то утром, еще до восхода солнца, он сложил свои немногочисленные пожитки в мешок и, ни слова не сказав своей семье, отправился через заграждения, устроенные сионистами, лично требовать назад свою ферму. Данни и его братья выскочили следом за стариком, но лишь увидели вдали его маленькую согбенную фигурку — он шел по долине дальше и дальше, пока не подорвался на мине.

За эти четыре дня — о чудо! — Чарли все больше и больше влюблялась в них. Ей нравились их застенчивость, их неиспорченность, дисциплинированность и власть над ней. Она любила в них и своих тюремщиков, и своих друзей. Тем не менее они так и не вернули ей паспорт и, если она слишком близко подходила к их автоматам, отступали, глядя на нее недобрым, твердым взглядом.

— Поехали, пожалуйста, — сказал Данни, тихонько постучав к ней в дверь и разбудив ее. — Наш Капитан готов с тобой встретиться.

Было три часа утра и еще темно.


Потом ей казалось, что она сменила двадцать машин, но вполне возможно, что их было только пять — до того все происходило быстро и так страшно петляли по городу эти машины песочного цвета с антеннами впереди и сзади и с охранниками, которые не произносили ни слова. Первая машина ждала у дома, но во дворе, где Чарли прежде не бывала. Только когда они выехали со двора и уже мчались по улице, она поняла, что рассталась с ребятами. В конце улицы шофер, видимо, увидел нечто такое, что ему не понравилось, ибо он сделал резкий разворот, так что автомобиль чуть не перевернулся, и, когда они мчались назад, Чарли услышала позади треск и крик — тяжелая рука низко пригнула ей голову: стреляли, видимо, в них.

Они промчались через перекресток на красный свет и чуть не врезались в грузовик, въехали на правый тротуар и оттуда, развернувшись, влетели на автостоянку, находившуюся напротив, над пустующим пляжем. Чарли снова увидела над морем любимый Иосифом серп месяца, и на секунду ей показалось, что она едет в Дельфы. Они затормозили рядом с большим «Фиатом» и чуть не по воздуху перебросили туда Чарли — и вот она уже снова мчалась куда-то по ухабистой дороге с изрешеченными домами по бокам — собственность двух новых охранников.

Внезапно машина остановилась на пустынном проселке; Чарли пересела в третью машину — на сей раз это был «Лендровер», без окон. Шел дождь. До сих пор она этого не замечала, но сейчас, пересаживаясь в «Лендровер», промокла до костей и увидела белесую вспышку молнии в горах. А может быть, это разорвался снаряд.

Они ехали вверх по крутой, извилистой дороге. Сквозь заднее стекло «Лендровера» Чарли видела, как убегает вниз долина, а сквозь ветровое стекло, в просвете между головами охранника и шофера, видела, как пляшет дождь, отскакивая от асфальта косяками пескарей. Впереди шла машина, и по тому, как «Лендровер» ехал за ней, Чарли поняла, что это их машина; сзади тоже шла машина, и, судя по тому, что это ничуть не волновало сидевших в «Лендровере», эта машина была не чужой. Затем Чарли пересадили в другую машину, потом еще в одну — теперь они подъезжали к чему-то вроде заброшенной школы, но на этот раз шофер выключил мотор, и они с охранником сидели, выставив автоматы в окна, дожидаясь, не поднимется ли за ними в гору еще кто-нибудь. На дорогах стояли дозоры, и одни их останавливали, другие пропускали, и они ехали дальше, лишь лениво взмахнув рукой. Было одно место, где их остановили, и охранник, сидевший впереди, опустил стекло и выдал из автомата очередь в темноту — ответом было лишь испуганное блеяние овец. Наконец они в последний раз нырнули в темноту меж двойного ряда нацеленных на них фар, но к тому времени ничто уже не способно было испугать Чарли: она находилась в состоянии, близком к шоку, и ей было на все наплевать.

Машина остановилась перед старой виллой, где на крыше вырисовывались силуэты часовых с автоматами — совсем как в русском кино. Воздух был холодный и свежий, насыщенный ароматами, как бывает после дождя; пахло, точно в Греции, — кипарисами, и медом, и всеми дикими цветами на свете. В небе клубились грозовые, дымные облака; внизу простиралась долина, уходя вдаль квадратами огней. Чарли провели на крыльцо, и она вошла в холл, где при слабом свете горевших под потолком ламп впервые увидела Нашего Капитана — смуглого человека с черными, прямыми, коротко остриженными, как у школьника, волосами, который передвигался, сильно хромая из-за поврежденных ног и опираясь на очень английскую с виду палку из ясеня; кривая улыбка освещала его изрытое оспой лицо. Он повесил клюку на левую руку и обменялся с Чарли рукопожатием — у нее было такое впечатление, что в эту секунду только это рукопожатие и удерживало его в равновесии.

— Мисс Чарли, я капитан Тайех, и я приветствую вас от имени революции.

Говорил он быстро и деловито. И голос был такой же красивый, как у Иосифа.

*«Страх будет накатывать и отпускать*, — предупреждал ее Иосиф. — *К сожалению, нет на свете человека, который бы все время боялся. Но с капитаном Тайехом, как он себя называет, надо держать ухо востро, потому что капитан Тайех — человек очень умный».*

— Прошу меня извинить, — с наигранной веселостью произнес Тайех.

Это был явно не его дом, так как он ничего не мог тут найти. Свет был по-прежнему плохой, но глаза Чарли постепенно привыкли к полумраку, и она решила, что находится в доме какого-то преподавателя, или политического деятеля, или адвоката. Вдоль стен стояли полки с настоящими книгами, которые читали или листали и снова не очень аккуратно ставили назад; над камином висела картина, изображавшая, по-видимому, Иерусалим. Все остальное являло собой чисто мужскую мешанину вкусов — кожаные кресла, и вышитые подушечки, и арабское серебро, очень светлое и искусно обработанное, поблескивавшее, словно клад, в темных углах. Двумя ступеньками ниже находился кабинет с письменным столом в английском стиле; из окна открывался широкий вид на долину, откуда она только что прибыла, и морской берег в лунном свете.

Она сидела на кожаном диване, где ей велел сесть Тайех, а сам он ковылял по комнате, опираясь на клюку и поглядывая на Чарли с разных сторон, оценивая, — предложит мороженое, потом улыбнется, потом, снова улыбнувшись, предложит водки и, наконец, виски — видимо, свой любимый напиток, судя по тому, как он одобрительно всмотрелся в наклейку. В обоих концах комнаты сидело по парню с автоматом на коленях. На столе валялись письма, и Чарли не глядя могла сказать, что это были ее письма к Мишелю.

*«Не прими кажущееся смущение за невежество,* — предупреждал ее Иосиф. — *Пожалуйста, никаких расистских идеек насчет неполноценности арабов».*

Свет совсем погас — так часто случалось даже в долине. Тайех стоял над ней, черным силуэтом вырисовываясь на фоне окна, — настороженная тень, опирающаяся на палку.

— Понимаешь ли ты, что мы чувствуем, когда приезжаем к себе? — спросил он, глядя на нее. Палкой же он указывал на пейзаж за окном. — Можешь ли ты представить себе, что значит быть в своей стране, под своими звездами, стоять на своей земле и не выпускать из рук оружия, зная, что оккупант, возможно, притаился за углом? Спроси у ребят.

Его голос, как и другие знакомые ей голоса, казался еще красивее в темноте.

— Ты, кстати, им понравилась. А они тебе нравятся?

— Да.

— Который больше?

— Все одинаково, — сказала она, и он рассмеялся.

— Говорят, ты была очень влюблена в этого твоего покойного палестинца. Это правда?

— Да.

— Хельга говорит, ты хочешь сражаться. Ты действительно хочешь сражаться?

— Да.

— Против кого попало или только против сионистов? — Он не стал дожидаться ответа. Отхлебнул виски. — К нам прибивается всякая шушера, которая хочет взорвать весь мир. Ты не из таких?

— Нет.

Зажегся свет.

— Нет, — согласился он, продолжая изучать ее. — Нет,

по-моему, ты не из таких. Возможно, ты станешь другой. Тебе случалось убивать?

— Нет.

— Счастливица. У вас там есть полиция. Своя страна. Свой парламент. Права. Паспорта. Ты где живешь?

— В Лондоне.

— В какой его части?

У нее было такое чувство, что перенесенные ранения сделали Тайеха нетерпеливым — они побуждали его задавать ей все новые вопросы, не дожидаясь ответов. Он взял стул и с грохотом потащил к ней, но ни один из парней не поднялся, чтобы помочь ему, и Чарли подумала, что они, наверное, не смеют. Поставив стул, как ему хотелось, Тайех подтянулся к нему и, сев, с легким стоном положил ногу на ногу. Затем вытащил сигарету из кармана мундира и закурил.

— Ты у нас первая англичанка, тебе это известно? Голландцы, итальянцы, французы, немцы. Шведы. Пара американцев. Ирландцы. Все едут сражаться за нас. Только не англичане. Пока такого не было. Англичане всегда запаздывают.

В этом было что-то знакомое. Подобно Иосифу, он говорил с ней, как человек, выстрадавший такое, о чем она понятия не имела, смотревший на мир так, как она не привыкла смотреть. Тайех был далеко не стар, но жизнь слишком рано сделала его мудрецом. Чарли сидела рядом с настольной лампой, освещавшей ее лицо. Возможно, потому он и посадил ее здесь. Капитан Тайех — человек очень умный.

— О, ты вполне можешь к себе вернуться. — Он отпил немного виски. — Признаться. Исправиться. Отсидеть годик в тюрьме. Всем следовало бы посидеть годик в тюрьме. С какой стати погибать, сражаясь за нас?

— Во имя него, — сказала она.

Взмахом сигареты Тайех раздраженно отмел ее романтические бредни.

— Что значит «во имя него»? Он же мертв. Через год или два мы все будем мертвы. Так при чем же тут он?

— При всем. Он был моим наставником.

— А он говорил тебе, чем мы занимаемся? Подкладываем бомбы? Стреляем? Убиваем? А, неважно... Ну *чему* он мог тебя научить? Такую женщину, как ты? Он же был мальчишка. Он никого ничему не мог научить. Он был ничто.

— Он был все, — упрямо повторила она и снова почувствовала, что его это не интересует. Потом поняла, что он услышал что-то раньше остальных. Он коротко отдал приказ. Один из парней выскочил за дверь. «Мы бежим быстрее, когда приказ исходит от калеки», — подумала она. И услышала за дверью тихие голоса.

— А он научил тебя ненавидеть? — спросил Тайех, точно ничего и не произошло.

— Он говорил, что ненависть — это для сионистов. Он говорил, когда сражаешься, надо любить. Он говорил, антисемитизм был придуман христианами.

Она умолкла, услышав то, что Тайех услышал уже давно: в гору взбиралась машина. «У него слух, как у слепого, — подумала она. — Это из-за того, что он увечный».

Машина въезжала в передний двор. Чарли услышала шаги и приглушенные голоса, потом свет фар прошелся по комнате, и их выключили.

— Оставайся на месте, — приказал Тайех.

Вошли двое парней — у одного в руках был полиэтиленовый мешок, у другого — автомат. Они остановились у дверей в почтительном молчании, дожидаясь, пока Тайех обратится к ним. На столике между ними валялись письма, и в том, что они так валялись, — а ведь им придавалось большое значение, — было что-то знаменательное.

— За тобой не было хвоста, и ты отправляешься на юг, — сказал ей Тайех. — Допей водку и поезжай с ребятами. Возможно, я тебе поверил, а возможно, нет. Возможно, это не имеет большого значения. Они тут привезли тебе одежду.

Это был не легковой автомобиль, а грязно-белая карета «Скорой помощи» с зелеными полумесяцами, нарисованными на бортах, и слоем красной пыли на капоте; за рулем сидел лохматый парень в темных очках. Двое других мальчишек сидели, скрючившись на рваных банкетках, зажав меж колен автоматы, а Чарли восседала рядом с шофером, в сером халате медсестры и в косынке. Яркая заря сменила ночь, слева вставало багровое солнце, то и дело скрывавшееся за горой, пока они спускались по извилистой дороге.

Первый дозор стоял у въезда в город; потом их останавливали еще четыре раза, пока они не выехали на дорогу, шедшую по берегу моря на юг; у четвертого заслона двое мужчин втаскивали в такси мертвого парня, а женщины выли и колотили руками по крыше машины. Парень лежал на боку, вытянув вниз руку, словно пытался что-то достать. «Смерть бывает только однажды», — подумала Чарли, вспомнив про Мишеля. Справа перед ними открылось синее море, и снова пейзаж выглядел предельно нелепым. Такое было впечатление, точно на побережье Англии разразилась гражданская война. Вдоль дороги стояли остовы машин и изрешеченные пулями виллы; на площадке двое детишек играли в футбол, перебрасывая мяч через вырытую снарядом воронку. Разбитые причалы для яхт были наполовину затоплены водой; даже идущие на север грузовики с фруктами мчались со скоростью отчаяния, заставляя их чуть не съезжать с дороги.

Снова проверка. Сирийцы. Но немецкая медсестра в палестинской карете «Скорой помощи» никого не интересовала. Чарли услышала рев мотоцикла и бросила в ту сторону безразличный взгляд. Запыленная «Хонда» с гроздьями зеленых бананов в багажной сетке. На руле болтается привязанная за ноги живая курица. А на сиденье — Димитрий, внимательно вслушивающийся в· голос своего мотора. На нем форма палестинского солдата, с красной куфией на шее. Из-под серо-зеленой штрипки на плече нахально торчит веточка белого вереска, как бы говоря: «Мы с тобой», — все эти четыре дня Чарли тщетно высматривала этот знак.

*«Отныне отдайся на волю лошади — пусть она ищет дорогу, — сказал ей Иосиф. — Твое дело — удержаться в седле».*

Снова жизнь одной семьей и снова ожидание.

На этот раз они жили в домике под Сидоном; его бетонную веранду расколол надвое снаряд с израильского корабля, и ржавые железные прутья торчали из нее, как щупальца гигантского насекомого. Сзади был мандариновый сад, где старая гусыня клевала упавшие плоды, а спереди — раскисшая земля, усеянная металлическими осколками, где во время последнего — или пятого по счету — вторжения была важная огневая позиция. У Тайеха, казалось, был неистощимый запас парней, и Чарли обрела среди них двух новых знакомых: Карима и Ясира. Карим был забавный толстяк, любивший картинно, точно тяжеловес, поднимающий гири, взваливать, отдуваясь и гримасничая, автомат на плечо. Но когда Чарли сочувственно улыбнулась ему, он вспыхнул и побежал к Ясиру. Он мечтал стать инженером. Ему было всего девятнадцать лет, и шесть из них он провоевал. По-английски он говорил шепотом и с ошибками.

— Когда Палестина станет свободная, я учиться Иерусалим. А пока, — он развел руками и тяжело вздохнул, — может, Ленинград, может, Детройт.

Да, сказал Карим, у него были брат и сестра, но сестра погибла в лагере Набатие во время воздушного налета сионистов. А брата перевели в лагерь Рашидие, и он погиб через три дня во время бомбардировки с моря. Карим не распространялся об этих утратах, словно это был пустяк по сравнению с общей трагедией.

А Ясир, с низким, как у боксера, лбом и диким пылающим взглядом, вообще не мог объясняться с Чарли. Он ходил в красной клетчатой рубашке с петлей из черного шнура на плече, указывавшей на его принадлежность к военной разведке; после наступления темноты он стоял на страже в саду и следил за морем — не явятся ли оттуда сионистские оккупанты. Его мать и вся его семья погибли в Таль-эль-Заагаре.

— Каким образом? — спросила Чарли.

От жажды, сказал Карим и преподал ей небольшой урок по современной истории: Таль-эль-Заагар, или Тминная гора, — это был лагерь беженцев в Бейруте. Домишки, крытые жестью; в одной комнате ютились по одиннадцать человек. Тридцать тысяч палестинцев и бедняков-ливанцев больше полутора лет скрывались там от бомбежек.

— Чьих? — спросила Чарли.

Карим удивился. Да катаибов, сказал он, точно это само собой разумелось. Фашистов-маронитов, которым помогали сирийцы, ну и, конечно, также сионистов. Там погибли тысячи — никто не знает сколько, сказал он, потому что слишком мало осталось народа, чтобы их помянуть. А потом туда ворвались солдаты и перестреляли почти всех оставшихся. Медсестер и врачей построили и тоже расстреляли, а кому они были нужны: у них же не было ни лекарств, ни воды, ни пациентов.

— Ты там тоже был? — спросила Чарли Карима.

Нет, ответил он, а Ясир был.

— В будущем больше не загорай, — сказал ей Тайех, когда на другой вечер приехал забрать ее. — Здесь не Ривьера.

Этих ребят — Карима и Ясира — она больше не видела. Постепенно, как и предсказывал Иосиф, она познавала условия их жизни. Приобщалась к трагедии, и трагедия освобождала ее от необходимости заниматься самообъяснением. Она была оккупантом в шорах — такой ее сделали события и чувства, которые она не в состоянии была постичь; она очутилась в стране, где уже само ее присутствие — часть чудовищной несправедливости. Она присоединилась к жертвам и наконец смирилась со своей личиной. С каждым днем легенда о ее преданности Мишелю становилась все более незыблемой, подтверждавшейся фактами, тогда как ее преданность Иосифу, хоть и не была легендой, сохранялась лишь в виде тайного следа в ее душе.

— Скоро все мы умрем, — сказал ей Карим, вторя Тайеху. — Сионисты всех нас укокошат — вот увидишь.


Старая тюрьма находилась в центре города — здесь, как коротко пояснил Тайех, невинные люди отбывают пожизненное заключение. Машину они оставили на главной площади и углубились в лабиринт старинных улочек, завешанных лозунгами под полиэтиленом, которые Чарли приняла сначала за белье. Был час вечерней торговли — в лавчонках и возле разносчиков толпился народ. Уличные фонари, отражаясь в мраморе старых стен, создавали впечатление, будто они светятся изнутри. Вел их мрачный человек в широких штанах.

— Я сказал управителю, что ты западная журналистка, — пояснил Тайех, ковыляя рядом с ней. — Он не очень-то к тебе расположен, так как не любит тех, кто является сюда расширять свои познания в зоологии.

Луна, не отставая от них, бежала меж облаков; ночь была очень жаркая. Они вышли на другую площадь, и навстречу им из громкоговорителей, установленных на столбах, грянула арабская музыка. Высокие ворота стояли нараспашку, за ними виднелся ярко освещенный двор, откуда каменная лестница вела на галереи. Здесь музыка звучала еще громче.

— Кто эти люди? — шепотом спросила Чарли. — Что они натворили?

— Ничего. В этом все их преступление. Это беженцы, бежавшие из лагерей для беженцев, — ответил Тайех. — У тюрьмы толстые стены, и она пустовала — вот мы и завладели ею, чтобы люди могли тут укрыться. Будь серьезна, когда станешь здороваться, — добавил он. — Не улыбайся слишком часто, не то они подумают, что ты смеешься над их бедой.

Она стояла в центре большой каменной силосной башни, чьи древние стены были окружены деревянными галереями и прорезаны дверьми в камеры. Белая краска, покрывавшая все вокруг, создавала впечатление стерильной чистоты. Входы в нижние камеры были сводчатые. Двери были распахнуты, словно приглашая войти, — в камерах сидели люди, казавшиеся на первый взгляд застывшими, как изваяния. Даже дети экономили каждое движение. Перед камерами висело на веревках белье, и то, что такая веревка с бельем висела перед каждой камерой, говорило о том, что ни одно жилище не хочет отставать от другого. Пахло кофе, уборной и мокрой одеждой. Тайех с управителем вернулись к ней.

— Пусть они сами с тобой заговорят, — посоветовал Тайех. — Не держись с ними развязно — они этого не поймут. Перед тобой почти истребленная порода.

Они поднялись по мраморной лестнице. У камер на этом этаже были крепкие двери с глазками для тюремщиков. Казалось, чем выше, тем больше становились шум и жара. Прошла женщина в крестьянском платье. Управитель о чем-то спросил ее, и она указала на арабскую надпись, тянувшуюся по стене галереи этакой примитивной стрелой. Дойдя до стрелы, они двинулись дальше в указанном направлении, дошли до другой и вскоре уже очутились в центре тюрьмы. «В жизни мне не найти дороги назад», — подумала Чарли. Она бросила взгляд на Тайеха, но он не хотел смотреть на нее. Они вошли в бывшее помещение для караула или в столовую. Посредине стоял накрытый полиэтиленом стол для обследований, а на новенькой каталке лежали медикаменты и шприцы. Здесь работали мужчина и женщина, — женщина вся в черном протирала ребенку ватным тампоном глаза. А у стены в ожидании терпеливо сидели женщины с детьми — одни спали, другие вертелись.

— Постой здесь, — приказал Тайех и пошел вперед, оставив Чарли с управителем.

Но женщина уже увидела, что он вошел; она подняла на него глаза, потом перевела их на Чарли и уставилась на нее многозначительным, вопрошающим взглядом. Сказав что-то матери, она передала ей ребенка. Затем подошла к рукомойнику и принялась тщательно мыть руки, продолжая изучать Чарли в зеркале.

— Пойдем с нами, — сказал Тайех.


В каждой тюрьме есть такое — маленькая светлая комнатка с пластмассовыми цветами и фотографией Швейцарии: здесь разрешают отдыхать тем, кто безукоризненно себя ведет. Управитель ушел. Тайех и молодая женщина сели по обе стороны Чарли. Молодая женщина была красивая, строгая, вся в черном, что вызывало почтительный трепет; у нее было сильное лицо с правильными чертами, черные глаза смотрели в упор, не таясь. Волосы были коротко острижены. По обыкновению, ее охраняли двое парней.

— Ты знаешь, кто она? — спросил Тайех, уже успевший выкурить первую сигарету. — Ее лицо никого тебе не напоминает? Смотри внимательно.

Чарли этого не требовалось.

— Фатьма, — сказала она.

— Она вернулась в Сидон, чтобы быть со своим народом. Она не говорит по-английски, но она знает, кто ты. Она читала твои письма к Мишелю и его письма к тебе. В переводе. Ты, естественно, интересуешь ее.

Мучительно передвинувшись на стуле, Тайех вытащил намокшую от пота сигарету и закурил.

— Она в горе, как и все мы. Когда будешь говорить с ней, пожалуйста, без сантиментов. Она уже потеряла трех братьев и сестру. И знает, как погибают люди.

Фатьма заговорила — очень спокойно. Когда она умолкла, Тайех перевел — с оттенком презрения: так он сегодня был настроен.

— Прежде всего она хочет поблагодарить тебя за то, что ты была таким утешением для ее брата Салима, когда он сражался с сионистами, а также за то, что ты сама вступаешь в борьбу за справедливость. — Он выждал, давая сказать Фатьме. — Она говорит: теперь вы сестры. Вы обе любили Мишеля, обе гордитесь его героической смертью. Она спрашивает... — он снова помолчал, давая ей сказать, — ...она спрашивает, готова ли ты тоже скорее принять смерть, чем быть рабыней империализма. Она человек очень ангажированный. Скажи ей — да.

— Да.

— Ей хочется услышать, что́ Мишель говорил о своей семье и о Палестине. Только не выдумывай. У нее хорошее чутье!

Тайех произнес это уже не небрежно. С трудом поднявшись на ноги, он медленно заходил кругами по комнате, то переводя Фатьме, то сам задавая дополнительные вопросы.

Они долго проверяли Чарли. Наконец заговорила Фатьма. Всего несколько слов.

— Она говорит, ее младший брат слишком широко раскрывал рот и господь поступил мудро, что закрыл его, — сказал Тайех и, подав знак парням, быстро заковылял вниз по лестнице.

А Фатьма положила руку на плечо Чарли и, задержав ее, снова впилась в нее взглядом, исполненным откровенного, недоброго любопытства. Обе женщины вместе прошли по коридору. У двери в больницу Фатьма снова внимательно посмотрела на Чарли, на этот раз с нескрываемым удивлением. И поцеловала ее в щеку. Чарли увидела, как она взяла малыша и снова начала промывать ему глазки, и, если бы Тайех не позвал ее, она бы так и осталась тут на всю жизнь помогать Фатьме.

— Придется тебе подождать, — сказал Тайех Чарли, привезя ее в лагерь. — Мы ведь не ждали тебя. И мы тебя не приглашали.

Сначала ей показалось, что он привез ее в небольшую деревню — белые домики террасами спускались по склонам холмов и в свете фар выглядели даже хорошенькими. Но по мере того как они ехали дальше, ей открывались масштабы этого места, и когда они достигли вершины холма, она поняла, что это целый город, где живут не сотни, а тысячи людей. Солидный седеющий мужчина встретил их, но все тепло приветствия было обращено к Тайеху. На мужчине были начищенные черные ботинки и хорошо отутюженная форма защитного цвета — Чарли подозревала, что он ради Тайеха надел все лучшее, что у него было.

— Он у нас тут старейшина, — просто сказал Тайех, представляя его Чарли. — Он знает, что ты англичанка, но ничего больше. И спрашивать не будет.

Они прошли вслед за ним в комнату, где в стеклянных шкафах выстроились спортивные кубки. На кофейном столике в центре стояло блюдо с пачками сигарет разных марок. Старейшина сообщил, что, когда тут была английская подмандатная территория, он служил в палестинской полиции и до сих пор получает от англичан пенсию. Дух его народа, сказал он, закалился в страданиях. Последовали цифры. За последние двенадцать лет лагерь бомбили семьсот раз. Затем он сообщил данные потерь, особо подчеркнув, сколько погибло женщин и детей. Наибольший ущерб причиняют американские разрывные бомбы; сионисты сбрасывают также с самолетов бомбы-ловушки в виде детских игрушек. Заметив, что среди палестинцев много разных политических течений, старейшина поспешил заверить, что в борьбе с сионизмом эти различия исчезают.

— Они ведь бомбят нас без разбора, — добавил он.

Он называл ее «товарищ Лейла» — так представил ее Тайех; закончив свой рассказ, он сказал, что приветствует ее в их лагере, и передал заботам высокой печальной женщины.

— Да воцарится справедливость, — сказал он на прощание.

— Да воцарится справедливость, — эхом отозвалась Чарли. Тайех проводил ее взглядом.

Узкие улицы были еле освещены — будто свечами. Посредине тянулись канавы, над горами плыла ущербная луна. Высокая женщина шла впереди, шествие замыкали ребята с автоматами и с сумкой Чарли. Они прошли мимо земляной спортивной площадки и низких строений, которые вполне могли быть школой. Голубые огни горели над проржавевшими дверями бомбоубежищ. Воздух полнился ночными звуками эмиграции. Звучали рок и патриотические песни, и слышалось безостановочное бормотание стариков. Где-то ссорилась молодая пара. Их голоса вдруг слились во взрыве долго сдерживаемой ярости.

— Мой отец извиняется за скромность жилья. В лагере такое правило: мы не должны строить ничего прочного, чтобы не забывать о своем настоящем доме. Во время налета, пожалуйста, не жди, когда взвоет сирена, а беги, куда все побегут. После налета, пожалуйста, не трогай ничего, что лежит на земле. Ни ручек, ни бутылок, ни приемников — ничего.

Зовут ее Сальма, сообщила она со своей печальной улыбкой, и ее отец — старейшина.

Чарли первой вошла в хижину. Это был крошечный домик, чистенький, как больничная палата. Там был умывальник, была уборная и задний дворик величиной с носовой платок.

— Что ты тут делаешь, Сальма?

Вопрос этот, казалось, озадачил ее. Да ведь то, что она здесь, — это уже само по себе дело.

— А где ты выучила английский? — спросила Чарли.

В Америке, ответила Сальма: она окончила университет Миннесоты по биохимии.

Страшное — и в то же время поистине пасторальное — спокойствие появляется, когда живешь среди настоящих жертв. В лагере Чарли наконец познала сочувствие, в котором жизнь до сих пор отказывала ей. В ожидании своей дальнейшей участи она влилась в ряды тех, кто ждал всю жизнь. Деля их заточение, она полагала, что освобождается из своего собственного. Любя их, она воображала, что получает их прощение за то двоедушие, которое привело ее к ним. Никто ее не сторожил, и она в первое же утро, проснувшись, стала осторожно нащупывать границы своей свободы. Похоже, их не было. Она обошла по периметру спортивные площадки, где мальчишки, напрягая плечики, отчаянно старались подражать взрослым мужчинам. Она нашла больницу, и школы, и лавчонки, где продавалось все — от апельсинов до большущих бутылей шампуня «Хед энд шоулдерс».

В полдень Сальма принесла ей плоскую сырную лепешку и чайник с чаем, и, перекусив в хижине Чарли, они стали взбираться сквозь апельсиновую рощу на вершину холма, очень похожую на то место, где Мишель учил Чарли стрелять из пистолета своего брата. На западе и юге горизонт закрывала гряда бурых гор.

— Те горы, на востоке, — это Сирия, — сказала Сальма, указывая через долину. — А вот эти, — и она повела рукой на юг и тут же, словно в отчаянии, уронила руку, — это — наши, и оттуда являются сионисты убивать нас.

Когда они спускались вниз, Чарли заметила армейские грузовики под маскировочными сетками, а в кедровой роще — тускло поблескивающие стволы орудий, нацеленных на юг. Отец ее — из Хайфы, это в сорока километрах отсюда, пояснила Сальма. Мать погибла от пулеметной очереди с израильского истребителя, когда выходила из бомбоубежища. У нее есть брат, он преуспевающий банкир в Кувейте.

Вечером Сальма повела Чарли на детский концерт. А потом они пошли в школу и вместе с двадцатью другими женщинами при помощи машины, похожей на большой зеленый паровой утюг, накатывали на детские майки яркие картинки с надписями.

Вскоре в хижине Чарли от зари до темна толпились дети, — одни приходили, чтобы поговорить по-английски, другие — чтобы научить ее своим песням и танцам. А иные — чтобы пройтись с ней за руку по улице и иметь потом возможность похвастаться.

«Что же все-таки такое эта Сальма?» — спрашивала себя Чарли, наблюдая, как та идет собственным скорбным путем среди своего народа. Ответ приходил лишь постепенно. Сальма бывала в широком мире. Она знает, что на Западе говорят про Палестину. И яснее, чем отец, видит, как им еще далеко до бурых гор ее родины.

Большая демонстрация состоялась тремя днями позже; началась она на спортивной площадке под уже жарким утренним солнцем и медленно двинулась вокруг лагеря, по улицам, запруженным народом, разукрашенным знаменами с такой вышивкой, которой мог бы гордиться любой женский институт в Англии. Чарли стояла на пороге своей хижины, держа на руках девчушку, слишком маленькую, чтобы идти с демонстрантами; воздушный налет начался минуты через две после того, как шестеро мальчишек пронесли мимо нее на плечах макет Иерусалима.

До той минуты Чарли вообще не думала о самолетах. Она заметила две-три машины высоко в небе и полюбовалась плюмажем из белого дыма, лениво тянувшимся за ними. Но при ее невежестве ей и в голову не приходило, что у палестинцев может не быть самолетов или что израильским военно-воздушным силам могут не нравиться упорные притязания на территорию, находящуюся в пределах израильских границ.

Внезапно до ее сознания дошло, что в небе с натужным воем разворачивается самолет — раздался залп с земли, хотя, конечно же, огонь был слишком слаб для столь быстро и высоко летящей машины. Разрыв первой бомбы был воспринят Чарли чуть ли не с облегчением: раз ты его слышала, значит, жива. Чарли сначала увидела вспышку пламени в четверти мили вверх по горе, потом — черную луковицу дыма, и тут же грохот и взрывная волна обрушились на нее. Она повернулась к Сальме и что-то ей крикнула, громко, словно вокруг ревела буря, тогда как на самом деле было удивительно тихо, но Сальма с застывшим от ненависти лицом смотрела вверх, в небо.

— Когда они хотят в нас попасть, то попадают, — сказала она. — А сегодня они играют с нами. Должно быть, ты принесла нам счастье.

Это было уж слишком, и Чарли возмутилась.

Упала вторая бомба — казалось, много дальше, а может быть, взрыв уже не произвел на Чарли такого впечатления: пусть себе падают бомбы, куда хотят, только бы не на эти запруженные народом улицы, где, словно маленькие обреченные солдатики, терпеливо стоят в колоннах детишки и ждут, когда вниз по горе потечет к ним лава. Оркестр заиграл еще громче прежнего; процессия двинулась, вдвойне более яркая и сверкающая. Оркестр играл марш, и толпа отбивала ладонями такт.

Самолеты исчезли. Палестина одержала еще одну победу.

— Завтра тебя увозят в другое место, — сказала вечером Сальма, когда они гуляли по горе.

— Я никуда не поеду, — сказала Чарли.

Самолеты вернулись через два часа, как раз перед наступлением темноты, когда Чарли была уже у себя в хижине. Сирена завыла слишком поздно, и Чарли еще бежала в бомбоубежище, когда ее настигла первая взрывная волна, — в воздухе было две машины, они будто прилетели прямо с авиавыставки, с таким оглушительным ревом работали их моторы... Неужели они никогда не выйдут из пике? Они вышли, и взрывом их первой бомбы Чарли отбросило к стальной двери, грохот взрыва показался ей не таким страшным, как сопровождавшие ее колебания почвы и истерические, громкие, будто в плавательном бассейне, крики, раздавшиеся в черном вонючем дыму за спортивной площадкой. Глухой удар ее тела о дверь был услышан кем-то внутри, дверь отворилась, и сильные женские руки втащили ее во тьму и заставили сесть на деревянную скамейку. Сначала Чарли была как глухая, но постепенно она различила всхлипывания испуганных детишек и уверенные голоса успокаивающих их матерей. Кто-то зажег керосиновую лампу и повесил на крюк в центре потолка, и на какое-то время смятенному мозгу Чарли показалось, что она очутилась в литографии Хогарта, висящей вверх тормашками. Затем она поняла, что с ней рядом Сальма, и вспомнила, что Сальма была с нею с самого начала налета. Прилетела новая пара самолетов — или это была все та же, только они прилетели во второй раз? — закачалась лампа, и реальность происходящего дошла до Чарли, когда взрывы, приближаясь, стали нарастать крещендо. Первые два были как удары по телу — нет, не надо больше, больше не надо, пожалуйста. Третий взрыв был самый громкий и убил ее наповал, четвертый и пятый дали ей понять, что она еще жива.

— Америка! — истерически закричала какая-то женщина, обращаясь к Чарли. — Америка, Америка, Америка!

Она явно хотела, чтобы и другие женщины поддержали

ее, бросили в лицо Чарли обвинение, но Сальма велела ей сидеть тихо.

Чарли прождала целый час — хотя на самом деле, наверное, минуты две, — и поскольку ничего больше не происходило, посмотрела на Сальму, как бы говоря: «Пошли!» Она считала, что ничего нет хуже, чем сидеть в бомбоубежище. Сальма отрицательно помотала головой.

— Они только и ждут, чтобы мы вышли, — спокойно пояснила она, возможно вспомнив про свою мать. — Нельзя нам выходить, пока не стемнеет.

Стемнело, и Чарли одна вернулась к себе в хижину. Она засветила свечку, потому что электричество было отключено, и далеко не сразу увидела на умывальнике, в стаканчике для чистки зубов, веточку белого вереска. И подумала: «Это принес кто-то из моих детишек. Или это подарок от Сальмы в мой последний вечер здесь. Как это мило с ее стороны. С его стороны».

*«У нас с тобой был как бы роман, —* сказала ей на прощание Сальма. — *Ты уедешь, и, когда уедешь, мы останемся друг для друга в мечтах».*

«Сволочи, — думала Чарли. — Проклятые убийцы-сионисты. Если бы меня тут не было, вы разбомбили бы их вдрызг».

*«Человек, преданный нашему делу, должен быть здесь», —* сказала ей Сальма.

# Глава 22

Чарли не одна следила за тем, как разворачивалась ее жизнь и протекало ее время. С того момента, как она пересекла линию фронта, Литвак, Курц и Беккер — собственно, все ее бывшее семейство — вынуждены были взнуздать свое нетерпение и приспособиться к темпу, взятому противником.

«На войне, — любил говорить Курц своим подчиненным и, безусловно, себе тоже, — труднее всего героически воздерживаться от действий».

Ни разу за всю свою карьеру Курц так не держал себя в узде. Тот факт, что он вывел свою потрепанную армию из затененных углов английской сцены, рассматривался — по крайней мере ее рядовыми солдатами — скорее как поражение, чем как победа, которую они одержали, но почти не праздновали. Через несколько часов после отъезда Чарли дом в Хэмпстеде был возвращен диаспоре, электронное оборудование радиофургона демонтировано и отправлено дипломатической почтой в Тель-Авив. А сам фургон — после того как с него были сняты фальшивые номерные знаки, а с мотора сбит номер — превратился в еще один обгоревший остов на обочине дороги где-то между Бодминскими болотами и цивилизацией. Но Курц не стал задерживаться для похорон. Он со всех ног помчался в Израиль, на Дизраэли-стрит, нехотя приковал себя к ненавистному столу и стал таким же координатором, как Алексис, которого он так высмеивал. Иерусалим купался в ароматах, вызванных к жизни вдруг выглянувшим зимним солнцем, и Курц, перебегая из одного здания своей секретной организации в другое, отбиваясь от нападок, выпрашивая кредиты, неотступно видел перед собой золотой купол мечети в Старом городе на фоне ярко-голубого неба. Впервые Курцу это зрелище приносило мало утешения. Его боевая машина, как впоследствии говорил Курц, превратилась в телегу, запряженную лошадьми, которые тянули в разные стороны. На оперативных просторах он был сам себе хозяин, сколько бы Гаврон ни пытался помешать ему; дома же, где каждый второстепенный политический деятель и третьестепенный военный считали его своего рода гением разведки, у него было больше критиков, чем у пророка Илии, и больше врагов, чем у самаритян. И первое сражение он провел за то, чтобы продлить существование Чарли и, пожалуй, свое собственное — битва началась в тот момент, когда Курц вошел в кабинет Гаврона.

Гаврон Грач стоял, приподняв плечи, словно приготовившись к борьбе. Его лохматые черные волосы были всклокочены больше обычного.

— Хорошо провел время? — прокаркал он. — Хорошо набил себе живот? Я вижу, ты там поднабрал весу.

И тут началось. Где они, эти обещанные Курцем скорые результаты? — вопрошал Грач. Где тот великий час расплаты, о котором он говорил?

В качестве наказания Гаврон обязал Курца присутствовать на заседании своих советников, где все говорили лишь о том, как покончить с этим делом. Курцу пришлось прозакладывать душу, чтобы уговорить их хотя бы немного изменить свои планы.

— Но какой ты варишь суп, Марти? — настойчиво шепотом спрашивали его в коридорах друзья. — Хоть намекни, чтобы мы знали, что не зря помогаем тебе.

Его молчание оскорбляло их, и они отходили от него, а он оставался с ощущением, что он жалкий миротворец.

Были и другие фронты, на которых Курцу приходилось сражаться. Необходимость следить за переживаниями Чарли на вражеской территории вынудила Курца пойти со шляпой в руке в управление, ведавшее курьерской связью и станциями подслушивания на северо-восточном побережье. Начальник управления, некто Сефарди из Алеппо, ненавидел всех подряд, но в особенности ненавидел Курца. Словом, Курцу стоило крови и всяких уступок, чтобы договориться о необходимом сотрудничестве. От всех этих и подобных дел Миша Гаврон равнодушно держался в стороне, предпочитая, чтобы рыночные отношения устанавливались естественным путем. Если Курц верит в то, что он делает, он своего добьется, доверительно говорил Гаврон своим людям, — такому человеку только полезно, когда его немножко поломают, немножко похлещут.

Не желая покидать Иерусалим даже на одну ночь, пока не кончатся интриги, Курц назначил Литвака своим эмиссаром, курсировавшим между Израилем и Европой и уполномоченным укреплять и перестраивать команду наблюдателей, готовясь к заключительной, как все они надеялись, акции. Беззаботные дни в Мюнхене, когда было достаточно двух смен по два наблюдателя в каждой, безвозвратно канули в прошлое. Пришлось набрать не один взвод ребят — все они говорили по-немецки, но многие не слишком бойко из-за отсутствия практики, — чтобы не спускать глаз с божественного трио: Местербайна, Хельги и Россино. Недоверие Литвака к евреям-неизраильтянам только добавляло головной боли, но Литвак твердо держался своего предрассудка: слишком они бесхарактерные, говорил он, когда дело доходит до дела, и не до конца лояльны. По приказу Курца Литвак слетал и во Франкфурт для тайной встречи с Алексисом в аэропорту — частично чтобы получить помощь в операции по наблюдению, а частично, как сказал Курц, чтобы «проверить, держит ли Алексис спину, а то ведь хребет может подвести». В данном случае встреча кончилась полным крахом, ибо эти двое тотчас возненавидели друг друга. Хуже того, Литвак подтвердил мнение Гавроновых психологов, что Алексису даже старый билет на автобус нельзя доверить.

— Для меня вопрос решен, — в ярости с ходу объявил Алексис Литваку, то произнося свой монолог шепотом, то срываясь на фальцет. — А я никогда не меняю своего решения — это известно. Как только наше свидание будет окончено, я тотчас отправляюсь к министру и выкладываю ему все начистоту. Для честного человека нет другой альтернативы. — Словом, сразу стало ясно, что Алексис переменил не только взгляды, но и политическую ориентацию. — Естественно, я ничего против евреев не имею... я все-таки немец, и у меня есть совесть... но, судя по последним событиям... эта история с бомбой... определенные шаги, которые я вынужден был предпринять... которые меня шантажом вынудили предпринять... начинаешь понимать, почему на протяжении истории евреев всегда преследовали. Так что извините.

Литвак, глядя из-под насупленных бровей, не намерен был его извинять.

— Ваш друг Шульман — человек способный, яркий... к тому же обладающий даром убеждения... но у вашего друга просто нет сдерживающих рычагов. Он совершил непозволительное насилие на германской земле; он выказал такого рода жестокость, какую долгое время приписывал нам, немцам.

Больше выдержать Литвак уже не мог. Побелев и позеленев, он отвел глаза, возможно, чтобы скрыть вспыхнувший в них огонь.

— Почему бы вам не позвонить ему и не сказать все это лично? — предложил он.

Алексис так и сделал. Позвонил прямо из аэропорта по специальному номеру, который дал ему Курц, в то время как Литвак стоял рядом, держа возле уха отводную трубку.

— Ну что ж, Пауль, поступайте как знаете, — добродушно сказал Алексису Курц, когда тот кончил. — Только когда будете разговаривать с министром, Пауль, не забудьте сказать ему и про этот ваш счет в швейцарском банке. Потому что, если вы этого не сделаете, ваше чистосердечие может произвести на меня столь глубокое впечатление, что я способен прилететь к вам туда и все сам рассказать.

После чего Курц велел телефонистке в ближайшие сорок восемь часов не соединять его с Алексисом. Но Курц никогда не держал зла. Во всяком случае на своих агентов. Поостыв, он выкроил себе выходной и сам отправился во Франкфурт, где нашел милого доктора Алексиса куда более сговорчивым. Упоминание о счете в швейцарском банке, хотя Алексис с унылым видом и назвал это «недостойным», протрезвило его, однако куда больше помогло ему прийти в себя созерцание собственной физиономии на страницах немецкой бульварной газетенки, — физиономии решительной, убежденной, с искоркой присущего ему юмора: Алексис уверовал, что он и есть такой, как о нем говорят. Курц не стал развеивать его счастливое заблуждение и в качестве премии своим перегруженным аналитикам привез одно соблазнительное доказательство того, что Алексис держится в седле: фотокопию открытки, адресованной Астрид Бергер на один из ее многочисленных псевдонимов.

Почерк незнакомый, почтовый штемпель Седьмого округа Парижа. Перехвачена германской почтой по указанию из Кёльна.

Текст на английском языке гласил: «Беднягу дядю Фрея

оперируют, как запланировано, в будущем месяце. Но это, по крайней мере, удобно для тебя: ты сможешь воспользоваться домом В. До встречи там. Целую. К.»

Три дня спустя тот же магнит вытащил второе послание, написанное той же рукой, но адресованное Бергер на другую конспиративную квартиру; на сей раз штемпель стоял стокгольмский. Алексис, снова активно включившийся в сотрудничество, переслал это Курцу со специальной почтой. Текст был короткий: «Фрею делают аппендэктомию в комнате 251 в 18.00 часов 24-го». И подпись «М.», из чего аналитики заключили, что одно сообщение ими пропущено, — это подтверждалось практикой получения указаний Мишелем. Открытку с подписью «Л.», сколько ни старались, так и не нашли. Зато две девчонки Литвака завладели письмом, которое сама Бергер отправила не кому иному, как Антону Местербайну в Женеву. Сделано это было тонко. Бергер на этот раз жила в Гамбурге с одним из своих многочисленных любовников, в коммуне высокого класса на Бланкенезе. Однажды, прошагав за ней в город, девчонки увидели, как она, озираясь, опустила в ящик письмо. Как только она отошла, они бросили туда большой желтый конверт, который был у них заготовлен на всякий случай, чтобы он лег сверху. Затем наиболее хорошенькая из девчонок стала на страже у почтового ящика. Когда явился почтальон, она наговорила ему кучу всякой всячины про любовь и обиду на любимого и кое-что пообещала в награду, так что он стоял и скалился, пока она выуживала письмо, которое могло погубить всю ее жизнь. Только это было не ее письмо, а письмо Астрид Бергер, лежавшее как раз под большим желтым конвертом. Вскрыв письмо с помощью пара и сфотографировав, они бросили его обратно в ящик, чтобы оно ушло с очередной почтой.

Добыча состояла из восьми наскоро нацарапанных страниц, содержавших по-школьному восторженные излияния в любви. Должно быть, Бергер была крепко на взводе, когда писала, а может быть, просто действовал ее адреналин. В письме откровенно превозносились сексуальные способности Местербайна. Тут же высказывалось яростное возмущение по поводу бомбежек Ливана сионистами и принятого

Израилем «окончательного решения» проблемы палестинцев. Астрид Бергер любила жизнь, но все и всюду казалось ей не так, и, явно полагая, что почту Местербайна читают, она добропорядочно добавляла, что необходимо оставаться «все время в рамках закона». Однако был там еще и постскриптум. Причем эта фраза была написана по-французски: «Attention! On va éparter les'bourgeois!»[1]

Аналитики при виде постскриптума сделали стойку. Почему заглавное «В»? Неужели Хельга так плохо знает французский, что написала существительное на немецкий манер с заглавной буквы? Нелепо. И почему слева поставлен апостроф? Криптологи и аналитики истекали кровью, пытаясь проникнуть в тайну кода; содрогались, поскрипывали и рыдали компьютеры, выдавая немыслимые сочетания, а разгадала загадку не кто иная, как бесхитростная Рахиль. В свободное время Рахиль решала кроссворды в надежде выиграть машину.

— «Дядя Фрей» — это первая половина слова, — объявила она, — а «буржуа» или «бюргеры» — вторая. «Фрейбюргеры» — значит жители Фрейбурга, которых выведет из сонной одури «операция», намеченная на шесть часов вечера двадцать четвертого числа. Комната двести пятьдесят один? Что ж, придется порасспросить, верно? — сказала она экспертам, положительно лишившимся дара речи.

Да, согласились они. Так и поступим.

Компьютеры выключили, но все равно еще день или два преобладало скептическое настроение. Не может быть. Уж слишком все просто. Прямо по-детски.

Тем не менее проверим эту версию, сказали они.

Фрейбургов было с полдюжины, но выбор остановился прежде всего на Фрейбурге в родной Местербайну Швейцарии, где говорили и по-французски, и по-немецки и где бюргеры — даже среди швейцарцев — славились своей флегмой. Без дальних околичностей Курц отправил туда пару разведчиков с особо легкой поступью, приказав им разнюхать, что может явиться объектом антиевропейской акции, обратив

---

[1] Внимание! Уж мы выведем из сонной одури Буржуа! (*фр.*)

самое пристальное внимание на фирмы, имеющие с Израилем контракты на поставки оборонного характера, проверить — по возможности без помощи властей — все комнаты № 251 в больницах, отелях или учреждениях, а также фамилии всех пациентов, которые назначены на аппендэктомию, как и на любые другие операции, на двадцать четвертое число этого месяца в 18.00 часов.

Из Агентства по делам евреев в Иерусалиме Курц получил список наиболее видных евреев, проживающих на данное время во Фрейбурге, а также указание, где они молятся и к каким обществам принадлежат. Есть ли там больница специально для евреев? А если нет, то больница, которая обслуживала бы правоверных евреев? И так далее.

Но вот в один прекрасный день, среди всей этой суеты — как если бы энергия, приложенная в одном месте, заставила правду выскочить в другом — Россино, этот убийца-итальянец, вылетел из Вены в Базель, где взял напрокат мотоцикл. Он пересек на нем границу с Германией и проехал по территории этой страны минут сорок до города Фрейбургум-Брейсгау с древним собором. Там, плотно позавтракав, он явился в университетский ректорат и вежливо осведомился насчет лекций по гуманитарным предметам, которые могло посещать некоторое количество публики. А затем потихоньку высмотрел на плане университета, где находится комната № 251.

Это был луч света, прорезавший туман. Рахиль оказалась права; Курц оказался прав; господь милостив, и Миша Гаврон — тоже.

Один только Гади Беккер не разделял всеобщих восторгов.


На чьей же он все-таки стороне?

Порою другие, казалось, знали это лучше его самого. Вот он днем меряет шагами комнату на Дизраэли-стрит, то и дело поглядывая на шифровальную машину, которая так редко передавала сведения об его агенте Чарли. А ночью — или, точнее, ранним утром на другой день — звонит в дом Курца, будит Элли и собак и требует заверений, что Тайеха или кого-либо другого не тронут, пока Чарли не выйдет из игры: до него дошли некие слухи, заявил он, а «Миша Гаврон не славится долготерпением».

Когда кто-то возвращался с дела — например Димитрий или его товарищ Рауль, которого вывезли на резиновой шлюпке, — Беккер непременно присутствовал при получении информации и расспрашивал, в каком состоянии там Чарли.

Через несколько дней Курцу осатанело наблюдать это — «торчит передо мной, как укор совести», — и он напрямую объявил, что закроет перед Гади двери конторы, пока тот не образумится.

— Куратор без агента — все равно что дирижер без оркестра, — глубокомысленно пояснил он Элли, пытаясь справиться с собственной яростью. — Правильнее — не раздражать его, помочь пережить это время.

А сам потихоньку, ни с кем не советуясь, кроме Элли, позвонил Франки и, сообщив, что ее бывший супруг находится в городе, дал ей номер его телефона, ибо Курц с поистине черчиллевской широтой души считал, что браки у всех такие же прочные, как у него.

Франки, само собой, позвонила; Беккер услышал ее голос — если это он подходил к телефону — и, ни слова не сказав, тихонько положил трубку на рычаг.

Однако затея Курца все же не оказалась безрезультатной, ибо на другой день Беккер отправился в поездку, которая, как потом поняли, была предпринята в попытке утвердиться в том, что составляло идейную основу его жизни. Он нанял машину и отправился сначала в Тель-Авив и там, произведя весьма унылую операцию с управляющим своим банком, съездил на старое кладбище, где был похоронен его отец. Он положил на могилу цветы, старательно почистил вокруг и громко прочитал кадиш, хотя ни он сам, ни его отец никогда не находили времени для религии. Из Тель-Авива он двинулся на юго-восток, в Хеврон, или, как назвал бы его Мишель, — в Эль-Халиль. Там он посетил мечеть Авраама, служившую со времени войны 1967 года одновременно и синагогой, поболтал с солдатами-резервистами, которые в шляпах с мягкими полями и рубашках, расстегнутых до пупа, торчали у входа, охраняя зубчатые стены.

Это же был Беккер, говорили они друг другу, после того, как он уехал, называя его, правда, еврейским именем, — это был сам легендарный Гади... человек, сражавшийся за Голанские высоты в тылу врага, за линией фронта сирийской армии... Какого черта он тут-то делает, в этой арабской дыре, да еще с таким смущенным видом?

А он под их восторженными взглядами побродил по древнему крытому рынку, судя по всему, не обращая внимания на вдруг наступавшую взрывоопасную тишину и испепеляющие взгляды черных глаз оккупированных. Вернувшись к машине, Беккер кивнул на прощание солдатам и помчался дальше, по проселочным дорогам, вьющимся среди плодородной красной земли, на которой террасами растут розы, пока не добрался до горных арабских деревень на восточном склоне, с их приземистыми каменными домишками и эйфелевыми башнями антенн на крышах.

В одной из деревень Беккер вышел из машины, чтобы подышать воздухом. Здесь до 1967 года жила семья Мишеля, пока его отец не решил бежать.

Из Хеврона Беккер, похоже, поехал на север, вверх по долине реки Иордан, в арабский город Бейт-Шеан, заселенный евреями после того, как жители ушли из него во время войны 1948 года. Затем объявился в Метулле, в самой северной точке на границе с Ливаном. Пропаханная полоса земли с несколькими рядами проволоки обозначала границу, которая в лучшие времена называлась Крепкой Оградой. По одну ее сторону на наблюдательной площадке стояли израильтяне и озадаченно разглядывали сквозь колючую проволоку «плохие земли». По другую сторону границы ливанская христианская милиция разъезжала на самых разных средствах передвижения, получая от Израиля пополнение этих средств для продолжения бесконечной кровавой войны против палестинцев.

Но Метулла в те дни была, кроме того, еще и конечным пунктом курьерской связи с Бейрутом, и служба Гаврона втихую имела там свое отделение, которое занималось приезжавшими на время агентами. Великий Беккер самолично явился туда под вечер, полистал регистрационную книгу, задал несколько вопросов по поводу расположения сил ООН, снова отбыл. На вид он был вроде не в себе, сказал командир отделения. Может, болен. Глаза совсем больные, да и вообще...

— Что же, черт подери, ему было там у вас нужно? — спросил Курц командира, услышав об этом.

Но командир, мужчина весьма прозаический и отупевший от необходимости хранить тайну, никаких предположений высказать не мог. Беккер был словно бы не в себе, повторил он. Агенты иногда так выглядят, когда возвращаются после долгой отлучки.

А Беккер ехал все дальше, пока не достиг извилистой горной дороги, изрытой танками, по которой и доехал до кибуца, — места, где он оставил свое сердце, этакого орлиного гнезда, расположенного высоко над Ливаном, который окружал его с трех сторон. Сначала, в 1948 году, здесь создали еврейское поселение, опорный пункт, контролировавший единственную дорогу, которая связывала восток с западом южнее реки Литани. В 1952 году туда прибыли первые поселенцы — молодые сабра, готовые сообразно велению своей веры жить трудной жизнью, одно время идеализировавшейся сионистами. С тех пор кибуц пережил немало обстрелов, пору процветания и тревожного сокращения числа обитателей. Когда Беккер прибыл туда, на лужайках вращались опрыскиватели, в воздухе сладко пахло алыми и бордовыми розами. Обитатели встретили его застенчиво, но взволнованно.

— Ты наконец все же вернулся к нам, Гади? Кончил сражаться? Слушай, у нас есть для тебя дом. Можешь поселиться там хоть сегодня!

Он рассмеялся, но не сказал ни «да», ни «нет». Попросил разрешения поработать у них дня два, но делать там было почти нечего: время года сейчас неподходящее, пояснили они. Все фрукты и хлопок собраны, деревья подрезаны, поля вспаханы к весне. Но, поскольку он настаивал, они сказали, что он может раздавать еду в столовой. Им же больше всего хотелось узнать его мнение о том, куда идет страна, мнение Гади: ну кто, если не он, может об этом знать.

— Мы же приехали сюда работать, отстаивать свою сущность, превращать евреев в израильтян, Гади! Станем ли мы наконец страной или так и будем витриной для евреев всего мира? Что ждет нас в будущем, Гади? Скажи нам!

Они расспрашивали его живо, веря ему, словно он был пророком среди них, пришедшим дать свежее наполнение их жизни под открытым небом, но они не могли знать — во всяком случае, не могли знать сразу, — что их слова тонули в пустоте его души. А что же все-таки произошло — ведь мы собирались договариваться с палестинцами, Гади! Большой ошибкой был 1967 год, решили они, по обыкновению сами отвечая на свои вопросы: в 67-м надо было нам проявить великодушие, надо было предложить такие условия, на которые они бы пошли. Кому же еще, как не победителю, и делать широкие жесты? «Мы же такие сильные, Гади, а они такие слабые!»

Но через некоторое время Беккеру поднадоело обсуждать эти неразрешимые проблемы, и, погрузившись в свои думы, он отправился бродить по кибуцу. Его излюбленным местом была разрушенная сторожевая башня, откуда открывался вид на маленький шиитский городок внизу, а на северо-востоке — на бастион крестоносцев Бофор, в то время все еще находившийся в руках палестинцев. Гади видели там в последний вечер, который он провел в кибуце: он стоял у всех на виду, у самого электронного пограничного заграждения, — настолько близко, насколько можно было стоять, не вызывая сигнала тревоги. Заходящее солнце освещало его так, что половина его была светлая, а половина темная, — он стоял выпрямившись, словно оповещая весь бассейн реки Литани, что он тут.

На другое утро он вернулся в Иерусалим и, заглянув на Дизраэли-стрит, целый день бродил по улицам города, где участвовал в столь многих боях и видел столько пролитой крови, в том числе и своей собственной. И снова, казалось, он все ставил под вопрос. Озадаченно разглядывал он строгие аркады восстановленного еврейского квартала, сидел в холлах отелей-башен, портящих теперь облик Иерусалима, и сумрачно глядел на скопления благопристойных американских граждан из Ошкоша, Далласа и Денвера, которые приехали сюда целым табором, исполненные горячей веры и обремененные годами, чтобы приобщиться к своему наследию. Он заглядывал в лавчонки, где торговали расшитыми арабскими кафтанами и арабскими поделками, чье качество гарантировал хозяин; он слушал наивную болтовню туристов, вдыхал их дорогие духи и улавливал их сетования — правда, незлобивые, вежливые — на то, что ростбифы, приготовленные по-нью-йоркски, не совсем такого вкуса, как дома. И еще он целый день провел в Музее массового истребления, у фотографий детей, которым сейчас было бы столько же лет, сколько и ему, если бы они остались живы.

Выслушав донесения обо всем этом, Курц положил конец отпуску Беккера и вызвал его на работу.

— Выясни насчет Фрейбурга, — сказал он ему. — Прочеши библиотеки, архивы. Выясни, кого мы там знаем, добудь план университета. Добудь чертежи архитекторов и карты города. Определи, что нам нужно, и удвой цифры. Срок — вчера.

— Хороший боец никогда не бывает вполне нормальным, — сказал Курц своей жене Элли, стараясь успокоить себя. — Если Беккер не круглый идиот, то он слишком много думает.

Про себя же Курц удивился, какую злость все еще вызывал в нем этот заблудший агнец.

# Глава 23

Это был уже предел. Хуже места она в жизни своей не видела, о нем хотелось забыть, даже пока она была там, — это был как бы ее чертов интернат, только с насильниками вдобавок, семинар в пустыне, где упражнялись с настоящим оружием. Изрешеченная огнем мечта Палестины осталась за холмами, в пяти часах утомительнейшей езды, а вместо нее был этот маленький форт, похожий на декорацию к фильму, с зубчатыми стенами из желтого камня, каменной лестницей, половина которой была снесена при обстреле, и воротами, заваленными мешками с песком, а над ними — флагшток без флага, только обрывки веревок хлопают на пронизывающем ветру. Насколько было известно Чарли, никто в этом форте не ночевал. В нем сидели чиновники и устраивались встречи; там давали три раза в день баранину с рисом, а по вечерам до полуночи спорили, при этом восточные немцы разносили в пух и прах западных немцев, кубинцы разносили всех, а американец-зомби, именовавший себя Абдуллой, читал двадцатистраничное сочинение о том, как моментально достичь всеобщего мира.

Другим местом, где собирались все, был тир, устроенный не в заброшенной каменоломне на вершине холма, а в старом бараке с забитыми окнами и трухлявыми мешками с песком вдоль стен, освещенном цепочкой электрических лампочек, привинченных к стальным планкам. Мишенями были грубо вырезанные фигуры американских морских пехотинцев в человеческий рост со штыками наперевес и зверскими рожами; у ног их лежали мотки клейкой ленты, чтобы латать дыры от пуль.

Жили все они в трех длинных бараках — один из них был разделен на клетушки для женщин, другой — без клетушек — был для мужчин, в третьем помещалась так называемая «Библиотека для тренеров», и «если тебе предложат зайти в библиотеку, — сказала высокая шведка по имени Фатима, — не думай, что тебя там ждет большой выбор книг». По утрам их будили марши из громкоговорителя, который не выключался, затем была зарядка на песчаной площадке. Но Фатима говорила, что в других местах много хуже. Фатима, если верить ее рассказам о себе, была выродком, помешанным на тренировках. Она прошла подготовку в Йемене, в Ливии и в Киеве. Она разъезжала по свету как профессиональная теннисистка, пока кто-то не решил использовать ее иначе. У нее был трехлетний сынишка по имени Кнут, который бегал голышом и выглядел заброшенным, но когда Чарли заговорила с ним, он не обрадовался, а заплакал.

Охраняли их арабы, каких Чарли до сих пор не встречала, эдакие задавалы-ковбои, которые почти не раскрывали рта и забавлялись тем, что унижали людей с Запада. Фатима сказала, что они из особого отряда милиции, который тренируют на границе с Сирией.

Все тренеры были мужчины; они выстраивались для утренней молитвы перед своими учениками — настоящая партизанская армия, — и один из них зачитывал воинственный приговор главному врагу в зависимости от момента: сионизму, или предателям-египтянам, или европейским капиталистам-эксплуататорам, или снова сионизму, или — нечто новое для Чарли — христианскому экспансионизму, — последнее, возможно, объяснялось тем, что было католическое Рождество, которое отмечалось здесь официальным небрежением со стороны властей.

«Звездой» этих первых сумасшедших дней был чех по имени Буби, помешанный на бомбах; в первое же утро он расстрелял свою брезентовую шляпу сначала из «калашникова», потом из мощного пистолета и наконец, чтобы прикончить зверя, швырнул в нее гранату, так что шляпа взлетела на пятьдесят футов в воздух.

Языком политических дискуссий был примитивный английский с вкраплением французского, и Чарли в душе поклялась, что если она когда-нибудь доберется до дома, то до конца своей немыслимой жизни будет веселить застолье, пересказывая их полуночные рассуждения о «заре революции». Но пока она ни над чем не смеялась. Она вообще перестала смеяться с тех пор, как эти мерзавцы взорвали ее любимого на дороге в Мюнхен, и агония его народа, которую она теперь увидела, лишь укрепила в ней потребность возмездия.

*«Ты будешь ко всему относиться с величайшей серьезностью, — сказал ей Иосиф. — Держись отчужденно, с легкой сумасшедшинкой — они к этому привыкли. Не задавай вопросов, ты будешь наедине с собой — и днем, и ночью».*

Прежде чем приступить к занятиям, все должны были дать клятву верности антиимпериалистической революции и изучать «Правила данного лагеря», которые, подобно десяти заповедям, были вывешены на белой стене в Центре по приему вновь прибывших. Все должны были пользоваться только своими арабскими именами, не принимать наркотиков, не ходить голышом, не ругаться, не вести между собой личных бесед, не пить, не сожительствовать друг с другом, не мастурбировать. Пока Чарли раздумывала, какой из этих постулатов нарушить первым, по радио зазвучала пленка с приветствием:

«Друзья мои! Кто мы? Мы — люди без имени, без униформы. Мы — крысы, бежавшие от капиталистической оккупации. Мы прибыли из измученных лагерей Ливана! И мы будем бороться против геноцида! Из бетонных могил западных городов мы идем! И находим друг друга! И от имени восьмисот миллионов голодающих мира мы зажжем факел свободы!»

Чарли почувствовала, как мурашки побежали у нее по спине и сердце бешено заколотилось. «Зажжем, — подумала она. — Зажжем, зажжем». И, взглянув на арабскую девушку, стоявшую рядом, увидела в ее глазах такой же пыл.

*«Днем и ночью»,* — сказал ей Иосиф.

И вот она днем и ночью старалась — ради Мишеля, ради того, чтобы не сойти с ума, ради Палестины, ради Фатьмы и Сальмы и детей, погибших в разбомбленной Сидонской тюрьме; находя самовыражение в деятельности, чтобы бежать смятения, царившего в душе; собирая все элементы своей новой личности воедино и создавая из них бойца.

«Я — безутешная, обездоленная вдова, и я приехала сюда, чтобы продолжить борьбу моего любимого, которого уже нет».

«Я — боец, у которого открылись глаза: слишком много времени потратила я зря на полумеры и теперь стою перед вами с мечом в руке».

«Я положила руку на сердце Палестины; я дала клятву поднять мир за уши и заставить слушать».

«Я пылаю гневом, но я хитра и изобретательна. Я — заснувшая оса, которая прождет всю зиму, а потом ужалит».

«Я — товарищ Лейла, гражданка мировой революции».

Днем и ночью.

Она сыграла эту роль с предельной отдачей. Она довела себя до того, что эта болезненная, неотступная, одинокая ярость, которую она вырабатывала в себе силой воли, вошла в ее плоть и кровь, и это мгновенно чувствовали те, с кем она общалась, будь то персонал, будь то курсанты. Они сразу признали в ней женщину странную, и это позволило ей держаться от них на расстоянии.

В ее комнате стояли три кровати, но Чарли некоторое время имела комнату в своем полном распоряжении, и, когда Фидель, милый кубинец, явился как-то вечером намытый и прилизанный, как певчий из хора, и сложил к ее ногам свою революционную страсть, Чарли выдержала позу решительного самоотречения и отослала его, подарив всего лишь поцелуй.

Следующим после Фиделя ее расположения стал добиваться американец Абдулла. Он явился поздно ночью.

— Привет, — сказал Абдулла и, широко осклабясь, проскользнул мимо Чарли в комнату, прежде чем она успела захлопнуть дверь. Он сел на кровать и принялся скручивать цигарку.

— Отваливай, — сказала она. — Сгинь.

— Конечно, — согласился он и продолжал скручивать цигарку.

Он был высокий, лысоватый и — при ближайшем рассмотрении — очень тощий. На нем была кубинская полевая форма; шелковистая каштановая бородка казалась реденькой, словно из нее повыдергали волосы.

— Как твоя *настоящая* фамилия, Лейла? — спросил он.

— Смит.

— Мне нравится. *Смит.* — Он несколько раз повторил фамилию на разные лады. — Ты ирландка, Смит? — Он раскурил сигарету и предложил ей затянуться. Она никак не реагировала. — Я слышал, ты личная собственность господина Тайеха. Восхищен твоим вкусом. Тайех — мужчина разборчивый. А чем ты зарабатываешь себе на жизнь, Смит?

Чарли подошла к двери и распахнула ее, но он продолжал сидеть, с усмешкой, понимающе глядя на нее сквозь сигаретный дым.

— Не хочешь потрахаться? — спросил он. — А жаль. — Он лениво поднялся, бросил цигарку у кровати и растоптал ботинком. — А у тебя не найдется немного гашиша для бедного человека, Смит?

— Вон, — сказала она.

Покорно подчиняясь ее решению, он сделал к ней несколько шагов, остановился, поднял голову и застыл, и, к своему великому смущению, Чарли увидела, как его измученные, пустые глаза наполнились слезами, а губы умоляюще вытянулись.

— Тайех не даст мне спрыгнуть с карусели, — пожаловался он. И акцент глубинного Юга уступил место обычному говору Восточного побережья. — Он опасается, что мои идейные батареи сели. И боюсь, он прав. Я как-то подзабыл все эти рассуждения насчет того, что каждый мертвый ребенок — это шаг на пути к всеобщему миру. На тебя ведь давит, когда ты укокошил несколько малышей. Для Тайеха же это спорт, развлечение. Большой спортсмен, этот Тайех. «Хочешь уйти — уходи», — говорит он. И показывает на пустыню. Хороший малый.

И словно нищий, старающийся выпросить подаяние, он обеими руками схватил ее правую руку и уставился на ладонь.

— Моя фамилия Хэллорен, — пояснил он, словно с трудом вспоминая этот факт. — Я вовсе не Абдулла, а Артур Дж. Хэллорен. И если ты когда-нибудь будешь проходить мимо американского посольства, Смит, я буду тебе *ужасно* благодарен: забрось им записочку, что, мол, Артур Хэллорен, в прошлом из Бостона, участник вьетнамской кампании, а последнее время член менее официальных армий, хотел бы вернуться домой и отдать свой долг обществу до того, как эти опсихевшие маккавеи[1] перевалят через гору и перестреляют большинство из нас. Сделаешь это для меня, Смит, старушка? Я хочу вот что сказать: в решающий момент мы, англосаксы, все-таки *на голову* выше рядовых, ты так не считаешь?

А она словно окаменела. На нее вдруг напала неукротимая сонливость — так начинает цепенеть тяжело раненный человек. Ей хотелось лишь одного — спать. С Хэллореном. Дать ему утешение и получить утешение взамен. Неважно,

---

[1] Маккавеи были военачальниками у иудеев во II в. до н. э.

пусть наутро донесет на нее. Пусть. Она понимала лишь, что не в состоянии еще одну ночь провести одна в этой чертовой пустой камере.

Он продолжал держать ее руку. Она ее не отнимала, балансируя, как самоубийца, который стоит на подоконнике и смотрит вниз, на улицу, которая так и тянет его. Затем огромным усилием воли она высвободилась и обеими руками вытолкала его покорное тощее тело в коридор.

Затем села на кровать. Все произошло, конечно же, сейчас, только что. Она еще чувствовала запах его цигарки. Видела окурок у своих ног.

«Хочешь уйти — уходи», — сказал Тайех. И указал на пустыню. Отличный малый, этот Тайех.

*«Это будет страх, какого ты еще не знала, — говорил ей Иосиф. — Твое мужество станет разменной монетой. Ты будешь тратить и тратить, а в один прекрасный вечер заглянешь в свои карманы и обнаружишь, что ты — банкрот, и вот тогда придет настоящее мужество».*

*«Логика поступков зависит только от одного человека, — говорил ей Иосиф, — от тебя. И выживет только один человек — ты сама. И доверять ты можешь только одному человеку — себе самой».*

Ее допрос начался на следующее утро и продолжался один день и две с половиной ночи. Это было нечто дикое, не поддающееся логике, зависевшее от того, кто на нее кричал и ставились ли под сомнение ее преданность революции или же ее обвиняли в том, что она британская подданная, или сионистка, или американская шпионка. Пока длился допрос, она не посещала учений и между вызовами сидела в своем бараке под домашним арестом, хотя никто не пытался ее остановить, когда она стала бродить по лагерю. Допрос рьяно вели четыре арабских парня — работали они по двое и отрывисто задавали ей заранее заготовленные вопросы, злясь, когда она не понимала их английский. Ее не били, хотя, может быть, ей было бы легче, если бы ее избили: по крайней мере, она бы знала, когда угодила им, а когда нет. Но их ярость была достаточно пугающей, и порой они по очереди орали на нее, приблизив лицо к самому ее лицу, так что их слюна обрызгивала ее, и потом у нее до тошноты болела голова. Как-то они предложили ей стакан воды, но стоило ей протянуть руку, как они выплеснули воду ей в лицо. Однако при следующей встрече окативший ее парень прочел письменное извинение в присутствии трех своих коллег и понуро вышел из комнаты.

В другой раз они пригрозили пристрелить ее за то, что, как известно, она предана сионизму и английской королеве. Когда же она отказалась признаться в этих грехах, они вдруг перестали ее мучить и принялись рассказывать о своих родных деревнях, о том, какие там красивые женщины, и самое лучшее в мире оливковое масло, и самое лучшее вино. И тут она поняла, что вышла из кошмара — вернулась к здравомыслию и к Мишелю.

Под потолком вращался электрический вентилятор; на стенах серые занавески частично скрывали карты. В открытое окно до Чарли долетал грохот взрывов: в тире рвали бомбы. Тайех сидел на диване, положив на него ногу. Его страдальческое лицо было бледно, и он выглядел больным. Чарли стояла перед ним, как провинившаяся девчонка, опустив глаза и сжав от злости зубы. Она попыталась было заговорить, но в этот момент Тайех вытащил из кармана плоскую бутылочку виски и глотнул из нее. Затем тыльной стороной ладони вытер рот, точно у него были усы, хотя на самом деле их не было. Держался он сдержаннее обычного и почему-то сковано.

— Я насчет Абдуллы, американца, — сказала она.

— Ну и?

— Его настоящее имя Хэллорен. Артур Дж. Хэллорен. Он предатель. Он просил меня, когда я отсюда уеду, сказать американцам, что он хочет вернуться домой и готов предстать перед судом. Он открыто признает, что верит в контрреволюционные идеалы. Он может всех нас предать.

Черные глаза Тайеха не покидали ее лица. Он обеими руками держал клюку и легонько постукивал по большому пальцу больной ноги, словно не давая ей онеметь.

— Ты поэтому просила о встрече со мной?

— Да.

— Хэллорен приходил к тебе три ночи тому назад, — заметил он, не глядя на нее. — Почему же ты не сказала мне об этом раньше? Почему ждала три дня?

— Тебя же не было.

— Были другие. Почему ты не спросила про меня?

— Я боялась, что ты его накажешь.

Но Тайеха, казалось, не занимал сейчас Хэллорен.

— Боялась, — повторил он таким тоном, будто это было признанием большой вины. — *Боялась?* С какой стати тебе *бояться* за Хэллорена? И целых три дня? Ты что, втайне сочувствуешь его взглядам?

— Ты же знаешь, что нет.

— Он потому так откровенно говорил с тобой? Потому что ты дала ему основание доверять тебе? Очевидно, так.

— Нет.

— Ты переспала с ним?

— Нет.

— Тогда почему же ты стремишься защитить Хэллорена? Ты меня огорчаешь.

— Я человек неопытный. Мне было жалко его, и я не хотела, чтобы он пострадал. А потом я вспомнила о моем долге.

Тайех, казалось, все больше запутывался. Он глотнул еще виски.

— Будь ты на моем месте, — сказал он наконец, отворачиваясь от нее, — и перед тобой встала бы проблема Хэллорена... который хочет вернуться домой, но знает слишком много... как бы ты с ним поступила?

— Нейтрализовала бы.

— Пристрелила?

— Это уж вам решать.

— Да. Нам. — Он снова стал разглядывать больную ногу, приподняв клюку и держа ее параллельно ноге. — Но зачем казнить мертвеца? Почему не заставить его работать на нас?

— Потому что он предатель.

И снова Тайех, казалось, намеренно не понял логики ее рассуждений.

— Хэллорен заводит разговоры со многими в лагере. И не просто так. Он наш стервятник, который показывает, где у нас слабое место и где гнильца. Он перст указующий, нацеленный на возможного предателя. Тебе не кажется, что глупо было бы избавляться от такой полезной особы?

Вздохнув, Тайех в третий раз приложился к бутылке с виски.

— Кто такой *Иосиф?* — спросил он слегка раздраженным тоном. — Иосиф. Кто это?

Неужели актриса в ней умерла? Или она настолько вжилась в театр жизни, что разница между жизнью и искусством исчезла? Ничего из ее репертуара не приходило Чарли в голову — она не могла ничего подобрать. Она не подумала, что может грохнуться на каменный пол и не вставать. Ее не потянуло валяться у него в ногах, признаваясь во всем, моля оставить ее в живых в обмен на все, что она знает, — а в качестве крайней меры ей это было дозволено. Она разозлилась. Надоело ей все это до смерти: всякий раз, как она достигает очередного километрового столба на пути к слиянию с революцией Мишеля, ее вываливают в грязи, а потом стряхивают грязь и заново подвергают изучению. И она, не раздумывая, швырнула в лицо Тайеху первую карту с верха колоды — хочешь — бей, хочешь — нет, и пошел ты к черту.

— Я не знаю никакого Иосифа.

— Да ну же! Подумай! На острове Миконос. До того как ты поехала в Афины. Один из наших друзей в случайном разговоре с одним из твоих знакомых услышал о каком-то Иосифе, который тогда присоединился к вашей группе. Он сказал, что Чарли была очень им увлечена.

Ни одного барьера не осталось, ни одного поворота. Все были позади, и она бежала теперь по прямой.

— Иосиф? Ах, *тот* Иосиф! — Она сделала вид, что наконец вспомнила, и тут же сморщила лицо в гримасу отвращения. — Припоминаю. Этакий грязный еврейчик, прилепившийся к нашей группе.

— Не надо так говорить о евреях. Мы не антисемиты, мы только антисионисты.

— Рассказывайте кому другому, — бросила она.

— Ты что же, — заинтересовался Тайех, — считаешь меня лжецом, Чарли?

— Сионист или нет, но он мерзость. Он напомнил мне моего отца.

— А твой отец был евреем?

— Нет. Но он был вор.

Тайех долго над этим раздумывал, оглядывая сначала ее лицо, а потом всю фигуру и как бы стараясь придраться к чему-то, что могло бы подтвердить еще тлевшие в нем сомнения. Он предложил ей сигарету, но она отказалась: инстинкт подсказывал ей не делать ему навстречу никаких шагов. Он снова постучал палкой по своей омертвевшей ноге.

— Ту ночь, что ты провела с Мишелем в Салониках... в старой гостинице... помнишь?

— Ну и что?

— Служащие слышали поздно вечером в вашем номере громкие голоса.

— И что вы от меня хотите?

— Не торопи меня, пожалуйста. Кто в тот вечер кричал?

— Никто. Они подслушивали не у той двери.

— Кто кричал?

— Мы не кричали. Мишель не хотел, чтобы я уезжала. Вот и все. Он боялся за меня.

— А ты?

Это они с Иосифом отработали: тогда она одержала верх над Мишелем.

— Я хотела вернуть ему браслет, — сказала она.

Тайех кивнул.

— Это объясняет приписку, сделанную в твоем письме: «Я так рада, что сохранила браслет». И конечно, никаких криков не было. Ты права. Извини мои арабские штучки. — Он в последний раз окинул ее испытующим взглядом, тщетно пытаясь разгадать загадку; затем поджал губы, по-солдатски, как это делал иногда Иосиф, прежде чем отдать приказ. — У нас есть для тебя поручение. Собери вещи и немедленно возвращайся сюда. Твоя подготовка окончена.

Отъезд неожиданно оказался самым большим испытанием. Это было хуже окончания занятий в школе, хуже прощания с труппой в Пирее. Фидель и Буби по очереди прижимали ее к груди, и их слезы мешались с ее слезами. Одна из алжирок дала ей подвеску в виде деревянного младенца Христа.

Профессор Минкель жил в седловине между горой Скопус и Французским холмом, на восьмом этаже нового дома, недалеко от университета, в группе высотных домов, что так болезненно воспринимаются незадачливыми сторонниками консервации Иерусалима. Каждая квартира в этом доме смотрела на Старый город, но беда в том, что и Старый город смотрел на них. Как и соседние дома, это был не просто высокий дом, а крепость, и все окна здесь были так расположены, чтобы в случае нападения можно было огнем из них накрыть атакующих. Курц трижды ошибался, прежде чем нашел дом. Сначала он забрел в бетонный торговый центр, построенный под землей, на пятифутовой глубине, потом — на Английское кладбище, где похоронены погибшие в Первую мировую войну. «В дар от народа Палестины» — гласила надпись. Побывал он и в других зданиях — в основном сооруженных на деньги американских миллионеров — и наконец вышел к этой башне из тесаного камня. Таблички с фамилиями были все исцарапаны, поэтому он нажал на первый попавшийся звонок, и ему ответил старик-поляк из Галиции, говоривший только на идиш. Поляк знал, в каком доме живет Минкель, — вы же его видите, как меня сейчас! — он знал доктора Минкеля и восхищался им: он сам тоже учился в прославленном Краковском университете. Но и у него были свои вопросы, на которые Курц, как мог, вынужден был отвечать: к примеру, а сам Курц откуда происходит? Ох, святители небесные, а он знает такого-то? И что делает тут Курц, взрослый мужчина, в одиннадцать часов утра — ведь доктору Минкелю в это время следует учить будущих философов нашего народа!

Механики по лифтам бастовали, и Курц вынужден был подниматься пешком, но ничего не могло омрачить его хорошего настроения. Во-первых, его племянница только что объявила о помолвке с молодым человеком с его службы, причем своевременно. Во-вторых, конференция по трактовке

Библии, в которой участвовала Элли, прошла успешно; по ее окончании Элли пригласила гостей на чашку кофе, и, к ее великой радости, Курц сумел там присутствовать. Но главное: прорыв по Фрейбургу был подкреплен несколькими обнадеживающими фактами, самый существенный из которых был добыт лишь вчера одним парнем из группы Шимона Литвака, занимающейся подслушиванием и опробовавшей новый направленный микрофон, который они установили на крыше в Бейруте; Фрейбург, Фрейбург, Фрейбург — этот город трижды встречался на пяти страницах отчета, восторг, да и только. И сейчас, поднимаясь по лестнице, Курц размышлял о том, что удача иной раз все-таки выпадает на долю человека. А именно удача, как хорошо знал Наполеон и все в Иерусалиме, делает рядового генерала генералом выдающимся.

Добравшись до небольшой площадки, Курц остановился, чтобы собраться с духом и с мыслями. Лестница освещалась совсем как бомбоубежище — электрические лампочки были в проволочных сетках, но сегодня, казалось, само детство Курца, проведенное в гетто, прыгало по этой мрачной лестнице вверх и вниз. «Правильно я поступил, что не взял с собой Шимона, — подумал он. — Шимон иной раз умеет такого льда подпустить...»

В двери квартиры 18-Д был глазок в стальной оправе и несколько расположенных один над другим замков, которые госпожа Минкель открывала по очереди, точно расстегивала пуговицы, всякий раз произнося: «Одну минутку, пожалуйста» — и принимаясь за следующий. Курц вошел и подождал, пока она их снова сверху донизу закроет. Она была высокая, довольно красивая, с очень яркими голубыми глазами и седыми волосами, стянутыми в строгий пучок.

— Вы господин Шпильберг из Министерства внутренних дел, — несколько настороженно сообщила она ему и протянула руку. — Ганси ждет вас. Проходите. Прошу.

Она открыла дверь в крошечный кабинетик, где сидел ее Ганси, сморщенный старый патриций, настоящий Будденброк. Письменный стол был слишком мал для него, — и, наверное, уже давно был мал, так как его книги и бумаги кипами лежали на полу, явно не случайно разложенные. Стол стоял боком в эркере, представлявшем собою половину восьмигранника, с узкими, как бойницы в замке, окнами и сиденьями, встроенными под ними. С трудом поднявшись на ноги, Минкель с достоинством осторожно пересек комнату и остановился на крошечном островке, не оккупированном свидетельствами его эрудиции. Он застенчиво поздоровался, и они сели в эркере, а госпожа Минкель взяла стул и решительно уселась между ними, словно намереваясь проследить за тем, чтобы все было по-честному.

Наступило неловкое молчание. Курц изобразил улыбку сожаления: ничего не попишешь, долг требует.

— Госпожа Минкель, боюсь, нам придется с вашим мужем обсудить два-три момента, которые из соображений безопасности мое министерство требует обсуждать наедине, — сказал он. И подождал, продолжая улыбаться, пока профессор не предложил жене приготовить им кофе, — господин Шпильберг пьет кофе?

Бросив на мужа предостерегающий взгляд, госпожа Минкель нехотя исчезла за дверью. Между двумя мужчинами не было большой разницы в возрасте, однако Курц обращался к Минкелю, как к старшему: профессор безусловно привык к такому обращению.

— Насколько я понимаю, профессор, наш общий друг Руфи Задир говорила с вами только вчера, — начал Курц тоном, каким разговаривают с тяжелобольным. Он-то это прекрасно знал, так как стоял рядом с Руфи, когда она звонила, и слушал, что говорили они оба, чтобы почувствовать человека, с которым ему придется иметь дело.

— Руфи была одной из моих лучших студенток, — заметил профессор с видом человека, понесшего невозвратимую утрату.

— Она и у нас тоже одна из лучших, — сказал Курц. — Профессор, скажите, пожалуйста, вы представляете себе, чем занимается сейчас Руфи?

Минкель не привык отвечать на вопросы, не относящиеся к его предмету, и с минуту озадаченно раздумывал.

— Мне кажется, я должен кое-что вам сказать, — заявил он вдруг с какой-то странной решимостью.

Курц любезно улыбался.

— Если ваш визит ко мне связан с политическими склонностями или симпатиями моих нынешних или бывших студентов, то, к сожалению, я не смогу сотрудничать с вами. Я не считаю это законным. Мы уже дискутировали на эту тему. Извините. — Он вдруг застеснялся и своих мыслей, и своего иврита. — У меня есть определенные принципы. А когда у человека есть определенные принципы, он должен высказывать свои мысли, но главное — действовать. Такова моя позиция.

Курц, ознакомившийся с досье Минкеля, в точности знал, какова его позиция. Он был учеником Мартина Бубера и членом в значительной степени забытой группы идеалистов, которые в период между войнами 1957-го и 1973 годов выступали за подлинный мир с палестинцами. Правые называли профессора предателем; иной раз так же поступали и левые, когда вспоминали о нем. Он был непревзойденным авторитетом по философии иудаизма, раннему христианству, гуманистическим движениям в своей родной Германии и еще по тридцати другим предметам; он написал трехтомную работу по теории и практике сионизма с указателем величиной с телефонную книгу.

— Профессор, — сказал Курц, — я прекрасно знаю о вашей позиции и, конечно же, не собираюсь никоим образом влиять на ваши высокие моральные принципы. — Он помолчал, чтобы его заверения осели в мозгу профессора. — Кстати, правильно ли я понимаю, что ваша предстоящая лекция во Фрейбургском университете тоже будет касаться прав человека? Арабы, их основные свободы — это предмет вашей лекции двадцать четвертого числа?

С такой интерпретацией профессор не мог согласиться. Он во всем требовал точности.

— На этот раз моя тема будет несколько иной. Лекция будет посвящена самореализации иудаизма — не путем завоеваний, а путем пропаганды высоких достоинств еврейской культуры и морали.

— И как же вы собираетесь это пропагандировать? — самым благодушным тоном спросил Курц.

В этот момент в комнату вошла жена Минкеля с подносом, заставленным домашним печеньем.

— Он что, снова предлагает тебе стать доносчиком? — спросила она. — Если да, скажи ему «нет». И когда скажешь «нет», скажи еще раз и еще, пока до него не дойдет. Ну что он может с тобой сделать? Избить резиновой дубинкой?

— Госпожа Минкель, я, безусловно, не собираюсь просить вашего мужа ни о чем подобном, — с самым невозмутимым видом возразил Курц.

Бросив на него недоверчивый взгляд, госпожа Минкель снова удалилась.

Но Минкель, казалось, и не заметил, что его прервали. А если и заметил, то не обратил внимания. Курц задал ему вопрос, и Минкель, презиравший барьеры в познании, не считал возможным не ответить ему.

— Я в точности изложу вам свои доводы, господин Шпильберг, — торжественно заявил он. — Пока у нас будет маленькое еврейское государство, мы можем демократически развиваться в направлении самореализации евреев. Но, как только мы станем более крупным государством, где будет немало и арабов, нам придется выбирать. — И он развел своими старческими, испещренными пятнами, руками. — С этой стороны будет демократия без самореализации евреев. А с этой стороны — самореализация евреев без демократии.

— И какой же вы видите выход, профессор? — спросил Курц.

Минкель воздел руки к потолку с видом величайшего раздражения. Казалось, он забыл, что Курц не его ученик.

— Очень простой! Уйти из Газы и с Западного берега до того, как мы утратим наши ценности! А какой еще может быть выход?

— А как палестинцы реагируют на это предложение, профессор?

Уверенность на лице профессора сменилась грустью.

— Они называют меня циником, — сказал он.

— Вот как?

— По их мнению, я хочу сохранить и еврейское государство, и симпатии всего мира, поэтому они считают, что я подрываю их дело. — Дверь снова открылась, и госпожа Минкель вошла с кофейником и чашками. — Но я же ничего *не подрываю,* — безнадежным тоном сказал профессор, однако жена не дала ему продолжить.

— *Подрывает?* — эхом повторила госпожа Минкель, с грохотом опуская на стол посуду и багровея. — Вы считаете, что *Ганси* что-то подрывает? Только потому, что мы откровенно говорим о том, что происходит с этой страной?

Курц не мог бы остановить поток ее слов, даже если бы попытался, но в данном случае он и пытаться не стал. Пусть выговорится.

— На Голанских высотах разве не избивают людей и не пытают? А как относятся к арабам на Западном берегу — хуже, чем эсэсовцы! А в Ливане, в Газе? Даже тут, в Иерусалиме, избивают арабских детей только потому, что они арабы! И мы, значит, *подрывные элементы,* потому что мы осмеливаемся во всеуслышание говорить об угнетении, хотя никто нас не угнетает, — это мы-то, евреи из Германии, *подрывные элементы* в Израиле?

— Aber, Liebchen[1]... — сказал профессор смущенно.

Но госпожа Минкель явно принадлежала к тем, кто привык высказываться до конца.

— Мы не могли остановить нацистов, а теперь мы не можем остановить себя. Мы получили родину — и что же мы с ней делаем? Сорок лет спустя мы изобретаем новый гонимый народ. Идиотизм! И если *мы* этого не скажем, то мир это скажет. Мир уже это говорит. Почитайте газеты, господин Шпильберг!..

Наконец она умолкла, и, когда это произошло, Курц спросил, не присядет ли она с ними и не выслушает ли то, с чем он пришел.

Курц подбирал слова очень тщательно, очень осторожно. То, что он должен сказать, заявил он, чрезвычайно секретно — секретнее быть не может. Он пришел не из-за учеников профессора, сказал он, и уж, во всяком случае, не для того, чтобы называть профессора подрывным элементом или оспа-

---

[1] Но, дорогая моя (*нем.*).

ривать его прекрасные идеалы. Он пришел исключительно из-за предстоящего выступления профессора во Фрейбурге, которое привлекло внимание определенных чрезвычайно негативных групп. Наконец-то он вышел в чистые воды.

— Так что вот он, печальный факт, — сказал Курц и перевел дух. — Если кое-кому из этих палестинцев, чьи права вы оба так мужественно защищаете, дать волю, никакого вашего выступления во Фрейбурге двадцать четвертого числа не будет. Собственно, профессор, вы никогда больше не будете выступать. — Он помолчал, но его аудитория и не собиралась прерывать его. — Согласно имеющейся у нас информации, совершенно ясно, что одна из их весьма неакадемических групп считает вас человеком, придерживающимся опасно умеренных взглядов, способным разбавить чистое вино их высокого дела... Они считают вас пропагандистом идеи создания бантустана для палестинцев. Лжепророком, ведущим недалеких людей к еще одной роковой уступке сионистам.

Но одной угрозы смерти было совсем, совсем недостаточно, чтобы убедить профессора принять не проверенную им версию.

— Извините, — резко произнес он. — Именно так обрисовала меня палестинская пресса после моего выступления в Беэр-Шеве.

— Оттуда-то мы это и взяли, профессор, — сказал Курц.

# Глава 24

Чарли прилетела в Цюрих под вечер. Вдоль взлетно-посадочной полосы горели огни, какие зажигают в непогоду, — они пылающей линией прочерчивали перед Чарли путь к собственной цели. В ее мозгу — вытащенные в отчаянии на свет — роились давние претензии к этому прогнившему миру, только ставшие теперь более зрелыми. Теперь-то она знала, что в этом мире нет ничего хорошего; теперь она видела горе, которым оплачивалось изобилие на Западе. Она была все той же, что и всегда, — озлобленным изгоем, стремившимся получить свое, с той лишь разницей, что перестала предаваться бесполезным взрывам эмоций и взяла в руки автомат. Огни промчались мимо ее иллюминатора, словно горящие обломки. Самолет сел. Билет у нее был до Амстердама, тем не менее она должна была выйти из самолета. *«Одинокие девушки, возвращающиеся с Ближнего Востока, вызывают подозрение*, — сказал ей Тайех во время последнего наставления в Бейруте. — *Мы обязаны прежде всего позаботиться о том, чтобы ты летела из более респектабельного места».* Фатьма, приехавшая ее проводить, уточнила: *«Халиль велел дать тебе новое удостоверение личности, когда ты туда прилетишь».*

Чарли вошла в пустынный транзитный зал с таким чувством, точно была первым человеком, перешагнувшим его порог. Играла электронная музыка, но некому было слушать ее. В шикарном киоске продавали шоколад и сыры, но и тут было пусто. Она прошла в туалет и долго разглядывала себя в зеркало. Волосы ее были острижены и выкрашены в светло-каштановый цвет. Сам Тайех ковылял по бейрутской квартире, пока Фатьма расправлялась с ее волосами. Никакой косметики, никаких женских хитростей, приказал Тайех. На Чарли был теплый коричневый костюм и очки с толстыми стеклами, сквозь которые она теперь смотрела на мир. «Мне недостает только соломенной шляпы и пиджака с пластроном», — подумала она. Да, большой она прошла путь от революционной poule de luxe[1] Мишеля.

*«Передай мою любовь Халилю»,* — сказала Фатьма, целуя Чарли на прощание.

У соседнего умывальника стояла Рахиль, но Чарли смотрела сквозь нее. Рахиль ей не нравилась, Чарли не желала ее знать и лишь по чистой случайности поставила между собой и ею свою раскрытую сумку, где сверху лежала пачка «Мальборо», — так учил ее Иосиф. И она не видела, как рука Рахи-

---

[1] Шикарной шлюхи (*фр.*).

ли заменила ее пачку «Мальборо» на свою или как она быстро, ободряюще подмигнула Чарли в зеркало.

«Нет у меня другой жизни, только такая. И нет у меня иной любви, кроме Мишеля, и никому я не предана, кроме великого Халиля».

*«Сядь как можно ближе к доске с объявлениями о вылетах»*, — велел ей Тайех. Она так и поступила и достала из маленького чемоданчика книгу об альпийских растениях, широкую и тонкую, как школьный учебник. Раскрыв книгу, она уперла ее в колено — так, чтобы видно было название. На лацкане ее жакета был круглый значок со словами «Спасайте китов», и это было вторым опознавательным знаком, сказал Тайех, потому что Халиль требует теперь, чтобы все было двойное: два плана, два опознавательных знака — на случай, если первый почему-то не сработает, две пули — на случай, если мир еще останется жив.

*«Халиль не верит ничему с первого раза»*, — сказал ей Иосиф. Но Иосиф для нее умер и давно похоронен, отринутый пророк времен ее юности. Теперь она вдова Мишеля и солдат Тайеха, и она приехала, чтобы вступить в ряды армии брата своего покойного возлюбленного.

Немолодой швейцарец-солдат с пистолетом-автоматом «хеклер и кох» разглядывал ее. Чарли перевернула страницу. Эти пистолеты она предпочитала всем остальным. Во время последней тренировки она всадила восемьдесят четыре пули из ста в мишень, изображавшую солдата-штурмовика. Это был самый высокий процент попадания как у мужчин, так и у женщин. Краешком глаза она видела, что солдат по-прежнему смотрит на нее. Она разозлилась. «Я тебе устрою то, что Буби однажды устроил в Венесуэле», — подумала она. Буби приказано было пристрелить одного фашиста-полицейского, когда тот будет утром, в очень подходящий час, выходить из своего дома. Буби спрятался в подъезде и стал ждать. Человек этот носил пистолет под мышкой, при этом он был мужчина семейный и вечно возился со своими детишками. Как только полицейский вышел на улицу, Буби вынул из кармана мячик и бросил его на мостовую в направлении шедшего мужчины. Обычный резиновый мячик — какой семейный человек инстинктивно не нагнется, чтобы поднять его? И как только он нагнулся, Буби вышел из подъезда и пристрелил его. Ну кто может выстрелить в тебя, когда ты ловишь мячик?

Кто-то явно решил к ней пристроиться. Мужчина с трубкой, замшевые туфли, серый фланелевый костюм. Она почувствовала, как он, помедлив, направился к ней.

— Послушайте, извините, пожалуйста, вы говорите по-английски?

Обычное дело, англичанин-насильник из буржуа, светловолосый, лет пятидесяти, бочкоподобный. Фальшиво извиняющийся. «Нет, не говорю, — хотелось ей ответить, — я просто смотрю картинки». Ей были до того ненавистны мужчины подобного типа, что ее чуть не вырвало. Она метнула на него гневный взгляд, но он был из тех, от кого нелегко отделаться.

— Просто тут *до того* уныло, — пояснил он. — Я подумал, не согласитесь ли вы выпить со мной? Безо всяких обязательств. Просто вы себя лучше почувствуете.

Она сказала: «Нет, спасибо»; чуть было не сказала: «Папа не велит мне разговаривать с незнакомыми», и он, потоптавшись, с видом оскорбленного достоинства отошел от нее, ища глазами полисмена, чтобы сообщить о ней. А она снова принялась изучать свои эдельвейсы, прислушиваясь к тому, как постепенно наполнялся зал — люди шли по одному. Мимо нее — к киоску с сырами. Мимо нее — к бару. А вот эти шаги — к ней. И останавливаются.

— Имогена? Ты, конечно, помнишь меня. Я Сабина!

Подними глаза. Узнай не сразу.

На голове пестрый швейцарский платок, скрывающий короткие волосы, выкрашенные в светло-каштановый цвет. Без очков, но если бы дать Сабине такую же пару, как у меня, любой паршивый фотограф мог бы принять нас за двойняшек. В руке большая сумка от Франца-Карла Вебера из Цюриха, что было вторым опознавательным знаком.

— С ума сойти. Сабина! Это ты!

Встаешь. Формально целуешь в щеку.

— Надо же! Куда ты направляешься?

Увы, самолет Сабины уже улетает. Какая обида, что мы

не можем поболтать, но такова жизнь, верно? Сабина опускает сумку у ног Чарли. Будь добра, дорогая, постереги. Конечно, Сабина, никаких проблем. Сабина исчезает в дамском туалете. А Чарли, заглянув в сумку, точно это ее собственная, вытаскивает оттуда цветной конверт, перевязанный ленточкой, нащупывает внутри паспорт, и авиабилет, и посадочный талон. Сабина возвращается, хватает сумку — надо бежать, правый выход. Чарли считает до двадцати, затем снова наведывается в туалет и садится там на стульчик. Бааструп, Имогена, из Южной Африки, читает она. Родилась в Йоханнесбурге, на три года и один месяц позже, чем я. Вылет в Штутгарт через час двадцать минут. Прощай, ирландочка, здравствуй, плоскозадая христианка-расистка из глубинки, утверждающая свое право на наследие белой девчонки.

Она выходит из туалета, солдат снова смотрит на нее. Он все видел. Сейчас он меня арестует. Он думает — я в бегах, и понятия не имеет, как он прав. Она, в свою очередь, глядит на него в упор, он поворачивается и уходит. «Он смотрел на меня просто так — надо же на что-то смотреть», — подумала Чарли, снова вытаскивая свою книгу об альпийских цветах.

Полет длился, казалось, всего пять минут. В зале прилетов в Штутгарте стояла уже отжившая свое елка и царила атмосфера сумятицы, какая бывает, когда люди перемещаются семьями и приезжают домой. Дожидаясь с южноафриканским паспортом в руке своей очереди, Чарли изучала фотографии женщин-террористок, находящихся в розыске, и ей мнилось, что сейчас она увидит себя. Она без задержки прошла через паспортный контроль, затем пошла по «зеленому коридору». У выхода она заметила Розу, свою южноафриканскую соратницу, сидевшую на рюкзаке, но Роза для нее умерла, как и Иосиф, как и все прочие, — она просто не видела ее, как не видела Рахили. Двери с электронным устройством открылись, и в лицо Чарли ударил снежный вихрь. Подняв воротник пальто, она бегом пересекла широкий тротуар, направляясь к гаражу. «Четвертый этаж, — сказал ей Тайех, — дальний левый угол, ищи лисий хвост на радиоантенне». Она представляла себе высокую антенну с развевающимся наверху ярко-рыжим лисьим хвостом. А этот хвост оказался нейлоновой мохнатой поделкой на колечке для ключей, и он лежал, точно дохлая мышь, на капоте маленького «Фольксвагена».

— Я Саул. А тебя как звать, крошка? — спросил раздавшийся совсем рядом мужской голос с мягким американским выговором.

На какое-то жуткое мгновение она подумала, что это снова явился Артур Дж. Хэллорен, преследующий ее, но, заглянув за колонну, с облегчением увидела вполне нормально выглядевшего парня, который стоял, прислонившись к стене. Длинные волосы, сапоги и ленивая улыбка. А на ветровке, такой же, как у нее, круглый значок «Спасайте китов».

— Имогена, — сказала она, так как Тайех предупредил, что к ней подойдет именно Саул.

— Подними крышку багажника, Имогена. Положи туда свой чемодан. А теперь осмотрись — никого не видишь? Никто не кажется тебе подозрительным?

Она неторопливо оглядела площадку гаража. В пикапе «Бедфорд», залепленном дурацкими маргаритками, Рауль целовался взасос с какой-то девчонкой, которую Чарли не удалось рассмотреть.

— Никого, — сказала она.

Саул открыл дверцу со стороны пассажира.

— И пристегнись, детка, — сказал он, садясь рядом с ней. — Такие в этой стране законы, ясно? Откуда же ты прикатила, Имогена? Где ты так загорела?

Но вдовы, нацелившиеся на убийство, не болтают с незнакомыми людьми. Саул пожал плечами, включил радио и стал слушать новости на немецком языке.

Снег делал все красивым и заставлял ехать осторожно. Они, как могли, спустились по пандусу и выехали на дорогу с двусторонним движением. В свете их фар снег валил крупными хлопьями. «Новости» кончились, и женский голос объявил концерт.

— Ты как насчет этого, Имогена? Это классика.

В любом случае радио он не выключил. Моцарт из Зальцбурга, где Чарли из-за усталости отказала Мишелю в любви в ночь перед его гибелью.

Они объехали ярко светившийся огнями город, на который, словно пепел из вулкана, сыпались снежинки. Они поднялись на развязку и увидели внизу, под собой, огороженную площадку, где при свете дуговых фонарей дети в красных куртках играли в снежки. Чарли вспомнила детский театральный кружок в Англии, который вела десять миллионов лет тому назад. «Я же ради них это делаю, — подумала она. — Мишель в это так или иначе верил. Так или иначе все мы в это верим. Все, кроме Хэллорена, который перестал видеть в этом смысл». Почему она так много думает о нем? — мелькнуло у нее в голове. Потому что он сомневается, а она поняла, что больше всего надо бояться сомневающихся. *Сомневаться — значит предавать»,* — предупредил ее Тайех.

Иосиф сказал ей примерно то же.

Теперь местность стала другой, и дорога превратилась в своего рода черную реку, которая струилась по каньону, обрамленному белыми полями и сгибавшимися под тяжестью снега деревьями. Сначала Чарли утратила чувство времени, потом ощущение местности. Она видела сказочные замки и вытянувшиеся, словно поезд, деревни на фоне светлого неба. Игрушечные церкви с куполами-луковицами вызывали у нее желание молиться, но она была для этого слишком взрослой, да и потом религия — это для слабаков. Она увидела дрожащих лошадок, объедающих копны сена, и одного за другим вспомнила пони своего детства. Увидев что-то красивое, она отдавала увиденному всю душу, стремясь привязать себя к чему-то, замедлить бег времени. Но ничто не задерживалось, ничто не запечатлевалось в мозгу — все было как след дыхания на стекле. Время от времени какая-нибудь машина обгоняла их, а однажды мимо промчался мотоцикл, и Чарли показалось, что она узнала спину Димитрия, но, прежде чем она успела в этом убедиться, он был уже вне досягаемости их фар.

Они взобрались на гору, и Саул стал увеличивать скорость. Он свернул налево, пересек дорогу, потом направо, и машина заскакала по колеям. По обе стороны дороги лежали поваленные деревья, точно солдаты из документального фильма, замерзшие в русских снегах. Вдали Чарли стала постепенно различать очертания старого дома с высокими трубами, и на секунду это напомнило ей дом в Афинах. Саул остановил машину, дважды мигнул фарами. В ответ — по-видимому, из глубины дома — мигнул ручной фонарик. Саул смотрел на свои часы, тихо отсчитывая секунды.

— Девять... десять... вот сейчас будет, — сказал он, и вдали снова мигнул свет. Тогда он перегнулся через Чарли и открыл ей дверцу.

Взяв чемодан, она обнаружила в снегу тропинку и пошла к дому — лишь белый снег да полосы лунного света, проникавшего сквозь деревья, освещали ей путь. Подойдя ближе к дому, она увидела старинную башню, но без часов, и замерзший пруд с цоколем для статуи, но без статуи. Под деревянным навесом блеснул мотоцикл.

Внезапно она услышала знакомый голос, сдержанно окликнувший ее:

— Имогена, осторожно! С крыши может обвалиться кусок и убить тебя насмерть. Имогена... о господи, как же это глупо — Чарли!

Сильное, крепкое тело возникло в темноте крыльца, дружеские руки обхватили ее, — правда, объятию слегка мешали ручной фонарик и пистолет-автомат.

В порыве дурацкой благодарности Чарли расцеловала Хельгу.

— Хельга... Господи... это ты... вот здорово!


Светя фонариком, Хельга повела ее по выложенному мрамором полу, в котором не хватало уже половины плит, затем осторожно вверх, по покосившейся деревянной лестнице без перил. Дом умирал, но кто-то торопил его смерть. На влажных стенах были намалеваны красной краской растекавшиеся лозунги; ручки у дверей и штепсели были отвинчены. К Чарли вернулось чувство враждебности, и она попыталась выдернуть у Хельги руку, но Хельга крепко держала ее. Они прошли по анфиладе пустых комнат, в каждой из которых можно было бы давать банкет. В первой комнате стояла развороченная изразцовая печь, набитая газетами. Во второй — ручной печатный станок, покрытый толстым слоем пыли, а на полу — пожелтевшие листовки вчерашних революций. Они вошли в третью комнату, и Хельга нацелила свой фонарик на груду папок и бумаг в нише.

— Знаешь, что мы тут делаем, Имогена, я и моя подруга? — спросила она, неожиданно повысив голос. — Подруга у меня фантастическая. Зовут ее Верона, и ее отец был законченный нацист. Помещик, промышленник — словом, все на свете. — Она на секунду выпустила руку Чарли и тут же снова сжала ей запястье. — Он умер, так что теперь мы в отместку распродаем все. Деревья — лесоповальщикам. Землю — землеразрушителям. Статуи и мебель — на блошиный рынок. Скажем, что-то стоит пять тысяч — мы продаем за пятерку. Вот тут стоял письменный стол ее отца. Мы его изрубили своими руками и сожгли. Как символ. Это же был штаб его фашистской кампании — здесь он подписывал чеки, задумывал все свои репрессивные акции. Вот мы и сожгли этот стол. Теперь Верона свободна. Она бедна, она свободна, она — вместе с народом. Ну не фантастичная девчонка? Тебе, пожалуй, следовало бы так же поступить.

Узкая винтовая лестница для слуг вела наверх. Хельга молча стала подниматься по ней. Сверху слышалась народная музыка и доносился дымный запах горящего парафина. Они достигли площадки, прошли мимо ряда спален для слуг и остановились у последней двери. Под ней виднелась полоска света. Хельга постучала и что-то тихо произнесла по-немецки. Ключ повернулся в замке, и дверь отворилась. Хельга вошла первой и поманила Чарли.

— Имогена, это товарищ Верона. — В голосе ее послышались приказные нотки: — Веро!

Толстая растрепанная девчонка не сразу подошла к гостям. Поверх широких черных брюк на ней был передник, волосы подстрижены под мальчика. На толстом боку болтался пистолет-автомат в кобуре. Верона вытерла руку о передник и обменялась с пришедшими буржуазным рукопожатием.

— Всего год тому назад Веро была такая же фашистка, как и ее отец, — заметила Хельга авторитетным тоном. — Одновременно раба и фашистка. А сейчас она боец. Да, Веро?

Отпущенная с миром Верона заперла дверь на ключ и вернулась в свой угол, где она что-то готовила на переносной плитке. «Интересно, — подумала Чарли, — мечтает ли она втайне о тех временах, когда стол ее отца был еще цел?»

— Иди-ка сюда. Посмотри, кто тут, — сказала Хельга и потащила Чарли в другой конец помещения.

Чарли быстро огляделась. Она была на большом чердаке — в точности таком же, как тот, где она бессчетное множество раз играла, когда приезжала на каникулы в Девон. Керосиновая лампа, свисавшая со стропила, слабо освещала помещение. Слуховое окно было забито толстой бархатной портьерой. Ярко раскрашенный конь-качалка стоял у одной стены, рядом с ним — классная доска на подставке. На ней был нарисован план улицы; цветные стрелки указывали на большое квадратное здание в центре. На старом столе для пинг-понга лежали остатки салями, черный хлеб, сыр. У огня сохла мужская и женская одежда. Они подошли к деревянной лесенке из нескольких ступенек, и Хельга повела Чарли наверх. На нарах лежали два дорогих водяных матраса. На одном из них развалился молодой парень, голый до пояса и ниже, — тот самый смуглый итальянец, который в воскресное утро в Сити держал Чарли на мушке. Он набросил на ноги рваное одеяло, а на одеяле Чарли увидела части разобранного «вальтера», которые он чистил. У его локтя стоял приемник — передавали Брамса.

— Это наш энергичный Марио, — не без иронии и в то же время с гордостью объявила Хельга, ткнув его носком ботинка ниже живота. — Знаешь, Марио, ты стал совсем бесстыжим. Ну-ка прикройся немедленно и приветствуй гостью. Я приказываю!

Но Марио в ответ лишь откатился к противоположному краю матраса, как бы приглашая присоединиться к нему тех, кто пожелает.

— Как там товарищ Тайех, Чарли? — спросил он. — Расскажи нам, что нового в семействе.

Раздался телефонный звонок — точно крик в церкви; он показался тем более тревожным, что Чарли не ожидала увидеть здесь телефон. Желая поднять ей настроение, Хельга предложила было выпить за здоровье Чарли и пустилась в витиеватые восхваления ее достоинств. Она поставила бутылку и стаканы на доску для хлеба и только собралась нести их в другой конец помещения, как зазвонил телефон. Услышав звонок, она застыла, затем медленно опустила доску для хлеба на стол для пинг-понга. Россино выключил радио. Телефон стоял на столике маркетри, который Верона с Хельгой не успели еще сжечь; телефон был старый, из тех, что висят на стене, с наушником и трубкой отдельно. Хельга стояла возле него, но наушника не брала. Чарли насчитала восемь звонков, после чего звонить перестали. А Хельга продолжала стоять и смотреть на аппарат. Россино, совсем голый, прошагал через комнату и снял с веревки рубашку.

— Он же говорил, что позвонит завтра, — возмутился он, натягивая рубашку через голову. — Чего это его вдруг прорвало?

— Тихо, — прикрикнула на него Хельга.

Верона продолжала помешивать свое варево, но куда медленнее прежнего, словно быстрое движение было опасно. Она принадлежала к числу удивительно неуклюжих женщин.

Аппарат зазвонил снова; после второго звонка Хельга сняла наушник и тут же снова повесила его на рычаг. Когда же телефон зазвонил опять, она коротко откликнулась: «Да», затем минуты две слушала без кивка или улыбки, после чего положила наушник на место.

— Минкели изменили свои планы, — объявила она. — Они сегодня ночуют в Тюбингене, где у них друзья среди преподавателей. У них четыре больших чемодана, много мелких вещей и *чемоданчик*. — Зная, когда и как можно произвести эффект, Хельга взяла с умывальника Вероны мокрую тряпку и протерла доску. — Чемоданчик черный, с несложными замками. Место лекции тоже изменено. Полиция ничего не подозревает, но нервничает. Принимают так называемые «разумные» меры.

— А как насчет легавых? — спросил Россино.

— Полиция хочет усилить охрану, но Минкель категорически отказывается. Он же как-никак человек принципиальный. Раз он собирается разглагольствовать насчет права и порядка, не может же он, как он заявил, появиться в окружении тайных агентов. Но для Имогены ничего не меняется. Приказ остается в силе. Это ее первая акция. Она станет настоящей звездой. Разве не так, Чарли?

Внезапно Чарли обнаружила, что все смотрят на нее: Верона — тупым, бессмысленным взглядом, Россино — оценивающе и с усмешкой, а Хельга — открыто и прямо, взглядом, в котором, как всегда, отсутствовала даже тень сомнения в своей правоте.

Она лежала на спине, подложив под голову вместо подушки локоть. Спальня ее была не галереей в церкви, а чердаком без света и занавесок. Постелью ей служил старый волосяной матрас и пожелтевшее одеяло, от которого пахло камфорой. Рядом сидела Хельга и сильной рукой гладила Чарли по крашеным волосам. В высокое окно светила луна, снег заглушал все звуки. Здесь только сказки писать. А любимый пусть включит электрический камин и займется со мной любовью при его красном свете. Она — в бревенчатой хижине, и ничто не грозит ей, кроме завтрашнего дня.

— В чем дело, Чарли? Открой глаза. Ты что, больше не любишь меня?

Чарли открыла глаза и уставилась в пустоту, ничего не видя и ни о чем не думая.

— Все еще мечтаешь о своем маленьком палестинце? Тебя тревожит то, чем мы тут занимаемся? Хочешь бросить все к черту и удрать, пока еще есть время?

— Я устала.

— Почему же ты не идешь спать с нами? Пошалим немножко. Потом можно будет и поспать. Марио — отличный любовник. — И, нагнувшись над Чарли, Хельга поцеловала ее в щеку. — Ты хочешь, чтобы Марио был только с тобой? Ты стесняешься? Я даже это тебе позволю.

Она снова ее поцеловала. Но Чарли лежала безразличная и холодная, тело ее было как из чугуна.

— Ну, может, завтра ночью ты будешь поласковее. Учти: Халиль не терпит отказов. Он ждет не дождется тебя. И уже про тебя спрашивал. Знаешь, что он сказал одному нашему другу? «Без женщин я совсем огрубею и не смогу выполнить своей задачи как солдат. Хорошим солдатом может быть лишь тот, кому не чуждо ничто человеческое». Так что можешь себе представить, какой это великий человек. Ты любила Мишеля, поэтому Халиль будет любить тебя. Тут нет вопроса. Вот так-то.

И, поцеловав ее долгим поцелуем, Хельга вышла из комнаты, а Чарли продолжала лежать на спине, широко раскрыв глаза, глядя, как медленно светлеет ночь за окном. Она слышала, как взвыла и, сжав зубы, просительно всхлипнула женщина, как прикрикнул мужчина. Хельга с Марио двигали вперед революцию без ее помощи.

«*Выполняй все, что бы они ни велели,* — говорил Иосиф. — *Если скажут «убей» — убивай. За это будем отвечать мы, а не ты*».

«А ты где в это время будешь?»

«*Близко*».

Близко к краю света.

В сумке у Чарли лежал ручной фонарик с Микки-Маусом — вещичка, которой она играла под одеялом в пансионе. Она достала фонарик вместе с пачкой «Мальборо», которую передала ей Рахиль. Там оставалось три сигареты, и она вложила их обратно. Осторожно, как учил Иосиф, она сняла обертку, разорвала пачку и разложила картон на столике внутренней стороной кверху. Послюнявив палец, она осторожно стала водить мокрым пальцем по картону. Показались буквы — коричневые, словно написанные тоненькой шариковой ручкой. Чарли прочла то, что там было написано, просунула смятую пачку в щель между досками пола, и та исчезла.

«*Мужайся. Мы с тобой*». Целая молитва на булавочной головке.

Их оперативный штаб во Фрейбурге находился в спешно снятом помещении первого этажа, на деловой улице; прикрытием им служила инвестиционная компания Вальтера и Фроша, одна из тех организаций, которые постоянно находились в списках секретариата Гаврона. Их оборудование более или менее походило на то, каким пользуются деловые люди; кроме того, в их распоряжении благодаря Алексису было три обычных телефона, причем один из них прямым проводом соединял Алексиса с Курцем. Было раннее утро после хлопотной ночи, проведенной в слежке за передвижениями Чарли и ее поселением, а затем в жарких спорах между Литваком и его западногерманским коллегой о разделении обязанностей, так как Литвак теперь спорил со всеми. Курц и Алексис держались в стороне от свар между подчиненными. В широком смысле соглашение продолжало действовать, и Курц пока не был заинтересован его рвать. Алексису и его людям причитается похвала, а Литваку и его людям — чувство удовлетворения.

Что же до Гади Беккера, то он наконец снова попал на передовую. Близость активных действий придала всем его движениям решительность и быстроту. Самокопание, которому он предавался в Иерусалиме, ушло; угнетавшее его безделье окончилось. Пока Курц дремал под армейским одеялом, а Литвак, взвинченный, изможденный, то бродил по комнате, то коротко что-то говорил по одному или другому из телефонов, непонятно зачем накаляя себя, Беккер, словно часовой, стоял у большого венецианского окна со ставнями и терпеливо смотрел вверх, на снеговые горы, высившиеся по другую сторону оливковой реки Драйзам. Дело в том, что Фрейбург, как и Зальцбург, окружен горами, и каждая улица ведет вверх, к собственному Иерусалиму.

— Она запаниковала, — вдруг объявил Литвак, обращаясь к спине Беккера.

Беккер обернулся и недоуменно взглянул на него.

— Она переметнулась к ним, — не отступал Литвак. В голосе его прорывались хриплые нотки.

Беккер снова повернулся к окну.

— Какая-то частица ее переметнулась, а какая-то осталась с нами, — сказал он. — Именно это мы от нее и требовали.

— Да она же переметнулась! — повторил Литвак, подхлестывая себя собственной провокацией. — Такое бывало с агентами. Вот и тут это произошло. Я видел ее в аэропорту, а ты не видел. Говорю тебе: она похожа на привидение!

— Если она похожа на привидение, значит, она хочет быть на него похожей, — сказал Беккер, не позволяя себе утратить хладнокровие. — Она же актриса. Она сдюжит, не волнуйся.

— Ну а что ею движет? Она ведь не еврейка. Она вообще никто. Она с ними заодно. Забудем о ней! — Услышав, что

Курц зашевелился под одеялом, Литвак повысил голос, чтобы и он слышал. — А если она по-прежнему с нами, то почему она дала Рахиль в аэропорту пустую пачку из-под сигарет, ну-ка скажи? Несколько недель проторчала среди этого сброда и, когда вынырнула оттуда, ни строчки не написала нам. Что же это за лояльный агент?

Беккер, казалось, искал ответ в далеких горах.

— Возможно, ей нечего было сказать, — заметил он. — Она голосует за нас действиями. Не словами.

Со своего тощего жесткого ложа Курц сонным голосом попытался утихомирить Литвака:

— Германия плохо на тебя действует, Шимон. Расслабься. Какая разница, на чьей она стороне, если она продолжает показывать нам дорогу?

Но слова Курца произвели обратный эффект. В том состоянии самоистязания, в каком находился Литвак, ему показалось, что за его спиной состоялся какой-то сговор, и он разъярился еще больше.

— А если она сломается и придет к ним с покаянием? Если она расскажет им всю историю, начиная с Миконоса и по сей день? Она все равно будет нам показывать дорогу?

Казалось, он упорно лез на рожон и ничто не способно было его удовлетворить.

Приподнявшись на локте, Курц взял более резкий тон.

— Так что же мы должны делать, Шимон? Ну, предложи решение. Представим себе, что она переметнулась. Представим себе, что она завалила всю операцию — от и до. Ты что, хочешь, чтобы я позвонил Мише Гаврону и сказал, что у нас — все?

Беккер как стоял у окна, так и продолжал стоять, только сейчас он повернулся и задумчиво смотрел через всю комнату на Литвака. А Литвак, взглянув на одного, потом на другого, вскинул вверх руки — жест достаточно странный при том, что двое его собеседников стояли совсем неподвижно.

— Да ведь этот Халиль — он же где-то тут! — воскликнул Литвак. — В отеле. На квартире. В ночлежке. Безусловно, тут. Запечатай город. Перекрой дороги, вокзалы. Автобусы. Вели

Алексису устроить окружение. Обыщем каждый дом, пока не найдем его!

— Шимон, — попробовал по-доброму подшутить над ним Курц, — Фрейбург ведь не Западный берег Иордана.

Но Беккер, наконец заинтересовавшись разговором, казалось, не хотел на этом ставить точку.

— А когда мы его найдем? — спросил он, словно никак не мог постичь план Литвака. — Что будем делать тогда, Шимон?

— Раз найдем, значит, найдем! И убьем. Операция будет закончена!

— А кто убьет Чарли? — спросил Беккер все тем же спокойным, рассудительным тоном. — Мы или они?

Литвак вдруг вскипел, не в силах дольше сдерживаться. Сказывалось напряжение прошедшей ночи и предстоявшего дня, и весь клубок неудач — и с женщинами, и с мужчинами — вдруг всплыл на поверхность его души. Лицо его покраснело, глаза засверкали, тощая рука выбросилась вперед, точно он обвинял Беккера.

— Она проститутка, и коммунистка, и арабская подстилка! — выкрикнул он так громко, что наверняка было слышно за стеной. — Да кому она нужна?

Если Литвак ожидал, что Беккер устроит из-за этого потасовку, он просчитался, ибо Беккер лишь спокойно кивнул, как бы говоря: вот Литвак и подтвердил его предположения, показал, каков он есть. Курц отбросил одеяло. Он сидел на раскладушке в трусах, свесив голову, и потирал кончиками пальцев свои короткие седые волосы.

— Пойди прими ванну, Шимон, — спокойно приказал он. — Прими ванну, хорошенько отдохни, выпей кофе. Вернешься сюда около полудня. Не раньше. — Зазвонил телефон. — Не отвечай, — добавил он и сам поднял трубку, в то время как Литвак молча, в страхе за себя, наблюдал за ним с порога. — Он занят, — сказал Курц по-немецки. — Да, это Хельмут, а кто говорит?

Он сказал «да», потом снова «да», потом «отлично». И повесил трубку. Затем улыбнулся своей невеселой улыбкой без возраста. Сначала Литваку, чтобы успокоить его, затем Беккеру, потому что в эту минуту их разногласия не имели значения.

— Чарли приехала в отель Минкелей пять минут тому назад, — сказал он. — С ней Россино. Они сейчас мило завтракают задолго до положенного часа, но именно в это время любит завтракать наша приятельница.

— А браслет? — спросил Беккер.

Курцу это особенно понравилось.

— На правой руке, — гордо произнес он. — Ей есть что нам сообщить. Отличная девчонка, Гади, я тебя поздравляю.

\* \* \*

Отель был построен в шестидесятые годы, когда владельцы подобных заведений еще считали, что в гостиницах должны быть большие холлы с подсвеченными фонтанами и витринами, рекламирующими золотые часы. Широкая двойная лестница вела на мезонин, и с того места, где за столиком сидели Чарли и Россино, видны были и входная дверь, и портье. На Россино был синий деловой костюм, на Чарли — форма старшей в южноафриканском лагере для девушек с подвеской в виде деревянного младенца Христа, которого ей подарили в тренировочном лагере. У нее резало глаза от очков, которые Тайех велел сделать ей с настоящими диоптрическими стеклами. Они съели яичницу с беконом, так как Чарли была голодна, и теперь пили свежесваренный кофе, а Россино читал «Штутгартер цайтунг» и время от времени развлекал Чарли забавными новостями. Они рано приехали в город, и она изрядно замерзла на заднем сиденье мотоцикла. Машину они оставили у станции, где Россино, выяснив то, что требовалось, взял такси до отеля. За час, что они пробыли тут, Чарли видела, как прибыл с полицейским кортежем католический епископ, а затем делегация из Западной Африки в национальных костюмах. Она видела, как подъехал автобус с американцами и отъехал автобус с японцами; она знала наизусть всю процедуру регистрации, вплоть до имени рассыльного, который хватает чемоданы у приезжих, лишь только они проходят сквозь раздвижные двери, укладывает их на свою тележку и стоит на расстоянии ярда от гостей, пока те заполняют регистрационные бланки.

— Его святейшество папа намеревается совершить турне по фашистским странам Южной Америки, — объявил Россино из-за газеты, когда Чарли поднялась. — Может, на этот раз они все-таки прикончат его. Ты куда, Имогена?

— Писать.

— Что, нервничаешь?

В дамской уборной над умывальниками горели розовые светильники и звучала тихая музыка, заглушая урчание вентиляторов. Рахиль красила веки. Еще две какие-то женщины мыли руки. Дверь в одну из кабинок была закрыта. Проходя мимо Рахили, Чарли сунула ей в руку наспех нацарапанное послание. Затем привела себя в порядок и вернулась к столику.

— Пошли отсюда, — сказала она, словно, облегчившись, изменила свое намерение. — Это же все нелепо.

Россино раскурил толстую голландскую сигару и выдохнул дым ей в лицо.

Подкатил чей-то казенный «Мерседес», и из него вывалилась группа мужчин в темных костюмах с именными значками на лацканах. Россино непристойно пошутил было на их счет, но тут к ним подошел посыльный и позвал его к телефону. Синьора Верди, оставившего свое имя и пять марок у портье, просили пройти в кабину № 3. Чарли продолжала потягивать кофе, чувствуя, как в груди растекается тепло. Рахиль расположилась с каким-то приятелем под алюминиевой пальмой и читала «Космополитен». Еще человек двадцать сидели вокруг, но Чарли узнала только Рахиль. Вернулся Россино.

— Минкели прибыли на вокзал две минуты назад. Схватили такси — синий «Пежо». С минуты на минуту должны быть здесь.

Он попросил счет и расплатился, затем снова взялся за газету.

«Я буду делать все только раз, — дала Чарли себе слово, лежа в ожидании утра. — Единственный и последний раз». Она повторила это про себя. «Если я сижу сейчас тут, то никогда больше я сидеть тут не буду. Когда я спущусь вниз, больше я уже никогда сюда не поднимусь. Когда я выйду из отеля, больше я туда уже не вернусь».

— Почему бы нам не пристрелить подлеца, и дело с концом? — шепнула Чарли, снова взглянув в направлении входной двери и чувствуя, как в ней нарастают страх и ненависть.

— Потому что мы хотим еще пожить, чтобы пристрелить побольше мерзавцев, — терпеливо пояснил Россино и перевернул страницу. — Команда «Манчестер юнайтед» снова проиграла, — с довольным видом добавил он. — Бедная старушка империя.

— Пошли, — сказала Чарли.

По другую сторону стеклянных дверей остановилось такси — синий «Пежо». Из него вылезла седая женщина. За ней последовал высокий, благообразного вида мужчина, двигавшийся медленно и степенно.

— Следи за мелочью, я буду следить за большими вещами, — сказал ей Россино, раскуривая сигару.

Шофер пошел открывать багажник, за ним стоял со своей тележкой посыльный Франц. Сначала выгрузили два одинаковых коричневых чемодана, не новых и не старых. Для верности они были перехвачены посредине ремнем. С ручек свисали красные бирки. Затем старый кожаный чемодан, гораздо больших размеров, чем первые, с двумя колесиками на одном углу. Вслед за ним — еще один чемодан.

Россино тихо ругнулся по-итальянски.

— Да сколько же они собираются тут пробыть? — возмутился он.

Мелкие вещи лежали на переднем сиденье. Заперев багажник, шофер начал доставать их, но все они на тележку Франца поместиться не могли. Старенькая сумка из кусочков кожи и два зонта — его и ее. Бумажная сумка с изображением черной кошки. Две большие коробки в цветной бумаге — по всей вероятности, рождественские подарки. Наконец Чарли увидела его — вот он, черный чемоданчик. Твердые крышки, стальная окантовка, кожаная бирка с фамилией. «Молодчина Хельга, — подумала Чарли. — Все подметила». Минкель расплатился с таксистом. Подобно одному приятелю Чарли, мелкие монеты он держал в кошельке и, прежде чем расстаться с незнакомыми деньгами, высыпал их на ладонь. Госпожа Минкель взяла чемоданчик.

— А черт, — сказала Чарли.

— Подожди, — сказал Россино.

Нагруженный пакетами, Минкель прошел вслед за женой сквозь стеклянные двери.

— Вот сейчас ты говоришь мне, что вроде узнаешь его, — спокойно сказал Россино. — А я тебе говорю — почему бы тебе не спуститься и не посмотреть на него поближе? Ты не решаешься: ты же застенчивая маленькая девственница. — Россино придерживал ее за рукав. — Только не напирай. Если не получится, есть уйма других путей. Сдвинь брови. Поправь очки. *Пошла!*

Минкель подходил к портье какими-то маленькими дурацкими шажками, точно никогда в жизни не останавливался в гостиницах. Жена шла рядом с ним, держа чемоданчик. Обязанности портье выполняла всего одна женщина, и она занималась сейчас двумя другими гостями. Минкель ждал и смущенно озирался. А на его жену отель особого впечатления не произвел. На другом конце холла, за перегородкой из матового стекла, хорошо одетые немцы собирались для чего-то. Госпожа Минкель неодобрительно оглядела гостей и пробормотала что-то мужу. Портье освободилась, и Минкель взял из рук жены чемоданчик — вещь была передана из рук в руки без единого звука. Портье — блондинка в черном платье — провела красными наманикюренными ногтями по списку и дала Минкелю карточку для заполнения. Чарли, спускаясь, чувствовала пятками каждую ступеньку, вспотевшая рука прилипала к перилам, Минкель расплывался за толстыми стеклами ее очков мутным пятном. Пол приподнялся ей навстречу, и она нерешительно двинулась к стойке портье. Минкель, согнувшись над стойкой, заполнял карточку. Он положил рядом с собой свой израильский паспорт и списывал с него номер. Чемоданчик стоял на полу, у его левой ноги; госпожа Минкель отошла в сторону. Став справа от Минкеля, Чарли заглянула ему через плечо. Госпожа Минкель подошла слева и недоуменно уставилась на Чарли. Она подтолкнула мужа. Заметив наконец, что его внимательно изучают, Минкель медленно поднял свою почтенную голову и повернулся к Чарли. Она прочистила горло, изображая застенчивость, что ей было нетрудно.

— Профессор Минкель? — спросила она.

У него были серые неспокойные глаза, и он, казалось, был смущен еще больше, чем Чарли. А у нее было такое впечатление, точно предстояло играть с плохим актером.

— Да, я профессор Минкель, — сказал он, словно сам не был в этом уверен. — Да. Это я. А в чем дело?

То, что он так плохо выполнял свою роль, придало Чарли силы. Она сделала глубокий вздох.

— Профессор, меня зовут Имогена Бааструп из Йоханнесбурга, я окончила Витватерsrandский университет по социальным наукам, — одним духом выложила она. Акцент у нее был не столько южноафриканский, сколько слегка австралийский; говорила она слащаво, но держалась решительно. — Я имела счастье слушать в прошлом году вашу лекцию о правах нацменьшинств в обществах определенной расовой окраски. Это была прекрасная лекция. Она, собственно, изменила всю мою жизнь. Я собиралась вам об этом написать, но все как-то не получалось. Вы не разрешите мне пожать вам руку?

Ей пришлось чуть ли не силой взять его руку. Он растерянно смотрел на жену, но она лучше владела собой и, по крайней мере, хоть улыбнулась Чарли. Следуя примеру жены, улыбнулся и Минкель, но слабо. Если Чарли вспотела, то уж о Минкеле и говорить нечего: Чарли точно сунула руку в горшок с маслом.

— Вы долго тут пробудете, профессор? Зачем вы приехали? Неужели будете читать лекции?

А тем временем Россино, стоя вне поля их зрения, спрашивал по-английски у портье, не приехал ли господин Боккаччио из Милана.

Госпожа Минкель снова пришла на выручку супругу.

— Мой муж совершает турне по Европе, — пояснила она. — Мы в общем-то отдыхаем, будем навещать друзей, иногда он будет выступать с лекциями. Словом, мы намерены приятно провести время.

Минкель продолжил разговор, выдавив наконец из себя:

— А что вас привело во Фрейбург... мисс Бааструп? — У него был такой сильный немецкий акцент, какой Чарли слышала разве что на сцене.

— О, я просто хочу посмотреть немножко мир, прежде чем решить, что делать в жизни дальше, — сказала Чарли.

«Вызволи же меня отсюда. Господи, вызволи». А тем временем портье ответила, что, к сожалению, номера для господина Боккаччио не зарезервировано, отель же, увы, переполнен, и протянула госпоже Минкель ключ. Чарли снова принялась благодарить профессора за удивительно глубокую лекцию, а Минкель благодарил ее за добрые слова. Россино поблагодарил портье и быстро направился к главному входу — чемоданчик Минкеля был ловко спрятан у него под наброшенным на руку элегантным черным плащом. Еще раз излившись в благодарностях и извинениях, Чарли проследовала за ним, стараясь не выказывать спешки. Подойдя к дверям, она увидела в стекле отражение Минкелей, беспомощно озиравшихся вокруг, пытаясь припомнить, кто из них в последний раз держал в руках чемоданчик и где.

Пройдя между запаркованными такси, Чарли добралась до гаража, где в зеленом «Ситроене» сидела Хельга. Чарли села рядом с ней; Хельга степенно подкатила к выезду из гаража, протянула свой талон и деньги. Шлагбаум поднялся, и Чарли захохотала, точно шлагбаум открыл шлюз ее смеху. Она задыхалась, она сунула костяшки пальцев в рот, уткнулась головой в плечо Хельги и предалась беспечному веселью.

На перекрестке молодой регулировщик в изумлении уставился на двух взрослых женщин, рыдавших от смеха. Хельга опустила со своей стороны стекло и послала ему воздушный поцелуй.

В оперативной комнате Литвак сидел у приемника, Беккер и Курц стояли позади него. Литвак, казалось, боялся собственной тени: он был молчалив и бледен. На ухе у него был наушник, у рта — микрофон.

— Россино сел в такси и поехал на вокзал, — сказал Литвак. — Чемоданчик при нем. Сейчас он возьмет там свой мотоцикл.

— Я не хочу, чтобы кто-то за ним ехал, — сказал Беккер Курцу за спиной Литвака.

Литвак отвел от рта микрофон — вид у него был такой, точно он ушам своим не верил.

— Чтобы никто не ехал? Да у нас там шестеро дежурят у этого мотоцикла. А у Алексиса — человек пятьдесят. Мы же сделали на него ставку, и у нас по всему городу расставлены машины. Следовать за мотоциклом — это же значит следовать за чемоданчиком. А чемоданчик приведет нас к нашему герою! — И он обернулся к Курцу, как бы ища у него поддержки.

— Гади? — произнес Курц.

— Передача будет осуществляться поэтапно: Халиль всегда так делает. Россино довезет чемоданчик до определенного места, передаст его другому, тот, другой, довезет его до следующего места. Уж они помотают нас сегодня по всяким улочкам, полям и пустым ресторанам. На свете нет такой группы наблюдения, которая могла бы через все это пройти и не быть опознанной.

— А как насчет того предмета, который особенно волнует тебя, Гади? — осведомился Курц.

— Бергер продежурит при Чарли весь день. Халиль будет звонить ей через определенные промежутки времени, в определенных местах. Если Халиль почувствует, что пахнет жареным, он прикажет Бергер убить Чарли. Если он не позвонит в течение двух-трех часов — это уж как они там договорились, — Бергер сама прикончит ее.

Видимо, не зная, на что решиться, Курц повернулся к обоим спиной и зашагал в другой конец комнаты. Потом обратно. Потом снова в другой конец, а Литвак обалдело смотрел на него. Наконец Курц снял трубку прямого телефона, соединявшего его с Алексисом, и они услышали, как он произнес «Пауль» тоном человека советующегося, просящего об одолжении. Какое-то время он что-то тихо говорил, потом послушал, снова что-то сказал и повесил трубку.

— У нас девять секунд до того, как он доберется до вокзала, — отчаянным голосом произнес Литвак, послушав то, что говорилось в наушниках. — Шесть секунд.

Курц и внимания на него не обратил.

— Мне сообщили, что Бергер и Чарли только что вошли в модную парикмахерскую, — сказал он, возвращаясь к ним с другого конца комнаты. — Похоже, прихорашиваются к великому событию. — Он остановился перед ними.

— Такси с Россино только что подъехало к вокзалу, — в отчаянии сообщил Литвак. — Он *расплачивается!*

А Курц смотрел на Беккера. Во взгляде его читалось уважение, даже что-то похожее на нежность. Так старый тренер смотрит на любимого гимнаста, наконец вновь обретшего прежнюю форму.

— Сегодня победил Гади, Шимон, — сказал он, не отрывая взгляда от Беккера. — Отзывай своих ребят. Скажи — пусть отдыхают до вечера.

Зазвонил телефон, и снова сам Курц снял трубку. Звонил профессор Минкель, это был его четвертый нервный срыв с начала операции. Курц выслушал его, затем долго говорил с его женой, стараясь ее успокоить.

— Отличный выдался денек, — произнес он с отчаянием в голосе, кладя на рычаг трубку. — Все такие веселые.

И, надев свой синий берет, он отправился на встречу с Алексисом, чтобы вместе осмотреть зал, где предстояла лекция.

Это ожидание было для Чарли самым долгим и самым страшным — как перед премьерой, последней в ряду премьер. Хуже всего было то, что она ни на минуту не оставалась одна: Хельга назначила себя ее попечительницей и не выпускала свою «любимую племянницу» из виду. Из парикмахерской, где Хельгу, когда она сидела под сушкой, в первый раз позвали к телефону, они отправились в магазин готового платья, и Хельга купила там Чарли сапоги на меху и шелковые перчатки, «чтобы не оставлять отпечатков». Оттуда они отправились в собор, где Хельга прочитала Чарли лекцию по истории, а оттуда, хихикая, с подтруниваниями — на маленькую площадь, где Хельга намеревалась представить ее некоему Бертольду Шварцу. «Самый сексуальный мужик на свете,

Чарли, ты втрескаешься в него тут же!» Бертольд Шварц оказался статуей.

— Ну разве не фантастический парень, а, Чарли? А тебе не хочется, чтоб он приподнял разок свою рясу? Знаешь, чем он прославился, наш Бертольд? Это был францисканец, знаменитый алхимик, и он изобрел порох. Он так любил господа, что научил его творения взрывать друг друга. Поэтому сердобольные горожане поставили ему статую. Само собой. — И, схватив Чарли под руку, она в возбуждении прижала ее к себе. — Знаешь, что мы после сегодняшнего вечера сделаем? — шепнула она. — Мы сюда вернемся, принесем цветочков Бертольду и положим у его ног. Да? Да, Чарли?

А Чарли начинал действовать на нервы шпиль собора — его узорчатое острие с зазубринами, казавшееся всегда черным, возникало перед ней за каждым поворотом, на каждой новой улице.

Обедать они поехали в дорогой ресторан, где Хельга угостила Чарли баварским вином. «Виноград для него, — сказала она, — растет на вулканических склонах Кайзерштуле, на вулкане, Чарли, подумай только!» Вообще подо все, что они теперь ели или пили, подводился утомительно игривый подтекст. Когда они принялись за шварцвальдский пирог — «Сегодня мы едим только буржуйскую еду!» — Хельгу снова позвали к телефону; вернувшись, она сказала, что им пора в университет, иначе они никогда ничего не сделают. Они прошли по подземному переходу, где расположились процветающие магазинчики, и, выйдя на поверхность, увидели монументальное здание из розового песчаника, с колоннами и с закругленным порталом, по верху которого шла надпись золочеными буквами.

— Будто специально для тебя написано, Чарли. Послушай: «Истина делает человека свободным», — поспешила перевести Хельга. — Они специально для тебя цитируют Карла Маркса — как это прекрасно, как, с их стороны, предусмотрительно!

— А я считала, что это высказывание Ноэла Коуарда[1], —

---

[1] К о у а р д  Н о э л  П и р с (1899—1973) — английский драматург.

сказала Чарли и заметила, как исказилось от злости возбужденное лицо Хельги.

К зданию вел каменный пандус. Пожилой полицейский расхаживал по верху, безразлично поглядывая на девчонок, типичных туристок, таращившихся на здание и тыкавших в него пальцами. Четыре ступени вели ко входу. Сквозь затемненные стекла дверей светились огни большого вестибюля. У боковых входов стояли на страже статуи Гомера и Аристотеля — здесь-то Хельга с Чарли дольше всего и задержались, любуясь скульптурами и помпезной архитектурой, а на самом деле прикидывая на глаз расстояния и подходы. Желтая афиша возвещала о намеченной на вечер лекции Минкеля.

— Ты боишься, Чарли, — прошептала Хельга и, не дожидаясь ответа, продолжала: — Послушай, после сегодняшнего утра ясно, что тебя ждет успех — ты была безупречна. Ты всем покажешь, что есть истина, а что — ложь, ты покажешь им также, что значит быть свободной. Чтобы покончить с великой ложью, нужна великая акция — такова логика. Великая акция, великая аудитория, великая цель. Пошли.

Через широкий въезд для карет был перекинут современный пешеходный мостик. На обоих концах его стояли страшноватые каменные столбы-тотемы. С мостика Чарли и Хельга прошли через университетскую библиотеку в кафе, этакую бетонную колыбель над въездом. Сквозь стеклянные стены кафе видно было, как преподаватели и студенты входят в лекционный зал и выходят оттуда. Хельга снова ждала телефонного звонка. Ее наконец вызвали к телефону, и, когда она вернулась, что-то в лице Чарли обозлило ее.

— Что с тобой? — прошипела она. — Стало вдруг жалко этого милого Минкеля с его сионистскими взглядами? Такой благородный, такой прекрасный человек? Послушай, да он хуже Гитлера, настоящий перекрашенный тиран. Сейчас закажу тебе шнапса, чтоб приободрилась.

Шнапс все еще огнем растекался по жилам Чарли, когда они вышли в пустой парк. Пруд был покрыт легкой корочкой льда; спускались ранние сумерки; вечерний воздух обжигал холодной крупой. Старый колокол очень громко пробил час. После него зазвонил другой — поменьше и позвончее. Крепко запахнувшись в свою зеленую накидку, Хельга даже взвизгнула от радости.

— Ох, Чарли! Ты только послушай! Слышишь этот колокол? Он же серебряный. И знаешь почему? Сейчас скажу. Однажды ночью заблудился всадник. В этих местах рыскали разбойники, погода была ужасная, и он так обрадовался, когда увидел Фрейбург, что подарил собору серебряный колокол. И теперь каждый вечер в него звонят. Красиво, правда?

Чарли кивнула, попыталась улыбнуться, но не вышло. А Хельга обхватила ее крепкой рукой и накрыла накидкой.

— Чарли... послушай... хочешь, я прочту тебе проповедь?

Чарли помотала головой.

Продолжая крепко прижимать к себе Чарли, Хельга взглянула на часы, затем — вдоль дорожки, в сгущающуюся темноту.

— Ты ничего больше не знаешь про этот парк, Чарли?

«Я знаю, что это одно из самых жутких мест на свете. Но первых премий я не присуждаю никогда».

— В таком случае я расскажу тебе про него еще одну историю. Хорошо? В войну здесь был гусь-самец. Правильно выразилась?

— Просто гусь.

— Так вот, этот гусь был сиреной, возвещавшей о налетах. Он первым слышал, когда летели бомбардировщики, и стоило ему закричать, как горожане, не дожидаясь сирены, мчались к себе в погреба. Гусь умер, и благодарные горожане поставили ему памятник. Вот какой он, Фрейбург. Одна статуя — монаху-взрывателю, другая — тому, кто предупреждал о налетах. Ну не психи, эти фрейбуржцы? — Хельга вдруг застыла, снова взглянула на свои часики и затем в мглистую тьму.

— Он здесь, — спокойно произнесла она и стала прощаться.

«Нет!» — подумала Чарли. — Хельга, я люблю тебя, давай завтракать вместе хоть каждый день, только не заставляй меня идти к Халилю».

Взяв щеки Чарли в ладони, Хельга нежно поцеловала ее в губы.

— За Мишеля, хорошо? — И снова поцеловала, более пылко. — За революцию, и за мир, и за Мишеля. Иди прямо по этой аллее, дойдешь до калитки. Там тебя ждет зеленый «Форд». Садись назад, за шофером. — Еще один поцелуй. — Ох, Чарли, слушай, ты просто фантастика. Мы всю жизнь будем с тобой дружить.

Чарли пошла по аллее, остановилась, обернулась. Хельга стояла и смотрела ей вслед, напряженная, как часовой; зеленая лоденовая накидка висела на ней, точно накидка полисмена.

Хельга махнула ей по-королевски широким жестом. Чарли махнула в ответ, а шпиль собора наблюдал за ней.

Шофер был в меховой шапке, наполовину скрывавшей его лицо, и в пальто с поднятым меховым воротником. Он не повернулся, чтобы поздороваться с Чарли, а она со своего места не могла его разглядеть — разве что по абрису щеки ясно было, что он молод, и она подозревала, что он — араб. Ехал он медленно — сначала по вечерним улицам, потом, за городом, по прямым узким дорогам, на которых еще лежал снег. Они проехали маленькую железнодорожную станцию, подъехали к переезду и остановились. Чарли услышала предупреждающий звонок и увидела, как вздрогнул и пошел вниз раскрашенный шлагбаум. Шофер включил вторую скорость и промчался через переезд — шлагбаум опустился сразу за ними.

— Спасибо, — сказала она и услышала, как он рассмеялся — гортанно хохотнул: конечно же, араб. Машина стала взбираться на гору и затормозила у автобусной остановки. Шофер протянул Чарли монету.

— Возьми билет за две марки, сядешь на следующий автобус, который идет в этом направлении, — сказал он.

«В школе мы играли так в кладоискателей в День основания империи, — подумала она. — Одна ниточка ведет к другой, и последняя приводит к кладу».

Было темно, хоть глаз выколи, и на небе появились первые звезды. С гор тянуло ледяным ветром. Вдали на дороге Чарли увидела огни бензоколонки, но домов не было. Она прождала минут пять, автобус подкатил и остановился со вздохом. Он был на три четверти пуст. Чарли купила билет и села у двери, сжав колени, глядя в никуда. На следующих двух остановках никто не вошел, а на третьей в автобус вскочил парень в кожаной куртке и весело сел рядом с Чарли. Это был тот американец, что вез ее накануне ночью.

— Через две остановки будет новая церковь, — сказал он ей как бы между прочим. — Ты выйдешь, пройдешь мимо церкви и пойдешь по дороге, держась правой стороны. Дойдешь до красной машины, которая будет стоять у тротуара, с зеркальца у нее свисает чертенок. Открывай дверь со стороны пассажира, садись и жди. И это все.

Автобус остановился, Чарли вышла и пошла вперед. Парень остался в автобусе. Дорога была прямой, а ночь на редкость темной. Метрах в пятистах впереди она увидела красное пятно под фонарем. Боковые фары потушены. Снег похрустывал под ее новыми сапогами, и от этого звука казалось, что она существует отдельно от тела. Эй, вы, ноги, что вы там делаете внизу? Шагай, девочка, шагай. Расстояние между нею и красным пикапом сокращалось, и она обнаружила, что он из тех, в которых возят кока-колу. Метрах в пятидесяти дальше, под следующим фонарем, было крошечное кафе, а за ним — опять ничего, кроме заснеженной равнины и прямой дороги в никуда. Кому пришло в голову построить кафе в таком забытом богом месте, — загадка, которую она будет решать уже в другой жизни.

Чарли открыла дверцу пикапа и залезла внутрь. Там оказалось на удивление светло от уличного фонаря. Пахло луком, и она увидела среди контейнеров с пустыми бутылками картонку, полную лука. С зеркальца водителя свисал пластмассовый чертенок. Чарли вспомнила, что такой же висел в фургончике, на котором Марио вез ее в Лондон. У ног ее лежала груда грязных, захватанных кассет. Это было самое тихое место в мире. По дороге медленно приближался луч света. Когда источник света поравнялся с пикапом, Чарли увидела молодого священника на велосипеде. Он повернул к ней лицо, проезжая мимо, и вид у него был оскорбленный, точно она посягнула на его целомудрие. Она снова стала ждать. Из кафе вышел высокий мужчина в кепке, глубоко вдохнул воздух, посмотрел вдоль улицы — направо, налево, как бы проверяя, который теперь час. Вернулся в кафе, снова вышел и медленно направился к Чарли. Подойдя к пикапу, он постучал по окошку рукой в перчатке. Кожаной перчатке, гладкой и блестящей. Яркий свет фонарика ударил Чарли в лицо, ослепил. Луч задержался на ней, затем медленно прошелся по капоту, вернулся к ней. Она подняла руку, чтобы защитить глаза, и, когда опустила ее, луч опустился вместе с рукою ей на колени. Фонарик погас, дверца с ее стороны открылась, рука в перчатке схватила ее за запястье и вытащила из машины. Она стояла перед незнакомцем — он был на фут выше ее, широкий, с квадратными плечами. Но лицо его под козырьком кепки было в тени, и он поднял от холода воротник.

— Стой спокойно, — сказал он.

Сняв с ее плеча сумку, он сначала как бы взвесил ее, затем открыл и заглянул внутрь. В третий раз за свою короткую жизнь ее приемничек с часами подвергся тщательному обследованию. Мужчина включил его. Радио заиграло. Он его выключил, покрутил и что-то сунул себе в карман. На секунду она подумала, что он решил оставить радио себе. Но он этого не сделал, а положил приемничек обратно ей в сумку, сумку же бросил в пикап.

Затем, словно преподаватель, выправляющий ученице осанку, взял руками в перчатках ее за плечи и распрямил их. Черные глаза его не покидали ее лица. Опустив правую руку, он легонько провел левой по ее телу — по шее, плечам, ключицам, месту, где была бы бретелька, если б Чарли носила бюстгальтер. Затем от подмышек до бедер, по грудям, животу.

— Сегодня утром в отеле браслет был у тебя на правой руке. Сейчас он на левой. Почему?

По-английски он говорил с акцентом, насколько она могла разобрать — арабским, но как человек образованный и вежливый. Голос был мягкий, но сильный — голос оратора.

— Я люблю носить его и так и этак, — сказала она.

— Почему? — повторил он.

— Тогда мне кажется, что он как бы новый.

Он присел и обследовал ее ноги и между ног; затем все так же левой рукой тщательно проверил ее новые сапоги на меху.

— А ты знаешь, сколько стоит такой браслет? — спросил он ее, снова наконец поднявшись.

— Нет.

— Стой смирно.

Он встал позади нее, обследуя ее спину, ягодицы, снова ноги — до самых сапог.

— Ты его не застраховала?

— Нет.

— А почему?

— Мишель подарил его мне из любви. Не ради денег.

— Садись в машину.

Она села, он обошел машину спереди и залез на сиденье рядом с ней.

— О'кей, поехали к Халилю. — Он включил мотор. — С доставкой на дом. О'кей?

У пикапа было автоматическое управление, но Чарли заметила, что он ведет машину преимущественно левой рукой, а правая лежит у него на коленях. Она вздрогнула от неожиданности, когда зазвенели пустые бутылки. Машина доехала до перекрестка и свернула налево, на такую же прямую дорогу, что и предыдущая, только без фонарей. Лицо водителя, насколько она могла видеть, похоже было на лицо Иосифа — не чертами, а напряженным прищуром глаз человека, посвятившего себя борьбе: все три зеркальца пикапа и она сама находились под его неусыпным надзором.

— Ты любишь лук? — спросил он, перекрывая звон пустых бутылок.

— В общем, да.

— А стряпать любишь? Что ты стряпаешь? Спагетти? Венские шницели?

— Да, примерно.

— А что ты готовила для Мишеля?

— Бифштекс.

— Когда?

— В Лондоне. В тот вечер, когда он остался у меня.

— Без лука? — спросил он.

— С салатом, — ответила она.

Они ехали назад, к городу. Свет его огней вставал розовой стеной под нависшими облаками. Они спустились с холма и выехали на широкую плоскую равнину, сразу вдруг растекшуюся. Чарли увидела недостроенные заводы и огромные стоянки для грузовиков, на которых не было машин. Увидела гору мусора. Ни единой лавки, ни единого кабачка, ни одного освещенного окна. Они въехали на цементную площадку. Пикап остановился, но шофер не выключил мотора. «МЕБЛИРОВАННЫЕ КОМНАТЫ — ЭДЕМ. *Willkommen! Bienvenu! Будьте как дома!*» — прочла она надпись красными неоновыми буквами над ярко освещенным входом.

Отдавая ей сумку, шофер вдруг что-то вспомнил.

— Отнеси ему это. Он тоже любит лук, — сказал он и вытащил коробку с луком. Когда он ставил коробку ей на колени, Чарли заметила, что правая рука у него висит неподвижно. — Четвертый этаж, комната номер пять. Поднимайся по лестнице. Не на лифте. Иди.

Она пошла к освещенному входу, а он смотрел ей вслед, не выключая мотора. Коробка оказалась тяжелее, чем она полагала, и ей пришлось нести ее обеими руками. В холле было пусто, лифт стоял в ожидании, но она не села в него. Лестница была узкая, винтовая, крытая ковром, протертым до дыр. Музыка, звучавшая по трансляции, словно бы задыхалась, в душном воздухе стоял запах дешевых духов и табачного дыма. На первой площадке пожилая женщина бросила ей из своей стеклянной клетушки «Grüss Gott»[1], не поднимая головы. Судя по всему, в этом месте перебывало немало женщин, приходивших по им одним известным причинам.

На площадке второго этажа Чарли услышала музыку и женский смех; на третьем этаже ее нагнал лифт, и у нее мелькнула мысль, зачем же ей надо было подниматься пешком по лестнице, но у нее уже не было ни силы воли, ни желания воспротивиться: все ее слова и поступки были заранее

---

[1] Хвала господу (*нем.*) — приветствие, принятое у немцев, особенно среди крестьян.

расписаны. От коробки у нее заныли руки, и, когда она добралась до четвертого этажа, они так болели, что она уже ни о чем другом не могла думать. Первая дверь вела на пожарную лестницу, а на второй стояла цифра 5. «Лифт, пожарная лестница, обычная лестница, — машинально перечислила она. — У него всегда по крайней мере два пути для бегства».

Она постучала в дверь с цифрой 5, та открылась, и первой мыслью Чарли было: «О господи, как это на меня похоже — опять я все перепутала», так как перед ней стоял тот, кто только что привез ее сюда в пикапе, только без кепки и без перчатки на левой руке. Он взял у Чарли коробку и опустил на подставку для багажа. Снял с Чарли очки и протянул ей. Затем снова снял с ее плеча сумку и вывалил ее содержимое на дешевенькое розовое покрывало — вот так же было и в Лондоне, когда на нее надели темные очки. В комнате не было ничего, кроме кровати и чемоданчика. Он стоял на умывальнике, пустой, разинув черную пасть. Это был тот самый чемоданчик, что она помогла украсть у профессора Минкеля в том большом отеле с мезонином, когда она была еще такая молодая и неопытная.

\* \* \*

В оперативной комнате, где сидели трое мужчин, воцарилось полное спокойствие. Никаких телефонных звонков — даже от Минкеля и Алексиса; на шифровальных машинах, связывавших их с посольством в Бонне, никаких отчаянных требований отменить операцию. Казалось, все участники этого сложного заговора затаили дыхание. Литвак с безнадежным видом сидел в кресле; Курц о чем-то мечтал, прикрыв глаза, улыбаясь, похожий на старого крокодила. А Гади Беккер, по-прежнему самый спокойный из них, занимался самокритикой, глядя в темноту и как бы проверяя все обещания, какие он давал в прошлой жизни. Какие сдержал? Какие нарушил?

— Надо было на этот раз дать ей передатчик, — сказал Литвак. — Они теперь ей уже доверяют. Почему мы ей его не дали?

— Потому что он обыщет ее, — сказал Беккер. — Он будет искать у нее оружие, и проводку, и передатчик.

— Тогда почему же они решили ее использовать? — очнулся от спячки Литвак. — Вы просто рехнулись. Как же можно использовать девчонку, которой ты не доверяешь, — да еще в таком деле?

— Потому что она еще не убивала, — сказал Беккер. — Потому что она чистенькая. Потому они ее и используют и именно потому не доверяют. По той же причине.

Курц улыбнулся почти по-человечески.

— Когда она впервые убьет, Шимон? Когда она уже не будет новичком. Когда она преступит закон и станет до самой смерти нелегалом, вот тогда они будут ей доверять. Тогда все будут ей доверять, — заверил он Литвака. — Сегодня к девяти часам вечера она станет одной из них — никаких проблем, Шимон, никаких.

Но Литвака было не переубедить.

# Глава 25

До чего же он был хорош. Это был зрелый Мишель, со сдержанностью и грацией Иосифа и с безоговорочной непреклонностью Тайеха. Он был именно таким, каким она себе его представляла, когда пыталась вызвать перед своим мысленным взором человека, с которым ей предстояло встретиться. Широкоплечий, скульптурно сложенный, похожий на редкостную ценную статую, которую держат вдали от людских глаз. Такой войдет в ресторан — и все разговоры сразу смолкнут, а когда выйдет, все с облегчением вздохнут. Это был человек, созданный для жизни на вольном воздухе и вынужденный таиться в тесных комнатенках, отчего кожа у него стала бледной, как у заключенного. Он задернул занавески и включил ночник. Стульев не было, а кроватью он пользовался как верстаком. Сбросив подушки на пол, рядом с коробкой, он усадил Чарли на кровать и говорил без остановки все время, пока мастерил. Голос его знал лишь музыку наступления — стремительный марш идей и слов.

— Говорят, Минкель неплохой человек. Возможно. Когда я читал о нем, я тоже сказал себе: этот старина Минкель храбрый малый, если он говорит такое. Может, я даже стану его уважать. Я способен питать уважение к противнику. Способен воздать ему должное. Мне это нетрудно.

Вывалив лук в угол, он левой рукой стал вынимать из коробки пакетики и, разворачивая их один за другим, правой раскладывал. Отчаянно стараясь за что-то зацепиться, Чарли пыталась все запомнить, потом сдалась: две батарейки для ручного фонарика в одной упаковке, детонатор с красными проволочками, торчавшими с одного конца, — таким она пользовалась для тренировок. Перочинный ножик. Клещи. Отвертка. Моток тонкой красной проволоки, стальные зажимы, медная проволочка. Изоляционная лента, лампочка для фонарика, деревянные шпонки разной величины, продолговатая деревянная дощечка, на которой будет монтироваться устройство.

— А разве сионисты, когда подкладывают нам бомбы, думают о том, хорошие мы люди или нет? Едва ли. Когда они жгут напалмом наши деревни, убивают наших женщин? Весьма сомневаюсь. Не думаю, чтобы израильский террорист-летчик, сидя в своем самолете, говорил себе: «Несчастные эти гражданские лица, несчастные невинные жертвы».

«Вот так, наверное, он рассуждает сам с собой, когда один, — подумала Чарли. — А он часто бывает один. Он рассуждает так, чтоб не угасла его вера, чтобы совесть была спокойна».

— Я убил немало людей, которые наверняка достойны уважения, — продолжал он, вновь садясь на кровать. — Сионисты убили куда больше. Но мной, когда я убиваю, движет любовь. Я убиваю ради Палестины и ради ее детей. Старайся и ты так думать, — посоветовал он и, прервав свое занятие, поднял на нее взгляд. — Нервничаешь?

— Да.

— Это естественно. Я тоже нервничаю. А в театре ты нервничаешь?

— Да.

— Правильно. Террор — это ведь как театр. Мы воодушевляем, мы пугаем, мы пробуждаем возмущение, гнев, любовь. Мы несем просвещение. Театр — тоже. Партизан — это великий актер в жизни.

— Мишель тоже мне так писал. В своих письмах.

— Но сказал это ему я. Это моя идея.

Очередной пакет был завернут в пергамент. Халиль почтительно развернул его. Три полуфунтовых палочки динамита. Он положил их на почетное место в центре покрывала.

— Сионисты убивают из страха и из ненависти, — заявил он. — Палестинцы — во имя любви и справедливости. Запомни разницу. Это важно. — Он метнул на нее быстрый повелительный взгляд. — Будешь об этом вспоминать, когда тебе станет страшно? Скажешь себе: «во имя справедливости»? Если скажешь, не будешь больше бояться.

— И во имя Мишеля, — сказала она.

Халилю это не слишком понравилось.

— Ну и во имя него тоже, естественно, — согласился он и вытряхнул из бумажного пакета на постель две прищепки для белья, затем поднес их к лампочке у кровати, чтобы сравнить их несложное устройство. Глядя на него вблизи, Чарли заметила, что кожа у него на шее возле уха сморщенная и белая, словно под воздействием огня съежилась, да так и не разгладилась.

— Скажи, пожалуйста, почему ты то и дело закрываешь лицо руками? — спросил Халиль чисто из любопытства, выбрав прищепку получше.

— Просто я немного устала, — сказала она.

— В таком случае встряхнись. Проснись — тебе ведь предстоит серьезная миссия. Во имя революции. Ты этот тип бомбы знаешь? Тайех показывал ее тебе?

— Не знаю. Возможно, Буби показывал.

— Тогда смотри внимательно. — Он сел рядом с ней на кровать, взял деревянное основание и быстро начертил на нем шариковой ручкой схему. — Это бомба с разными вариантами. Ее можно привести в действие и с помощью часового механизма — вот так, и если до нее дотронешься, — вот здесь. Ничему не доверяй. Мы на этом стоим. — Он вручил ей прищепку и две канцелярские кнопки и проследил за тем, как она вставила кнопки по обеим сторонам прищепки. — Я ведь не антисемит — тебе это известно?

— Да.

Она вручила ему прищепку, и, подойдя с ней к умывальнику, он стал прикреплять проволочки к двум кнопкам.

— *Откуда* тебе это известно? — с удивлением спросил он.

— Мне так говорил Тайех. И Мишель тоже.

— Антисемитизм — это чисто христианское изобретение. — Он встал и принес на постель раскрытый чемоданчик Минкеля. — Вы, европейцы, вы против всех. Против евреев, против арабов, против черных. У нас много больших друзей в Германии. Но не потому, что они любят Палестину. Только потому, что они ненавидят евреев. Взять хотя бы Хельгу — она тебе нравится?

— Нет.

— Мне тоже. Слишком она, по-моему, испорченная. А ты любишь животных?

— Да.

Он сел рядом с ней, по другую сторону разделявшего их чемоданчика.

— А Мишель любил?

*«Выбирай первое попавшееся, только не медли, — говорил ей Иосиф. — Лучше показаться непоследовательной, чем неуверенной».*

— Мы с ним никогда об этом не говорили.

— Даже про лошадей не говорили?

*«И никогда, никогда не поправляйся».*

— Нет.

Халиль вытащил из кармана сложенный носовой платок, из платка — дешевые карманные часы, в которых не было стекла и часовой стрелки. Положив их рядом с взрывчаткой, он взял красную проволоку и размотал ее. Деревянная подставка лежала на коленях у Чарли. Он взял доску и, схватив руку Чарли, придавил ее пальцами главные элементы, чтобы они не сдвинулись, а сам проложил красную проволоку по доске в соответствии с намеченной схемой. Затем вернулся к умывальнику и подсоединил проволочки к батарее, а Чарли ножницами отрезала ему полоски изоляционной ленты.

Он был совсем рядом с ней. Его близость обдавала Чарли жаром. Сидел, согнувшись, как сапожник, всецело поглощенный работой.

— Мой брат говорил с тобой о религии? — спросил он, беря лампочку и подключая к ней оголенный конец провода.

— Он был атеистом.

— Иногда — атеистом, иногда — верующим. А случалось, бывал глупым мальчишкой, который слишком увлекался женщинами, всякими идеями и машинами. Тайех говорит, ты скромно вела себя в лагере. Никаких кубинцев, никаких немцев — никого.

— Мне хотелось быть с Мишелем. Только с Мишелем, — сказала Чарли, слишком пылко даже для собственного слуха.

Но когда она взглянула на него, то усомнилась, так ли уж сильна была его любовь к брату, как это утверждал Мишель, ибо лицо Халиля выражало удивление.

— Тайех — великий человек, — сказал он, давая, пожалуй, понять, что Мишель к таковым не относится. Вспыхнула лампочка. — Сеть работает, — объявил он и, потянувшись через нее, взял три палочки взрывчатки. — Мы с Тайехом чуть не умерли. Тайех не рассказывал тебе об этом? — спросил он, скрепляя — с помощью Чарли — палочки взрывчатки.

— Нет.

— Мы попали в руки сирийцев... Сначала они нас избили. Это нормально. Встань, пожалуйста.

Он достал из картонки старое бурое одеяло, попросил Чарли растянуть его на руках и ловко разрезал на полосы. Их лица, разделенные одеялом, находились совсем близко. Она чувствовала теплый, сладковатый запах тела араба.

— Они нас били и все больше и больше злились, так что решили переломать нам все кости. Сначала — пальцы, потом руки, потом ноги. Потом прикладами стали ломать нам ребра.

Острие ножа, разрезавшего одеяло, было всего в нескольких дюймах от ее тела. Резал он быстро и аккуратно, словно одеяло было убитой на охоте дичью.

— Когда им это надоело, они бросили нас в пустыне. Я был рад. Мы хоть умерли бы в пустыне! Но мы не умерли. Отряд наших парашютистов обнаружил нас. Три месяца Тайех и Халиль лежали рядом в больнице. Точно снеговики. Все в гипсе. Мы много разговаривали, стали добрыми друзьями, читали вместе хорошие книги.

Аккуратно сложив разрезанные полосы одеяла, Халиль занялся черным чемоданчиком Минкеля. Чарли только тут заметила, что он открыт сзади, со стороны петель, а замки по-прежнему заперты. Халиль принялся выкладывать дно чемоданчика полосами от одеяла, устраивая таким образом мягкое ложе для бомбы.

— Ты знаешь, что Тайех сказал мне как-то ночью? — спросил он, продолжая трудиться. — «Халиль, — сказал он, — сколько еще мы будем разыгрывать из себя славных парней? Никто нам не помогает, никто нас не благодарит. Мы произносим прекрасные речи, мы посылаем ораторов в ООН, и если прождем еще лет пятьдесят, — и он пальцами здоровой руки показал — сколько, — может, наши внуки, если будут живы, увидят хоть немного справедливости. А пока наши братья-арабы убивают нас, сионисты убивают нас, фалангисты убивают нас, а те, кто остается в живых, уходят в свою диаспору. Как армяне. Как сами евреи. — Лицо у него стало хитрое. — Но если мы сделаем несколько бомбочек... убьем несколько человек... устроим бойню — всего на две минуты в истории...»

Не закончив фразы, он взял свое творение и осторожно, точно все рассчитав, положил в чемоданчик.

— Мне нужны очки, — с улыбкой пояснил он и совсем по-стариковски покачал головой. — Но где их взять — такому человеку, как я.

— Если вас пытали, как Тайеха, почему же вы не хромаете, как Тайех? — спросила Чарли слишком громким от волнения голосом.

Он осторожно отключил лампочку от проводов, оставив оголенные концы для детонатора.

— Не хромаю, потому что я молил бога дать мне силы, и бог дал мне силы сражаться с настоящим врагом, а не с моими братьями-арабами.

Он дал ей детонатор и одобрительно смотрел, как она подсоединяет его к сети. Когда она все сделала, он взял оставшуюся проволоку и ловко, почти бессознательно намотал ее на кончики пальцев своей покалеченной руки, так что получилось что-то вроде куколки. Затем дважды перепоясал свое творение посредине проволокой.

— Знаешь, что написал мне Мишель незадолго до смерти? В своем последнем письме?

— Нет, Халиль, не знаю, — ответила она, глядя, как он бросает «куколку» в чемоданчик.

— Что-что?

— Я сказала *«нет»*, я не знаю.

— В письме, которое было отправлено всего за несколько часов до его смерти? «Я люблю ее. Она не такая, как все. Правда, когда я встретил ее, совесть у нее спала, как у всех европейцев»... Вот, заведи, пожалуйста, часы... «И она была проституткой. А сейчас она в душе арабка, и когда-нибудь я покажу ее нашему народу и тебе».

Оставалось приделать ловушку, а для этого им пришлось работать в еще большей близости: ей надо было протащить стальную проволоку сквозь крышку, которую он держал как можно ниже, пока она своими маленькими ручками протягивала проволоку к шпунтам на прищепке. Он снова осторожно понес все сооружение к умывальнику и, стоя к ней спиной, закрепил шпонки с каждой стороны. Пути назад уже быть не могло.

— Знаешь, что я сказал как-то Тайеху?

— Нет.

— Тайех, друг мой, слишком мы, палестинцы, разленились в изгнании. Почему нет палестинцев в Пентагоне? В Госдепартаменте? Почему мы не верховодим в «Нью-Йорк таймс», на Уолл-стрит, в ЦРУ? Почему мы не снимаем в Голливуде картин о нашей великой борьбе, почему не добиваемся избрания на пост мэра Нью-Йорка или главного судьи в Верховном суде? В чем наша слабина, Тайех? Почему мы такие непредприимчивые? Ведь нельзя же довольствоваться тем, что среди наших людей есть врачи, ученые, школьные учителя! Почему мы не правим Америкой? Разве не потому нам приходится пользоваться бомбами и пулеметами?

Он стоял перед ней, держа в руке чемоданчик, словно добропорядочный чиновник, едущий на работу.

— Знаешь, что мы должны сделать?

Она не знала.

— Начать действовать. Все. Пока нас не уничтожили. — Он протянул руку и помог ей встать на ноги. — Отовсюду. Из Соединенных Штатов, из Австралии, Парижа, Иордании, Саудовской Аравии, Ливана — отовсюду, где есть палестинцы. Мы должны сесть на корабли. На самолеты. Миллионы людей. Точно приливная волна, которую никто не в силах остановить. — Он протянул Чарли чемоданчик и начал быстро собирать свои инструменты и укладывать их в коробку. — Затем все вместе мы вступим на землю нашей Родины, мы потребуем наши дома, и наши фермы, и наши деревни, даже если придется сровнять с землей их города, и поселения, и кибуцы, чтобы их оттуда выкурить. Но ничего этого не будет. Знаешь почему? Они не сдвинутся с места. — Он опустился на колени, разглядывая, не осталось ли на протертом ковре следов. — Наши богачи не захотят понизить свой *общественно-экономический статус*, — пояснил он, иронически подчеркивая термины. — Наши коммерсанты не захотят бросить свои банки, и магазины, и конторы. Наши доктора не захотят лишиться своих прекрасных клиник, юристы — своей коррумпированной практики, ученые — своих уютных университетов. — Он стоял перед ней, и его улыбка свидетельствовала о победе, которую он одержал над болью. — Так что богачи делают деньги, а бедняки сражаются. Разве когда-нибудь было иначе?

Она пошла впереди него вниз по лестнице. Уходит со сцены проститутка с коробкой всяких штучек. Пикап, развозящий кока-колу, по-прежнему стоял на площадке, но Халиль прошел мимо, точно никогда в жизни его не видел, и залез в «Форд»-вездеход, на крыше которого были привязаны снопы соломы. Чарли села рядом с ним. Снова горы. Сосны, покрытые свежевыпавшим снегом. Инструкции в стиле Иосифа. «Ты меня понимаешь, Чарли?» — «Да, Халиль, я понимаю». — «Тогда повтори мне». Она повторила. «Запомни — это ради мира». Я помню, Халиль, помню: ради мира, ради Мишеля, ради Палестины; ради Иосифа и Халиля; ради Марти и ради революции, и ради Израиля, и ради театра жизни.

Халиль остановил машину у какого-то сарая и выключил фары. Посмотрел на часы. На дороге дважды вспыхнул фонарик. Халиль перегнулся через Чарли и открыл дверцу с ее стороны.

— Его зовут Франц, и ты скажешь, что ты — Маргарет. Удачи.


Вечер был сырой и тихий, уличные фонари старого городского центра висели в своих железных сетках, точно белые луны в клетках. Чарли попросила Франца высадить ее на углу: ей хотелось пройти пешком по мосту, ведущему к входу в университет. Ей хотелось увидеть кого-то запыхавшегося, вбегающего с улицы, ощутить лицом обжигающий холод, почувствовать, как в закоулках мозга зашевелилась ненависть. Она шла по проулку между низких строительных лесов, которые смыкались над ней, образуя ажурный туннель. Она прошла мимо художественной галереи, полной автопортретов малоприятного блондина в очках, а затем — мимо другой, где были выставлены надуманные пейзажи, по которым этому парню никогда не гулять. В глаза бросались надписи на стенах, но она ни слова не понимала, пока не увидела: «Америку — к чертовой матери». Спасибо за перевод, подумала она. Теперь она снова оказалась под открытым небом, поднималась по бетонным ступенькам, посыпанным песком, но они были все равно скользкие от снега. Дойдя до верха, она увидела слева стеклянные двери университетской библиотеки. В студенческом кафе все еще горели огни. У окна в напряженной позе сидела Рахиль с каким-то парнем. Чарли миновала первый мраморный столб с тотемом, теперь она была высоко над въездом для карет. Перед нею вырос лекционный зал, ставший в свете прожекторов из розового ярко-красным. Подъезжали машины — прибывали первые слушатели, поднимались по четырем ступеням к главному входу, останавливались, пожимали руки, поздравляли друг друга с великими достижениями. Двое охранников весьма поверхностно проверяли сумочки дам. Чарли продолжала идти. Истина делает человека свободным. Она прошла второй тотемный столб и направилась к лестнице, по которой поднимались приехавшие из города.

Чемоданчик она держала в правой руке и все время чувствовала его бедром. Раздался вой полицейской сирены, и мускулы ее плеча конвульсивно сжались от страха, но она продолжала идти. Два мотоцикла с полицейскими остановились, бережно окружая блестящий черный «Мерседес» с флажком. Обычно, когда мимо проезжали роскошные машины, Чарли отворачивалась, чтобы ездоки не получали удовольствия от того, что на них глазеют, но сегодня день был особый. Сегодня она могла идти с гордо поднятой головой, и объяснялось это тем, что́ она несла в руке. Поэтому она уставилась на ездоков, и наградой ей было созерцание разъевшегося краснорожего типа в черном костюме и серебристом галстуке и его надутой супруги с тройным подбородком и в норковой накидке. «Для большого обмана нужны, естественно, и люди большого калибра», — вспомнилось ей. Вспышка фотосъемки, и высокопоставленная пара поднялась по ступенькам к стеклянным дверям под восхищенными взглядами, по крайней мере, трех прохожих. «Скоро мы с вами поквитаемся, сволочи, — подумала Чарли, — скоро».

«Дойдя до лестницы, поверни направо». Так она и сделала и прошагала дальше до угла. «Смотри только, не свались в речку, — сказала ей Хельга, чтобы ее развеселить, — а то бомбы Халиля не водоустойчивы, да и ты, Чарли, тоже». Она повернула налево и пошла вдоль здания по булыжной мостовой. Мостовая, расширяясь, перешла во двор; в центре его, возле цементных ваз с цветами, стоял полицейский фургон. Перед ним двое полицейских в форме выхвалялись друг перед другом, показывая один другому свои сапоги и хохоча, но тотчас насупливались, стоило кому-либо на них посмотреть. Чарли оставалось пройти каких-нибудь пятьдесят футов до бокового входа, и тут на нее вдруг снизошло спокойствие, которого она так ждала, — чувство почти восторженной приподнятости, возникавшее у нее, когда она выходила на сцену, оставив позади, в гримерной, все другие свои обличья. Она была Имогена из Южной Африки, с большим зарядом мужества и совсем небольшим зарядом любезности, спешащая на помощь великому либералу. Она стесняется, черт побери, до смерти стесняется, но она поступит как надо или провалится. Вот и боковой вход. Он оказался закрыт. Она подергала ручку двери — та не поворачивалась. Она уперлась рукой в деревянную панель и нажала, но дверь не открылась. Чарли стояла и смотрела на нее, потом оглянулась — не поможет ли кто; двое полицейских, беседовавшие друг с другом возле фургона, с подозрением смотрели на нее, но ни тот, ни другой не подходил.

*Занавес поднят! Пошла!*

— Послушайте, извините, — крикнула она им. — Вы не говорите по-английски?

Они по-прежнему не сдвинулись с места. Если надо, пусть сама идет к ним. Она ведь всего-навсего обычная гражданка и притом женщина.

— Я спросила: вы говорите по-английски? Englisch — sprechen Sie? Мне надо передать это профессору. Немедленно. Да подойдите же, пожалуйста!

Оба насупились, но один все же направился к ней. Не спеша, чтобы не уронить достоинства.

— Toilette nicht hier[1], — отрезал он и мотнул головой в ту сторону, откуда она пришла.

— Да не нужен мне туалет. Мне нужен кто-то, кто бы отнес этот чемоданчик профессору Минкелю. Минкелю, — повторила она и протянула чемоданчик.

Полицейский был молодой, и на него не подействовала молодость собеседницы. Он не взял у нее чемоданчик, а нажал на замок на весу и увидел, что чемоданчик заперт.

_____

[1] Туалет не здесь (*нем.*).

«*О господи*, — подумала она. — *Ты ведь уже совершил самоубийство и, однако же, так грозно смотришь на меня*».

— Offnen[1], — приказал он.

— Да не могу я его открыть. Он же заперт. — В голосе ее зазвучало отчаяние. — Это чемоданчик профессора, неужели не ясно? У него там записи для лекции. Они будут нужны ему сейчас. — И, отвернувшись от полицейского, она заколотила в дверь. — Профессор Минкель? Это я, Имогена Бааструп из Южной Африки. О господи!

К ним подошел второй полицейский. Он был старше, с чернотой на подбородке. Чарли воззвала к нему.

— Ну, а вы говорите по-английски? — спросила она.

В этот момент дверь приоткрылась и оттуда выглянул мужчина с бородкой. Он что-то произнес по-немецки, обращаясь к полицейскому, и Чарли уловила слово «Amerikanerin»[2].

— Я *не* американка, — возразила она, чуть не плача. — Меня зовут Имогена Бааструп, я из Южной Африки, и я принесла профессору Минкелю его чемоданчик. Он потерял его. Будьте добры, передайте ему чемоданчик немедленно, потому что я уверена, чемоданчик ему очень нужен. *Пожалуйста!*

Дверь открылась шире — за ней стоял приземистый, величественный мужчина лет шестидесяти, в черном костюме. Он был очень бледен, и внутреннее чутье подсказало Чарли, что он тоже очень напуган.

— Сэр, пожалуйста, вы говорите по-английски? Говорите?

Он не только говорил по-английски, но и присягал на этом языке. И он произнес «говорю» столь торжественно, что уже до конца жизни не сможет это отрицать.

— Тогда, пожалуйста, передайте это профессору Минкелю от Имогены Бааструп и скажите ему, что я очень сожалею: в отеле произошла такая *идиотская* путаница и что я с нетерпением жду его сегодняшнего выступления...

Чарли протянула ему чемоданчик, но величественный мужчина не брал его. Он смотрел на полицейского, стоявшего за ее спиной, и, словно получив от него слабое заверение,

[1] Откройте (*нем.*).

[2] Американка (*нем.*).

что все в порядке, снова взглянул на чемоданчик, затем на Чарли.

— Проходите, — сказал он, точно помощник режиссера, выпускающий актеров на сцену за десять монет в вечер, и посторонился, давая ей пройти.

Чарли растерялась. Это было не по сценарию. Не по сценарию Халиля, или Хельги, или кого-либо еще. Что будет, если Минкель откроет чемоданчик у нее на глазах?

— О, я не могу. Мне надо занять место в аудитории. А у меня еще нет билета. *Пожалуйста!*

Но у величественного мужчины были свои указания и свои страхи, ибо, когда Чарли протянула ему чемоданчик, он отскочил от него как от огня.

Дверь закрылась, они оказались в коридоре, где по потолку были проложены трубы. У Чарли мелькнула мысль, что вот так же были проложены трубы в Олимпийской деревне. Вынужденный сопровождать ее мужчина шагал впереди. В нос ударил запах нефти, и послышалось глухое урчание печи; лицо опалило жаром, и Чарли испугалась, что может упасть в обморок или что ее стошнит. Ручка чемоданчика до крови впилась ей в руку — Чарли чувствовала, как теплая струйка стекает по пальцам.

Они подошли к двери, на которой значилось «Vorstand»[1]. Величественный мужчина постучал и крикнул: «Оберхаузер! Schnell!»[2]. В этот момент Чарли в отчаянии оглянулась и увидела позади себя двух светловолосых парней в кожаных куртках. Оба держали автоматы. Боже правый, что же это такое? Дверь отворилась, Оберхаузер первым переступил порог и быстро шагнул в сторону, как бы показывая, что не имеет ничего общего с Чарли. Она очутилась словно бы в павильоне, где снимали фильм «Конец пути». В кулисах и у задника лежали мешки с песком, большие тюки с ватой были с помощью проволоки подвешены к потолку. Из-за мешков с песком от двери надо было идти зигзагами. Посредине сцены стоял низкий кофейный столик с напитками на подносе. Возле

---

[1] Правление, совет (*нем.*).

[2] Быстро! (*нем.*)

него в низком кресле сидел, точно восковая фигура, Минкель и смотрел прямо сквозь Чарли. Напротив сидела его жена, а рядом с ним — бочкоподобная немка в меховой накидке, которую Чарли приняла за жену Оберхаузера.

Других актеров на сцене не было, в кулисах же среди мешков с песком стояли две четко обозначенные группы с предводителями во главе. Родину представлял Курц; слева от него стоял этакий мужлан среднего возраста со слабовольным лицом — так охарактеризовала для себя Чарли Алексиса. Рядом с Алексисом стояли его «волки», обратив к Чарли отнюдь не дружелюбные лица. А напротив — несколько человек из ее «родни», кого она уже знала, и какие-то совсем незнакомые, и этот контраст между их смуглыми еврейскими лицами и лицами немецких коллег на всю жизнь останется красочной картиной в памяти Чарли. Курц, главный на этой сцене, приложил палец к губам и приподнял левую руку, изучая часы.

Чарли только хотела было спросить: «А он где?», как с радостью и одновременно злостью увидела его: он, как всегда, стоял в стороне, этот перевертыш и одинокий продюсер данной премьеры. Он быстро шагнул к ней и стал рядом, не перекрывая дороги к Минкелю.

— Скажи ему то, что должна сказать, Чарли, — тихо проинструктировал он ее. — Скажи и больше ни на кого не обращай внимания.

Теперь требовалось лишь, чтобы помощник режиссера хлопнул дощечкой перед ее носом.

Его рука опустилась рядом с ее рукой — она чувствовала на коже прикосновение его волосков. Ей хотелось сказать ему: «Я люблю тебя — как ты там?» Но говорить ей предстояло другое, и, сделав глубокий вдох, она произнесла текст, потому что в конце-то концов ведь на этом строились их отношения.

— Профессор, случилась ужасная вещь, — быстро залопотала она. — Эти идиоты в отеле принесли мне ваш чемоданчик вместе с моим багажом: они, должно быть, видели, как мы с вами разговаривали, а *мой* багаж и *ваш* багаж стояли рядом, — и каким-то образом этот *тупица* вбил в свою *дурац-*

*кую* башку, что это мой чемоданчик... — Она повернулась к Иосифу, чтобы дать ему понять, что ее воображение иссякло.

— Отдай профессору чемоданчик, — приказал он.

Минкель встал как-то очень уж деревянно, с таким видом, точно мыслью был далеко, как человек, выслушивающий приговор на большой срок. Госпожа Минкель натянуто улыбалась. А у Чарли подгибались колени, но, подталкиваемая Иосифом, она все-таки сделала несколько шагов к профессору, протягивая ему чемоданчик.

Минкель взял бы его, но тут чьи-то руки схватили чемоданчик и опустили в большой черный ящик на полу, из которого вились толстые провода. Вдруг все перепугались и нырнули за мешки. Сильные руки Иосифа потащили ее туда же; он пригнул ей голову так низко, что она видела лишь собственный живот. И тем не менее она успела увидеть водолаза в противобомбовом костюме, прошагавшего вперевалку к ящику. На нем был шлем с забралом из толстого стекла, а под ним — маска хирурга, чтобы дыхание не затуманивало стекло. Кто-то скомандовал: «Тишина». Иосиф привлек ее к себе, прикрывая своим телом. Последовала другая команда — головы поднялись, но Иосиф продолжал прижимать ее голову книзу. Она услышала размеренные шаги человека, уходившего со сцены, — тут Иосиф наконец отпустил ее, и она увидела Литвака, спешившего на сцену с бомбой явно собственного производства, от которой тянулись неподсоединенные провода, — устройство это больше походило на бомбу, чем халилевское. Иосиф решительно вытолкнул Чарли на середину сцены.

— Продолжай свои объяснения, — шепнул он ей на ухо. — Ты говорила, что прочитала надпись на бирке. Давай дальше. Что было потом?

Сделай глубокий вдох. Продолжай говорить.

— Я прочитала ваше имя на бирке и спросила про вас у портье, мне сказали, что вы ушли на весь вечер, что у вас лекция здесь, в университете; тогда я вскочила в такси и... просто не знаю, сможете ли вы когда-нибудь меня простить. Послушайте, мне надо бежать. Счастья вам, профессор, успеха вашей лекции.

По знаку Курца Минкель достал из кармана связку ключей и сделал вид, будто выбирает ключ для чемоданчика, хотя ему уже нечего было открывать. А Чарли, увлекаемая Иосифом, который обхватил ее за талию, устремилась к выходу, то шагая сама, то лишь перебирая по воздуху ногами.

«Не стану я этого делать, Осси, не могу. Ты сам сказал, что у меня уже не осталось мужества. Только не отпускай меня, Осси, не отпускай». Она услышала за спиной приглушенные слова команды и звуки поспешных шагов — значит, люди кинулись в укрытия.

— У вас две минуты, — крикнул им вслед Курц.

Они снова очутились в коридоре, где стояли два блондина с автоматами.

— Где ты встречалась с ним? — спросил Иосиф тихим задыхающимся голосом.

— В гостинице «Эдем». Это что-то вроде публичного дома на краю города. Рядом с аптекой. У него красный пикап, развозящий кока-колу. И потрепанный «Форд» с четырьмя дверцами. Номер я не запомнила.

— Открой сумку.

Она открыла. Он быстро вынул оттуда ее маленький приемничек с будильником и положил другой, точно такой же.

— Это немного другое устройство, — быстро предупредил ее Иосиф. — Он принимает только одну станцию. Время показывает, но будильника нет. Зато это одновременно и передатчик, и он будет сообщать нам, где ты находишься.

— Когда? — задала она глупый вопрос.

— Какие указания дал тебе Халиль?

— Я должна идти по дороге, все идти и идти... Осси, когда ты за мной приедешь? Ради всего святого!

На его лице читалось отчаяние и смятение, но уступчивости в нем не было.

— Слушай, Чарли. Ты меня слушаешь?

— Да, Осси. Я слушаю.

— Если ты нажмешь на колесико громкости — не повернешь, а *нажмешь,* — мы будем знать, что он спит. Ты поняла?

— А он не спит.

— Как это не спит? Откуда ты знаешь, как он спит?

— Он — как ты, он другой породы: не спит ни днем, ни ночью. Он... Осси, я не в силах туда вернуться. Не заставляй меня.

Она умоляюще смотрела ему в лицо, все еще надеясь, что он уступит, но его лицо застыло враждебной маской.

— Он же хочет, чтобы я переспала с ним! Он хочет устроить брачную ночь, Осси. Неужели это ничуть тебя не волнует? Он подбирает меня после Мишеля. Он не любил своего брата. И таким путем хочет уравнять счет. Неужели, несмотря на все это, я должна туда идти?

Она так вцепилась в него, что он с трудом высвободился. Она стояла понурившись, упершись головой ему в грудь, надеясь, что он снова возьмет ее под защиту. А он, просунув руки ей под мышки, заставил ее выпрямиться — и она снова увидела его лицо, замкнутое и холодное, как бы говорившее ей, что любовь — это не для них: не для него, не для нее и уж меньше всего для Халиля. Он хотел проводить ее, но она отказалась и пошла одна; он шагнул было за ней и остановился. Она оглянулась — она так ненавидела его, она закрыла глаза, открыла, глубоко перевела дух.

«Я умерла».

Она вышла на улицу, распрямила плечи и решительно и слепо, как солдат, зашагала по узкой улице, мимо паршивенького ночного клуба, где висели подсвеченные фотографии девиц лет за тридцать, с обнаженными, мало впечатляющими грудями. «Вот чем мне следовало бы заниматься», — подумала Чарли. Она вышла на главную улицу, вспомнила азбуку пешехода, посмотрела налево и увидела средневековую башню с изящно написанной рекламой макдональдсовских котлет. Зажегся зеленый свет, и она продолжала идти — высокие черные горы перегораживали дорогу впереди, а за ними клубилось светлое, в облаках, небо. Чарли обернулась и увидела шпиль собора, преследовавший ее. Она свернула направо и пошла по обсаженному деревьями проспекту с дворцами по бокам — так медленно она еще никогда в жизни не шла. Шла и считала про себя. Потом стала читать стихи. Потом стала вспоминать, что было в лекционном зале, но без Курца, без Иосифа, без техников-убийц обеих непримиримых сторон. Впереди показался Россино, выкатывавший из калитки мотоцикл. Она подошла к нему, он протянул ей шлем и кожаную куртку, и, когда она надевала их, что-то заставило ее обернуться, и она увидела, как по мокрой мостовой, точно дорожка, проложенная заходящим солнцем, к ней медленно, лениво пополз оранжевый свет и еще долго оставался перед ее глазами после того, как исчез. А потом она наконец услышала звук, которого смутно ждала, — далекий, однако знакомый грохот, и ей показалось, что где-то глубоко в ней самой что-то лопнуло — порвалась извечная нить любви. «Что ж, Иосиф, да. Прощай».

В ту же секунду мотор Россино ожил, разорвав влажную ночь грохотом победоносного смеха. «И мне тоже смешно, — подумала она. — Это самый забавный день в моей жизни».

Россино ехал медленно, держась проселочных дорог и следуя тщательно продуманным маршрутом.

«Веди машину, я подчиняюсь тебе. Может, пора мне стать итальянкой».

Теплый дождик смыл большую часть снега, но Россино ехал с учетом плохого покрытия и того, что он везет важную пассажирку. Он кричал ей что-то веселое и, казалось, был в прекрасном настроении, но она не собиралась разделять его веселья. Они въехали в большие ворота, и она крикнула: «Это тут?», не зная, да и не задумываясь, что именно она имеет в виду, но за воротами пошла проселочная дорога, проложенная по холмам и долинам чьих-то частных владений, и они ехали по ней одни под подскакивавшей луной, которая раньше принадлежала только Иосифу. Чарли взглянула вниз и увидела деревушку, спящую в белом саване; ей показалось, что запахло греческими соснами, и она почувствовала, как по щекам потекли теплые слезы, тотчас высушенные ветром. Она прижала к себе дрожащее, незнакомое тело Россино и сказала:

— Угощайся тем, что осталось.

Они спустились с холма и выехали из других ворот на дорогу, обсаженную голыми лиственницами — совсем такими же, как во Франции. Затем дорога снова пошла вверх, и, когда они добрались до перевала, Россино выключил мотор, и они покатили вниз по дорожке, в лес. Он открыл притороченный к сиденью рюкзак, вытащил оттуда сверток одежды и сумку и швырнул Чарли. В руке он держал фонарик, и, пока она переодевалась, разглядывал ее при свете фонарика — был момент, когда она стояла перед ним полуголая.

«Если хочешь, возьми меня: я доступна и ни с кем не связана».

Она потеряла любовь и потеряла представление о собственной цели. Она пришла к тому, с чего начинала, и весь проклятый мир мог теперь обладать ею.

Она переложила свое барахло из одной сумки в другую — пудреницу, ватные тампоны, немного денег, пачку «Мальборо». И дешевенький радиоприемник с будильником — «Нажми на колесико громкости, Чарли, ты меня слушаешь?» Россино взял ее паспорт и протянул ей новый, а она даже не потрудилась посмотреть, какое у нее теперь гражданство.

Гражданка Тутошнего королевства, родилась — вчера.

Она собрала свои вещи и сунула их в рюкзак вместе со старой сумкой и очками.

— Стой здесь, но смотри на дорогу, — сказал ей Россино. — Он дважды мигнет тебе красным.

После отъезда Россино едва прошло пять минут, как она увидела меж деревьями свет. Ур-ра, наконец-то явился друг!

# Глава 26

Халиль взял ее под руку и чуть не волоком дотащил до сверкающей новой машины, а она, вся дрожа, сотрясалась от рыданий, так что едва могла идти. Вместо шофера в скромном костюме перед ней был безукоризненно одетый немец-управляющий: мягкое черное пальто, рубашка с галстуком, тщательно подстриженные, зачесанные назад волосы. Открыв дверцу машины с ее стороны, он снял пальто и заботливо закутал ее, точно больного зверька. Она понятия не имела, какой он ожидал ее увидеть, но, казалось, не был поражен ее состоянием, а воспринимал это с пониманием. Мотор уже работал. Халиль включил обогреватель на полную мощность.

— Мишель гордился бы тобой, — ласково сказал он и внимательно посмотрел на Чарли.

Она хотела было что-то сказать, но снова разрыдалась. Он дал ей носовой платок; она держала его в обеих руках, закручивая вокруг пальца, а слезы текли и текли. Машина двинулась вниз по лесистому склону.

— Как там все произошло? — шепотом спросила она.

— Ты подарила нам большую победу. Минкель погиб, открывая чемоданчик. Остальные друзья сионистов, судя по сообщениям, тяжело ранены. Жертвы все еще подсчитывают. — Он произнес это с жестоким удовлетворением. — Они говорят, это был акт насилия. Шок. Хладнокровное убийство. Пусть приедут в Рашидийе — приглашаю весь университет. Пусть посидят в бомбоубежищах, а потом, по выходе, будут расстреляны из пулемета. Пусть им поломают кости, и пусть на их глазах будут пытать их детей. Завтра весь мир прочтет о том, что палестинцы никогда не станут бедными неграми на родине евреев.

Обогреватель работал вовсю, но Чарли никак не могла согреться. Она плотнее закуталась в пальто Халиля. У него были бархатные отвороты, и по запаху чувствовалось, что оно новое.

— Не расскажешь, как было дело? — спросил он.

Она покачала головой. Сиденья были плюшевые и мягкие, мотор работал тихо. Она прислушалась, не едут ли следом, но ничего не услышала. Взглянула в зеркальце. Ничего позади, ничего впереди. Да и было ли когда что-либо? Она увидела лишь черный глаз Халиля, смотревший на нее.

— Не волнуйся. Мы тебя не бросим. Я обещаю. Я рад, что ты горюешь. Другие убивают и смеются. Напиваются, сдирают с себя одежду, ведут себя, как животные. Все это я наблюдал. А ты — ты плачешь. Это очень хорошо.

Дом стоял на берегу озера, а озеро было в глубокой долине. Халиль дважды проехал мимо, прежде чем свернуть на подъездную аллею, и глаза его, глядевшие на дорогу, были глазами Иосифа — темные, напряженные и все видящие. Дом был современный — бунгало, какие строят себе богатые люди для отдыха. С белыми стенами, мавританскими окнами и покатой красной крышей, на которой не сумел удержаться снег. К дому примыкал гараж. Халиль въехал в него, и двери автоматически закрылись. Он выключил мотор и достал из внутреннего кармана куртки пистолет-автомат. Халиль, однорукий стрелок. Она сидела в машине и смотрела на сани и дрова, уложенные вдоль задней стены. Он открыл дверцу с ее стороны.

— Следуй за мной. На расстоянии трех метров, не ближе.

Стальная дверь вела во внутренний коридор. Чарли приостановилась, затем последовала за ним. В гостиной уже горел свет, в камине был разожжен огонь. Диван, накрытый жеребячьей шкурой. Дачная простая мебель. На деревянном столе стояли два прибора. В ведерке со льдом была бутылка водки.

— Постой здесь.

Она остановилась посреди комнаты, вцепившись обеими руками в сумку, а он обошел все комнаты — так тихо, что она слышала лишь, как открывались и закрывались двери. Ее снова начало трясти. А он вернулся в гостиную, положил свой пистолет, опустился на диван у камина и принялся раздувать огонь. «Чтобы отогнать зверей, — подумала она, глядя на него. — Чтобы овцы были целы». Огонь заревел, и Чарли села на диван перед камином. Халиль включил телевизор. Показывали старый черно-белый фильм про таверну на вершине горы. Звука Халиль не включал. Он встал перед Чарли.

— Хочешь водки? — вежливо осведомился он. — Я сам не пью, но ты, если хочешь, пожалуйста.

Она согласилась, и он налил ей — слишком много.

— Курить будешь?

Он протянул ей кожаный портсигар и поднес к сигарете спичку.

В комнате вдруг стало светлее, и Чарли, метнув взгляд на

телевизор, обнаружила прямо перед собой возбужденное лицо маленького немца-хорька, которого она всего час тому назад видела рядом с Марти. Он стоял у полицейского фургона. За его спиной виден был кусок тротуара и боковой вход в лекционный зал. Полицейские, пожарные машины и «Скорая помощь» шныряли туда и сюда. «Террор — это театр», — подумала она. Теперь показали заслоны из зеленого брезента, сооруженные от непогоды, чтобы легче было вести поиск. Халиль включил звук, и Чарли услышала вой сирен «Скорой помощи» и перекрывавший их хорошо поставленный голос Алексиса.

— Что он говорит? — спросила она.

— Он ведет расследование. Подожди. Сейчас тебе скажу.

Алексис исчез, и на его месте — уже в студии — появился ничуть не пострадавший Оберхаузер.

— Это тот идиот, что открыл мне дверь, — сказала она.

Халиль поднял руку, призывая ее к молчанию. Она прислушалась и поняла с каким-то отстраненным любопытством, что Оберхаузер описывает ее. Она уловила: «Süd Afrika»[1], а также что-то насчет шатенки; Чарли увидела, как он поднял руку, показывая, что она в очках, — камера передвинулась на его дрожащий палец, тыкавший в пару очков, похожих на те, что дал ей Тайех.

После Оберхаузера был показан фоторобот, не похожий ни на что на свете, разве что на старую рекламу жидкого слабительного, которая лет десять назад висела на всех вокзалах. Затем показали двух полицейских, разговаривавших с ней и смущенно добавивших собственное описание.

Халиль выключил телевизор и снова подошел к Чарли.

— Можно? — застенчиво спросил он.

Она взяла свою сумку и переложила ее по другую сторону от себя, чтобы он мог сесть. Эта чертова штука там внутри жужжит? Пищит? Это микрофон? Как эта чертовщина работает?

Халиль говорил отрывисто — врач-практик, излагающий диагноз.

---

[1] Южная Африка (*нем.*).

— Ты в известной мере в опасности, — сказал Халиль. — Господин Оберхаузер запомнил тебя, как и его жена, как и полицейские, как и несколько человек в гостинице. Рост, фигуру, владение английским, актерские способности. На беду, там была англичанка, которая частично слышала твой разговор с Минкелем, и она считает, что ты вовсе не из Южной Африки, а самая настоящая англичанка. Твое описание пошло в Лондон, а мы знаем, что англичане уже взяли тебя под подозрение. Весь район тут поднят по тревоге, дороги перекрыты, всех проверяют — с ног сбились. Но ты не волнуйся. — Он взял ее руку и задержал в своей. — Я буду защищать тебя своей жизнью. На сегодня мы можем не беспокоиться. Завтра мы переправим тебя в Берлин, а затем — домой.

— Домой, — повторила она.

— Ты же теперь одна из нас. Ты — наша сестра. Фатьма сказала, что ты наша сестра. У тебя нет дома, но ты часть большой семьи. Мы дадим тебе новое имя, или же можешь поехать к Фатьме и жить у нее сколько захочешь. И мы будем о тебе заботиться, хотя ты никогда больше не будешь участвовать в борьбе. Будем заботиться ради Мишеля. Ради того, что ты сделала для нас.

Его лояльность поражала. Он по-прежнему держал ее руку в своей — сильной, придающей уверенности. Глаза его блестели гордостью обладателя. Чарли поднялась с дивана и вышла из комнаты, прихватив с собой сумку.

Двуспальная кровать, электрический камин, включенный, невзирая на затраты, на обе спирали. На полке — бестселлеры Тутошнего королевства: «Если я о'кей, то и ты о'кей», «Радости секса». Постель была разобрана. В глубине — обшитая деревом ванная с примыкающей к ней сауной. Чарли достала приемничек и осмотрела его — он был точь-в-точь как ее старый, только чуть более тяжелый. Дождись, пока он заснет. Пока я засну. Она посмотрела на себя в зеркало. А этот художник, который создал фоторобот, не так уж плохо справился с делом. Страна без народа — для народа без страны. Сначала она тщательно вымыла руки и под ногтями, потом порывисто разделась и долго стояла под душем — только б подольше быть вдали от его теплого доверия. Она протерлась лосьоном, взяв бутылочку из шкафчика над умывальником. Интересные у нее стали глаза — как у Фатимы, той шведки в тренировочной школе, в них была та же яростная пустота, указывавшая на ум, отбросивший препоны сострадания. И точно такая же ненависть к себе. Когда она вернулась в гостиную, Халиль расставлял еду на столе. Холодное мясо, сыр, бутылка вина. Свечи были уже зажжены. В лучшей европейской манере он отодвинул для нее стул. Она села, он сел напротив нее и сразу принялся за еду — сосредоточенно, как он делал все. Убийство совершено, и теперь он ел — что может быть естественнее? «Мой самый безумный ужин, — подумала она. — Самый страшный и самый безумный. Если к нашему столу подойдет скрипач, я попрошу его сыграть «Реку под луной».

— Ты все еще жалеешь о том, что сделала? — спросил он, как если бы спросил: «Головная боль у тебя прошла?»

— Они свиньи, — сказала она, и она действительно так считала. — Безжалостные убийцы... — Она снова чуть было не заплакала, но вовремя сдержалась. Нож и вилка в ее руках так тряслись, что ей пришлось положить их. Она услышала, как проехала машина, а может быть, пролетел самолет? «Сумка, — вдруг подумала она. — Где я ее оставила? В ванной, подальше от его любопытных пальцев». Она снова взяла в руки вилку и увидела перед собой красивое лицо дикаря — Халиль внимательно изучал ее при свете оплывающих свечей, совсем как Иосиф на горе возле Дельф.

— Возможно, ты уж слишком стараешься ненавидеть их, — заметил он, пытаясь дать ей лекарство.

В такой ужасной пьесе она еще никогда не играла, и такого ужасного ужина у нее еще не было. Ей хотелось разорвать этот союз и в клочья разорвать себя. Она встала и услышала, как с грохотом упали на пол ее нож и вилка. Сквозь слезы отчаяния она едва различала Халиля. Она начала было расстегивать платье, но не могла заставить пальцы выполнить то, что требовалось. Она обошла стол — Халиль уже поднимался ей навстречу. Он обнял ее, поцеловал, затем поднял на руки и понес, точно раненого товарища, в спальню. Он положил ее на кровать, и вдруг — одному богу известно, почему так сработало отчаяние, — она сама завладела им. Она раздела его, притянула к себе, словно он был последним мужчиной на Земле и это был последний день Земли; она овладела им, уничтожая себя, уничтожая его. Она сжирала его, высасывала из него все соки, вдавливала его в кричащие пустоты своей вины и одиночества. Она рыдала, она кричала что-то ему, наполняя рот лживыми словами, переворачивала его и забывала о себе и об Иосифе под тяжестью его ненасытного тела.

Она почувствовала, что он иссяк, но еще долго не отпускала от себя, крепко обхватив руками, прикрываясь им от надвигающейся грозы.

Он не спал, но начинал дремать. Его голова со спутанными черными волосами лежала на ее плече, здоровая рука была небрежно перекинута через ее грудь.

— Салиму повезло, — прошептал он с легкой усмешкой в голосе. — Из-за такой, как ты, и умереть можно.

— Кто сказал, что он умер из-за меня?

— Тайех сказал, что это вполне возможно.

— Салим умер за революцию. Сионисты взорвали его машину.

— Он сам себя взорвал. Мы прочли немало докладов немецкой полиции на этот счет. Я говорил ему: «Никогда не делай бомбы», но он не послушался. Не умел он этим заниматься. Он не был прирожденным борцом.

— Что это? — спросила она, отодвигаясь от него.

Что-то прошуршало, словно рвалась бумага. Чарли подумала: «Так тихо едет по гравию машина с выключенным мотором».

— Кто-то ловит рыбу на озере, — сказал Халиль.

— Ночью?

— А ты никогда не удила рыбу ночью? — Он сонно рассмеялся. — Никогда не выходила в море на маленькой лодочке, с фонарем, и не ловила рыбу руками?

— Проснись же. Поговори со мной.

— Лучше давай поспим.

— Я не могу. Я боюсь.

Он стал рассказывать ей о ночной миссии, которую давно, в Галилее, отправились выполнять он и двое других. Как они плыли по морю на лодке, и вокруг была такая красота, что они забыли, зачем поехали, и стали ловить рыбу. Чарли прервала его.

— Это не лодка, — настаивала она. — Это машина, я снова слышала. Послушай.

— Это лодка, — сонно сказал он.

Луна нашла щелку между занавесками и проложила к ним по полу дорожку. Чарли встала и, подойдя к окну, не раздергивая занавесок, посмотрела наружу. Вокруг стояли сосновые леса, лунная дорожка на озере казалась лестницей, уходящей вниз, в центр Земли. Но никакой лодки не было, как не было и огонька, который привлекал бы рыбу. Чарли вернулась в постель; правая рука Халиля скользнула по ее телу, привлекая к себе, но, почувствовав сопротивление, он осторожно отодвинулся от нее и лениво перевернулся на спину.

— Поговори со мной, — повторила она. — Халиль! Да проснись же. — Она встряхнула его и поцеловала в губы. — Проснись, — сказала она.

И он заставил себя проснуться, потому что был человек добрый, а кроме того, она стала теперь его сестрой.

— Знаешь, что меня удивило в твоих письмах к Мишелю? — спросил он. — То, что ты писала про пистолет. «Теперь я буду всегда мечтать, чтобы голова твоя лежала рядом, на моей подушке, а твой пистолет — под ней», — настоящее любовное послание. Красивое любовное послание.

— Почему же тебя это удивило? Скажи.

— Потому что у нас был с ним однажды такой разговор. Как раз об этом. «Послушай, Салим, — сказал я ему. — Только ковбои спят с пистолетом под подушкой. Из всего, чему я учил тебя, главное — запомни это. В постели держи пистолет сбоку — так его легче спрятать и он будет под рукой. Научись так спать. Даже когда рядом с тобой женщина». Он сказал, что не забудет. Навсегда запомнит — он обещал мне. А потом забыл. Или нашел новую женщину. Или новую машину.

— Значит, нарушил правило, да? — сказала она, взяла его

руку в перчатке и стала разглядывать ее в полумраке, общупывая каждый мертвый палец. Они были ватные — все, кроме мизинца и большого пальца. — Что же это с ними произошло? — игриво спросила она. — Мыши? Что с ними произошло, Халиль? Да проснись же.

Он долго не отвечал.

— Это было в Бейруте, и я был тогда еще глуповат, как Салим. Я находился у себя в конторе, принесли почту, я спешил: ждал один пакет. Вскрываю его! Не надо было это делать.

— Ну и что же произошло? Ты вскрыл пакет и — хлоп! Хлоп прямо по пальцам. И на лицо попало тоже?

— Когда я пришел в себя в больнице, там был Салим. И знаешь? Он был очень доволен, что я оказался такой глупый. «В другой раз, прежде чем вскрывать пакет, покажи его мне или рассмотри штемпель, — сказал он. — Если пакет из Тель-Авива, лучше верни его отправителю».

— Зачем же ты в таком случае делаешь бомбы? Ведь у тебя осталась всего одна рука!

Ответ был в его молчании. В застылости его еле видного в темноте лица, повернутого к ней, — сурового, без улыбки, с пристальным взглядом. Ответ был во всем, что она видела после того вечера, когда подписала контракт с театром жизни. Ради Палестины — гласил ответ. Ради Израиля. Ради господа бога. Ради собственной моей судьбы. Чтобы ответить мерзавцам тем же, что они сотворили со мной. Чтобы восстановить справедливость. Несправедливостью. Пока все праведники не будут разорваны на кусочки и справедливость не восстанет из руин и не зашагает по пустынным улицам.

Внезапно он востребовал ее, и тут уж противиться она не могла.

— Милый, — прошептала она. — Халиль. О боже! Ох, милый мой...

И еще все то, что говорят проститутки.


Уже занималась заря, а Чарли все не давала ему уснуть. Вместе с бледным рассветом какая-то игривость овладела ею. Она целовала, ласкала его, пускала в ход все известные ей уловки, лишь бы удержать его при себе, лишь бы не дать угаснуть его страсти.

— Ты самый лучший из всех, кто у меня был, — шептала она ему, — а я никогда не присуждаю первых премий. Мой самый сильный, мой самый храбрый, мой самый умный из всех любовников.

— Лучше, чем Салим? — спросил он.

Терпеливее, чем Салим, нежнее, благодарнее. И лучше, чем Иосиф, который отправил меня к тебе на блюдечке.

— В чем дело? — спросила она, когда он вдруг отодвинулся от нее. — Я сделала тебе больно?

Вместо ответа он протянул здоровую руку и повелительным жестом зажал ей рот. Затем осторожно приподнялся на локте. Она прислушалась вместе с ним. Захлопала крыльями птица, поднявшись с озера. Пронзительно закричали гуси. Прокукарекал петух. Зазвенел колокольчик. Звук приглушенный, тотчас поглощенный снегом. Она почувствовала, как приподнялся рядом с нею матрас.

— Никаких коров нет, — тихо произнес Халиль, уже стоя у окна.

Он стоял по-прежнему голый, но со своим пистолетом-автоматом на ремне через плечо. И на секунду в том напряжении, которое владело ею, Чарли показалось, что она увидела напротив Халиля Иосифа с красным отблеском электрического камина на лице — их отделяла друг от друга лишь тонкая занавеска.

— Что ты там видишь? — прошептала она, не в силах выдержать напряжение.

— Никаких коров. И никаких рыболовов. И никаких велосипедистов. Я не вижу, по сути, ничего.

Голос его звучал напряженно. Его одежда валялась у кровати — там, где Чарли бросила ее. Он натянул темные брюки, надел белую рубашку и пристегнул пистолет под мышкой.

— Ни машин, ни проносящихся мимо огней, — ровным тоном произнес он. — Ни единого рабочего, который шел бы на работу. И никаких коров.

— Их уже угнали на дойку.

Он покачал головой.

— Не два же часа их доят.

— Это все из-за снега. Их держат в доме.

Что-то в ее тоне задело его ухо: обостренное чутье заставило внимательнее отнестись к ее словам.

— Почему ты пытаешься найти объяснение?

— Я не пытаюсь. Просто...

— Почему ты пытаешься найти объяснение отсутствию жизни вокруг этого дома?

— Чтобы успокоить твои страхи. Приободрить тебя. — В нем зрела мысль — страшная мысль. Он прочел это на ее лице, в ее обнаженном теле, а она, в свою очередь, почувствовала, как зародилось его подозрение.

— А почему ты хочешь успокоить мои страхи? Почему ты боишься больше за меня, чем за себя?

— Ничего подобного.

— Тебя ведь разыскивают. Как же ты способна так любить меня? И почему ты заботишься о том, чтобы меня приободрить, а не о собственной безопасности? Какое чувство вины не дает тебе покоя?

— Никакого. Мне было отвратительно убивать Минкеля. Я вообще хочу из всего этого выйти. Халиль?

— Может быть, Тайех все-таки прав? И мой брат действительно погиб из-за тебя? Отвечай, пожалуйста, — очень, очень спокойно потребовал он. — Я хочу получить ответ.

Все ее тело молило его оставить ее в покое, лицо ужасно горело. Оно будет теперь гореть до конца ее дней.

— Халиль... иди сюда, — прошептала она. — Люби меня. Иди сюда.

Почему же он медлит, если дом уже окружен? Почему он так смотрит на нее, когда кольцо вокруг него с каждой секундой стягивается?

— Который час, скажи, пожалуйста? — спросил он, продолжая на нее смотреть. — Чарли?

— Пять. Половина шестого. Не все ли равно?

— А где твои часы? Твои маленькие часы. Я хочу знать время, пожалуйста.

— Я не помню. В ванной.

— Пожалуйста, не двигайся. Иначе, может статься, мне придется тебя убить. Посмотрим.

Он принес сумку и протянул ей в постель.

— Открой ее, пожалуйста, — сказал он, наблюдая за ней, пока она возилась с замком. — Так который же час, Чарли? — снова спросил он с какой-то жутковатой беззаботностью. — Скажи, пожалуйста, сколько на твоих часах сейчас времени?

— Без десяти шесть. Больше, чем я думала.

Он выхватил у нее приемник и посмотрел на окошко с цифрами. Двадцать четыре часа. Затем включил радио — взвыла музыка, и он снова его выключил. Поднес к уху, потом взвесил на руке.

— С прошлого вечера, когда мы с тобой расстались, у тебя, по-моему, было не так уж много свободного времени. Верно? Собственно, вообще не было.

— Не было.

— Когда же ты успела купить новые батарейки для часов?

— А я и не покупала.

— Тогда почему же часы идут?

— Мне не нужны были новые батарейки... они же еще не кончились... ведь они работают годами... надо только покупать специальные... долгосрочные...

Ничего больше придумать она не могла. Все — и на все времена, на веки вечные: дело в том, что она вспомнила, как он обыскал ее там, на вершине горы, у пикапа, развозящего кока-колу, и как сунул в карман батарейки, прежде чем бросить приемничек ей в сумку, а сумку — в пикап.

Она больше не интересовала его. Все его внимание было занято часами.

— Подай-ка мне сюда этот большой радиоприемник, что стоит у постели, Чарли. Сейчас мы проделаем один маленький эксперимент, интересный технический эксперимент, связанный с коротковолновым передатчиком.

— Можно мне что-нибудь надеть? — прошептала она.

Она натянула платье и подала ему приемник, современную коробку из черного пластика с динамиком, напоминающим телефонный диск. Поставив рядом часы и приемник, Халиль включил приемник и стал менять частоты, пока приемник не завыл, как раненый зверь, — выше, ниже, точно сигнал воздушной тревоги. Халиль взял часы, отодвинул крышку отделения для батареек и вытряхнул батарейки на пол — почти так же, как, наверно, сделал это вчера. Вой тотчас прекратился. Словно ребенок, удачно проведший опыт, Халиль поднял на нее глаза и улыбнулся. Она старалась не смотреть на него, но не выдержала — посмотрела.

— На кого ты работаешь, Чарли? На немцев?

Она отрицательно помотала головой.

— На сионистов?

Он принял ее молчание за согласие.

— Ты, значит, еврейка.

— Нет.

— Ты на стороне *Израиля?* Кто ты?

— Никто, — сказала она.

— Ты христианка? Ты видишь в них основателей твоей великой религии?

Она снова помотала головой.

— Значит, это ради денег? Они подкупили тебя? Они тебя шантажировали?

Ей хотелось закричать. Она сжала кулаки, наполнила воздухом легкие, но от смятения чувств задохнулась и только всхлипнула.

— Это все, чтобы спасти человеческие жизни. Чтобы в чем-то участвовать. Быть кем-то. А потом — я любила его.

— Это ты выдала моего брата?

Комок в горле исчез, и она ответила невероятно ровным тоном:

— Я не знала его. И никогда в жизни с ним не говорила. Мне показали его перед тем, как убить, все остальное было придумано. Наша любовь, мое обращение в вашу веру — все. Я не писала этих писем — они всё написали сами. И его письма к тебе тоже писали они. Те, где говорится про меня. А я влюбилась в человека, который мной занимался. Вот и все.

Медленно, плавно он протянул левую руку и дотронулся до ее лица, словно проверяя, в самом ли деле она существует. Посмотрел на кончики своих пальцев, потом снова на нее, как бы сопоставляя одно с другим.

— И ты — англичанка, как и те, кто предал мою родину, — тихо произнес он, словно не мог поверить собственным глазам.

Он поднял голову, и она увидела, как его лицо исказилось осуждением и почти тут же побагровело от пуль, которые всадил в него Иосиф. Чарли учили стоять на месте после того, как она спустила курок, но Иосиф так не поступил. Не доверяя пулям, он вбежал в комнату, чтобы добить Халиля. Он влетел в дверь, словно заштатный оккупант, продолжая на бегу стрелять. И стрелял, вытянув вперед руку, чтобы еще уменьшить разделявшее их расстояние. Чарли увидела, как лопнула кожа на лице Халиля, — увидела, как он повернулся и протянул руки к стене, как бы моля ее о помощи. А пули вонзились ему в спину, разодрали белую рубашку. Его руки уперлись в стену — одна кожаная, другая настоящая, и тело, изрешеченное пулями, согнулось, а он еще отчаянно старался пробить стену. Иосиф подскочил и ударом ноги подшиб его, ускоряя его последнее на этой земле падение. Вслед за Иосифом появился Литвак, которого Чарли знала под именем Майк и, как она сейчас поняла, всегда подозревала в чем-то нездоровом. Иосиф отступил, а Майк присел и всадил пулю Халилю в затылок, что было едва ли уже нужно. После Майка явилась целая армия палачей в черных костюмах ныряльщиков; вслед за ними — Марти и немец-хорек и две тысячи санитаров с носилками, и шоферов «Скорой помощи», и врачей, и суровых женщин, которые держали ее, вытирали с одежды рвоту, вели по коридору на свежий воздух, а она никак не могла избавиться от липкого жаркого запаха крови, забившего ей горло и нос.

У крыльца стояла карета «Скорой помощи». Внутри были банки с кровью и одеяла, тоже перепачканные красным, так что Чарли заартачилась, не желая садиться туда. Должно быть, она сильно сопротивлялась, потому что одна из державших ее женщин вдруг выпустила ее и ударила по лицу. Она оглохла, так что еле слышала собственные крики, но главным для нее было содрать с себя платье, потому что она — шлюха и потому что оно было залито кровью Халиля. Но она еще не освоилась с платьем — оно ведь появилось у нее только вчера — и не могла сообразить, пуговицы на нем или «молния», а потому решила плюнуть и не думать об этом. Потом появились Рахиль и Роза, стали по обе ее стороны и схватили ее за руки, совсем как там, в Афинах, когда она впервые явилась туда сдавать экзамен для поступления в театр жизни; опыт подсказывал ей, что дальнейшее сопротивление бесполезно. Они заставили ее подняться по ступенькам в машину «Скорой помощи» и сели рядом с ней. Она посмотрела вниз и увидела все эти дурацкие рожи, смотревшие на нее, — крепкие мальчики с суровыми физиономиями героев, Марти и Майк, Димитрий с Раулем; были там и другие друзья, пока ей еще не представленные. Потом толпа расступилась, и появился Иосиф — у него хватило ума избавиться от пистолета, из которого он пристрелил Халиля, но его джинсы и кроссовки были, как заметила Чарли, в крови. Он подошел к машине и посмотрел вверх, на Чарли, и сначала ей показалось, что она смотрит в собственное лицо, потому что она увидела в его лице то, что так ненавидела в себе. А потом они как бы поменялись ролями: она стала убийцей и сводницей, а он — приманкой, шлюхой и предателем.

Она продолжала глядеть на него, и в ней вдруг ожила искорка возмущения, и она вновь обрела то, что он украл у нее, — себя. Она поднялась во весь рост, и ни Роза, ни Рахиль не успели удержать ее. Набрав в легкие воздуха, она закричала: *«Уйди»* — так, во всяком случае, ей показалось. Возможно, она крикнула: «Нет». Но это не имело значения.

# Глава 27

О прямых и косвенных последствиях проведенной операции мир знал куда больше, чем ему казалось, и уж, конечно, куда больше, чем Чарли. К примеру, люди знали — или могли бы знать, если бы внимательно читали мелкие сообщения на страницах зарубежных новостей в английской прессе, — что некий палестинец, подозреваемый в терроризме, погиб в перестрелке с западногерманским штурмовым отрядом, а женщина, которую он держал в качестве заложницы и чье имя не упоминалось, доставлена в больницу в состоянии шока. В немецких газетах появились более жуткие версии случившегося — «ДИКИЙ ЗАПАД ПРИШЕЛ В ШВАРЦ-ВАЛЬД», но истории были настолько противоречивы, хотя каждая и выглядела достоверной, что трудно было составить представление об истинной картине вещей. Связь между этим событием и неудавшейся попыткой покушения во Фрейбурге на профессора Минкеля, которого сначала объявили погибшим, но который, как выяснилось, чудом избежал смерти, была столь лихо опровергнута доктором Алексисом, что все поверили. Но, наверное, заявили более мудрые авторы передовиц, нам действительно не следует все говорить.

Серия мелких инцидентов в разных частях Западного полушария то и дело рождала догадки о том, что это дело рук той или иной арабской террористической организации, но в наши дни, когда действует столько соперничающих между собой групп, трудно указать на какую-то из них пальцем. К примеру, бессмысленная пальба, открытая среди бела дня по доктору Антону Местербайну, швейцарскому юристу-гуманисту, борцу за права национальных меньшинств и сыну известного финансиста, была решительно отнесена на счет фалангистской экстремистской организации, недавно «объявившей войну» европейцам, открыто сочувствующим палестинской «оккупации» Ливана. Жертва подверглась нападению, когда выходила из своей виллы на работу — как обычно, без всякой охраны, — и мир был глубоко потрясен этой вестью, по крайней мере в течение утра. После того как издатель одной цюрихской газеты получил письмо, подписанное «Свободный Ливан», в котором эта организация брала на себя ответственность за покушение, и письмо было признано подлинным, одному из младших чиновников ливанского посольства было предложено покинуть страну, что он с философским спокойствием и сделал.

Взрыв бомбы, подложенной в машину дипломата, причастного к Фронту сопротивления, которая стояла у недавно построенной мечети в Сент-Джонс-Вуде, едва ли был кем-либо замечен, а это было четвертое убийство подобного рода за такое же число месяцев.

С другой стороны, кровавое убийство итальянского музыканта и публициста Альберто Россино и его приятельницы немки, чьи голые и до неузнаваемости изувеченные тела были обнаружены через много недель у одного тирольского озера, никак не было связано, по заявлению австрийских властей, с политикой, хотя обе жертвы придерживались радикальных взглядов. На основании имевшихся данных власти предпочли счесть это преступлением на почве ревности. Девица, Астрид Бергер, была известна своими ненасытными аппетитами, и потому решили — как это ни нелепо, — что никто третий тут не замешан. Целый ряд других смертей, менее интересных, прошел, по сути дела, незамеченным, как и то, что израильтяне разбомбили старинную крепость в пустыне у границы с Сирией, где, по утверждению иерусалимских источников, палестинцы тренировали иностранных террористов. А кто заложил четырехсотфунтовую бомбу, уничтожившую роскошную летнюю виллу на вершине холма в окрестностях Бейрута и ее обитателей, в числе которых были Тайех и Фатьма, — так и осталось нераскрытым, как и многие другие акты терроризма в этом многострадальном районе.

Но Чарли в своем гнездышке на берегу моря ничего этого не знала, а вернее, в общем-то, знала, но либо слишком ей все надоело, либо она была слишком напугана, чтобы выяснять подробности. Сначала она только плавала или медленно, бесцельно бродила по пляжу — из конца в конец, плотно запахнувшись в халат, а ее телохранители на почтительном расстоянии следовали за ней. Войдя в море, она садилась в мелководье и мылась морской водой — сначала лицо, потом плечи и руки. Другие девицы, согласно указаниям, купались голышом, но когда Чарли отказалась последовать их примеру, психиатр велел и им надеть купальные костюмы и выждать.

Курц приезжал к ней раз в неделю, иногда — два раза. Он был с ней необычайно мягок, терпелив и предан, даже когда она принималась на него кричать. Он сообщал то, что ей следовало знать и могло быть полезно.

Ей придумали крестного, сказал он, старого друга ее отца, который разбогател и недавно умер в Швейцарии, оставив ей солидную сумму, — деньги эти ей переведут, и, поскольку это заграничный капитал, они не подлежат обложению налогом в Соединенном Королевстве.

С английскими властями проведены переговоры, и они согласились — по причинам, которые останутся для Чарли неведомыми, — не копаться в ее взаимоотношениях с теми или иными европейскими и палестинскими экстремистами, сказал Курц. А кроме того, заверил ее Курц, Квили по-прежнему самого хорошего о ней мнения: полиция, сказал он, специально заезжала к нему и пояснила, что они были не правы в своих подозрениях по поводу Чарли.

Обсуждал Курц с Чарли и то, как объяснить ее внезапное исчезновение из Лондона, и Чарли покорно согласилась принять сбитый им коктейль: боязнь преследования со стороны полиции, небольшое нервное расстройство и появление таинственного любовника, которого она подцепила на Миконосе, человека женатого, который покрутился возле нее, а потом бросил. Когда Курц начал натаскивать ее в этом направлении и проверять в мелочах, она побледнела и затряслась. То же произошло и когда Курц несколько опрометчиво сообщил, что «на самом высоком уровне» решено предоставить ей израильское гражданство, если она того пожелает.

— Предложите это Фатьме, — отрезала она, и Курцу, у которого к тому времени было на руках уже несколько новых дел, пришлось залезть в свою картотеку, чтобы вспомнить, кого зовут Фатьма или, вернее, кого звали.

Что до ее карьеры, сказал Курц, тут Чарли ждут весьма интересные предложения, как только она почувствует себя в состоянии их принять. Два отличных голливудских продюсера проявили за время отсутствия Чарли искренний интерес к ней и готовы немедленно пригласить ее на Западное побережье для кинопроб. Один из них даже готов предложить ей небольшую роль, которая, по его мнению, как раз для нее — подробностей Курц не знает. Да и на лондонской сцене есть приятные новости.

— Я хочу вернуться туда, где я работала, — сказала на это Чарли.

Курц сказал: «Это легко устроить, милочка, никаких проблем».

Психиатр был молодой, умный, с искорками в глазах и военной выправкой; он вовсе не был склонен к самоанализу или вообще к мрачным размышлениям. В его обязанности входило не столько разговорить ее, сколько убедить, что она должна молчать: по-видимому, это был человек весьма гибкий в своей профессии. Он ездил с ней — сначала по побережью, потом в Тель-Авив. Но когда он, не подумав, указал ей на несколько избежавших перестройки прекрасных старых арабских домов, Чарли зашлась от ярости. Он возил ее в уединенные ресторанчики, плавал с ней и даже лежал с ней рядом на берегу и болтал, пока она не сказала ему со странной хрипотцой в голосе, что предпочла бы разговаривать в его кабинете. Услышав, что она любит ездить верхом, он велел добыть лошадей, и они катались целый день, в течение которого она, казалось, забылась. Но на другой день она снова была тихая-тихая, что не понравилось врачу, и он сказал Курцу, что надо выждать, по крайней мере, еще неделю. Ну и, конечно, в тот же вечер с Чарли случился долгий, непонятный приступ рвоты, тем более странный, что она совсем мало ела.

Приехала Рахиль, она возобновила свои занятия в университете и была такая открытая, не скованная, милая, совсем другая, чем та жесткая женщина, которую Чарли впервые увидела в Афинах. Димитрий тоже возобновил занятия, сказала Рахиль; Рауль подумывает о том, чтобы заняться медициной и, может быть, станет армейским врачом, а может, и вернется к археологии. Чарли вежливо улыбалась, слушая известия о своем семействе, — у нее было такое ощущение, точно она разговаривала со своей бабушкой, сказала Курцу Рахиль. Но в общем, ни то, что Рахиль родилась на Севере, ни то, что она вновь обрела манеры английского буржуазного общества, не оказало на Чарли желанного воздействия, и вскоре она очень вежливо попросила, чтобы ее, пожалуйста, оставили в покое.

Служба же Курца за это время получила несколько весьма ценных уроков, приумноживших технические и человеческие познания ее сотрудников, составлявшие сокровищницу, из которой они черпали, проводя многие свои операции. Оказывается, люди нееврейской национальности могут быть не только полезны, но порой и существенно важны для тех или иных акций. Еврейской девушке, пожалуй, не удалось бы так хорошо держаться золотой середины. Техники тоже пришли в восторг от использования батареек в часах радиоприемника: век живи — век учись. Несколько видоизмененный вариант был сочинен для тренировок и дал большой эффект. Эксперты утверждали, что в идеальных условиях куратор обязан был заметить при обмене приемниками, что в приемнике агента отсутствуют батарейки. Но по крайней мере он сложил два и два, когда сигнал перестал поступать, и тотчас помчался на место действия. Имя Беккера, естественно, нигде не упоминалось — и не только из соображений безопасности: Курц ничего хорошего о нем за последнее время не слышал и не был склонен его канонизировать.

Однако поздней весной, как только бассейн реки Литани достаточно высох, чтобы могли пройти танки, худшие опасения Курца и худшие угрозы Гаврона осуществились: началось давно предполагавшееся вторжение израильтян в Ливан, положившее конец данной фазе военных действий и возвестившее о новой. Лагеря беженцев, в которых находила временный приют Чарли, были подвергнуты санитарной обработке, а именно: явились бульдозеры и зарыли трупы, оставшиеся после обстрелов из танков и пушек; жалкая вереница беженцев двинулась на север, оставляя позади сотни, а потом и тысячи мертвецов. Специальные группы сровняли с землей конспиративные дома в Бейруте, где скрывалась Чарли; от дома в Сидоне остались лишь куры и мандариновый сад. Дом был взорван специальной командой — сайяретом, — которая заодно прикончила и двух парней — Карима и Ясира. Они

явились ночью с моря, как и предсказывал великий разведчик Ясир, и стреляли особыми, все еще засекреченными американскими разрывными пулями, которым достаточно соприкоснуться с телом человека, чтобы тот был мертв. Обо
всем этом — целенаправленном уничтожении ее краткого романа с Палестиной — Чарли не знала. Она бы могла сорвать-
ся с катушек, сказал психиатр: при ее воображении и умении
погружаться в себя она вполне могла прийти к выводу, что
виновата и во вторжении. Поэтому лучше сохранить это от
нее в тайне — пусть узнает со временем. Что же до Курца, то
его целый месяц почти не было видно, а если кто его и видел,
то не мог узнать. Он словно бы вдвое усох, глаза его утратили
блеск — он наконец стал выглядеть на свой возраст. Потом,
словно победив долгую и тяжкую болезнь, он в один прекрасный день вернулся к жизни и за какие-нибудь несколько
часов энергично возобновил свою странную, незатухающую
вражду с Мишей Гавроном.

   А Гади Беккер в Берлине находился сначала, как и Чарли,
словно бы в вакууме, но с ним случалось это и раньше, да и
вообще он был менее чувствителен к причинам, породившим
этот вакуум, и их последствиям. Он вернулся на свою квартиру и к своему хромающему бизнесу: банкротство снова стояло за углом. Хотя он целыми днями препирался по телефону
с оптовыми торговцами или передвигал ящики из одного
конца склада в другой, мировой кризис, казалось, ударил по
берлинскому производству одежды сильнее и тяжелее, чем по
любой другой отрасли. У него была девушка, с которой он
время от времени спал, — весьма достойное существо бесконечно доброго и ровного нрава, вышедшее прямиком из
тридцатых годов, и даже с легкой примесью еврейской крови.
После нескольких дней бесплодных размышлений Гади позвонил ей и сказал, что ненадолго приехал в город. Всего на
два-три дня, сказал он, а может, даже на один. Он выслушал
ее радостные восклицания по поводу того, что он вернулся, и
легкие укоры по поводу того, что так неожиданно исчез, но
при этом слышал он и смутные голоса, раздававшиеся в его
подсознании.

   — Так приезжай же, — сказала она, когда, по ее мнению,
достаточно его отчитала.

Но он не поехал. Да, конечно, ему будет хорошо с ней, но он себе этого не простит.

Боясь себя, он поспешил в известный ему модный греческий ночной клуб, где заправляла женщина мудрая, широких взглядов; сумев наконец напиться, он сидел и наблюдал за тем, с какой охотой посетители — в лучших традициях немцев и греков — бьют посуду. На другой день — безо всякого предварительного плана — он сел писать роман об еврейском семействе из Берлина, бежавшем в Израиль и снова снявшемся оттуда, не в силах примириться с тем, что творилось там во имя Сиона. Но, просмотрев написанное, он сначала все порвал и выбросил в корзину, а потом — из соображений безопасности — сжег. Новый сотрудник посольства прилетел к нему из Бонна, представился и сказал, что если ему, Беккеру, надо будет связаться с Иерусалимом или еще что-нибудь, пусть даст знать. Видимо, не сумев сдержаться, Беккер затеял с ним провокационную дискуссию о государстве Израиль. Закончил он свою речь весьма оскорбительным вопросом, который, по его утверждениям, заимствовал из сочинений Артура Кёстлера.

— Чем же мы намерены стать? — спросил он. — Родиной для евреев или маленьким уродливым государством типа Спарты?

У нового чиновника был жесткий взгляд и отсутствовало воображение, вопрос вызвал у него лишь досаду, он не понял его смысла. Дипломат оставил Беккеру немного денег и свою карточку: второй секретарь — по торговле. Но главное, он оставил позади себя тень сомнения, которую явно решил разогнать Курц своим телефонным звонком на другое утро.

— Что ты такое несешь? — грубо спросил он по-английски, как только Беккер снял трубку. — Ты что, хочешь замарать гнездо, а потом вернуться на родину и чтобы никто не разговаривал с тобой?

— Как она? — спросил Беккер.

Курц ответил, пожалуй, с преднамеренной жесткостью, так как в момент разговора чувствовал себя препогано:

— Франки в полном порядке. В голове у нее порядок, во внешности — тоже, и по какой-то непонятной для меня причине она по-прежнему любит тебя. Элли разговаривала с ней на днях, и у нее создалось вполне определенное впечатление, что Франки не считает для себя развод обязательным.

— Разводы никогда не обязательны.

Но у Курца, как всегда, был на все ответ:

— Разводы не бывают заранее запланированными. Точка.

— Так как же все-таки она? — настойчиво повторил Беккер.

Курцу пришлось крепко взять себя в руки, чтобы ответить спокойно.

— Если мы говорим о нашей общей знакомой, то она вполне здорова, поправляется и никогда больше не хочет тебя видеть. Желаю оставаться вечно молодым! — рявкнул, не сдержавшись, Курц и повесил трубку.

В тот же вечер позвонила Франки: должно быть, Курц по зловредности дал ей номер. Телефон был излюбленным инструментом Франки. Другие играют на скрипке, на арфе, на шофаре — у Франки был телефон.

Беккер довольно долго слушал ее. Слушал ее рыдания — только она умела так рыдать, — слушал ее ласковые слова и обещания.

— Я буду такой, какой ты хочешь, — говорила она. — Только скажи — и я буду такой.

Но Беккеру меньше всего хотелось придумывать ей новый образ.

А вскоре после этого Курц и психиатр решили, что настало время снова бросить Чарли в воду.

Турне проходило под названием «Букет комедий», и в здании театра, как и во многих других на памяти Чарли, помещался женский институт и одновременно театральное училище, а во время выборов оно, несомненно, служило еще и избирательным участком. Пьеса была премерзкая, и помещение было премерзкое, — словом, Чарли дошла до низшей точки своего падения. Крыша у театра была жестяная, а пол из деревянных досок, и, когда она топала по нему ногой, пыль пулеметной очередью взмывала вверх. Для начала Чарли взялась лишь за трагические роли, ибо после первого же нервного взгляда на нее Нед Квили решил, что ей следует заняться трагедией, — и уже по своим соображениям решила так и она сама. Но довольно скоро она обнаружила, что серьезные роли, как-то затрагивающие за живое, ей не по плечу. Она принималась плакать и даже рыдать в самых неподходящих местах и не раз уходила со сцены, чтобы взять себя в руки.

Но чаще ее раздражало то, что ее героини и их страдания не имеют никакого отношения к реальности: она уже не в состоянии была выносить, хуже того — понимать поводы для страданий в буржуазном обществе Запада. Таким образом, комедия стала для Чарли более приемлемой маской, и сквозь ее прорези она наблюдала за течением недель, пока Шеридан сменял Пристли, а за ними следовал последний из современных гениев, чье сочинение именовалось в программке «суфле, сдобренное острым сарказмом». Они играли это в Йорке, но, слава богу, миновали Ноттингем; они играли это в Лидсе, и в Брэдфорде, и в Хаддерсфилде, и в Дерби, и Чарли никак не удавалось ни взбить пышное суфле, ни сдобрить его острым сарказмом, но виновата в этом была, по всей вероятности, она сама, ибо она произносила свой текст, словно получивший травму головы боксер, который вынужден либо бороться в замедленном темпе, либо уйти с ринга вообще.

Когда не было репетиций, Чарли целыми днями сидела у себя, точно пациентка в приемной врача, курила и читала журналы. Но сегодня, когда в очередной раз поднялся занавес, вместо обычной взволнованности ею владела какая-то странная заторможенность, и ей все время хотелось спать. Она слышала свой голос, звучавший то громче, то тише, чувствовала, как протягивается ее рука, как переступают ноги. И в то же время фотографии из запретного альбома мелькали перед ее внутренним взором: тюрьма в Сидоне и матери, длинной чередой выстроившиеся вдоль стены; Фатьма; классная комната в лагере поздно вечером и накатка картинок на майки к предстоящему маршу; противовоздушное убежище и стоические лица людей, глядевших на нее и не знавших, винить ли ее в том, что происходит. И рука Халиля в перчатке, чертившая странные узоры по собственной крови.

Гримерная у артистов была общая, и когда настал антракт, Чарли не пошла туда. Она вышла за дверь, на свежий воздух, стояла, курила и дрожала, вглядываясь в затянутую туманом типично английскую улочку и раздумывая, не пойти ли по ней и не идти ли, пока не упадет или пока ее не собьет машиной. Она слышала, как кто-то зовет ее, и слышала хлопанье дверей и топот ног, но это была их проблема, ее не касавшаяся, — пусть они ее и решают. Лишь в последнюю минуту — самую последнюю — чувство долга заставило ее открыть дверь и вернуться в театр.

— Чарли, ради всего святого! Чарли, какого черта!

Занавес взвился, и она снова оказалась на сцене. Одна. Длинный монолог, который произносит Гильда, сидя за столом мужа и составляя письмо любовнику — Мишелю, Иосифу. У ее локтя горит свеча, и через минуту она откроет ящик стола, чтобы достать новый лист бумаги, и обнаружит — «Ох, нет!» — неотправленное письмо мужа к любовнице. Она начала писать, и вот она уже снова была в мотеле в Ноттингеме; она уставилась на пламя свечи и увидела лицо Иосифа, смотревшее на нее через столик в таверне, недалеко от Дельф. Она моргнула — и вот уже Халиль ужинает с ней за деревянным столом в доме в Шварцвальде. Она читала свой монолог и, самое удивительное, — это говорил не Иосиф, и не Тайех, и не Халиль, а Гильда. Она открыла ящик, сунула руку, замерла и, изобразив изумление, вытащила лист исписанной бумаги, который и повернула к зрителям. Она поднялась и, с выражением возрастающего недоверия выйдя на авансцену, принялась читать вслух письмо — такое остроумное, со столькими ссылками на разные обстоятельства. Через минуту ее муж Джон выйдет в халате из левой кулисы, подойдет к письменному столу и, в свою очередь, прочтет ее незаконченное письмо к ее любовнику. А еще через минуту произойдет остроумная перекличка между их письмами, и публика будет хохотать до упаду, а затем придет в полный восторг, когда два обманутых любовника, возмущенные взаимной неверностью, упадут в объятия друг друга. Она услышала, как вошел ее муж — это было для нее сигналом повысить голос: Гильда читает дальше, и возмущение ее сменяется любопытством. Она держит письмо обеими руками, поворачивается, делает два шага влево, чтобы не загораживать Джона.

И когда она их сделала, то увидела его — не Джона, а Иосифа, увидела вполне отчетливо, он сидел там, где в свое время в партере, в середине, сидел Мишель, и с таким же серьезным, сосредоточенным лицом смотрел на нее.

Сначала она в общем-то не удивилась: грань между ее внутренним миром и миром внешним была и в лучшие-то времена достаточно хлипкой, а сейчас и вовсе перестала существовать.

Так, значит, он пришел, подумала она. Пора бы уж. Принес орхидеи, Осси? Никаких орхидей? И никакого красного пиджака? Ни золотого амулета? Ни туфель от Гуччи? Может, мне все же следовало пройти к себе в гримерную. Прочесть твою записку. Я бы тогда знала, что ты придешь, да? Испекла бы пирог.

Она умолкла, так как не было смысла продолжать дальше, хотя суфлер беззастенчиво громко подсказывал ей текст, а режиссер, стоявший позади него, размахивал руками, точно отбивался от пчел; они оба каким-то образом оказались в поле ее зрения, хотя смотрела она только на Иосифа. А может быть, они существовали лишь в ее воображении, так как уж слишком реальным был Иосиф. Позади нее Джон весьма неубедительно замямлил что-то, пытаясь ее прикрыть. «Надо бы, чтобы на твоем месте был Иосиф, — хотелось ей сказать ему с гордостью, — у этого Осси язык без костей, что хочет намелет».

Между нею и Иосифом стояла стена света — не столько стена, сколько какое-то оптическое препятствие. Вместе со слезами оно мешало ей видеть его, и у нее возникло подозрение, что все это лишь мираж. Из-за кулис ей кричали, чтобы она уходила со сцены; на авансцену прошествовал Джон и нежно, но решительно взял ее за локоть — предвестие, что ее отправят на свалку. Вот сейчас они, наверное, опустят занавес и дадут этой маленькой сучке — как же ее зовут, ну, той, ее дублерше — шанс наконец сыграть. Но Чарли думала лишь о том, как добраться до Иосифа, дотронуться до него, убедиться... Занавес едва опустили, а она уже сбегала по ступенькам к нему. В зале зажгли свет, и — да, это был Иосиф. Но когда она отчетливо увидела его, ей стало неинтересно: перед ней был всего лишь один из зрителей! Она пошла по проходу дальше, почувствовала чью-то руку на своем локте и подумала: «Опять этот Джон, пошел прочь». В фойе было пусто, если не считать двух престарелых герцогинь, которые были, по всей вероятности, администраторами.

— На вашем месте я бы сходила к врачу, милочка, — сказала одна из них.

— Или проспалась бы как следует, — сказала другая.

— Ах, да оставьте, — весело произнесла Чарли, присовокупив выражение, которое до сих пор никогда не употребляла.

Дождь — в отличие от Ноттингема — не шел, и красный «Мерседес» не ждал ее, поэтому она пошла на автобусную остановку и встала там, почти ожидая увидеть в автобусе американского парня, который скажет ей, чтобы она высматривала красный пикап.

По пустынной улице к ней шел Иосиф, очень высокий, и она подумала, что вот сейчас он побежит, чтобы всадить в нее пули... но он не побежал. Он остановился перед ней, прерывисто дыша, и было ясно, что кто-то прислал его к ней — скорее всего, Марти, а может быть, Тайех. Он уже открыл было рот, чтобы сообщить ей о поручении, но она опередила его:

— Я мертвая, Осси. Ты убил меня, разве не помнишь?

Ей хотелось добавить еще что-то про театр жизни, про то, что в этом театре трупы не встают и не уходят со сцены. Но каким-то образом она потеряла нить.

Мимо проезжало такси, и Иосиф попытался его остановить. Оно не остановилось, но чего ж вы хотите? Такси в наши дни — у них свои законы. Чарли привалилась к нему и упала бы, если бы он так крепко ее не держал. Слезы застилали ей глаза, и его слова долетали до нее, словно сквозь толщу воды.

— Я мертвая, — повторяла она, — я мертвая, я мертвая.

Но, видно, она была ему нужна: живая или мертвая — все равно. И они, вцепившись друг в друга, двинулись по тротуару в этом совсем чужом для них городе.

# СОДЕРЖАНИЕ

Литературно-художественное издание

**Джон Ле Карре**
**МАЛЕНЬКАЯ БАРАБАНЩИЦА**

Ответственный редактор *Д. Малкин*
Редактор *М. Писарева*
Художественный редактор *С. Курбатов*
Технический редактор *О. Куликова*
Компьютерная верстка *Г. Павлова*
Корректор *Л. Гусева*

ООО «Издательство «Эксмо».
107078, Москва, Орликов пер., д. 6.
**Интернет/Home page — www.eksmo.ru**
Электронная почта (E-mail) — info@ eksmo.ru

*По вопросам размещения рекламы в книгах издательства «Эксмо»*
*обращаться в рекламное агентство «Эксмо». Тел. 234-38-00*

*Книга — почтой:* Книжный клуб «Эксмо»
101000, Москва, а/я 333. E-mail: bookclub@ eksmo.ru

*Оптовая торговля:*
109472, Москва, ул. Академика Скрябина, д. 21, этаж 2
Тел./факс: (095) 378-84-74, 378-82-61, 745-89-16
Многоканальный тел. 411-50-74. E-mail: reception@eksmo-sale.ru

*Мелкооптовая торговля:*
117192, Москва, Мичуринский пр-т, д. 12/1. Тел./факс: (095) 932-74-71

ООО «Медиа группа «ЛОГОС».
103051, Москва, Цветной бульвар, 30, стр. 2
Единая справочная служба: (095) 974-21-31. E-mail: mgl@logosgroup.ru

ООО «КИФ «ДАКС». 140005 М. О. г. Люберцы, ул. Красноармейская, д. 3а.
т. 503-81-63, 796-06-24. E-mail: kif_daks@mtu-net.ru

*Книжные магазины издательства «Эксмо»*:
Москва, ул. Маршала Бирюзова, 17 (рядом с м. «Октябрьское Поле»). Тел. 194-97-86.
Москва, Пролетарский пр-т, 20 (м. «Кантемировская»). Тел. 325-47-29.
Москва, Комсомольский пр-т, 28 (в здании МДМ, м. «Фрунзенская»). Тел. 782-88-26.
Москва, ул. Сходненская, д. 52 (м. «Сходненская»). Тел. 492-97-85
Москва, ул. Митинская, д. 48 (м. «Тушинская»). Тел. 751-70-54.

**Северо-Западная Компания представляет**
**весь ассортимент книг издательства «Эксмо».**
Санкт-Петербург, пр-т Обуховской Обороны, д. 84Е
Тел. отдела рекламы (812) 265-44-80/81/82/83.

Сеть магазинов «Книжный Клуб СНАРК» представляет
самый широкий ассортимент книг издательства «Эксмо».
Информация о магазинах и книгах в Санкт-Петербурге по тел. 050.

Вы получите настоящее удовольствие, покупая книги в магазинах ООО «Топ-книга»
Тел./факс в Новосибирске: (3832) 36-10-26. E-mail: office@top-kniga.ru

*Всегда в ассортименте новинки издательства «Эксмо»:*
ТД «Библио-Глобус», ТД «Москва», ТД «Молодая гвардия»,
«Московский дом книги», «Дом книги в Медведково», «Дом книги на ВДНХ».
Книги издательства «Эксмо» в Европе: www.atlant-shop.com

Подписано в печать с готовых диапозитивов 08.08.2002.
Формат 84×108 $^1/_{32}$. Гарнитура «Таймс».
Печать офсетная. Бум. писч. Усл. печ. л. 28,56. Уч.-изд. л. 28,0
Тираж 6100 экз. Заказ 7014

Отпечатано в полном соответствии
с качеством предоставленных диапозитивов
в ОАО «Можайский полиграфический комбинат».
143200, г. Можайск, ул. Мира, 93.

№1 (125)

выход - каждую среду

**МК в ПИТЕРЕ**

РОССИЙСКИЙ РЕГИОНАЛЬНЫЙ ЕЖЕНЕДЕЛЬНИК

ТИРАЖ 1.450.000 ЭКЗ.

**ПРОГРАММА TV ГОРОСКОП, КРОСС**ВОРД **И СКАН**ВОРД

с. 2

**ХЛЕБ НАШ НАСУЩНЫЙ**

с. 21

**ЗЕНИТ В ЗОНЕ УЕФА**

с. 19

**СТИНГ В ПЕТЕРБУРГЕ**

ЗАТО Я ВАС СЕЙЧАС ОБОГАЩУ ДУХОВНО...

с. 12

**300 УЛИЦ РАЗБИТЫХ ФОНАРЕЙ**

с. 30

**SEX ШОП**

# НАШ ПОДПИСНОЙ ИНДЕКС 41092

**Петербург ЭКСПРЕСС**

Отделения Сбербанка, Балтийского банка, Промстройбанка, служба "Петроэлектросбыт" и у агентов службы "Петербург -Экспресс". Вызов агента службы доставки по телефону 325-09-25.

УФПС Ленобласти и Санкт-Петербурга: почтовые отделения Санкт-Петербурга и Ленинградской области.

ПРЕССИНФОРМ: п/о Санкт-Петербурга, служба "Петроэлетросбыта"